KB062970

개정증보판
시와 리얼리즘

개정증보판

시와 리얼리즘

최두석 지음

도서출판 b

다시 책머리에

시를 논하는 자로서 나의 중심 화두는 '리얼리즘의 성취' 혹은 '현실성의 구현'의 문제였다. 다시 말해 얼마나 실감나게 현실인식이 구체화되어 시적 성취에 이르는가가 내 시론의 중심 과제였다. 하지만 어찌 이것이 시를 논하는 자의 문제이기만 했겠는가. 시를 쓰는 자로서의 나를 뒤돌아볼 때도 이것은 주요한 과제였다.

시인마다 편차가 많겠으나 아무래도 나는 한국 현대시사를 강하게 의식하면서 시를 써온 경우에 해당된다. 얼마나 강하게 의식하며 시를 썼느냐와 상관없이 한국어로 의미 있는 성취를 보였을 때 누구나 휩쓸려 들어갈 수밖에 없는 한국 현대시문학사의 융융한 흐름을 나는 강하게 느끼며 시를 써왔다. 이제 와서 되돌아보자면 좀더 자유로울 필요도 있었겠다 생각하지만 이미 지나간 시절이 되었다.

시인들은 누구나 자기 나름의 가치를 추구하며 시를 써왔고 쓰고 있다. 그런데 그 가치 추구가 문학사의 흐름에 합류할 때 서정성, 현대성, 현실성의 문제로 수렴될 수 있다고 생각된다. 쉽게 말해서 얼마나 징서적으로 울림이 있나, 얼마나 발상과 형태가 새로운가, 얼마나 현실인식이 유연하며 실감나

나의 과제들을 시인들은 외면할 수 없는 것이다. 아니 오히려 이러한 문제들에 대한 나름의 대응과 천착이 시인으로서의 개성의 징표가 될 수도 있을 것이다.

이 책『시와 리얼리즘』은 한국 현대시문학사의 지평에서 현실성의 구현 문제를 천착한 글들로 채워져 있다. 1부와 2부로 짜인 것은 1996년에 나온 창비판과 마찬가지인데 이번 개정증보판의 2부에 새로 다섯 편의 글을 추가하였다.

「『님의 침묵』과 한국 현대시사」는 한국 현대시사라는 거시적 시야에서 그 초입에 놓인 시집, 『님의 침묵』의 의미를 살펴본 글이다. 개성적인 시적 자아와 어조의 창조가 이후의 한국 현대시사의 전개에 어떤 의미를 던지는가와 만해의 선적 깨달음이 민족의 현실을 직시하고 희망을 찾으려는 열정과 접맥되어 어떤 성취를 보이는가의 문제를 중심으로 점검하였다. 세계에 대한 간절한 마음이 시적 성취에 본원적으로 요구된다면 위의 두 가지는 시와 리얼리즘을 연계시키는 논의의 바탕이 되는 문제이기도 하다.

김수영은 1950~60년대에 시창작과 시론 양면에서 왕성하게 활동하였는데 창작활동에 대해서는 「김수영의 시세계」에서, 비평활동에 대해서는 「현대성론과 참여시론」에서 각각 살펴보았다. 김수영의 시와 시론에서 가장 중요한 과제는 어떻게 진정으로 현대성을 실현할 수 있는가의 문제이다. 그의 시 속에 두루 편재하는 대결의식과 반순응주의적 시정신은 현대성을 추구하는 방법적 성격을 지니는데 그것이 어떻게 현실성 추구와 접맥되는가가 「김수영의 시세계」에서 역점을 두고 추적한 문제이다. 여기에서 현대성과 현실성의 변증법적 상관관계에 대한 문제의식은 「현대성론과 참여시론」을 통해 걸러낸 김수영 시론의 과제이기도 하다.

한국 현대시인들에게 민족주의는 자연스럽게 젖어들기 쉬운 정신적 경향이지만 신동엽은 특별히 자각적인 경우로 보인다. 「신동엽의 시세계와 민족주의」는 민족주의가 신동엽의 시정신의 기저에 놓일 뿐만 아니라 시쓰기가 민족주의를 정련하는 과정과 맞물려 있다는 점을 조명한 글이다. 아울러 그의 민족주의가 민중생활과 결부되어 저항담론의 성격을 띨 때 리얼리즘의 성취로 이어지고 이상화로 치달을 때 실감이 약화된다는 것이 이 글의 주요한 논지이다.

한편 「길의 시학」은 신경림과 황동규의 시적 행로를 대비시켜 살펴본 평론 성격의 글이다. 청년부터 장년을 거쳐 노년에 이르기까지 수준급의 시를 통해 변모를 이룩한 두 시인의 시세계를 길의 의미를 중심으로 개관하면서 민중사실에 대한 탐구와 상상력의 속성 문제를 아울러 검토해보았다. 1970년대 이후의 시사를 염두에 둔 글이기는 하지만 이에 대해 본격적으로 탐사하기 위해서는 훨씬 집중적인 글이 여러 편 요구될 터이다.

이상으로 2부에 새로 추가한 글 다섯 편을 소개하였는데 이렇게 2부를 보완함으로써 1부와 2부의 균형을 맞추려 하였다. 상대적으로 1부가 리얼리즘시에 대한 공시적 탐색이라면 2부는 현실성 추구의 문제에 대한 통시적 탐색이다. 다시 말해 1부는 1930~40년대에 활동한 임화, 오장환, 백석, 이용악의 시에 대해 집중적으로 탐색하였다면 2부에서는 한용운, 임화, 이찬, 안용만, 서정주, 김수영, 신동엽, 신경림, 황동규의 시를 시대를 오르내리면서 살펴보았다. 시와 리얼리즘을 연결시키는 논의의 지평을 한국 현대시사와 연계시켜 넓혀보려는 시도이지만 얼마나 성과가 있는지에 대해서는 질책과 비판의 목소리가 들려오는 듯하다.

하지만 질책과 비판의 목소리라도 제대로 들을 근거는 마련해두는 것이 도리일 것 같아 개정증보판을 준비하게 되었다. 아무튼 시와 리얼리즘을 연계시키는 나의 시론은 기왕에 간행한 『리얼리즘의 시정신』과 이 책, 『시와 리얼리즘』을 통해 정리할 수 있게 되었다. 여러모로 부담스러울 이 책의 출간을 맡아준 조기조 시인에게 새삼 고맙다는 인사를 전하고 싶다.

2018년 2월
최두석

책머리에

　언제부터였던가. '시와 리얼리즘'의 문제가 필자의 문학 공부에서 화두로 떠오르게 된 것은. 아마 어리숙한 대학시절부터였으리라. 1970년대 후반 유신독재 시절에 빈농의 아들로 어렵사리 학교를 다니면서, 이 땅에 태어나 내가 감당할 일이란 뭘까 생각하면서, 시 습작을 하면서, 시가 어떻게 실천과 온전히 한 몸이 될 수 있을까 궁리하면서부터였으리라. 당시 대학강단을 지배하던 시 이론은 미국식 신비평이었는데 그때 나는 막연히 '시와 리얼리즘'이라는 화두를 떠올리며 반란을 꿈꾸었다.

　그러한 막연한 꿈이 마음속에서 부침하다가 어설픈 평론의 형태로 정착된 해는 1984년이다. 발표 지면은 오월시 동인지였고 원래는 동인의 나아갈 길을 모색하는 차원에서 집필한 글이었다. 공식적인 절차를 거쳐 비평가로 등단한 적이 없는 필자가 엉겁결에 발표한 첫 평론이었는데 그 글의 제목이 거창하게 「시와 리얼리즘」이었다. 짤막한 평론으로 소화하기에는 지나치게 무거운 제목을 붙인 죗값으로 그때부터 필자의 공부는 그 과제를 제대로 감당해보지는 데 역점을 두게 되었다.

　방금 언급한 대로 '시와 리얼리즘'의 문제는 필자의 문학 공부에서 가장 중요하고도 오래된 화두이다. 그리고 그 화두에 대한 천착의 결과를 「이야기시론」이나 「리얼리즘의 시정신」 등의 평론과 이용악, 오장환, 임화, 김상훈 등을 논한 시인론으로 발표하다가 1990년대 초반에는 격렬한 논쟁의 소용돌이에 휘말리게 되었다. 당시의 리얼리즘시 논쟁은 우리의 시비평사에서 유례가 드물게 무성하면서도 뜻깊은 경우로 남을 듯하고 필자 나름의 논리를 가다듬는 데도 많은 자극을 주었다.

논쟁 당시에 집중적인 비판의 표적이 된 것은 필자의 시론이었으니 그에 대한 응답으로 두 번에 걸쳐 제출한 글이 「리얼리즘시론」과 「리얼리즘시 재론」이다. 그런데 논쟁의 와중에 쓰게 된 두 글은 아무래도 부각된 쟁점에 초점을 맞출 수밖에 없었다. 그리하여 필자의 종래의 글들을 하나의 체계로 수렴하고 논쟁 과정에서 가다듬은 생각을 포괄하는 차원에서 더욱 본격적인 논문을 쓰게 되었는데 그것이 이 책의 제1부에 해당되는 「한국 현대 리얼리즘시 연구」이다. 즉 이 논문은 리얼리즘시 논쟁에 대한 필자 나름의 결산인 셈이다.

「한국 현대 리얼리즘시 연구」를 쓰는 데 든든한 힘이 되었던 것은 무엇보다도 우리 현대시의 융융한 흐름이었다. 그리하여 외래 이론을 무리하게 접목시켜 논리를 구성할 필요가 없었다. 우리의 현대시사에서 현실인식을 탁월하게 형상화한 시인과 시를 찾아, 그 시인과 시를 근거로 이론을 구성해내려 하였다. 물론 기왕의 업적으로 나와 있는 국내외 이론가들의 리얼리즘론도 이 글을 쓰는 데 자양이 되었지만 그것도 어디까지나 우리의 시와 시사를 제대로 해명하기에 도움이 되는 한에서 수용하였다.

위에서 말한 대로 「한국 현대 리얼리즘시 연구」의 중요한 과제는 리얼리즘 시론의 형성 및 체계화이다. 그리고 이 논문의 기본적 방법은 '형성과정에 있는 시론'과 '수준에 오른 작품' 사이의 변증법적 긴장을 연구자의 사유 속에서 깊이 있게 소화하는 것으로 설정하였다. 필자가 생각하는 바람직한 리얼리즘시란 정확하고도 유연한 현실인식이 고도의 예술적 형상 속에 구현된 시이다. 따라서 시론 또한 시적 성취에 기여하는 리얼리즘의 성취가 어떤 것인지 해명하는 데 적실한 이론이 될 수 있도록 숙고하였다.

형식상 학위논문으로 제출한 「한국 현대 리얼리즘시 연구」는 문학사적 과제를 중요하게 안고 있었고 그 구체적 내용은 '리얼리즘시의 사적 흐름이 한국 현대시문학사의 주요한 줄기의 하나를 이룬다'는 가설을 검증해내는 것이었다. 그러한 가설을 임화, 오장환, 백석, 이용악의 시를 통해 검증하면서 리얼리즘시의 문학사적 줄기를 잡아나가려 하였다. 그리하여 시대정신의 구현과 예술적 성취가 리얼리즘의 성취와 밀접하게 관련되는 만큼 리얼리즘시가 한국 현대시사의 중요한 줄기라는 결론을 도출하였다.

한편 이 책의 제2부 '리얼리즘시의 지평'에는 3편의 논문을 수록하였다. 「리얼리즘시 재론」, 「1930년대 후반의 낭만적 시경향」, 「서정주론」이 그것인데 씌어진 시기로 보면 제1부 '한국 현대 리얼리즘시 연구'보다 선행하는 글들이다. 다루는 대상이 완연히 다르기에 각기 그 나름으로 독자적 성격을 갖지만 책의 전체적 주제나 짜임으로 보면 제1부의 내용을 보완하면서 리얼리즘시 논의의 외연을 넓히거나 현재적 의미를 살리는 역할을 맡고 있다.

「1930년대 후반의 낭만적 시경향」은 상황의 악화와 함께 리얼리즘시가 낭만화되는 경향을 다룬 글이다. 구체적 대상은 임화, 이찬, 안용만의 시인데 리얼리즘과 낭만주의의 접점에서 발생하는 문제가 취급되고 있다. 또한 「서정주론」은 서정주의 시적 변모가 왜 리얼리즘으로부터 멀어지는 방향으로 진행되게 됐나를 추적한 글이다. 그의 시적 변모의 동인으로서의 순응주의가 리얼리즘의 시정신으로 중요한 현실주의와 어떻게 다른지도 함께 추적하고 있다. 즉 이 두 편의 논문은 리얼리즘시 논의의 외연을 넓힌다는 의미에서 제1부의 내용을 보완하고 있다.

앞에서 언급했듯이 「리얼리즘시 재론」은 리얼리즘시 논쟁 과정에서 발표한 논쟁적인 글이다. 문학사적 과제와 결부되는 학술적 논문 위주의 이 책에서 다소 이질적인 글이라는 생각도 없지 않지만 이 책이 지닌 현재적 의미를 예각화하기 위해 함께 수록하였다. 원래 「리얼리즘시론」과 자매편적 성격을 지니되 그 글은 이미 간행한 평론집 『리얼리즘의 시정신』에 수록했기에 중복을 피하였다. 어차피 이 책은 먼저 나온 『리얼리즘의 시정신』과 자매편적 성격을 지니고 있으므로 관심을 공유하는 독자라면 그 책도 함께 읽었으면 하는 바람을 갖고 있다.

요즘같이 급변하는 세태 속에서 '시와 리얼리즘'의 문제는 낡았다고 간주하는 사람도 있을 것이다. 하지만 진정한 의미의 사실성 추구는 시대의 변화에 민감하게 대처하는 현대성 추구와 동떨어질 수 없다는 것이 필자의 지론이다. 또한 학문적 유행의 물살에 휘둘리지 않아야 언행일치의 차원에서 제대로 리얼리즘을 추구할 수 있다는 생각도 갖고 있다. 실상 '시와 리얼리즘'에 대한 탐구는 뿌리 없는 외래 이론이 범람하는 세태 속에서 필자 나름의 주체를 세우는 일이기도 하였다.

책의 서문을 갈무리하는 자리에서 새삼스레 '전에 쓴 글들은 쳐다보기도 싫다'는, 문인들의 투정 혹은 치기 섞인 말이 떠오른다. 그런데 자신도 되돌아보기 싫은 글은 책으로 내지 않는다는 것이 필자의 입장이다. 기왕에 간행하는 마당이니 훑고 지나가지 않고 음미하며 숙독할 만한 책이 되기를 바라는 마음 간절하다. 필자로서는 이 책을 통해 피력한 견해를 소중히 되새김질하며 앞길을 헤쳐나갈 것이다. 그리고 그 앞길은 시 쓰는 자의 길이면서 동시에 시를 논하는 자의 길이기도 할 것이다.

1996년 10월
최두석

차 례

제1부 한국 현대 리얼리즘시 연구

제1장 서론 · 19

제2장 리얼리즘의 시정신 · 41

제1부

한국 현대 리얼리즘시 연구

제1장
· · · · ·
서 론

1. 연구의 현황과 과제

우리의 근대시 혹은 현대시[1]를 통시적으로 조망해볼 때 대체로 세 가지 주된 줄기가 윤곽을 드러내는데 그에 대해 각각 '전래적 서정시' '모더니즘 시' '리얼리즘시'라고 불러도 좋을 듯하다. 김소월로부터 출발하는 전래적 서정시는 한을 위주로 하는 토착적 정서의 탐구에 그 비중이 놓여있는바 김영랑, 서정주를 거쳐 박재삼으로 이어지는 맥락을 형성하고 있고, 정지용 이나 이상에 의해 틀이 잡힌 모더니즘시는 산업사회로의 변모와 결부되어

---

1.   우리의 시 연구에서 '근대시'와 '현대시'는 서로 혼용되는 용어이다. 형성기의 진통은 접어두고 1920년대에 본격화된 우리의 근대시는 오늘날의 시와 양식적으로 동질적이 라는 점에서 혼용될 필연성조차 있는 듯하다. 물론 시에 따라 혹은 시인별로 다양한 편차가 있는 것이 사실이지만 1920년대의 시와 오늘날 씌어지고 있는 시가 양식적으로 변별성을 지닌다고 말할 수는 없을 것이다. 그런데 문학사적으로 오늘날과는 구분되는 시기라는 점을 부각시키기 위해서는 '근대시'라는 용어가, 오늘날의 시와 양식적으로 동질적이라는 의미를 부각시키기 위해서는 '현대시'라는 용어가 적절한 듯한데 이 글에서는 일단 '현대시'라는 용어를 주로 사용하여 리얼리즘시 논의의 현재적 의의를 살리려 한다.

현대성의 추구에 역점을 두면서 김수영을 거쳐 뻗어내리고 있으며, 임화와 이용악으로부터 본격화되기 시작한 리얼리즘시는 사회의 진보와 관련하여 현실에 대한 핍진한 탐구에 역점을 두면서 신경림이나 김지하 등의 시적 성취로 이어지고 있다.

이러한 거시적 조망을 1930년대로 한정하여 적용한다면[2] 김영랑, 박용철 등의 순수서정시가 전래적 서정의 탐구에 접맥되고, 정지용, 김기림, 이상, 김광균 등의 시가 모더니즘시운동과 결부되며, 임화, 오장환, 백석, 이용악 등의 시에서 리얼리즘의 시적 성취를 찾아볼 수 있겠다. 여기에서 유의할 사항은 이 세 가지 문학사적 조류가 서로 역동적인 상관관계를 형성하고 있다는 것이다. 따라서 이 흐름은 서로 배타적으로 존재한다기보다 개별 시인의 시세계에서 얼마든지 합류할 수 있고 이와 같은 현상이 오히려 문학사가 열어 보이는 창조적 지평일 수 있을 것이다. 정지용이 시문학파의 일원이었다는 것이나 오장환이나 백석의 시에서 모더니즘의 영향을 짙게 감지할 수 있는 것은 이 때문이다.

이상의 개괄에도 약간 드러나듯이 1930년대는 식민지 파쇼체제라는 시대적 제약에도 불구하고 주요한 시인들이 괄목할 만한 성과를 보여주는 시기이다. 달리 말해 시대적 질곡에 대한 다양하고 창조적인 대응이라는 면에서 현대시사에서 긍지를 갖고 주목할 만한 시기인 것이다. 하지만 이 시기의 시문학에 대한 시각은 분단상황으로 인해 크게 제약을 받아왔으니, 앞에서 거론한 시인 가운데 정지용, 김기림, 임화, 오장환, 백석, 이용악 등을 '해금시인'이라고 불렀던 그동안의 사정이 이 점을 말해준다. 즉 전래적 서정시 계열을 제외한 시들에 대한 문학사적 접근이 크게 제약받고 있었고 특히 리얼리즘 경향의 시들은 거의 제대로 논의되지 못했던 것이 1980년대 말에 이르기까지의 상황이었던 것이다.

---

2. 1930년대 시를 세 갈래로 분류하는 것은 한계전, 「1930년대 시문학의 일반적 경향」, 이선영 편, 『1930년대 민족문학의 인식』(한길사, 1990), 45~46쪽에서도 찾아볼 수 있는데 이 논문에서는 '프로문학파의 시' '모더니즘시' '순수서정시'로 나누고 있다.

북한의 체제를 선택한 문인들에 대한 본격적 해금조치는 1988년 7월에 이루어졌는바 이러한 조치를 계기로 하여 개별 시인들의 전집이 간행되고 연구 또한 획기적으로 활성화되었다. 이들 시인들에 대한 연구는 주로 개별 작가론 차원에서 이루어져왔는데 그러한 차원에서의 천착 또한 미진한 부분이 많지만 한편으로 지금이 본격적인 문예학적 체계에 의한 종합적 연구가 요망되는 시기라고 판단된다. 필자는 이 가운데 임화(林和, 1908~1953), 오장환(吳章煥, 1918~1951), 백석(白石, 1912~1996), 이용악(李庸岳, 1914~1971) 을 선택하여 리얼리즘 시론의 입장에서 체계적 종합을 시도할 요량인데 이들을 선택한 이유는 바로 이들이 분단 고착화 이전까지의 한국 현대시문학사에서 리얼리즘의 성취를 보여주는 가장 대표적인 시인들이라고 생각하기 때문이다.

방금 리얼리즘의 성취라는 말을 썼는데, 이 글에서 '리얼리즘시'는 리얼리즘의 성취와 결부해 사용하는 용어이다. 리얼리즘의 성취는 당대 사회현실의 유의미한 국면이 시적 주체와의 상관관계 속에서 핍진하게 형상화될 때 가능하겠으니 리얼리즘시라는 용어의 범주[3]도 다소 유연하고 개방적으로 설정하는 것이 타당할 듯하다. 따라서 이 글에서 주로 논의할 임화, 오장환, 백석, 이용악의 경우 리얼리즘의 성취에 부응하는 작품이 상대적으로 많다는 것이지 그들의 시가 두루 리얼리즘시라고 말할 수는 없는 것이다.

3. 윤여탁, 「1920~30년대 리얼리즘시의 현실인식과 형상화 방법에 대한 연구」(서울대 박사학위논문, 1990), 4쪽에서는 리얼리즘시의 개념을 "'경향시' 또는 '프로시'라는 용어를 대신하는 것"으로 설정하고 있다. 그런데 필자는 리얼리즘시를 문학사의 특수한 한 국면으로 좁히기보다는 '사회현실에 대한 탐구와 현실인식에 민감한 경향의 시'로 일반화시켜 범주설정을 하는 것이 한국 현대시의 사적 흐름을 조망하는 데 유효하다고 생각한다. 그렇지만 리얼리즘시의 범주설정 문제보다 항상 더 본질적인 것은 시에서 리얼리즘을 성취하는 문제라고 여겨지기에 그 문제와 결부해 '리얼리즘시'라는 용어를 사용하려는 것이다. 즉 사회현실에 대한 탐구와 현실인식에 민감한 경향만으로 의의가 있는 것이 아니고 그러한 경향이 얼마나 생생한 시적 형상으로 구현되는가가 더욱 중요한 문제라고 생각한다. 여기에서 리얼리즘의 성취란 시적 성취에 수렴되느니만큼 리얼리즘시의 '독자적 영역'을 배타적으로 한정하는 것이 능사는 아닐 것이다.

앞에서 언급했다시피 그들의 시에 드리워진 모더니즘의 영향을 간과할 수 없고 또한 역으로 모더니즘의 대표자인 정지용이나 이상에게서 리얼리즘의 시적 발현이 이루어질 가능성도 배제할 수는 없기 때문이다.

이제까지 리얼리즘시에 대한 논의는 학술적이라기보다는 주로 비평적 차원에서 진행되어왔다. 당대의 민족현실에 대한 실천적 관심을 강조한 것이 1970년대 이래의 민족문학론이라면 그러한 민족문학론이 미학적 기초를 다지기 위해 리얼리즘에 대해 검토하면서 시에 관한 리얼리즘 논의가 자연스럽게 대두된 것이다. 덧붙여 말하자면 1970년대 이래 왕성해진 민족민중시의 작품적 성과는 미학적 측면에서 리얼리즘의 시적 발현으로 볼 수 있겠으니 시와 리얼리즘을 연계한 논의는 그에 부응한 비평적 작업이라고 해석할 수 있겠다. 그리고 그러한 논의의 저변에는 소설만을 대상으로 한 민족문학 논의가 일면적인 것처럼 시를 제외한 리얼리즘론 또한 불구라는 인식이 깔려 있다고 생각된다.

하지만 종래의 리얼리즘론이 주로 소설과 결부되었던 만큼 시와 리얼리즘을 연계하는 데는 상당히 조심스러운 모색이 필요했는데, 이 때문에 리얼리즘시의 요건으로 "당대 현실의 사실적 묘사 그 자체보다도 현실에 대한 정당한 인식과 정당한 실천적 관심이라는 애매한 기준"[4]이 마련되기도 했다. 여기에서 '실천적 관심과 결부된 정당한 현실인식'의 중요성은 리얼리즘시 논의자라면 대부분 동의하겠지만, 문제는 그러한 주장이 당위성을 벗어나는 데 있다. 즉 '실천적 관심과 결부된 정당한 현실인식'에 작용하는 시정신의 성격과 그러한 현실인식이 시 속에서 어떻게 구현되는가에 대한 구체적 모색이 요구되는 것이다.

1980년대 민족민중시의 주요한 과제는 어떻게 하면 정당성에 대한 당위적 주장에 머무르지 않고 진정한 감동을 자아낼 수 있는가 하는 문제에 있다고 해도 과언이 아닐 것이다. 그리고 같은 시기의 리얼리즘시에 대한

---

4. 백낙청, 「리얼리즘에 관하여」, 『한국문학의 현단계』, 창작과비평사, 1982, 316쪽.

논의 또한 유사한 과제를 끌어안고 있었고, 오히려 그러한 과제를 떠맡기 위해 시와 리얼리즘을 묶어 논의하게 되었다고 해석할 수도 있다. 바꾸어 말하자면 정당한 현실인식이 시 장르의 속성에 호응하면서 과연 어떻게 구현될 수 있는가에 대한 모색이 요구되었고 필자의 평론 「시와 리얼리즘」 은 그에 대한 소략한 답변이었던 셈이다. 이후 필자는 앞선 논의의 소략함을 벌충하는 선상에서 「이야기시론」과 「리얼리즘의 시정신」[5]을 더 썼는데 전자는 주로 창작방법론에 후자는 주로 세계관으로서의 시정신 탐구에 비중을 둔 글이다.

1990년대에 들어서자 리얼리즘시 논의는 아연 활기를 띠며 전개되었으니 그 계기가 된 것은 좌담 「오늘의 시에 있어서의 리얼리즘과 모더니즘」[6]과 오성호의 평문 「시에 있어서의 리얼리즘 문제에 관한 시론」이라 하겠다.

전자는 '리얼리즘과 모더니즘'의 구도를 통해 1990년 어름인 당대의 시를 어떻게 바라볼 수 있는가에 대해 모색한 것으로, 리얼리즘시 논의가 확산되는 주요한 발단이 되었다. 시와 리얼리즘을 연계하는 논의의 타당성과 생산성 및 시대적 의의에 대해 서로 첨예하게 대립되는 견해가 개진되었는데 시에서 모더니즘을 논하는 이상 리얼리즘 또한 진지하게 논의할 필요가 있다는 최소한의 인식을 기반으로 성립된 좌담이었다고 파악된다.

한편 오성호의 글은 리얼리즘 시론의 미학적 기반을 다지겠다는 의욕의 산물로서 필자의 기왕의 논의에 대한 반론의 성격도 일정부분 지니고 있다. 이 글의 근간이 되는 명제는 "시인의 주관성이 현실을 반영하는 거울인 동시에 표현의 대상으로 된다는 것"[7]이고, 오성호는 이를 시의

---

5. 참고로 필자의 글에 대한 서지사항을 밝히자면 「시와 리얼리즘」, 『오월시』 4집(청사, 1984); 「이야기시론」, 『오늘의 시』(1989, 상반기); 「리얼리즘의 시정신」, 『실천문학』(1990, 봄) 등이다.
6. 『오늘의 시』(1990, 상반기)에 수록된 이 좌담의 참석자는 필자를 포함하여 김형수, 서준섭, 성민엽, 황지우 등이다.
7. 오성호, 「시에 있어서의 리얼리즘문제에 관한 시론」, 『실천문학』, 1991, 봄, 176쪽. 이 말은 Peter Egri, "The Lukácsian Concept of Poetry", John Odmark ed., *Language*,

본질적인 특성이라고 보는데 이러한 견해는 필자의 생각과는 상당히 차이가 난다. '서정시의 본질을 일원적으로 상정하고 그로부터 연역해나오는 발상'부터가 '시는 열린 장르로서 정서로만 환원할 수는 없으며 시 나름의 현실 탐구의 가능성 또한 열려 있다'고 보는 필자의 입장과 다르며 '객관적 현실을 창작과정 이전의 시인의 주관성에 종속시키는 관점' 또한 '리얼리즘시의 창작은 주관과 객관의 긴밀한 상관관계 속에서 이루어진다'고 보는 필자의 입장과 대비되는 것이다.

이러한 입장의 차이를 공개적으로 확인한 자리가 『실천문학』의 기획으로 1991년 9월에 있었던 '리얼리즘 심포지엄'의 2부 '리얼리즘 시론'에 관한 토론[8]이다. 필자의 발제문 자체가 다분히 오성호의 평문에 대한 응답의 성격을 지니거니와 당사자인 오성호 자신이 토론자로 참여하였기 때문이다. 본 심포지엄을 전후로 하여 한동안 리얼리즘시 논쟁은 주로 오성호와 필자의 견해를 두 과녁으로 혹은 타원의 중심으로 삼고 그에 대해 비판적 거리를 취하는 방식으로 전개되었는데 김형수, 염무웅, 황정산, 윤영천 등의 글[9]이 그 대표적인 예이다. 이러한 글들의 공통점 중 하나는 상대의 견해에 대한 비판을 통해 자신의 논지를 피력하는 방식인데 이와 같은 방식을 통해 논쟁이 지니는 활력과 생산성을 확보하려 했던 것이다.

이러한 비판적인 논의들을 통해 '서사지향성' '시적 주체' '시적 전형' 등의 문제가 여러 작품들에 대한 해석과 결부되어 다각도로 검토된 것은

Literature & Meaning 1: Problems of Literary Theory (Amsterdam: John Benjanmins B. V. 1979), 219쪽에 나오는 "서정시에서 자아는 거울일 뿐만 아니라 표현의 직접적인 인자이다"를 바꾸어놓은 것이다. 창조적 변형이라고 볼 수도 있겠지만 루카치의 진의와는 다소 거리가 있다고 생각된다.

8. 토론의 상세한 내용은 『실천문학』(1991, 겨울)을 참조할 수 있다.
9. 김형수, 「서정시의 운명을 밝히는 사실주의」, 『한길문학』, 1991, 여름.
   염무웅, 「'시와 리얼리즘'에 대하여」, 『창작과비평』, 1992, 봄.
   황정산, 「'시와 현실주의' 논의의 진전을 위하여」, 『창작과비평』, 1992, 여름.
   윤영천, 「한국 리얼리즘 시론의 역사적 전개와 지향」, 『민족문학사연구』 2호, 창작과비평사, 1992.

일단 긍정적인 현상으로 보인다. 그러나 이러한 글들의 공통적인 취약점은 비판에 급급한 나머지 상대의 논지에 대한 충분한 이해가 따르지 못하고, 비판의 강도에 비해 자신의 견해 혹은 대안의 제시가 미미하거나 피상적이라는 데 있다. 위의 논자들의 집중적인 표적은 아무래도 필자의 서사지향성 논의일 것이다. 서사지향성 논의가 리얼리즘 시론을 구성하는 한 부분이요 시 나름의 현실 탐구의 가능성을 모색하기 위한 하나의 방법적 탐구임에도 불구하고, 진의를 현저히 왜곡하여 "시의 리얼리즘적 성취의 관건은 '이야기적 요소의 과다'"[10]라는 식으로 속류화하는 데 문제가 있다고 판단된다.

한편 서사지향성 논의나 이야기시론에 대한 이해와 공감 속에서 논의를 펼친 논자로는 윤여탁과 이은봉[11]을 들 수 있다. 그들의 경우 서사지향성 논의를 리얼리즘의 성취를 위해 전일적으로 관철하려고 하지 않고 하나의 주요한 방법적 모색으로 본다는 점에서 필자와 견해를 같이한다. 따라서 서사성 논의를 창작방법론의 한 부분으로 두고 세계관 혹은 시정신과 창작방법을 포괄하는 차원의 좀더 큰 체계가 필요하다는 인식의 면에서도 필자와 견해를 같이한다. 여기에서 내부적으로 치밀하게 유기성을 확보하고 리얼리즘시에 두루 적용될 수 있는 체계적 이론의 구성은 미지의 과제로 놓이는데 이들의 경우 이론 구성 자체에 조급한 나머지 여러 견해를 적당히 절충하는 약점을 노출하고 있다.

아무튼 이러한 논쟁의 와중에서 혹은 논쟁과 거리를 두고 리얼리즘시와 결부된 다양한 견해들이 표출되었으니 백낙청의 경우 "투철한 참여정신과 엄정한 객관정신이 조화롭게 결합된 지공무사(至公無私)의 경지"[12]를 요구하기도 하고 김종철의 경우 리얼리즘의 총체성과 관련하여 "인간과 자연

10. 윤영천, 141쪽.
11. 윤여탁, 「시에서 리얼리즘은 어떻게 실현되는가」, 『한길문학』, 1991, 가을; 「'시와 리얼리즘' 논의의 문제점과 앞으로의 과제」, 『실천문학』, 1993, 봄.
  이은봉, 「리얼리즘시의 세계관과 창작방법에 대하여」, 『실천문학』, 1992, 가을.
12. 백낙청, 「시와 리얼리즘에 관한 단상」, 『실천문학』, 1991, 겨울, 115쪽.

간의 관계에 대한 새로운 인식"[13]을 요망하기도 하였다. 또한 정남영은 리얼리즘의 요체를 하이데거의 '진리의 발생'에 연결해 "역사적 현실을 밝히는 세계의 불러일으킴"[14]에 두면서 시 양식에 대한 근원적 성찰에 다가가려 시도하고 있고, 정재찬은 리얼리즘시 논쟁의 의미를 문학사적 맥락에서 특히 김수영의 시론과 결부시켜 천착[15]하기도 하였다. 이러한 견해들은 경청할 만한 것들이지만 '시와 리얼리즘'에 관해 변죽을 울리거나 논의의 기초를 점검하는 차원의 것이지 리얼리즘 시론이라고 부를 만한 어떤 본격적 논리를 제출한 것은 아니라고 생각된다.

이상의 간략한 개괄에서도 드러나듯 1990년대 초반의 리얼리즘시에 관한 논란[16]은 우리의 시비평사에서 유례가 드물 정도로 왕성한 논의로서, 우선 당대 민족민중시의 진로 모색과 결부된다고 볼 수 있다. 그런데 이러한 모색은 자연스럽게 과거를 돌아보는 작업과 접맥되었으니 문학 전통에 맹목인 채 앞으로의 진로를 효과적으로 탐구할 수는 없을 것이기 때문이다. 그런 의미에서 이용악의 「낡은 집」이나 백석의 「여승」 등 일제강점기의 작품이 리얼리즘시 논의를 통해 집중적으로 검토된 것은 자연스러운 일일 것이다. 또한 바람직한 리얼리즘 시론이라면 시인들의 시쓰기에 기여할 뿐만 아니라 과거의 시를 학술적으로 탐구하는 데도 유효한 이론적 기반이 될 수 있을 것이다. 즉 리얼리즘시 논의는 자연스럽게 문학사적 연구에 연결될 수 있다고 하겠다.

분단 이데올로기와 결부된 한국적 순수문학론의 자장 속에서 씌어진

---

13. 김종철, 「인간, 흙, 상상력」, 『녹색평론』, 1992. 3~4, 123쪽. 단선적인 진보관을 거부하고 리얼리즘의 문제를 생태환경의 문제와 결부시키는 김종철의 문제의식은 구중서, 「자연과 리얼리즘」, 『녹색평론』(1992. 9~10)에도 접속되어 나타난다.

14. 정남영, 「시에 있어서 현실주의의 문제에 관하여」, 『실천문학』, 1993, 여름, 357쪽.

15. 정재찬, 「리얼리즘 시론을 위한 문학사적 반성」, 『문예미학 1 — 리얼리즘』, 문예미학회, 1994.

16. 리얼리즘시 논의에 대한 더욱 상세한 사항은 실천문학편집위원회 편, 『다시 문제는 리얼리즘이다』(실천문학사, 1992)와 이은봉 편, 『시와 리얼리즘』(공동체, 1993)을 참고할 수 있다.

논문들은 접어두고라도, 이데올로기적 제약이 한풀 꺾인 해금 이후의 시 연구에서도 사회현실 문제에 예민하거나 능동적인 경향의 시를 탐구하는 데 유효한 문예이론적 기반이 지극히 빈약했다고 판단된다. 가령 현실문제가 소재 차원에서 생경하게 드러나는 경우와 응축된 시형 속에 충분히 육화된 경우를 슬기롭게 분별하여 논리적으로 설명해낼 만한 미학적 기반이 미처 마련되지 못했던 것이다. 즉 현대시에 대한 학술적 연구의 차원에서도 본격적인 리얼리즘 시론에 대한 요구가 절박했던 것으로 생각되는바 앞에서 개괄한 리얼리즘시 논의와 호응하거나 접맥되는 논문이 산출되는 것은 자연스러운 연구사적 흐름일 것이다.

현실문제에 대한 적극적 관심이라는 면에서 연구자들에게 우선적으로 떠오르는 것은 아무래도 카프계열의 시일 듯하다. 리얼리즘의 시각에서 시를 연구하려는 자의 시야에 카프 시가 부각되는 것은 자연스러운 현상이고, 1990년대 벽두의 리얼리즘시 논의에서 각자의 몫을 해낸 윤여탁과 오성호가 카프 시 연구에 리얼리즘 시론을 적용한 것[17]은 연구사적으로 의미 있는 시도라고 생각된다. 하지만 리얼리즘 시론이 아직 형성단계에 있고 논의 대상을 통해 창조적으로 구성될 성질인 바에야 카프 시를 통한 리얼리즘시 연구는 일정한 한계를 전제로 한다고 하겠다. 바람직한 시의 경지를 살피자는 맥락에서 리얼리즘의 성취를 따지자면 아무래도 카프 시가 우리의 리얼리즘시를 대표한다고 보기는 어렵기 때문이다.

해방정국의 시 또한 현실문제에 대한 적극적 관심이라는 면에서 주목되는바 이에 대한 리얼리즘론적 탐구로는 신범순의 논문[18]이 있다. 그는 전형적 반영론의 차원으로는 시에서의 리얼리즘을 제대로 해명할 수 없다고 보고 기호학적 접근을 시도하고 있는데, 서구의 여러 이론가들의 개념을

---

17. 윤여탁, 「1920~30년대 리얼리즘시의 현실인식과 형상화 방법에 대한 연구」, 서울대 박사학위논문, 1990.
    오성호, 「1920~30년대 한국시의 리얼리즘적 성격 연구」, 연세대 박사학위논문, 1992.
18. 신범순, 「해방기 시의 리얼리즘 연구」, 서울대 박사학위논문, 1990.

뒤섞어 시험하고 있어 내적 일관성을 지닌 연구자 나름의 체계는 드러나지 않고 있다. 한편 이은봉은 이 글의 연구 대상과 유사하게 백석, 이용악, 오장환의 시를 통해 그들의 시에서의 리얼리즘적 지향을 고찰하고 있다. 하지만 그의 논문[19]에서 리얼리즘론적 탐구는 부분에 불과하고 기존의 시론을 기계적으로 절충하여 연구 대상에 적용했다는 한계를 안고 있다. 무엇보다도 연구 대상을 통해 시론이 정련되는 과정이 아쉽다.

모든 시론이 그렇듯이 리얼리즘 시론 또한 시에 대한 곡진한 이해에 기여하는 한에서 의의를 찾을 수 있음은 물론이다. 그런데 좋은 시는 개별 작품마다 천차만별의 독자적 형상으로 창조되는 것이기에 어떤 일률적인 기준이 무차별적으로 적용될 수는 없을 터이다. 즉 리얼리즘시를 측정하는 편리하고도 특별한 '황금의 자'가 따로 존재한다고 생각되지는 않는다. 따라서 기성의 시론을 특정한 시작품에 시험해볼 때라도 작품으로부터 오는 반작용에 민감해야 창의적인 시론을 형성할 수 있다고 생각된다. 필자가 연구 대상으로 임화, 오장환, 백석, 이용악을 선정한 이유는 그들의 시가 사회현실의 핍진한 형상화라는 면에서 돋보인다는 점 외에도 형성 중에 있는 시론에 대한 시의 격조 높은 반작용을 기대하기 때문이다.

리얼리즘시와 관련하여 필자는 이미 여러 편의 글을 썼고 1990년대 초반의 논쟁 과정에서도 「리얼리즘시론」과 「'리얼리즘시' 재론」[20]을 제출한 바 있다. 그럼에도 불구하고 다시 이 글을 집필하게 된 동기는 그러한 시론을 통해 개진한 생각들을 발전적으로 종합하여 문학연구의 차원으로 확장하고 심화하려는 데 있다. 문학연구로서의 이 글의 과제는 리얼리즘의 관점에서 임화, 오장환, 백석, 이용악의 시를 심도 있게 논의하고 그렇게

---

19. 이은봉, 「1930년대 후기시의 현실인식 연구」, 숭실대 박사학위논문, 1992.
20. 각각 『실천문학』 1991년 겨울호와 1993년 봄호에 수록하였는데 서로 보완적 관계에 있다. 두 편 모두 논쟁의 와중에서 제출된 만큼 쟁점 위주로 전개되어 시론을 체계적으로 개진하고 적용하는 새로운 글이 요청되었다. 이 두 편 중 「'리얼리즘시' 재론」은 약간의 수정을 거쳐 이 책 제2부에 실려 있다.

함으로써 리얼리즘시의 문학사적 줄기를 드러내는 데 있다. 그런데 리얼리즘 시론 자체가 형성과정에 있는 만큼 문학연구와 체계적 이론의 구성이 동시에 진행될 수밖에 없을 듯하다. 즉 문학연구 차원으로의 확장과 심화란 '내부적으로 치밀하게 유기성을 확보하고 리얼리즘시에 두루 적용될 수 있는 체계적 이론의 구성'과 긴밀한 상관관계 속에 진행될 때 가능할 수 있을 것이다.

2. 방법론적 기초

리얼리즘시 논의의 관건적인 문제의 하나는 시 장르의 특수성에 입각한 리얼리즘 미학의 보편성 추구에 있는 듯하다. 종래의 리얼리즘시 논의가 어떤 구체적 합의를 도출하지 못하고 골이 깊은 견해차를 노정하는 데 그친 것은 '시의 특수성'과 '리얼리즘 미학의 보편성' 자체에 대한 심한 견해차 때문이기도 하고 그 둘을 종합하면서 어느 한쪽에 과중한 비중을 두었기 때문일 것이다. '시의 특수성'과 '리얼리즘 미학의 보편성'은 적당히 절충될 성질의 것이 아니고 그야말로 변증법적 지양이 요구되는 것이다. 달리 말해 시의 속성을 최대한으로 살리면서 동시에 리얼리즘 미학의 보편성 또한 고도로 구현해내는 작업이 요청되는 것이다.

시에서 리얼리즘을 문제 삼는다는 것은 시의 새로운 가능성에 대한 탐색이기도 한데 그러한 탐색조차 시의 양식적 속성에 대한 깊이 있는 천착으로부터 출발하는 것이 바람직할 듯하다. 그런데 통시적으로 고정불변의 속성을 상정하기보다는 김소월과 한용운 이래 양식적 동질성을 유지하고 있는 우리의 근대시 혹은 현대시를 중심에 놓고 생각하는 것이 생산적일 것이다. 여기서 양식적 동질성을 유지하고 있다고 한 것은 문학사적으로 시조나 한시와는 다른 양식이라는 점에서 그러하고, 시마다 시인마다 각양각색의 편차가 있음은 물론이다. 즉 시의 양식적 속성은 다양한 우리의 시작품에 대한 포괄적 시야의 확보와 함께 그러한 다양성이 미래를 향해 열려 있기도 하다는 점을 감안한 바탕에서 모색할 필요가 있는 것이다.

그렇다면 우리의 근대시 혹은 현대시의 양식적 속성은 어떠한가. '서정시·서사시·극시'라는 삼분법을 적용한다면 당연히 정서를 표현하는 서정시에 속하겠는데 이러한 장르론적 사고가 우리의 시가 지니는 양식적 속성을 얼마나 구체적으로 드러내는지에 대해서는 의문이다. 소설을 중심에 놓고 볼 때 시는 정서의 표현에 특히 주력하는 양식이지만 시를 중심에 두고 볼 때 시는 정서뿐만 아니라 인간의 거의 모든 것을 표현해내는 양식이다. 구태여 이러한 논의를 하는 필자의 문제의식은 시의 모든 요소를 정서로 수렴하는 환원론적 사고를 경계하기 위해서이다. 시는 곧 정서라는 식의 고정관념에만 사로잡혀서는 시의 양식적 속성이 구체화되지 않으며, 구체화되지 않는 데서 생산적인 논리를 끌어내기 힘들다. 물론 시에서 정서의 표현은 매우 중요하다. 하지만 여타의 모든 자질이 정서의 표현을 위한 부차적 수단에 그친다거나 정서만이 시의 핵심을 이룬다고는 생각하지 않는다.

시의 특수성을 정서의 표현으로 한정하는 논리의 협애성은 우선 인간의 마음을 염두에 둘 때 드러난다. '정서'가 좀더 유연한 용어인 듯싶지만 그 개념적 내포가 감정과 별로 다르지 않다면 그것은 인간의 마음의 한 영역을 지칭하는 말로서 나머지 영역은 생각 혹은 사유라고 부른다. 만약에 시가 사유를 배제하고 감정만 표현한다고 주장하는 견해가 있다면 어느 누구도 동의하지 않을 것이다. 반대로 시에서 매우 소중한 것이 깨달음이라는 견해가 있다면 공감을 표시하는 자가 많을 것이다. 여기에서 깨달음이란 사유작용의 한 절정을 일컫는 말인데 그러한 깨달음의 깊이가 시적 성취에 얼마나 기여하는가에 대해서는 한용운의 시구, "타고 남은 재가 다시 기름이 됩니다"를 떠올리면 쉽사리 수긍할 수 있을 것이다.

실상 한용운의 「알 수 없어요」[21]는 님에 대한 깨달음을 노래한다는 점에서 사유의 표현을 위주로 하는 시라 할 수 있다. '알 수 없어요'라는 답변을 제목에 제시하고 "지리한 장마 끝에 서풍에 몰려가는 무서운 검은 구름의 터진 틈으로 언뜻언뜻 보이는 푸른 하늘은 누구의 얼굴입니까"와 같은 설의적 의문을 중첩시킨 이 시가 한 시대의 상징으로서의 부재하는 님에 대한 탐구라는 점은 널리 알려진 사실이다. 풍부하게 드러나는 이미지가 순간적인 깨달음을 드러내는 데 효과적으로 기여하고 있는 것은 그러한 깨달음이 비유로밖에 드러날 수 없는 사정과 서로 호응한다. 물론 「알 수 없어요」가 표 나지 않게 창작주체의 감정을 표현해내고 있다는 사실은 부인할 수 없다. 하지만 감정표현 위주로 「알 수 없어요」의 특성을 논의하는 것은 작품에 대한 왜곡이기 쉬울 것이다.

한편 김기림의 「바다와 나비」[22]에서 두드러지는 것은 바다 위를 나는 나비의 이미지이다. "청(靑)무우밭인가 해서 내려갔다가는 / 어린 날개가 물결에 절어서 / 공주처럼 지쳐서 돌아온다"에서 볼 수 있듯이 선명한 나비의 이미지를 통해 독자들은 갖가지 상념에 젖어들게 되고 그러한 상념을 자아낼 수 있다는 것이 이 시의 주요한 성취일 것이다. 물론 「바다와 나비」에서 간과할 수 없는 것은 '거대한 바다 위의 가냘픈 나비'를 심상으로 제시하는 시인의 마음이다. 그 마음은 아마 시대의 격랑 앞에서 미약한 존재로 살아갈 수밖에 없는 시인 자신에 대한 연민과도 관련될 듯한데 그러한 정서 혹은 감정은 나비의 형상 속에 은밀히 스며들어 있다. 하지만 시인의 감정을 표현하기 위한 한갓 방편으로 나비의 형상을 제시했다고 보이지는 않는다. 즉 나비의 이미지 자체가 이 시의 주요한 표현 대상이라고 보는 것이 타당할 듯하다.

유사한 성격의 논의는 백석의 「여승」[23]을 두고서도 할 수 있을 듯하다. 「여승」에는 여승이 된 한 여인의 간고한 생애가 시적 주체의 회상 속에 재구성되어 압축적으로 제시되어 있다. "평안도의 어늬 산 깊은 금덤판 / 나

---

21. 『님의 침묵』, 회동서관, 1926.
22. 『여성』, 1939. 4.
23. 『사슴』, 선광인쇄주식회사, 1936.

는 파리한 여인에게서 옥수수를 샀다 / 여인은 나어린 딸아이를 따리며 가을밤같이 차게 울었다"는 회상으로 제시된 여인의 생애의 한 장면이다. 시적 주체의 회상 속에 재구성된 데서도 드러나듯 여인의 생애에 관한 이야기는 시인의 마음속에 오랫동안 잠겨 있다가 형상화되었고 그러면서 그 이야기에는 창작자의 형언할 수 없이 안타까운 마음이 스며들어 있다고 하겠다. 그렇지만 여인의 생애에 관한 이야기가 단지 시인의 안타까운 마음을 표현하기 위한 수단에 그치는 것은 아닐 것이다. 오히려 시인은 여승의 생애에 관한 이야기를 소중하게 시로 형상화하고 싶었을 듯하고 자신의 감정표현은 그에 수반되는 사항이었을 것이다.

그런데 「바다와 나비」에 대해 회화적 기법의 도입을, 「여승」에 대해 소설적 기법의 도입을 운위하는 논리는 얼마나 타당성을 지니는가. 「바다와 나비」의 선명한 이미지에서 회화적 기법을 찾고 「여승」의 생애에 관한 서사에서 소설적 기법을 찾는 것은 언뜻 보아 타당하다고 생각될 여지도 없지 않다. 하지만 그러한 피상적 관점이 경직되게 적용되어 이미지 묘사와 사건 서술이 시에서 비본질적인 것으로 간주될 때 문제가 발생한다. 나비의 이미지와 여인의 생애에 관한 서사가 엄연히 「바다와 나비」와 「여승」의 핵심적 자질임에도 불구하고 그것을 비시적 요소로 몰아내는 것은 심각한 시각장애라고 하지 않을 수 없다. 아무래도 그것은 시에서 율격을 음악적 기법의 도입이라고 보고 비시적 요소로 취급하는 것과 비슷한 수준의 잘못이라 생각된다.

다시 확인하는 바이지만 시는 서정시이므로 이미지나 사건은 정서를 효과적으로 표현하기 위한 매개물에 지나지 않는 것일까. 필자는 이미 아니라는 견해를 피력한 셈이다. 이미지 묘사나 사건의 서술을 통해 한 편의 시가 형상화된다면 이미지나 사건은 이미 그 시를 구성하는 내재적 요소이지 감정표현을 위한 방편으로 동원되는 외래적 요소일 수 없는 것이다. 서사가 소설에 집중적으로 나타난다는 것은 뻔한 상식이다. 하지만 서사가 소설에만 고유한 것이라고 볼 수는 없다. 인간의 행위에 관한 기술로서 서사는 소설에서와는 다른 방식으로 시작품에 광범위하게 분포한다. 시가 인간의 행위를 문제 삼는 이상 그것은 어찌할 수 없는 일이다. 그 점은 이미지도 마찬가지이다. 인간이 감각기관을 갖는 이상 시 속에 이미지가 광범위하게 분포하는 것은 지극히 자연스러운 현상이다.

이러한 문제에 대해서는 감정표현을 위주로 하는 김영랑의 「동백잎에 빛나는 마음」[24]을 근거로 다른 각도에서 접근할 수 있을 듯하다. "내 마음의 어딘 듯 한편에 끝없는 / 강물이 흐르네 / 도쳐오르는 아침 날빛이 뻔질한 / 은결을 도도네"가 시의 전반부인데 미묘한 감정의 상태가 섬세하고도 곡진하게 표현되어 있다. 마음속에 흐르는 강물이란 감정의 흐름을 비유하는 것으로 읽히는데 그 흐름에 아침 날빛이 뻔질한 은결을 돋우기까지 하는 것이다. 즉 이 시에서 이미지 묘사는 감정의 미미한 파장까지 드러내는 데 매우 효과적으로 기여하고 있다. 하지만 그럼에도 불구하고 이미지가 단지 정서의 표현을 위한 방편으로 동원되었다고 생각되지는 않는다. 오히려 이미지는 그 나름으로 「동백잎에 빛나는 마음」의 소중한 구성요소이자 자질이다.

이제까지 필자는 '서정 양식이라는 장르 규정'을 경직되게 이해할 때 시의 양식적 속성을 제대로 풍부하게 드러내지 못한다는 문제의식을 피력한 셈이다. 시론의 출발점이 시작품이라는 평범한 진리를 받아들이고 작품의 자질 차원에서 표현의 문제를 논의할 때[25] 감정뿐만이 아니라 사유 또한 주요한 표현대상이 되고 이미지나 사건 역시 주요한 표현대상일

---

24. 『시문학』, 1930. 3.
25. '표현'의 개념을 예술가의 행위나 감상자의 반응 차원으로 확대해 이해할 수도 있겠으나 기본적으로는 '예술작품의 자질' 혹은 '미적 대상의 특성' 차원에서 보는 것이 타당하다고 생각된다. 이러한 문제에 대해서는 John Hospers, "The Concept of Artistic Expression", Morris Weitz ed., *Problems in Aesthetics* (New York: Macmillan Publishing Co. 1970), 221~45쪽과 Vincent Tomas, "The Concept of Expression in Art", Joseph Margolis ed., *Philosophy Looks at the Arts* (New York: Charles Scribner's Sons 1962), 30~44쪽 참조.

수 있다. 비록 깊이 있는 사상이나 깨달음의 경지는 아니더라도 사유가 완전히 배제된 시는 존재할 수 없을 것이다. 또한 시가 생생한 감각적 형상인 한 이미지와 완전히 무관할 수는 없으며 시가 인간의 일을 다루는 한 행위 혹은 사건의 미미한 편린이나마 개입되게 마련이다. 즉 시는 인간과 세상의 온갖 감정, 사유, 이미지, 사건을 융합해 표현할 수 있는 가능성을 안고 있고[26] 실제로 그러한 가능성을 고도로 구현해내고 있는 양식인 것이다.

　이러한 표현의 문제는 형상화의 문제와 겹쳐 있는바 여기에서 앞의 「여승」과 관련된 논의를 되새김질할 필요가 있다. 앞에서 필자는 '여인의 생애에 관한 이야기는 시인의 마음속에 오랫동안 잠겨 있다가 형상화되었다'고 하고 '그 이야기에는 창작자의 형언할 수 없는 안타까운 마음이 스며들어 있다'고 하였다. 장르론적 고정관념에 사로잡히지 않고 형상화의 차원에서 바라볼 때 여인의 생애에 얽힌 사건은 시인의 정서보다 오히려 더 중심적이다. 달리 말하자면 감정을 형상화하기 위해 여인의 생애를 끌어들였다기보다 창작자의 감정을 스미게 하여 여인의 생애를 형상화한 것이다. 반면에 「동백잎에 빛나는 마음」의 경우 동백잎을 바라보는 창작주체의 행위는 거의 숨겨져 있고 그러한 행위에서 야기된 시인의 감정이 집중적으로 형상화되어 있다.

　즉 감정과 사건이 다같이 시적 형상화의 대상이 될 수 있다는 것인데 새삼스럽게 이러한 문제를 들먹이는 이유는 창작주체와 시적 대상 사이의 상관관계에 대해 논하기 위해서이다. 「동백잎에 빛나는 마음」과 같은 시를 염두에 두고 "시는 전적으로 시인의 주관성에 의존한다"[27]고 말할

---

26. 이러한 문제에 대한 더욱 상세한 논증은 졸고 「1930년대 시의 표현에 관한 고찰」(서울대 석사학위논문, 1982), 3~22쪽을 참조할 수 있다.
27. 오성호, 「시에 있어서의 리얼리즘문제에 관한 시론」, 176쪽.
　오성호는 문제의 이 말을 루카치의 견해라고 간주하고 있는데 그가 근거로 제시한 Peter Egri, 앞의 논문, 219쪽에는 "서정시인에게 자아 혹은 개인의 직접적 체험은 창작과정에서 서사작가나 극작가에게서보다 결정적인 것이다"는 정도의 발언이 있을

수도 있을 것이다. 하지만 그것은 강변이거나 잘못된 견해이다. 주관성에 의존하는 정도가 두드러진 「동백잎에 빛나는 마음」조차도 '전적으로' 그러하다고는 보이지 않으며 주관적 감정표현 위주의 시를 근거로 시 전체에 일반화시켜 말할 수도 없기 때문이다. 동백의 윤기 나는 잎사귀라는 객관적 사물과 무관하게 시인의 내면적 감정만 노래하고 있지는 않다는 점에서 「동백잎에 빛나는 마음」조차도 외부세계와의 상관관계가 전적으로 차단되어 있는 것은 아니다. 한편 「여승」의 경우 시적 대상은 시인의 주관성에 일방적으로 수렴되지 않으며 창작주체와 시적 대상은 훨씬 역동적인 상관관계를 형성한다.

주관과 객관 혹은 자아와 세계의 역동적 상관관계에 의해 리얼리즘문학이 산출될 수 있다는 명제는 일반적으로 받아들일 수 있겠고 그 점은 시의 경우에도 크게 다르지 않을 듯하다. 통상적으로 시가 주관적 양식이라고 하지만 그 말을 문자 그대로 경직되게 해석해서는 곤란할 것이다. 주관적 관념이나 감상을 얼마나 제대로 극복하느냐의 문제가 시적 성취에 이르는 데 중요하게 작용하기 때문이다. 소설이나 희곡과 비교해볼 때 시에서는 창작주체와 시적 대상 혹은 자아와 세계 사이의 상관관계가 훨씬 직접적이고도 긴밀하다는 것이 다르고 그 점이 시의 양식적 특수성과 연결된다고 생각된다. 소설이나 희곡의 경우 작가는 작품 속에 직접 등장하지 않는 것이 상례이지만 거의 대부분의 시에 시적 주체 즉 '시 속에 반영된 창작주체의 형상'이 나타나는 것은 그 때문일 것이다.

앞에서 말한 감정과 사유는 인식 주체와 관련된다는 점에서 주관적이고 이미지와 사건은 인식 대상에 관련된다는 점에서 객관적이라고 일단 말할 수 있겠다. 하지만 어느 정도 수준에 오른 작품에서라면 그러한 표현 자질들은 서로 유기적으로 융합된 상태로 존재하고 그 점은 양식적 속성으

뿐이다. 그 글의 주된 요지는 오히려 '자아와 세계 사이의 특별한 관계에 의해 서정시의 형태가 결정된다'와 '자신의 체험 가운데 세계에 대한 중대한 의문이 진실되게 반영되지 않는다면 그는 진정으로 위대한 서정시인일 수 없다'는 데에 있다.

로서의 '자아와 세계의 직접적이고도 긴밀한 상관관계'와 서로 호응한다. 「동백잎에 빛나는 마음」의 경우 시인의 주관적인 감정표현이 위주가 되어 있지만 그 감정은 아침 햇살에 빛나는 강물의 이미지와 융합됨으로써 주관적 감상의 수준을 벗어난다. 「알 수 없어요」에서의 님에 관한 사유 또한 선명한 이미지와 혼연일체가 됨으로써, 만해의 많은 시가 한계로 안고 있는 관념적 성향으로부터 벗어난다. 그리고 바로 이런 맥락에서 시에서 이미지의 중요성을 새삼 확인할 수 있는 것이다.

감정과 사유의 객관화는 이미지뿐만 아니라 사건과의 관련을 통해서도 가능하다. 엘리엇도 그 점을 인식하고 있었기에 객관적 상관물로 이미지뿐만 아니라 사건을 거론하였을 것이다.[28] 「여승」의 경우 여인의 생애에 관한 서사는 창작주체의 마음속에 담겨져 변용되고, 창작주체의 안타까운 마음은 여인의 간고한 생애에 스며들면서 객관화된다. 그런데 주관과 객관의 상호작용이라는 면에서 「동백잎에 빛나는 마음」보다 「여승」이 훨씬 역동적이다. 전자의 경우 주관이 거의 일방적으로 강조되어 있지만 후자의 경우 여승의 생애는 주체와의 상관관계 속에 시의 주요한 자질로 형상화되어 있다. 대체로 이미지보다 사건의 경우 시적 형상화 과정에서 난관이 많은 듯하고 그러한 어려움을 극복했을 때 그만큼 더 역동성이 확보되는 듯하다.

시에서 리얼리즘을 문제 삼는다는 것은 '시가 얼마나 세상을 바로 보고 바로 살려는 자의 양식인가'를 탐구하는 일이기도 하다. 세상을 바로 보고 바로 살려는 마음과 무관하게 진정한 시가 산출될 수도 없는 것이지만 그러한 마음이 더욱 집중적으로 투사되어 일정한 성취에 이르렀을 경우 명실상부한 리얼리즘시가 될 수 있을 것이다. 세상을 제대로 보고 진실되게 살려는 자의 마음이 주관성에 폐쇄되어 있지 않고 세계 혹은 사회현실과의

---

28. T. S. Eliot, "Hamlet", *Selected Essays: 1917~1932* (New York: Harcourt, Brace and Co. 1932), 125쪽.

긴밀하고도 역동적인 상관관계를 형성하려 하는 것은 지극히 자연스러운 현상일 터이다. 사회현실과의 광범위한 접점의 형성은 시의 양식적 속성상 아무래도 제한적일 수밖에 없겠지만 리얼리즘을 추구하는 시라면 의당 응축된 양식으로서의 시의 속성을 살리면서 동시에 사회현실과의 통로를 민감하게 열어둘 것이다.

앞에서 말했듯이 주관과 객관의 역동적 상호작용 속에 리얼리즘의 성취 가능성이 잠겨 있다면 리얼리즘시에서 사건 표현의 중요성을 감지할 수 있겠다. 시마다 다양한 편차가 있겠으되 사회현실과의 통로를 민감하게 열어두는 문제와 관련하여 시적 서사에 대해 검토할 필요가 있겠다. 시 나름의 현실 탐구의 문제가 주로 사건 표현 혹은 서사를 어떻게 하느냐와 긴밀하게 관련되어 있기 때문이다. 아무래도 시에서의 서사는 양보다는 질이 중요하고 그것은 응축적 양식으로서의 시의 속성과 관련된다. 늘 어떠한 서사인가가 관심사이겠지만 적어도 소설에서와 같은 서사가 시에서 성공할 수는 없을 것이다. 시로서의 성취에 기여하는 서사는 그 자체로 주체와의 긴밀하고도 역동적인 상관관계를 형성하며, 그 상관관계 속에는 정서적 반응도 포함된다. 그리고 그러한 상관관계의 역동성을 통해 시적 긴장이 유발되고 현실인식의 밀도가 드러난다.

지금까지 필자는 시의 양식적 속성에 입각하여 리얼리즘시를 본격적으로 논의하기 위한 방법론적 기초를 다지려 하였다. 그리하여 '시는 열린 장르로서 정서로만 환원할 수 없으며 시 나름의 현실 탐구의 가능성이 열려 있다'는 명제와 '리얼리즘시의 창작은 주관과 객관 혹은 자아와 세계의 긴밀한 상관관계 속에 이루어진다'는 명제의 타당성을 논증해온 셈이다. 아무리 양보하더라도 시 나름의 현실 탐구의 가능성이나 세계현실과의 상관관계를 부인한 채 리얼리즘시를 논의하기는 어려울 듯하다. 본격적으로 리얼리즘 미학의 보편성에 대해 논란을 벌인다면 논자마다 각양각색의 견해를 제출할 수 있겠으되 창작주체가 살아가는 세계현실을 예술삭품의 속성에 맞추어 핍진하게 반영하는 문제와 무관할 수는 없을 것이다.

방금 언급한 '핍진한 반영'은 독자의 반응과 연결될 수밖에 없는 사안이기에 수많은 논란을 내포하는 말이다. 여기에서 논자 나름의 감각이 문제가 되는데 리얼리즘의 개념을 폭넓게 쓰는 브레히트의 견해를 참고할 필요가 있겠다. 그는 얼마든지 다양한 현실 묘사가 가능하다는 생각 아래 셸리의 발라드 「무정부주의의 가장행렬」을 근거로 "발자크보다는 셸리와 같은 시인들에게 위대한 리얼리스트의 계보를 잇는 훨씬 확고한 자리를 제공해야만 한다"[29]고 주장하고 있다. 이러한 주장의 타당성 여부를 엄정하게 진단하기에는 필자의 역량이 미치지 못하는 바이지만 적어도 그러한 주장을 하게 된 문제의식만큼은 진지하게 받아들일 필요가 있다고 생각된다. 응축적 양식으로서의 시의 속성을 제대로 감안한다면 앞에서 거론한 「여승」과 같은 시는 핍진한 현실반영이라는 면에서 당대의 어떤 소설에도 뒤지지 않는다고 생각되기 때문이다.

이상의 기초적 논의를 바탕으로 앞으로 전개될 본론은 일반론이라기보다 구체적 시인과 작품을 대상으로 하는 각론의 성격을 띠게 될 것이다. 가령 '세상에 대한 진실된 마음'이나 '현실인식의 정당성 여부', '바람직한 창작적 실천', '사회현실의 핍진한 형상화' 등의 리얼리즘과 관련된 온갖 사안이 당대의 역사적·사회적 국면과 관련하여 구체적으로 검토될 것이다. 그런데 리얼리즘시와 연결되는 온갖 사안은 시정신과 창작방법의 차원으로 수렴해서 살펴볼 수 있을 듯하다. 세상을 바로 보고 바로 살려는 마음은 시정신의 문제로, 그러한 마음이 어떻게 시적 성취에 이르는가는 창작방법의 문제로 수렴될 것이기 때문이다. 어차피 리얼리즘의 성취의 문제는 시정신과 창작방법의 차원에서 동시에 그리고 아울러 관련된다. 하지만 논리적 작업의 속성상 '리얼리즘의 시정신'과 '리얼리즘시의 창작방법' 항목을 따로 마련하여 집중적으로 논의하는 것이 생산적일 듯하다.

---

29. 베르톨트 브레히트, 서경하 역, 『브레히트의 리얼리즘론』, 남녘, 1989, 115~26쪽 참조.

작품의 자질 차원으로 구현된 시정신과 창작방법의 문제를 탐구하는 것은 그 탐구가 섬세하고 정치하기만 하다면 예술적 창조물로서의 시에 가장 육박한 접근이 될 수 있을 것이다. 그런데 문제는 '시정신'과 '창작방법'이 리얼리즘시의 테두리 안에 갇혀 있지 않다는 데에 있다. 이 글의 논의 대상인 임화, 오장환, 백석, 이용악 등의 시에는 모더니즘이나 낭만주의의 영향이 적지 않고 이 점은 시정신이나 창작방법 차원에서도 마찬가지이다. 또한 리얼리즘시의 문제가 다른 문학적 조류와의 대비를 통해 선명히 부각되는 측면을 간과할 수 없을 것이다. 즉 리얼리즘시 연구를 위해서는 모더니즘이나 낭만주의와의 교섭 양상을 검토할 필요가 있고 그런 차원에서 '시세계의 다양성과 리얼리즘'의 문제가 본론에서 논의할 항목의 하나로 떠오른다.

제2장
· · · · ·
리얼리즘의 시정신

　시가 인간 정신작용의 정수를 보여주는 예술의 한 양식이라는 점에 대해서는 별다른 이견이 없을 듯하다. 육체만의 인간을 상정할 수 없기에 정신이란 인간에게 필수불가결한 것이고 그러한 정신의 작용이 예술의 한 형태로 정착된 것이 시라고 말할 수 있다. 그러니까 어느 정도 수준에 오른 시작품 속에는 창작주체의 정신이 응축되어 드러나 있고 독자들은 그 시를 통해 시인의 정신을 접할 수 있는 것이다. 얼마만큼 동의를 얻을 수 있는 견해일지 모르겠으되, 시를 읽는 재미와 시를 통한 감동은 무엇보다도 시인의 정신을 만나는 데서 유발되고 솟아나는 듯하다. 만약에 그렇다면 시 속에 구현된 창작주체의 정신에 대한 논의를 젖혀두고 제대로 된 시론이 구성되기는 어려울 것이다.

　어차피 시론이란 이루 다 설명할 수 없는 시적 형상에 대한 개념적 접근으로서의 성격을 지니게 마련이고 그러한 맥락에서 시정신의 개념설정이 필요할 듯하다. 시정신의 개념을 '시 속에 구현된 창작주체의 정신'이라고 잡는다면 그것은 결국 '시 속에 나타난 시인의 세계관'과 별로 다르지 않을 것이다. 하지만 일반적으로 세계관은 "사회계급의 정신범주의 총체"[1]

라는 식으로 집합적 개념으로 사용하는 경우가 많기 때문에 개별 작품이나 시인에 대한 섬세한 접근을 하는 데는 지나치게 무겁거나 버거운 용어가 되기 쉽다. 개별 작품에 대한 시정신 논의가 축적되면 결국은 세계관 논의로 귀착될 수 있겠지만, 우선은 시정신의 차원에서 유연하게 접근해가는 것이 순리에 맞을 듯하다.

당연한 말이지만 시정신은 자연발생적으로 나타나는 것이 아니고 시적 자아 혹은 시적 주체와, 시적 대상 혹은 세계현실과의 상호작용을 통해 시 속에 투영되는 것이다. 특히 리얼리즘의 시정신은 시적 주체와 세계현실의 긴밀하고도 역동적인 상호작용을 통해 구현된다고 말할 수 있다. 따라서 수준에 오른 작품일 경우 시정신은 시인의 감각과 체험이 육화된 상태로 나타날 수밖에 없고 그렇기에 논리나 사상의 차원을 넘어선다. 시를 통해 허위의식을 감출 수는 없고 결국 진면목을 내보이기 마련이다. 그런 뜻에서 시정신에 대한 모색은 시적 진실에 접근해가는 유력한 방안이라고 생각된다. 또한 시적 주체를 매개로 시 속에 당대의 시대정신이 표현되거나 잠복되어 있다면 시정신 연구는 당대의 시대정신에 대한 탐구로 나아갈 수 있을 것이다.[2]

실상 시정신에 대한 모색은 '시정신'이라는 용어를 구사하지 않고서도 예로부터 유구하게 있어왔다고 생각된다. 가령 『시경』의 시를 두고 말한 공자의 '사무사(思無邪)'는 시정신의 문제를 거론한 명언이다. 생각에 사특함이 없다는 것은 좋은 시를 판별하는 최소한의 기준이 되기도 하려니와 시 속에 배어들어 있는 마음이 그렇다는 것이므로 시정신의 문제에 해당된다. 시에서 리얼리즘을 논의하기 위해 제기한 백낙청의 '지공무사(至公無私)'

1. Lucien Goldmann, William Q. Boelbower tr., *Lukács and Heidegger* (London: Routledge & Kegan Paul 1977), xxii쪽.

2. 졸고 「1930년대 후반의 시적 상황」, 김은전·김용직 외, 『한국 현대시사의 쟁점』, 시와시학사, 1991, 324~25쪽 참조. 이 논문은 시정신에 주목하여 1930년대 후반의 시를 연구한 것으로 이 글을 집필하기 위한 예비작업의 성격을 지닌다. 앞으로 일일이 전거를 밝히지 않고 그 내용을 발전적으로 변화시켜 수용할 것이다.

또한 참여정신과 객관정신이 조화롭게 결합된 경지로 설정된 것[3]이므로 결국 시정신 차원의 논의인 셈이다. 이와 유사한 격언 형태의 발언으로는 '실사구시(實事求是)의 정신'[4]을 추가할 수도 있는데 이러한 말들은 여러모로 곱씹을 만한 의미가 있는 것은 사실이지만 본격적인 시론으로 성립되기 위해서는 개별 작품이나 시인에 대한 논의를 통해 구체화되는 과정이 필요하다.

개별 작품이나 시인에 대한 논의를 통해 구체화될 필요성은 서론에서 제기한 '세상을 바로 보고 바로 살려는 마음'의 경우도 마찬가지이다. '세상을 바로 보고 바로 살려는 마음'은 리얼리즘의 시정신의 근원이라 생각되지만, 그것이 구체화되지 않을 경우엔 어떤 역사적·사회적 국면에 적용해도 들어맞는, 편리하나 공허한 말이 되기 쉽다. 두루 적용될 수 있어 편리하지만 실속이 없어 공허하다는 것은 당위적 성격의 발언이나 논리가 항상적으로 갖는 한계일 것이다. 여기에서 이론적 변환의 필요성이 대두되는데 그것은 개념적 추상의 중간항들을 구체적 시인이나 작품에 대한 논의와 관련해 모색함으로써 가능해질 것이다. 가령 이용악은 해방정국이라는 역사적·사회적 국면에서 작품 속에 어떠한 시정신을 구현해냈는가 같은 문제를 따져봄으로써 생산적인 시론을 구성할 수 있을 것이다.

이 장에서 설정한 '진보주의' '비관주의' '현실주의'의 축은 개념적 추상의 중간항으로 마련된 것이다. 즉 세상을 바로 보고 바로 살려는 마음이 진보주의, 비관주의, 현실주의와의 상관관계를 통해 구현된다고 상정할 수 있겠다. 단도직입적으로 진보주의, 비관주의, 현실주의를 거론했지만 그러한 개념들은 연역적으로 설정된 것이 아니라 백석, 이용악, 오장환, 임화 등의 시인론[5]을 쓰며 그들의 시를 통해 추출한 것이다. 이들 시인론에서

---

3. 백낙청, 「시와 리얼리즘에 관한 단상」, 『실천문학』, 1991, 겨울, 115쪽.
4. 이은봉, 「실사구시의 시학」, 윤여탁 편, 『나의 시, 나의 시학』, 공동체, 1992, 317쪽.
5. 시인론에 관한 서지사항을 밝히자면, 「백석의 시세계와 창작방법」, 『우리시대의 문학』 6집(문학과지성사, 1987); 「민족현실의 시적 탐구: 이용악론」, 『분단시대』

는 오장환과 임화를 진보주의에, 백석을 비관주의에, 이용악을 현실주의에
연결시켜 논의하였고 이 글 또한 그렇게 할 예정인데, 이 말은 각각의
시인들에게 그러한 경향이 농후하다는 것이지 전일적으로 그렇다는 것은
아니다. 이러한 입론의 타당성 여부는 논의의 진행과정에서 차차 드러나려
니와 아무튼 임화, 백석, 오장환, 이용악 등의 시에서 진보주의적, 비관주의
적, 현실주의적 경향이 시기별로 어떻게 드러나는가를 종합적으로 살펴보
는 것이 이 장에서 탐구할 중심 과제이다.

1. 진보주의적 경향

근대정신 혹은 현대정신의 특징의 하나로 진보에 대한 신념을 내세우는
데는 별다른 이견이 없을 듯하다. 진보를 염두에 두지 않고서는 애초에
'근대'나 '현대'를 상정하기도 어려울 뿐만 아니라 그러한 시기 구분을
통한 역사적 인식 자체에 벌써 사회의 진보에 대한 신념이 개입되어 있기
때문이다. 일반적으로 진보란 인간 생활이 전반적으로 한층 좋은 상태로
이행해가는 것을 의미하고, 진보에 대한 신념이란 미래에는 사태가 좀더
개선될 수 있을 것이라고 믿는 것[6]을 의미한다. 그렇다면 진보주의는 '진보
에 대한 열망이나 신념을 위주로 하는 정신경향'이라고 말할 수 있겠는데
이러한 의미의 진보주의는 비단 시정신의 차원뿐만 아니라 사상사 혹은
정신사의 맥락에서도 주목할 만하다고 생각된다.

실상 우리의 근·현대사는 시인뿐만 아니라 뜻있는 지식인들에게 진보
를 위주로 생각하지 않을 수 없도록 전개되어온 셈이다. 진보사상의 무기라

제4집(학민사, 1988); 「오장환의 시적 편력과 진보주의」, 김윤식·정호웅 편, 『한국문
학의 리얼리즘과 모더니즘』(민음사, 1989); 「임화의 시세계」, 『사회비평』(1989, 여름)
등이다.
6.   시드니 폴라드, 이종구 역, 『진보란 무엇인가』, 한마당, 1983, 4쪽.

면 우선 혁명과 교육을 거론할 수 있을 터인데 그것들이 형성하고 있는 정신적 자장을 염두에 둘 필요가 있다. 일제강점기의 대표적인 독립운동 방법론인 투쟁론과 준비론이 각각 혁명과 교육에 대응하고 있을 정도이다. 즉 미래에 대한 희망이 절실할 수밖에 없는 일제강점기의 양심적 지식인들이 진보주의에 경사된 것은 자연스러운 현상인 셈이다. 또한 진보주의는 일제의 지배를 벗어나는 것이 진보의 전제조건이면서, 진보를 먼저 이룩한 일제가 뒤떨어진 조선을 식민지로 만들었다는 역사에 대한 인식과도 결부된다. 다시 말해, 서세동점이라는 세계사적 국면에서 재빨리 서구화한 일제의 지배 아래 있던 이 땅의 시인이 진보주의에 기울게 되는 것은 지극히 자연스러운 일이었다.

(1) 계급사상의 수용과 진보주의

일제강점기의 문학사에서 진보주의가 작용하는 모습은 조선프롤레타리아예술동맹 즉 카프의 문학운동에서 우선적으로 찾아볼 수 있을 듯하다. 사적 유물론에서 드러나듯 맑스주의 자체가 주요한 진보주의적 사상체계이며 카프의 구성원들이 맑스주의에 경도된 이유도 '역사의 진보에 대한 절박감'이라고 말할 수 있다. 범박하게 카프문학의 이념이나 사상의 층위를 맑스주의에, 정신의 층위를 진보주의에 연결시켜볼 수 있겠는데 진보주의가 한층 더 본질적인 자리에 놓이면서 맑스주의를 포용하고 있다고 생각된다. 이념이나 사상은 학습을 통한 연마가 가능하고 경우에 따라 전향도 가능하지만 정신은 시간적 존재인 주체의 삶 전체를 통해서 형성되는 것이기에 상황의 추이에 따라 변모될 수는 있어도 철회될 수는 없는 것이다.

사상적 저술보다 문학작품이 존중될 이유 가운데 하나는 그것이 수준작일 경우 이념이나 사상의 차원보다 본질적인 정신의 차원을 생생하게 보여준다는 데에 있을 듯하다. 문인들이 무슨 특별한 존재리기보다 문학적 형상 자체가 창조과정의 정신작용을 생생하게 육화시켜 보여주기 때문이다. 특히 시의 경우 다른 장르에 비해 시적 주체를 매개로 창작자의 정신작용을 더욱 직접적으로 핍진하게 드러낸다는 양식적 속성이 있고 그렇기에 애매하게 보이기 쉬운 시정신 논의가 구체성과 생산성을 지닐 수 있다고 생각된다. 그런데 카프 시에 정신의 작용을 생생하게 형상으로 보여주는 경우는 그다지 많지 않다. '삑다귀 시'[7]라는 호칭까지 생겨날 정도로 정신이 형상으로 구현되지 못하고 이념을 구호의 형태로 생경하게 노출시킨 경우가 더 많은 형편이다.

그런데 왜 권환이나 김창술 등의 카프 시인들은 이념을 구호의 형태로 토로하는 설익은 시를 쓰게 되었을까. 그 이유는 아무래도 진보에 대한 절박감 혹은 조급함과 관련될 듯한데 그러한 진보주의적 사유가 시의 속성에 대한 천착과 변증법적 상관관계를 맺지 못함으로써 선전선동성에 대한 일방적 강조로 치달았던 것이라 생각된다. 가령 김창술의 시구 "현실을 메스대 우에 던지라"(「오월의 훈기」[8])는 이념이 구호의 형태로 토로된 예인데 거기에는 의사가 수술대 위의 환자를 수술하듯이 잘못된 현실을 고쳐나갈 수 있다는 신념이 깔려 있다. 시의 선전선동성에 대한 신뢰만큼이나 진보에 대한 신념도 그 기초가 박약하다고 생각되지만 스스로 선구자의 사명을 부여하며 정치시의 처녀지를 개척해가던 카프 시인들의 정신 상황을 단적으로 보여주는 구절인 셈이다.

시인에게 있어 정신의 단련은 시적 성취와 함께 나아가는 것이 정도로 보인다. 뒤집어 말하자면 시적 성취에 이르지 못한 시에 나타나는 정신은 충분히 단련되지 못한 어설픈 것에 지나지 않는다. 카프의 시인 가운데 진보주의적 정신이 나름대로 단련되면서 폭과 깊이를 획득해가는 모습은 임화에게서 가장 대표적으로 찾아볼 수 있다. 임화가 초기에 다다이즘을 거쳐 맑스주의로 나아가는 것은 새로운 것에 대한 강렬한 선망 때문일

---

7. 윤곤강, 「임화론」, 『풍림』 5집, 1937. 4, 8쪽 참조.
8. 조선프롤레타리아예술동맹 문학부 편, 『카프시인집』, 집단사, 1931, 8쪽.

터인데 새로운 것에 대한 선망 자체가 진보주의적 사유의 초보적 상태라 생각된다. 그러한 초보적 상태를 벗어나 임화 나름의 진보주의적 사유가 시의 속성에 대한 천착과 긴밀한 상관관계를 맺으면서 단련되는 것은 다다이즘적인 실험시[9]를 거쳐 「네거리의 순이」 등의 단편서사시를 창작하면서부터이다.

그의 최초의 카프 시라 할 수 있는 「담(曇)──1927」[10]에서 "세계의 동지야"를 부르며 프롤레타리아가 "세계의 일체를 파괴하고 세계의 일체를 건설한다'고 외치는 것은 학습한 사상의 관념적 토로에 지나지 않아 보인다. 진보에 대한 열망이 강렬하기에 스스로 선구자의 사명을 부여하고 '새로 학습한 사상'을 조급하게 토로한 듯하나 그것이 미처 정신의 차원으로 승화되지 못한 상태이다. 진보에 대한 열망으로 맑스주의로 나아갔지만 아직은 그것이 창작 주제의 내면에 제대로 육화되어 있지 못하고 주체가 살아가는 당대의 현실에 대한 인식과도 상관관계를 맺지 못하는데 그 점은 우선 시적 형상의 현저한 미숙으로 노출된다. 하지만 "프롤레타리아 진영 시의 새 지평을 타개한 것들"[11]로 평가되고 있는 「네거리의 순이」나 「우리 오빠와 화로」에 오면 사정이 달라진다.

> 순이야 누이야
> 근로하는 청년 용감한 사나이의 연인아……
> 생각해보아라 오늘은 네 귀중한 청년인 용감한 사나이가
> 젊은 날을 싸움에 보내든 그 손으로
> 지금은 젊은 피로 벽돌담에다 달력을 그리겠구나

---

9. 임화의 자전적 회고문인 「어떤 청년의 참회」(『문장』, 1940. 2)에는 "낡은 감상풍의 시를 버리고 '따따'풍의 시작을 시험했읍니다'라는 구절이 있는바 여기서 '따따'풍의 시란 「설(雪)」, 「화가의 시」, 「지구와 빡테리아」 등의 1927년에 발표한 전위적 실험시들을 지칭한다고 생각된다.
10. 『예술운동』, 1927. 11.
11. 김용직, 『임화문학연구』, 세계사, 1991, 17쪽.

그리고 이 추운 밤 가느다란 그 다리가 피아노줄같이 떨리겠구나
또 이봐라 어서
이 사나이도 네 크다란 오빠를……
남은 것이라고는 때묻은 넥타이 하나뿐이 아니냐

오오 눈보라는 도락구처럼 길거리를 달아나는구나
                                    —「네거리의 순이」 부분[12]

　이 시에서는 먼저 나름대로의 어조와 화법이 실감나게 형성되어 있다는
점이 주목되는바 어조나 화법의 형성은 시적 형상을 창조하는 데 기본이
된다. "순이야 누이야"에서처럼 호칭으로 부름으로써 청자를 설정하고
그에게 말하는 방식을 취하는 화법은 오늘날의 시에서까지 광범위하게
변주되고 있거니와[13] 터무니없이 막연하게 "세계의 동지야"를 부르는 것과
는 사정이 많이 다르다고 판단된다. 이러한 구체적 청자의 설정은 그에
적절한 어조의 구사를 가능하게 하는데 이 시의 다감한 어조는 오빠가
누이에게 하는 말이기에 자연스럽게 실감을 얻는 것으로 보인다. 자연스러
운 실감의 결핍이야말로 관념적 구호로 치달은 카프 시가 갖는 일반적
한계라고 한다면 「네거리의 순이」와 같은 작품을 쓴 임화의 위상이 상대적
으로 드러난다고 하겠다.
　또한 이 시에서 돋보이는 것은 이념을 직설적으로 토로하지 않고 형상적

---

12. 『조선지광』, 1929. 1. 『조선지광』에는 '네 가리(街里)의 순이'라는 제목으로 게재되었
　　으나, 이 글에서는 어색한 '네 가리의 순이' 대신 시집 『현해탄』(동광당서점, 1938)에
　　수록된 대로 '네거리의 순이'로 부르기로 한다.
13. 이러한 방법을 취하는 시는 일일이 거론할 수 없을 정도로 많은데 그 대표적 사례로는
　　"향단아 그넷줄을 밀어라 / 머언 바다로 / 배를 내어 밀듯이, / 향단아"로 시작되는 서정
　　주의 「추천사」(『서정주시선』, 정음사, 1956)와 "어머니 제가 그 옛날 제가 / 외지로
　　나설 때마다 / 동구 밖 신작로에 나오셔서 / 차조심하고 사람조심하라고 신신당부하시
　　던 어머니"로 시작되는 김남주의 「편지」(『나의 칼 나의 피』, 인동, 1987)를 들 수
　　있다.

자질로서의 서사를 구사하고 있다는 점이다. 이 시의 주된 화제는 오빠의 친구이자 누이의 연인인 '근로하는 청년'에 대한 것으로 그는 현재 노동운동을 하다가 구속되어 감옥에 갇혀 있다. 달리 말하자면 시적 서사에 의해 상황과 인물이 구체화되어 있는 것이다. 하지만 이 시가 형상으로 충분히 육화되어 있다고 보이지는 않는바 그러한 사실은 무엇보다도 감상성으로 나타난다. 감상성은 충분히 형상화되지 않은 감정이라고 볼 수 있기 때문이다. 또한 시적 형상이 미흡하다는 것은 나중에 적잖은 개작을 거쳐 시집 『현해탄』에 수록되는 데서도 드러난다. 가령 시의 마지막 구절 "끊이지 않는 새로운 용의(用意)와 계획으로 젊은 날을 보내라"는 당시 시인의 좌우명처럼 보이는데 시 속에 구현된 서사적 형상과는 겉도는 구절로서 시집에서는 다른 시구로 대체된다.

개작의 여지를 많이 남겨두었다는 데서 우선 드러나듯 「네거리의 순이」는 창작주체의 정신이 시적 형상으로 투영되는 과정의 진통이 적나라하게 노출된 시이다. 그런데 「네거리의 순이」에 투영된 창작주체의 정신은 과연 어떠하다고 말할 수 있는가. 그러한 의문을 풀기 위해서는 젊음을 유달리 강조하고 청년의 용감성을 부각시키는 이유에 대해 유의할 필요가 있다. 임화의 이후의 시에서도 지속되는 점이지만 이 시에서 청년은 진보를 이룩할 위대한 사명을 지닌 자이다. 앞에 거론한 시구를 끌어들여 말하자면 진보를 이룩하기 위해 '끊이지 않는 새로운 용의와 계획으로 젊은 날을 보내는 자'이다. 이러한 사실에서 추론하자면 '임화의 진보주의적 정신은 진보를 이룩하기 위하여 매진하는 청년의 형상 속에 투영되어 있다'고 말할 수 있다.

진보를 이룩하기 위해 매진하는 '용감한 청년'이 등장하고 그에 관한 이야기가 펼쳐지는 것은 「우리 오빠와 화로」에서도 마찬가지이다. 이 시에서는 화자가 누이이고 용감한 청년은 오빠로 변주되어 있는데 그 또한 노동운동을 하다가 감방에 갇혀 있다. 문제의 청년을 노동자로 설정한 것은 미래의 희망을 노동계급으로부터 찾는 계급사상의 발현이라 하겠고 그의 현재 상황을 감옥에 갇힌 것으로 설정한 것은 시인의 진보주의가 당시의 엄혹했던 사회현실에 부딪치면서 나타난 결과로 해석된다. 이와 같이 「네거리의 순이」나 「우리 오빠와 화로」는 계급사상이 시인의 정신 속으로 스며드는 모습을 보여주는 동시에 계급사상을 수용한 진보주의적 정신이 사회현실과의 상호작용 속에서 단련되는 모습을 보여준다고 하겠다. 하지만 그 단련이 충분치 못하기에 감상성이 노출될 정도로 시의 형태가 장황하다고 생각된다.

서사적 형상 속에 창작주체의 진보주의적 정신이 투영되는 것은 『카프시인집』에 함께 수록되는 「우산 받은 요꼬하마의 부두」나 「양말 속의 편지」도 크게 다르지 않다. 변혁운동에 종사하는 노동자가 등장하여 역경에 처하는 것이나 감상성이 노출될 정도로 시의 형태가 장황하다는 점도 대동소이하다. 위에서 '형태의 장황함'을 '충분히 단련되지 못한 시정신'과 상동관계에 있는 것으로 보았는데 그렇지만 그러한 미흡함은 오늘날의 관점에서 드러나는 것이고 위에서 거론한 단편서사시의 대표작들은 어찌 됐든 당대의 리얼리즘시로서 최고 수준을 보여준다고 생각된다. 시에서 리얼리즘의 성취란 시인의 정신이 사회현실과 긴밀한 상관관계를 형성함으로써 가능해진다고 할 때 이러한 시들에서만큼 그 상관관계가 밀접한 경우도 드물기 때문이다.

일제강점기는 진보를 위주로 생각하지 않을 수 없게 한 시대이면서 동시에 진보주의적 사유가 제대로 뻗어갈 수 없게 한 시대이기도 하다. 사적 유물론은 진보를 전제로 하는 거시적 인식틀이지만 진보가 역사법칙에 따라 저절로 이루어지는 것이 아니라는 점에서 맹목적인 진보주의란 존재할 수 없다. 설사 일반화할 수 있는 역사법칙이 있다 하더라도 개별 민족사는 얼마든지 특수할 수 있고 더구나 민족말살 정책이 추진되던 1930년대 후반의 조선인에게는 진보에 대한 전망이 지극히 막막할 수밖에 없었다. 달리 말해 세계사를 거시적으로 진보의 관점에서 볼 수 있다 하더라도 개별 민족 가운데는 멸망한 경우도 많다는 사실을 염두에 두지 않을 수 없던 상황이었다. 이러한 상황은 특히 사회주의적 전망으로 문학운동을 해오다 조직의 해체를 겪은 카프계열의 시인들에게 심각한 문제가 되었다.

되풀이하여 말하자면 일제강점기는 이상과 현실 사이의 현격한 거리가 진보주의적 정신으로 하여금 심각한 갈등을 겪게 하던 시기이다. 여기에서 중요한 것은 그러한 갈등을 제대로 감당하는 일이고 갈등의 주체가 시인이라면 그것을 시적 형상 속에 진실되게 반영하는 일이다. 임화가 문제적 개인인 이유 중의 하나는 그러한 갈등을 제대로 겪어낸 시인이라는 데에 있고 그의 『현해탄』은 진보주의적 정신이 식민지 파쇼체제에 부딪쳐 고투하는 모습을 보여주는 가장 대표적인 시집일 듯하다. 다소 과장되어 있긴 하지만 "오랜 사공인 별들조차 갈 길을 잃어 구름 속에 헤매는 어둠"(「나는 못 믿겠노라」) 속에서 혹은 "아무 곳으로도 길이 열리지 않는 암흑한 계곡"(「암흑의 정신」) 속에서 "주검까지도 사는 즐거움으로 부둥켜안은 청년의 아픈 행복"(「옛 책」)을 노래하고 있기 때문이다.

> 우리의 몸은 새보다도
> 날래고 자유로워
> 바람이나 파도는
> 얼른 우리 앞에 맞서지를 못했다
>
> 거친 파도와 바람이,
> 우리들의 가슴속에 묻어놓은 것은,
> 자신과 굳은 신념 하나뿐이었다.
>
> 그러나 오늘밤 얼굴의
> 깊은 주림과 꺼진 눈자위가
> 밤 하늘보다 오히려 어두워,

타고 있는 조그만 배가

장차 닿을 항구의 이름조차 알 수가 없다.

          — 「다시 인젠 천공에 성좌가 있을 필요가 없다」 부분[14]

  인용된 부분에는 나타나지 않지만 시적 자아 혹은 시적 주체의 위치는 현해탄이다. 즉 임화의 현해탄 시편 가운데 하나이다. 현해탄에 대한 임화의 집착은 유별날 정도[15]인데 그 사실 또한 진보주의적 시정신과 관련된다. 임화에게 현해탄은 근대문물 유입의 통로로서의 의미를 지닐 뿐만 아니라 그 자신이 맑스주의를 단련하게 된 통로로서의 의의를 지니기 때문이다. 앞에서 말했듯이 맑스주의 또한 진보사상 가운데 하나라는 점에서 인용시에 나오는 자신과 신념이란 사회주의자로서의 자신이면서 진보에 대한 신념이기도 한 것이다. 하지만 그러한 자신과 신념은 청춘의 혈기가 뻗치던 과거의 일이요 막상 현재는 장차 닿을 항구의 이름조차 알 수 없다. 즉 프로문학운동을 하던 시절의 자신과 신념이 상황의 악화에 따라 현저히 약화된 것이다.

  『현해탄』은 주로 카프의 와해 이후의 시인의 정신 상황을 보여주는 시들로 채워져 있는데 카프의 활동정지 및 해산이야말로 진보에 대한 임화의 열망이나 신념이 크게 도전받는 사건이라 하겠다. 당대의 문화적 · 정치적 활동의 한계를 여실히 보여주는 사건이 카프의 해산이기 때문이다. 이후에도 역사의 전개와 함께 만들어질 "새 지도의 젊은 화공"(「지도」)임을 자임해보기는 하지만 그것이 얼마나 허장성세인가는 당시의 현해탄 시편들이 사회현실과의 접점을 제대로 형성하지 못한 채 심하게 낭만적 편향을 보이는 데서 우선적으로 드러난다. 1930년대 후반의 시인의 정신 상황은 인용시의 "장차 닿을 항구의 이름조차 알 수가 없다"에 솔직하게 잘 표현되

---

14. 『현해탄』.
15. 이에 대해 김윤식은 「임화연구」, 『한국근대문예비평사연구』(일지사, 1976), 560~61
    쪽에서 '현해탄 콤플렉스'라고 명명하고 있다.

어 있다. '장차 닿을 항구'란 현실적 전망과 관련될 터인데 현실적 전망이
보이지 않는 상태에서 어떻게 견뎌낼 것인가의 문제가 절박하지 않을
수 없다.

> 승리란 싸움이 부르는 영원한 진리다
> 그러나 나는 또한 패배를 후회하지 않는다
> 승패란 자고로 싸움의 어찌할 수 없는 운명이 아니냐
>
> 중요한 것은 우리가
> 피로하지 않는 것이다
> 적에 대한 미움을 늦추지 않는 것이다
> 멸망을 두려워하지 않는 것이다
> 지혜 때문에 용기를 잃지 않는 것이다
>
> 결별에 임하여 무엇 때문에
> 한 그릇 냉수로 흥분을 식힐 필요가 있느냐
> 벗들아! 결코 위로의 노래에
> 귀를 기울여서는 아니된다
>
> ─「한잔 포도주를」 부분[16]

비장하고도 단호한 어조로, 피로하지 않고 적에 대한 미움을 늦추지
않고 멸망을 두려워하지 않고 용기를 잃지 않고 위로의 노래에 귀를 기울여
서는 아니된다고 말하고 있다. 즉 아무리 상황이 어렵더라도 혹은 상황이
암담할수록 영웅적인 행위가 요구된다는 것이다. 그것은 '우리'라는 말에서

---

16. 『찬가』, 백양당, 1947. 원래 이 시는 『청색지』(1938. 6)에 발표되었는데 검열 때문인
  듯 '적'이 '피녀(彼女)'로 되어 있다.

알 수 있듯 동지들에 대한 요구이면서 자기 자신에 대한 다짐이기도 하다. 이와 같은 영웅적 행위는 임화 자신도 감당하기 힘들었을 터인데 그 점은 앞서 인용한 시구, "얼굴의 / 깊은 주림과 꺼진 눈자위가 / 밤 하늘보다 오히려 어두워"를 보면 짐작할 수 있다. 그러니까 시인 자신의 분신인 시적 주체를 시쓰기를 통해 강고하게 세워나가는 것이야말로 위와 같은 시를 쓰게 된 내면적 동기일 것이다. 아무튼 현실적 전망이 아무리 막혀 있더라도 주체를 세워 꿋꿋하게 버텨나간다는 것, 이것이 진보주의자로서 임화가 제시한 어려운 시대를 사는 방법론이다.

이러한 임화의 견해는 전향론이 사상의 문제일 뿐 아니라 문학계의 핵심적인 사안으로 대두됐던 당대의 상황 속에서 그 의미를 되새길 필요가 있다. 비록 외압에 의해 와해됐을지라도 사회의 변혁 즉 진보를 추진하기 위한 조직인 카프의 왕년의 서기장다운 발언을 한 셈이기 때문이다. 하지만 현실적 전망을 마련할 수 없는 상태에서의 주체의 용기란 얼마나 공허한 것인가. 나날이 정세가 악화되어가는 상황에서 주체를 세워 버티는 것은 한계가 있게 마련이고 일제 말은 진보주의적 정신이 세계현실과의 상관관계를 형성하기가 거의 불가능한 시기이다. 세계현실과의 상관관계가 제대로 형성되지 않은 상태에서의 주체 세우기가 온전하게 성공할 수도 없으려니와 그러한 상태가 지속되면서 창작활동이 질식되는 것이 1939년 여름의 임화의 모습이라 하겠다.

아무래도 실천이 따르지 못하는 진보주의는 불구임을 면할 수 없을 것이다. 달리 말해서 진보주의는 사회의 변혁을 모색하는 실천을 통해서 제대로 발현된다고 하겠다. 그런데 작가에게는 대체로 두 가지 실천의 길이 있으니 하나는 창작적 활동을 통해서이고 다른 하나는 사회적 활동을 통해서이다. 따라서 창작적 실천과 사회적 실천을 상정할 수 있는데 개별 작가의 활동이라는 차원에서 볼 때 그 둘은 결국 하나로 통합될 수밖에 없을 것이다. 특히 진보주의적 시인인 경우 사회적 활동이 따르지 못하는 시창작은 오래 지속되기 어렵고 이 점이 일제 말 임화가 시를 쓰지 못한 이유라고 해석할 수 있을 것이다. 또한 그의 1930년대 후반의 시에 세계현실과의 접점이 제대로 형성되지 못한 것도 유사한 맥락에서 살펴볼 수 있으니 그것은 사회적 활동과 절연된 시적 주체를 형상화할 수밖에 없기 때문이라 생각된다.

두루 알려져 있다시피 해방정국은 '어떠한 성격의 국가를 세울 것인가'라는 과제가 전면적으로 제기되고 그에 부응하는 노선과 체제의 선택이 가능하던 희유한 시기이다. 이렇듯 비상한 시기를 맞이해서 임화가 정치적·사회적 활동에 매진한 것은 거의 필연적인 행로로 보인다. 진보적 민주주의 국가 건설은 남로당의 중심 표어이거니와 그 무렵 임화의 위상은 남로당 노선의 문화적 대변자라고 하겠다. 기민하게 문학건설본부의 간판을 걸고 조선문학가동맹의 조직을 주도해나간 것이 그러한 활동의 대표적 사례인 셈이다. 언뜻 보아 당시 임화의 시창작은 정치적·사회적 활동에 부수되는 형국이지만 그와 같은 활동이 없이 시가 쓰어질 수 없는 것이 그의 진보주의적 정신이 안고 있는 특성이라 하겠다. 막상 사회의 변혁을 위한 활동의 공간이 열렸다고 생각되는 마당에 실천적 활동을 유보하는 진보주의는 이미 살아 있는 정신일 수 없기 때문이다.

> 노름꾼과 강도를
> 잡든 손이
> 위대한 혁명가의
> 소매를 쥐려는
> 욕된 하날에
> 무슨 깃발이
> 날리고 있느냐
>
> 동포여!
> 일제히

깃발을 내리자

가난한 동포의
주머니를 노리는
외국 상관(商館)의
늙은 종들이
광목과 통조림의
밀매를 의논하는
폐(廢) 왕궁의
상표를 위하여
우리의 머리 우에
국기를 날릴
필요가 없다

동포여
일제히
깃발을 내리자

—「깃발을 내리자」 부분[17]

이 시의 특징으로 우선 두드러지는 것은 시인의 내면세계의 표현이 거의 문제되지 않고 선전선동성이 강하게 드러나 있는 점이다. 덧붙여 말하자면 서정시의 일상적 성격과는 달리 시적 주체가 가두에 진출해서 공적인 목소리를 내고 있다. 그리고 이러한 성향은 해방정국에서 산출된 임화 시의 주된 특성이라고 볼 수 있을 정도인데 그렇게 된 이유는 일단 시를 '변혁운동의 무기'로 상정하는 문학관에서 찾을 수 있겠다. 하지만

---

17. 『찬가』.

시 자체에 밀착시켜 이유를 찾자면 정치적·사회적 활동에 매진하는 시인의 분신이 시적 주체로 형상화됐기 때문이라고 하겠다. 즉 인용시는 해방정국이라는 비상한 시기를 맞이해서 임화의 시가 어떻게 변모했는가를 보여주는 대표적 사례인 셈이다. '시가 변혁운동의 무기가 될 것을 상정하는 문학관'조차 진보에 대한 열망으로부터 나온다고 볼 때 「깃발을 내리자」의 정신적 배경이 진보주의라는 점은 재론할 필요가 없을 것이다.

이 시의 다른 특징으로는 호흡이 급하게 끊어졌다 이어지면서 발생하는 '단속적인 율격'을 지적할 수 있다. 그것은 외형상 "동포여 / 일제히 / 깃발을 내리자"처럼 시행을 계속 짧게 끊어서 처리함으로써 발생하는데, 기조가 되는 선동적인 화법과 맞물려 시인 나름의 단호한 어조를 형성하고 있다. 물론 이러한 단호한 어조는 단순한 기교의 문제가 아니고 궁극적으로 창작주체의 정신과 삶 전체에서 우러나온다고 보는 것이 타당할 것이다. 세상의 추이에 적당히 순응하는 삶 속에서 이와 같은 율격과 어조가 빚어질 수도 없으려니와 만약에 그렇다 하더라도 진정성을 획득할 수는 없을 것이기 때문이다. 필자의 주관적 소견일지 모르겠으되 이러한 단호한 어조와 단속적인 율격은 자신이 하고 있는 일이 비할 데 없이 신성하고 그 신성한 일이 계속해서 장애에 부딪치고 있다는 주체의 인식과 긴밀하게 호응한다고 생각된다.

그런데 당시의 임화에게 "그 밑에 전사하리라"(「9월 12일」)고 다짐할 정도로 비할 데 없이 신성한 일이란 과연 무엇인가. 그것은 바로 사회의 획기적인 진보를 가져올 통일된 민족국가를 세우는 일이다. 당시의 정치적 술어로 말하자면 '부르주아 민주주의혁명'을 통한 '진보적 민주주의 국가건설'이 바로 엄숙한 소명으로서의 신성한 과제이다. 일찍이 '새 지도의 젊은 화공'임을 자임했던 임화의 진보주의적 정신이 그에 걸맞은 과제를 만난 셈인데, 그것은 또한 인용시의 '위대한 혁명가'의 과제이기도 하다. 그렇지만 화공이 지도를 그리듯이 역사가 전개될 리 만무하고 미·소의 분할점령 체제 아래의 해방정국의 역사는 임화와 그의 정치적 노선이 얼마나 처절하게 패배했는가를 냉엄하게 보여준다. 사회의 진보는 늘 당대를 사는 개인의 시야에 잡히지 않을 만큼 지둔하다는 것이 우리 근·현대사의 비극이라면 임화는 그러한 비극을 온몸으로 체현한 시인인 셈이다.

임화의 정치적 실패 때문에 그의 시에 나타나는 진보주의가 세상을 바로 보고 바로 살려는 마음의 표출이라는 사실까지 부인할 필요는 없을 것이다. 물론 '세상을 바로 보고 바로 살려는 마음'조차 욕망과 결부될 수밖에 없는 것이 인지상정이겠으되 임화의 경우 적어도 그 욕망에 사특함이 개입되지는 않았다고 말할 수 있다. 당연한 말이지만 세상을 바로 보고 바로 살려는 의도가 곧바로 성취를 가져오는 것은 아닐 터이고 시인에게 있어 성취란 리얼리즘의 성취와 별로 다르지 않을 것이다. 당시에 계급사상을 수용한 시인 가운데 임화는 가장 높은 경지의 성취를 보여준다고 판단되지만 한계 또한 다분히 노정하고 있다. 그리고 그러한 한계가 드러나는 주된 이유는 그의 진보주의가 사회현실로부터의 반작용을 진지하고 겸허하게 수용하지 못한 데에 있는 듯하다.

(2) 전통 부정과 진보주의

새로운 것에 대한 강렬한 선망이 진보주의의 한 양상이라는 점에 대해서는 별다른 이견이 없을 것이다. 그런데 이를 뒤집어보면 전래의 문물에 대해 부정적인 시각으로 기울기 쉬운 것이 진보주의라는 말이 된다. 임화의 현해탄 시편들은 새로운 것으로서의 근대문물에 대한 강렬한 선망이 '현해탄'이라는 상징을 통해 발현된 경우라고 하겠다. 그의 「내 청춘에 바치노라」에 나오는 시어를 빌려 말하자면 현해탄은 '낡은 고향'에 '새 시대의 총명'을 유입하는 통로인 것이다. 임화의 경우 새로운 것 가운데서도 가장 신뢰할 만한, 그야말로 '새 시대의 총명'이 맑스주의라는 점은 새삼스럽게 논의할 필요가 없겠다. 그리고 이러한 현해탄적 시각에서 볼 때 "전선줄을 끊고 철로길에 누웠던 옛날 어른들"(「지도」)은 참으로 세월의 흐름에 맹목인 자들인 셈이다.

이와 같은 현해탄적 시각이 문학사를 보는 데 관철된 경우가 유명한 '이식문학론'이다. "문학사의 모든 시대가 외국문학의 자극과 영향과 모방으로 일관되었다 하야 과언이 아닐 만큼 신문학사란 이식문화의 역사다"[18]라는 극언이 그것이다. 이러한 발언의 문제점을 보완하기 위해 문학사가로서의 임화는 고유의 문화가 이식된 문화를 섭취함으로써 전통으로 부활할 가능성을 간과하지 않았지만 그것은 어디까지나 논리의 차원이고 중요한 것은 시인 자신의 실감이다. 즉 임화의 문학적 자양은 현저하게 외래적인 것이었는데 그것은 일천한 신문학사와 관련된 당대의 일반적 풍토였다. 그의 시는 '근대적인 것은 밖에서 유입되는 것'이라는 의식의 자장에서 벗어날 수 없었으니 그 당연한 결과로 민족적 형식이나 전래적 사상·감정으로부터 자극받은 흔적을 드러내지 않는다.

그러한 외래지향성은 시적 성향 면에서 여러 모로 임화의 계승자로 보이는 오장환에게서도 농후하게 나타난다. "우리의 시단은 사조의 다량주문과 유입 속에 태동되었고 또 우리와 같은 젊은 사람들은 늦게서야 이러한 것을 양식으로 하여 내 몸을 성장시킨 것"[19]이라는 발언이 그것이다. 수용할 만한 문학적 전통이 없는 불모지에서 출발한다는 시인의 의식이 드러나 있는 말이라 하겠다. 불모지에서 시를 쓰는 자로서의 오장환의 자의식 혹은 자부심은 "문학에 뜻을 둔 청년으로서 누구나 새로움을 찾고 향상되기를 바라며 그 만만한 의도에 패기를 가져보지 않은 사람이 있겠는가! 그들은 무거운 전통과 습속에 눌리며 모진 괴로움을 맛보고 싸워나왔다"[20]는 발언으로 표출되기도 한다. 모름지기 문학하는 청년은 '전래적 습속과 싸우면서 새로움을 찾는 자'라는 것인데 진보주의적 문학관의 명백한 개진이라 하겠다. 그런데 정작 중요한 것은 그것이 시정신 차원으로 어떻게

---

18. 임화, 「신문학사의 방법」, 『문학의 논리』, 학예사, 1940, 827쪽.
19. 오장환, 「방황하는 시정신」, 『인문평론』, 1940. 2, 70~71쪽.
20. 오장환, 「문단의 파괴와 참다운 신문학」, <조선일보>, 1937. 1. 28.

구현되는가이다.

열녀를 모셨다는 정문(旌門)은 슬픈 울 창살로는 음산한 바람이 스미어
들고 붉고 푸르게 칠한 황토 내음새 진하게 난다. 소저는 고운 얼골 방안에만
숨어 앉어서 색시의 한시절 삼강오륜 주송지훈(朱宋之訓)을 본받어왔다.
오 물레 잣는 할멈의 진기한 이야기 중놈의 과객의 화적의 초립동이의
꿈보다 선명한 그림을 보여줌이여. 시꺼믄 사나이 힘세인 팔뚝 무서운
힘으로 으스러지게 안어준다는 이야기 소저에게는 몹시는 떨리는 식욕이
었다. 소저의 신랑은 여섯 해 아래 소저는 시집을 가도 자위하였다. 쑤군쑤군
지껄이는 시집의 소문 소저는 겁이 나 병든 시에미의 똥맛을 핥어 보았다.
오 효부라는 소문의 펼쳐짐이여! 양반은 죄금이라도 상놈을 속여야 하고
자랑으로 누르려 한다. 소저는 열아홉 신랑은 열네살 소저는 참지 못하야
목매이든 날 양반의 집은 삼엄하게 교통을 끊고 젊은 새댁이 독사에 물리랴
는 낭군을 구하려다 대신으로 죽었다는 슬픈 전설을 쏟아 내었다. 이래서
생겨난 효부열녀의 정문 그들의 종친은 가문이나 번화하게 만들어보자고
정문의 광영을 붉게 푸르게 채색하였다.

—「정문」 전문[21]

이 시에서 정문은 열녀문인데 시인은 그것을 양반 가문의 기득권 유지
및 확장을 위해 거짓으로 조작하여 세운 것으로 파악하고 있다. 열녀문의
주인공인 소저가 시집가기 전부터 자위를 하고, 결국 정욕과 시집살이를
견디지 못해 자살한 사실을 숨기고서 '어린 낭군이 독사에 물리려는 것을
구하다가 대신 물려 죽었다'는 허황된 전설을 날조했다는 것이다. 유교적
신성물인 정문에 대한 통렬한 야유인 셈인데 막상 문제는 오장환의 시각이
왜 그렇게 부정적인가이다. 그 이유는 정문이 봉건사회의 이념적 지주인

---

21. 『시인부락』, 1936. 11.

유교, 특히 주자학의 충·효·열의 표상이라는 데서 찾을 수 있다. 달리 말해서 정문은 진보를 가로막는 상징물로서 역할을 해왔고 그 점이 창작주체의 격렬한 반발심을 유발한 것이다. 즉 「정문」은 오장환의 진보주의가 우상파괴의 형태를 띠고 표출된 경우인 것이다.

전통적인 것 혹은 관습적인 것에 대한 격렬한 반감은 오장환의 초기시의 특성의 하나이다. 반감이 얼마만큼 심한가 하면 아예 전통과 관습의 구분을 무화시킬 정도이다. 앞에서 인용한 발언에서도 전통과 습속을 동일시하고 있거니와 그의 시 「성씨보」[22]에는 제목 아래 "오래인 관습— 그것은 전통을 말합니다'라고 부기되어 있다. 「정문」과 매우 흡사한 작품이 「성씨보」인바 거기에서는 부정하는 대상이 성씨보 즉 족보이다. 부정의 근거를 허위로 조작한 데서 찾는 것도 유사한데 "똑똑한 사람들은 항상 가계보를 창작하였고 매매하였다"고 말하고 있다. 성씨보를 '봉건적 가부장제 사회의 산물이면서 그러한 사회를 존속시키는 지주'로 보는 점도 「정문」과 흡사하다. 즉 시인의 마음 가운데 자리 잡은 진보에 대한 열망이 정문이나 성씨보에 대한 격렬한 반감을 유발했다고 하겠다.

전통과 관습을 구분하지 않는다는 것은 계승할 것과 부정할 것을 구분하지 않는다는 말이 된다. 되풀이하여 말하자면 오장환은 전래의 모든 것을 부정하는 자세를 취하고 있다. 그런데 왜 오장환은 과거로부터의 전승 전체를 송두리째 부정하는 것일까. 그에 대해서는 우선 서자 출신[23]이라는 개인적 이유를 들 수 있겠다. 당시까지만 해도 서자에 대한 차별의 유습이 완강하게 남아 있었기 때문이다. 그러니까 앞에서 인용한 "무거운 전통과 습속에 눌리며 모진 괴로움을 맛보며 싸워나왔다"는 말에는 개인적 체험이

---

22. <조선일보>, 1936. 10. 10.

23. 호적부에는 쇼와(昭和) 6년, 그러니까 오장환의 나이 14세 때인 1931년에 부친 오학근과 생모 한학수가 혼인신고를 함으로써 적출자가 되었다고 기록되어 있다. 이러한 논의는 필자의 소략한 오장환론인 「개인적 진실과 문학적 진실」(『현대시학』, 1988. 9), 117쪽에서 이미 한 바 있다. 그 글의 내용은 앞으로 일일이 전거를 밝히지 않고 이 글에서 발전적으로 수용할 것이다.

짙게 배어들어 있다고 하겠다. 달리 말하자면 전래적 습속으로부터 벗어나 사회가 진보하기를 바라는 창작주체의 마음에는 개인의 내적 필연성이 개입되어 있는 것이다. 하지만 오장환의 문학세계가 이러한 개인적인 이유의 발현에 그쳐서는 문학사적 의미망 속에 들어오기 힘들 것이다.

오장환의 시가 지니는 장점 가운데 하나는 사사로움의 차원에 머물지 않는다는 데 있고 그렇기에 리얼리즘의 성취를 논할 수 있겠다. 위에서 전통 부정을 진보주의와 관련시켰는데 그것은 또한 '국가가 상실된 시대에 살고 있다는 절박감'으로서의 국가 상실감에 연결된다. 「정문」이나 「성씨보」에서와 같은 격렬한 전통 부정에는 정문이나 성씨보와 같은 봉건적인 유습에 사로잡혀 역사의 진보를 제대로 이룩하지 못했기에 국가를 상실하고 말았다는 인식이 깔려 있기 때문이다. 앞에서 말했듯이 정문은 유교적 덕목의 상징물이고 유교는 조선이라는 국가의 사상적 지주이다. 그런데 국가가 이미 상실된 마당에 국가를 지탱했던 사상적 지주를 공격하는 것이 무슨 의미가 있으며 왜 그런 무모한 짓을 벌였을까. 이러한 의문에 부딪쳤을 때 「성벽」을 검토할 필요가 생긴다.

> 세세전대만년성(世世傳代萬年盛)하리라는 성벽은 편협한 야심처럼 검고 빽빽하거니. 그러나 보수는 진보를 허락치 않아 뜨거운 물 끼없고 고추가루 뿌리든 성벽은 오래인 휴식에 인제는 이끼와 등넝쿨이 서로 엉키여 면도 않은 턱어리처름 지저분하도다.
>
> —「성벽」 전문[24]

짤막한 산문시로서 시인의 진보주의적 정신이 성벽이라는 시적 대상과의 상관관계 속에서 잘 드러나 있다. 우선 이 시에서 주목되는 것은 성벽에 대한 부정적 시각이다. 편협한 야심에 비유할 뿐만 아니라 거의 일방적으로

---

24. 『시인부락』, 1936. 11.

지저분하다고 보고 있다. 보기에 따라서는 고색창연하여 나름대로 풍치가 있을 성벽을 시인은 왜 추하다고 보는가. 전통 부정의 진보주의자 오장환의 시각에서 고색창연한 것은 원천적으로 아름다움일 수 없는 것이다. 게다가 성벽은 "진보를 허락치 않아 뜨거운 물 끼얹고 고추가루 뿌리든" 봉건시대의 유물이다. 달리 말해 성벽은 역사의 진보를 가로막는 '보수의 보루'이기에 추하게 보이는 것이다. 즉 인용시에서 성벽은 봉건사회의 유물로서 봉건사회를 존속시키는 역할을 했다는 점에서 정문이나 성씨보와 동격의 것으로 취급되고 있다.

하지만 성벽은 정문이나 성씨보에 비해 부정의 대상으로서 다소 부적절한 듯한데 그것은 시의 완성도와도 관련된다고 생각된다. 정문이나 성씨보는 창작주체가 살던 시대에 보수의 보루로서의 역할을 엄연히 수행하고 있었던 데 반해 성벽은 '오래인 휴식'이라는 말에서 드러나듯 그 기능을 상실한 지가 이미 오래되었기 때문이다. 즉 성벽은 부정의 대상으로서 정문이나 성씨보에 비해 핍진성이 떨어진다. 또한 성벽은 외세의 침략에 대한 국가 방어기능이 보수의 보루로서의 기능보다 우선하다고 볼 수도 있을 것이다. 그럼에도 왜 보수의 보루로만 보고 일방적으로 부정하는가. 그 이유는 주체적으로 역사의 진보를 이룩하지 못했기에 일제의 식민지가 되었다는 강박관념에서 찾을 수 있다. 그러한 강박관념이 결과적으로 국가 상실을 초래한 과거 전체를 무차별적으로 부인하게 하는 것이고 그것이 오장환의 전통 부정의 실상인 셈이다.

여기에서 잠시 「정문」이나 「성벽」을 발표하던 1936년의 오장환의 연령을 염두에 둘 필요가 있다. 그의 생년이 1918년이니 아직 약관의 나이에도 이르지 못한 형편이고 그렇기에 전통과 관습을 무차별적으로 부정했다고 해석할 여지도 없지 않다. 계승할 것과 부정할 것을 지혜롭게 분별할 만한 성숙된 역사의식을 미처 갖출 수 없었던 것이다. 이러한 오장환의 처지를 감안한다면 자신이 태어나기도 전에 국가 상실을 초래한 과거를 송두리째 부인하는 시인의 마음이야 충분히 공감이 가는 사항이다. 무모할 정도로 격렬한 전통 부정은 역사의식의 미성숙 때문이면서 동시에 국가 상실로 인한 절박감 때문이라는 점에서 그러하다. 그의 전통 부정의 격렬함은 국가 상실감의 깊이에 비례하는 것으로 보일 정도이고 그런 맥락에서 오장환 시의 시사적 의의를 논할 수도 있을 듯하다.

　하지만 그의 전통 부정은 국가회복이라는 과제와 제대로 마주치지 못하고 있다. 다분히 미성년적 무책임성을 내포하고 있는 그의 정신이 당대의 시대적 과제를 제대로 감당하지 못하고 있는 형국인 것이다. 원천적으로 과거가 없는 미래가 없듯이 전통 부정과 국가회복의 문제는 서로 접점을 형성하기 힘들다고 하겠다. 국가 상실로 인해 격렬하게 전통을 부정하지만 전통을 부정하는 것은 국가회복의 가능성을 부정하는 일이 되겠기 때문이다. 과거를 송두리째 부정하지만 막상 자신의 시야에 미래가 보이지 않는 것이 당시 시인의 정신 상황이었다. 진보주의란 필연적으로 전망의 문제를 끌어안는 법인데 미래가 막혀 있으니 그 자체로 갈등을 노정할 수밖에 없다. 이러한 진보주의적 갈등은 국가회복의 전망이 보이지 않던 일제강점기 시인들의 주요한 정신적 현상이라 할 수 있는바 그러한 갈등을 전형적으로 보여주는 시인이 오장환인 셈이다.

　　망명한 귀족에 어울려 풍성한 도박. 컴컴한 골목 뒤에선 눈자위가 시푸른 청인(淸人)이 괴침을 훔칫거리면 길 밖으로 달리어간다. 홍등녀(紅燈女)의 교소(嬌笑), 간드러지기야. 생명수! 생명수! 과연 너는 아편을 가졌다. 항시(港市)의 청년들은 연기를 한숨처럼 품으며 억세인 손을 들어 타락을 스스로히 술처럼 마신다.

──「해항도」 부분[25]

25. 『성벽』 재판, 아문각, 1947. 「해항도」는 원래 『시인부락』(1936. 12)에 발표된 시인데 많은 개작을 거쳐 인용시와 같은 형태로 시집 『성벽』 초판본(풍림사, 1937)에 수록된 듯하나 초판본 시집이 발견되지 않아 확인할 수 없다. 단 초판본과 재판본 사이에 개작이 거의 이루어지지 않았으리라 추정되는데 그 근거는 『성벽』 재판본의 「범례」에

진보에 대한 전망이 막힌 상태에서 진보주의자가 겪는 갈등은 '타락'으로 분출되기도 하는바, 인용시는 그러한 예이다. 오장환의 초기 시에 배경으로 자주 등장하는 항구는 타락한 시적 자아가 있는 공간이고 인용시 「해항도」 의 시적 자아는 타락을 스스로 술처럼 마시는 청년 가운데 하나이다. 이렇듯이 타락한 시적 자아는 "나는 병든 사나이. 야윈 손을 들어 오랫동안 타태(惰怠)와 무기력을 극진히 어루만졌다"(「황혼」,[26])에서처럼 병든 사나 이로 변주되어 나타나기도 한다. 타락의 구체적 항목은 도박, 매음, 마약 등인데 그의 전통 부정이 격렬하듯이 타락 또한 자못 극단적이다. 실제로 시인이 그러한 극단적인 체험을 부분적으로 했을 가능성이 있겠지만 상습 적이었다고 보기는 힘들 것 같다. 무엇보다도 오장환이 아편중독자는 아니었기에 「해항도」에서의 시적 자아의 행위는 다분히 위악적인 몸짓으 로 보인다.

그런데 정작 중요한 것은 이와 같이 타락하고 병든 시적 자아가 어떠한 정신적 맥락에서 설정되었는가이다. 앞에서 전망 부재로 인한 진보주의자 의 갈등을 언급했거니와 인용시의 시적 자아는 그러한 갈등을 구현하고 있는 인물로 보인다. 당시의 오장환에게 더 나은 미래사회란 일제로부터의 해방을 전제로 한다고 할 때, 민족의 주체적인 노력으로 해방으로 가는 길이 보이지 않던 그 시대에 건전한 생활인이 되는 것을 거부하고 타락의 몸부림을 치는 것도 일종의 반항인 셈이다. 위악적이라고 보일 정도로 타락의 몸부림이 거칠다는 것은 그만큼 체제에 순응하기를 거부하는 자세 가 격렬했다고 해석될 여지도 있기 때문이다. 그렇지만 몸부림치는 것 자체는 "아모리 선의로 생각하여 모든 사회악과 부정에 항거하는 몸짓이라 한다 하여도 일호(一毫)의 공이 없는 것"[27]이라는 뒷날의 자기비판이 갖는

나오는 "작품에 있어서는 그 당시 부득이한 일로 고쳐 썼던 것 외에는 손을 대지 않기로 하였다"는 저자의 말이다.

26. 『성벽』 재판.

설득력을 부인할 수 없을 것이다.

오장환은 끊임없는 자기갱신을 통해 변화해간 시인이다. 그러한 변화가 그의 시를 풍요롭게 한다. 풍요롭다는 것은 예술성이 뛰어나다거나 민족사적 요청에 투철하다는 것과는 다르다. 그의 시 가운데는 시행착오나 실패로 보이는 것들도 상당수 있는데, 시행착오나 실패조차 의미 있어 보인다는 점이 오장환의 시를 읽는 재미의 하나이고 그의 시를 풍요롭게 하는 한 요소이다. 일반적으로 전통 부정이나 타락은 덕목일 수 없는 것이지만 오장환의 시에서는 의미 있는 정신의 편력으로 보인다는 점이 독특한 성취라고 하겠다. 앞에서 논했듯이 전통 부정이나 타락은 진보주의의 시적 발현이자 시인의 정신적 편력의 주요한 거점이다. 하지만 그러한 세계에 머무르지 않고 계속 변화해가는 것이 오장환다운 면모이거니와 원래 정체된 시세계와 진보주의적 시정신은 개별 시인에게서 서로 공존하기 힘들다고 생각된다.

> 무거운 쇠사슬 끄으는 소리 내 맘의 뒤를 따르고
> 여기 쓸쓸한 자유는 곁에 있으나
> 풋풋이 흰 눈은 흩날려 이정표 썩은 막대 고이 묻히고
> 드런 발자욱 함부로 찍혀
> 오즉 치미는 미움
> 낯선 집 울타리에 돌을 던지니 개가 짖는다.
>
> 어메야, 아즉도 차디찬 묘속에 살고 있느냐
> 정월 기울어 낙엽송에 쌓인 눈 바람에 흐트러지고
> 산짐승의 우는 소리 더욱 처량히
> 개울물도 파랗게 얼어

---

27. 오장환, 「자아의 형벌」, 『신천지』, 1948. 1, 110쪽.

진눈깨비는 금시에 나려 비애를 적시울 듯

도형수(徒刑囚)의 발은 무겁다.

—「소야의 노래」 전문[28]

이 시에서 시적 주체는 일종의 순례자로 설정되어 있다. 어머니가 살고 있는 고향을 떠나 세계로의 편력을 수행하고 있는 순례자이다. 이와 같이 세계로의 편력을 수행하는 시적 주체는 그의 다양한 시적 변모에 상응하는 존재이기도 하다. 인용시에서 어머니가 살고 있는 고향을 '차디찬 묘속'이라고 본 것은 전통 부정과 관련하여 이해할 수 있다. 거기는 봉건적 인습이 주체를 무겁게 억누르는 곳이기에 시인이 고향을 박차고 떠나는 것은 당연한 귀결인 셈이다. 「소야의 노래」에서처럼 시적 주체가 길 위에 있는 경우는 오장환의 시 가운데서 허다하게 찾아볼 수 있는바 그것은 기본적으로 "신뢰할 만한 현실"(「여수」,[29])을 찾기 위한 것이다. 덧붙여 말하자면 신뢰할 만한 현실을 바탕으로 미래의 가능성을 찾기 위한 것이다. 하지만 그것이 여의치 않기에 「해항도」에서처럼 위악적인 타락의 몸부림을 보이기도 하는 것일 터이다.

인용시에서 '쓸쓸한 자유'란 시적 편력의 자유 정도로 이해되고 그러한 편력의 도중에 있는 순례자는 스스로를 '도형수'라고 여기고 있다. 이 시의 첫 행, "무거운 쇠사슬 끄으는 소리 내 맘의 뒤를 따르고"와 마지막 행, "도형수의 발은 무겁다"는 서로 긴밀하게 호응하는 시구인바 여기에서 도형수란 사전적 의미의 징역수라기보다 문맥과 한자의 의미에 따라 '쇠사슬을 끌고 걸어다녀야 하는 형을 받은 죄수'로 해석된다. 이렇듯이 스스로를 죄수라고 여기는 자세는 자신은 책임이 없다고 생각하는 전통 부정의 자세와는 많이 다르다. 당시의 식민지적 상황이 자신과는 무관하게 초래된

---

28. 『신선시인집』, 시학사, 1940.

29. 『조광』, 1937. 1.

것으로 보는 태도가 전통 부정의 자세 속에 자리 잡고 있다면 이 시의 죄의식에는 식민지적 상황에 제대로 대처하지 못하기에 자신의 책임을 자인하는 성숙된 역사의식이 자리 잡고 있다. 즉 「소야의 노래」는 「정문」이나 「성벽」 등에 비해 성숙된 역사의식을 보여주는 작품인 셈이다.

"이정표 썩은 막대 고이 묻히고"에서 보듯 시적 주체의 여정은 매우 막연하게 처리되어 있는바 그것은 미래의 전망이 닫혀 있는 상태에서의 순례이기에 빚어진 필연적 현상으로 보인다. 또한 '치미는 미움'이란 일제에 대한 미움이고 '낯선 집'이란 일본인의 집으로 이해되는데[30] 그 집 울타리에 돌을 던지는 행위는 개인적인 울분의 표시에 지나지 않고 미움은 냉엄한 현실에 부딪쳐 비애로 귀결된다. 따라서 「소야의 노래」의 주제는 '암담한 식민지 상황에서의 울분과 비애'로 잡을 수 있는바, 미래가 보이지 않는 암담한 식민지 현실이 시적 주체와의 상관관계 속에 잘 드러나 있다고 하겠다. 이렇듯 1940년 전후에 씌어진 시편들에서 오장환의 진보주의는 냉혹한 현실에 부딪쳐 잠복되는 모습을 보여준다. 그리고 그 점은 진보주의적 열정이 분출될 통로가 열리는 해방 이후의 시와 자못 극명하게 대비된다.

　　　"만세!"를 부른다. 목청이 터지도록
　　　지쳐 나서는
　　　군중은 만세를 부른다.

　　　우리는 노래가 없었다.
　　　그래서
　　　이처럼 부르짖는 아우성은
　　　일찍이 끓어오던 우리들 정열이 부르는 소리다.

---

30. 김동석, 『예술과 생활』, 박문출판사, 1947, 183쪽 참조.

아 손에 손에 깃발들을 날리며

큰길로 모이는 사람아

우리는 보았다.

이곳에 그냥 기쁨에 취하고, 함성에 목메인 겨레를……

그리고

뒤끓는 환희와 깃발의 꽃바다 속에

무수히 따러가는 이동과 근로하는 이들의 행렬을……

— 「8월 15일의 노래」 부분[31]

창작 일자가 해방 다음날로 부기되어 시집 『병든 서울』의 첫머리에
수록된 시이다. 해방 직후 시인의 첫 작품으로서 "함성에 목메인 겨레"나
"뒤끓는 환희와 깃발의 꽃바다" 등의 시구에서 보듯 해방의 감격을 별다른
여과과정 없이 거의 직접적으로 노래하고 있다. 보고 느낀 바를 바로
시로 옮겼다는 점은 '그리고'와 '그래서'를 각각 한 행으로 처리한다거나
말줄임표의 돌연한 구사 등에서 보듯 형태적 정련의 과정을 거의 생략한
데서도 드러난다. 이 시의 시적 주체는 해방의 감격으로 거리에 뛰쳐나온
군중 가운데 있는데, 그 점은 만세소리를 "우리들 정열이 부르는 소리"라고
말하는 데서 단적으로 드러난다. 오랫동안 억제되고 잠복되어 있던 오장환
의 진보주의적 열정이 해방을 계기로 분출되는 모습을 보여주는 듯한
시이다.

형태적 정련의 과정에 별다른 의미를 부여하지 않고 일기 쓰듯이 시를
쓰는 것은 해방정국의 오장환의 시쓰기의 주요한 특성으로 보인다. 그
점은 시집 『병든 서울』의 머리말에서 "어떻게 하면 자신에 충실하고 어떻게
하면 이 현실에 똑바를 수 있을까를 찾기 위하여 다만 시밖에는 쓸 줄
모르는 내가 울부짖고 느끼며 혹은 크게 결의를 맹세하려던 그날그날을

---

31. 『병든 서울』, 정음사, 1946.

조목조목 일기로 적은 것"이라고 술회한 데서도 드러난다. 즉 당대의 현실에서 하루하루 제대로 사는 것이 중요하지 시구를 다듬는 일은 별다른 의미를 지니지 못한다는 문학관을 드러내는 발언인 셈이다. 예술적 완성보다는 우선 급변하는 상황에 기민하게 대처하는 것이 중요하다는 진보주의자다운 견해라고 하겠다. 이러한 견해는 오늘날의 안목에서는 조바심의 발로로 보이지만 나날의 사태의 추이에 민감하게 반응하면서 열심히 살아가려는 자의 당대적 실감과 결부된다고 하겠다.

　당시의 오장환의 시 가운데는 태작도 상당수 있는데, 태작의 산출은 창작적 실천에 있어서 가장 중요한 결격사유일 것이다. 그렇지만 진보의 기본조건이라고 할 수 있는 통일된 민족국가 수립에 실패한 마당에 시만 깔끔하게 성공한다는 것이 어떤 의미가 있는가는 다시 생각해볼 문제라 하겠다. 당시 오장환은 각종 정치적 집회나 문학강연회에서 열심히 시낭독을 하고 다녔다. 그것은 물론 시의 사회적 역할을 극대화하기 위한 노력의 일환이었을 것이고 그렇게 씌어진 시가 모두 성공작이기를 바라는 것은 무리한 기대일 것이다. 해방정국의 오장환의 시는 진보가 가능하기 위한 바탕인 현실에 대한 형상화보다는 진보에 대한 열망을 드러내는 데 치중했다. 그런 의미에서 이 시기 오장환의 시는 당시의 창작방법론으로 논의되었던 혁명적 로맨티시즘에 관련시켜볼 수도 있을 것이다.

　해방정국은 가히 진보주의의 시대라고 말해도 과언이 아닐 듯하다. 앞에서 언급했듯이 어떠한 국가를 세울 것인가라는 과제가 눈앞에 닥친 역사상 드문 시기이기 때문이다. 시인으로서의 순정한 양심에 따라 그러한 역사적 과제의 실현에 몰두하는 것은 지극히 자연스러운 마음의 행로일 것이다. 임화나 오장환과 같은 노선에 서서 당대에 전위시인으로 성가를 떨치던 유진오가, "시인이 되기는 바쁘지 않다. 먼저 철저한 민주주의자가 되어야겠다. 시는 그 다음에 써도 충분하다"[32]고 발언한 것도 같은 맥락에서

---

32. 유진오, 「발(跋)」, 『창』, 정음사, 1948, 93쪽.

이해할 수 있을 것이다. 즉 진보적 열정이 그들의 삶과 시를 지배하고 있었고 그렇기에 자연스럽게 혁명적 낭만주의에 연결되었던 것이다. 미국과 소련의 분할점령이라는 당대의 현실적 조건은 진보적 민족국가 수립이라는 이상과 대립되어 있었고 그러한 상태에서 이상을 추구하다 보니 혁명적 낭만주의가 요구되었을 것이다.

그렇지만 그들의 이상이 냉엄한 역사의 수레바퀴에 짓눌려 압살당했다는 것은 두루 알려진 사실이다. 시인이 되기는 바쁘지 않다고 했지만 임화나 오장환 등의 진보적 시인들이 차분히 시를 쓸 시기는 이후에 도래하지 않았다. 이러한 역사적 사실에서 뒷날의 창작자들이 배울 점은 '현실에 대해 진정으로 겸허해져야 한다'는 것이다. 아무래도 의사가 환자를 수술하듯이 시인이 사회현실의 모순을 고쳐나갈 수는 없을 터이다. 애초부터 시인은 사회현실 가운데 존재하게 마련이고 중요한 것은 시가 어떻게 사회현실 속에서 유효하게 효모처럼 작용할 수 있는가의 문제라고 하겠다. 다시 말해 진보에 대한 신념이나 열정은 늘 현실과의 긴밀한 상호작용 속에서 발현될 필요가 있는 것이다. 그리고 진정한 의미의 시적 정련이란 사회현실과의 긴밀한 상호작용과 동떨어질 수 없는 문제이다. 이런 맥락에서 볼 때 시인이 사회의 진보에 기여하는 주된 길은 궁극적으로 리얼리즘의 성취를 내포한 시적 성취를 통해 뚫린다고 말할 수 있다.

2. 비관주의적 경향

진보주의란 사회의 발전을 염두에 둘 때 자연스럽게 형성되는 정신적 경향으로 어떻게 보면 근대시 혹은 현대시를 쓰는 데 전제가 된다고 할 수 있다. 일제의 식민지 상태에 있었던 이 땅의 시인이 사회의 발전을 의식하지 않을 수 없을 것이기 때문이다. 그런데 사회의 발전 혹은 변혁의 문제를 얼마만큼 의식하며 창작을 하는가는 시인마다 다르다. 즉 사회의 진보에 대한 열망이나 신념을 위주로 하는 사유방식이 시 속에 주도적으로 드러날 때 그러한 시를 쓰는 시인의 시정신을 진보주의라고 할 수 있을 것이다. 앞에서 이미 살펴본 임화의 주체 세우기나 오장환의 전통 부정은 진보주의가 발현되는 중요한 사례일 것이다. 하지만 진보주의적 신념이나 열정은 만주침략(1931)에서 중일전쟁(1937)을 거쳐 태평양전쟁(1941)으로 이어지는 일제 파시즘의 진군 앞에 무력할 수밖에 없었으니 이와 관련하여 비관주의를 검토할 필요가 생긴다.

사회의 진보에 대해서는 낙관론과 비관론이 있겠는데 1930년 이후의 일제강점기는 아무래도 비관론이 실감났던 시기이다. 즉 거시적인 역사 이해는 진보와 결부시키더라도 당대의 상황에 대해서는 비관적 관점을 갖기 쉬운 시대이다. 동북아시아에서 제국주의적 팽창을 계속하던 당시의 일제 파시즘의 폭압 아래서 그들을 물리칠 민족 내부의 역량을 감지하지 못한 시인들에게는, 비록 세계사가 진보의 방향으로 나아간다 하더라도 그것이 우리 민족사의 미래와 잘 연결되지 않았던 것이다. 그러니까 비관적 진보주의라고 할 만한 정신상태를 거쳐 시인에 따라 혹은 사회적 상황의 악화에 따라 절망감에 깊숙이 빠져드는 경우가 있었는데 그러한 경우의 시정신을 비관주의라고 부를 수 있을 것이다. 실상 현실적 전망이 막혀 있는 상태에서 진보에 대한 신념을 대신할 수 있는 다른 선택이 있다면 그것은 우선 비관주의일 것이다.

카프의 문학운동이 진보에 대한 신념과 열정에 의해 추진되었다는 것은 앞에서 언급한 바 있다. 그런데 그러한 신념과 열정이 일제의 파쇼체제에 부딪친 집단적 사례가 1931년과 1934년 두 차례에 걸친 검거 사건이라 할 수 있고 그것은 결국 카프의 해산으로 이어진다. 이러한 사건을 통해 투쟁론이든 준비론이든 쉽사리 먹혀들 수 없는 일제 파시즘의 완강함을 체험한 셈인데 이러한 사건을 겪으면서 카프 시인들의 진보에 대한 열정은 위축되고, 많게든 적게든 비관주의를 내면화하게 된다. 시인이 비관주의에 빠지게 되는 요인으로는 우선 사회적 상황의 악화를 들 수 있으니 카프의 와해는 그 대표적인 예라 하겠다. 비관주의에 빠지게 되는 또 다른 요인으로는 주체의 대응력 약화를 들 수 있다. 물론 개별 시인의 경우 그 두 가지 요인은 복합적으로 상호작용할 터이고 같은 시대적 상황에서도 시인마다 반응이 다른 것은 주체적 조건의 편차 때문일 것이다.

> 오호 이리하야 내 청춘은 반 넘어 늙었건만
> 행락도 사랑도 모르는 채 반 넘어 늙었건만
> 오 모든 것은 지나간 세월과 함께 자최도 없는 꿈이든가
> 어이없다 기가 차다 내 오늘날 한 개의 가라지 신세될 줄이야
>
> 참으로 참으로 나는 한 개의 가라지
> 죽도 밥도 못되는 한 개의 가라지
> 아아 어느날 어느 때 꺾어져도 쪼드러져도
> 누구 하나 원통해할 이도 없는
>
> ― 이찬, 「가라지의 설움」 부분[33]

가라지 즉 강아지풀에 시적 자아를 비유한 서정시로서, 작자인 이찬(李燦, 1910~?)은 과거에 카프에 속했던 시인들 중에서 대표적으로 비관주의적 경향을 보인다. '가라지의 설움'이라는 제목에도 나타나듯 비관적 정서가 시의 주조를 이루고 있는데 이와 같은 이찬의 태도는 앞에선 논의한, 강고하게 시적 주체를 세우려 하는 임화의 태도와 사뭇 대조적이다. 피로하지도 두려워하지도 않겠다고 다짐하는 시적 자아와 "어이없다 기가 차다"며 영탄조로 신세를 한탄하는 시적 자아는 얼마나 현저히 다른가. 앞에서 인용한 「한잔 포도주를」에서 임화는 '지혜 때문에 용기를 잃지 않을 것'을 강조했는데, 이찬은 그의 「동절(冬節)」,[34]에서 '내일 날의 봄을 못 믿는 서러운

---

33. 『조선문학』, 1936. 6.

지혜'를 말하고 있다. 여기에서 '지혜'란 미래에 대한 비관적 전망과 관련되는바 그럼에도 불구하고 용기를 잃지 말아야 한다는 것이 임화의 태도라면 절망에 빠진 자신을 적나라하게 드러내는 것이 이찬의 태도이다.

세상살이에 절망보다 용기가 요청된다는 사실은 새삼 운위할 필요조차 없을 것이다. 그런데 둘 가운데 임화의 태도가 바람직하다고 해서 이찬의 태도를 무조건 폄하하는 것이 능사는 아닐 터이다. 현실적 전망을 마련하지 못하기는 임화도 마찬가지이고, 비관주의란 사회의 문제가 전혀 해결되지 않을뿐더러 해결의 조짐조차 보이지 않는다는 사회적 경험으로부터 우러나오는 것[35]이기 때문이다. 그러니까 비관주의는 이찬 개인의 문제에 그치지 않고 당대의 정신사적 현상으로 혹은 시대정신의 문제로 조망할 필요가 있을 것이다. 어떻든 「가라지의 설움」에 표현된 시인의 마음은 진정으로 느껴지고 나름대로 시대적 의미를 갖는다고 생각된다. 행락도 사랑도 모르는 채 청춘을 바쳐 투신한 일은 물거품이 되고 사회적 상황은 갈수록 암울해지기만 할 때 자연스럽게 젖어드는 정신적 경향이 비관주의일 것이기 때문이다.

어차피 진보주의와 비관주의는 분리해서 검토하기보다 상호관계 속에서 이해하는 것이 바람직할 것이다. 지금까지 진보주의와 비관주의의 상호 관련양상을 카프 세대인 임화와 이찬을 비교하여 살펴본 셈인데 그 뒷세대의 시인 가운데 그러한 관련양상을 보여주는 중요한 시인은 오장환과 백석이다. 그들 모두 국가 상실감을 통절하게 앓아낸 시인이로되 그에 대한 시적 대응양상은 판이하게 다르다. 앞에서 살펴보았듯이 오장환은 전래적인 것들을 송두리째 부정하였는데 백석은 급격하게 사라져가는 전래적인 것들을 재현하는 데 심혈을 기울였다. 백석의 시집 『사슴』은 주로 전래의 풍속이 생생하게 살아 있는 산골마을의 재현에 바쳐져 있는바

---

34. 『망양』, 박문서관, 1940.
35. 시드니 폴라드, 앞의 책, 176쪽.

그에 대해 오장환은 격렬하게 반감을 표시하였다. 백석의 시는 '사투리와 옛이야기 및 연중행사의 묵은 기억을 곳간에 볏섬 쌓듯이 그저 구겨넣은 것'에 지나지 않아 그를 도저히 시인으로 인정할 수 없다[36]는 것이 오장환의 주장이다.

오장환이 백석을 시인으로 인정할 수 없다고 혹평한 것은 물론 잘못된 견해이지만 시인이란 모름지기 '전통과 관습에 대항하여 싸우면서 새로움을 찾는 자'라고 생각하는 오장환다운 발언인 셈이다. 즉 시인으로서의 위상이 서로 상반되게 설정되었기에 그러한 주장을 하게 된 나름대로의 필연성은 있다고 할 수 있다. 국가가 상실되고 전래적인 것들이 급격히 사라져가는 시대이기에 전래적인 것들에 더욱 강한 애착을 보인 것이 백석의 경우라면, 결국 국가의 상실을 초래하는 데 내부적 요인으로 작용했을 전래적 관습이나 제도들을 유보 없이 부정하고 보는 것이 오장환의 경우이다. 그러니까 백석과 오장환은 국가 상실감을 절감하고 그에 대해 민감하게 시적 반응을 보여주었다는 점에서는 유사한데 그 반응의 방향과 양상이 판이하게 달랐던 것이다. 그러한 사실에 대해서는 유사한 소재를 다룬 오장환의 「정문」과 백석의 「정문촌」을 대비시켜 볼 때 좀더 상세하게 논의할 수 있다.

주홍칠이 날은 정문이 하나 마을 어구에 있었다

'효자노적지지정문(孝子盧迪之之旌門)'——몬지가 겹겹이 앉은 목각의 액(額)에 나는 열살이 넘도록 갈지자 둘을 웃었다

아카시아 꽃의 향기가 가득하니 꿀벌들이 많이 날어드는 아츰 구신은 없고 부헝이가 담벽을 띠쫗고 죽었다

---

36. 오장환, 「백석론」, 『풍림』, 1937. 4, 18~19쪽.

기왓골에 배암이 푸르스름히 빛난 달밤이 있었다
아이들은 쪽재피같이 먼길을 돌았다

정문집 가난이는 열다섯에
늙은 말군한테 시집을 갔겄다

—「정문촌」 전문[37]

　이 시에서 다루어진 것은 효자문으로서의 정문이다. 그런데 그 정문은
주홍칠이 바랜 상태이고 정문집은 흉가가 되어 있다. 흉가로서의 정황은
'기왓골에 뱀이 기어다닌다'거나 '부엉이가 담벽을 치쪼다가 죽는다'는
언술로 그려진다. 또한 정문집은 부엉이의 기척을 근거로 귀신이 나온다는
소문에 휩싸이고 아이들은 그 집을 피해 족제비처럼 멀리 우회하여 다닌다.
즉 이 시에서 집중적으로 그려지고 있는 것은 정문집의 몰락인데 그 처절함
은 '정문집 딸 가난이가 열다섯에 늙은 말꾼한테 시집을 갔다'는 사연을
통해 드러난다. 아마 늙은 마부가 말수레로 데리고 갔을 가난이의 출가는
부엉이가 담벽을 쪼다가 죽기 전의 일로 보아도 무방할 듯하다. 그럼에도
가난이의 이야기를 마지막 연에 배치한 것은 정문집의 몰락을 강조하면서
동시에 자신의 안타까운 마음을 적셔 진한 여운을 남기기 위한 시인의
배려가 작용했기 때문일 것이다.
　그런데 여기에서 유의할 사항은 시적 자아를 매개로 하여 표현된 백석의
정문에 대한 자세이다. 「정문촌」의 주된 정조를 안타까움이라고 한다면
그것은 시적 대상인 정문집에 대한 마음이기도 할 터인데 또한 그것은
시인의 정문에 대한 자세와도 통한다. "열살이 넘도록 갈지자 둘을 웃었다"
에서 보듯 백석에게 정문은 어린 날의 추억이 어린 정겨운 사물로서 전혀

───────────

37. 『사슴』, 선광인쇄주식회사, 1936.

반감의 대상이 아닌 것이다. 앞에서 작품을 인용해서 논했듯이 오장환에게
정문은 양반 가문의 기득권 유지와 관련되는 봉건적 인습의 징표로서
타기해 마땅한 대상이라는 점에서 두 시인의 자세는 사뭇 대조적이다.
다시 말해 백석의 입장에서 정문은 국가 상실과 함께 퇴색되거나 사라져가
는 사물로서 안타까움의 대상인 반면 오장환의 입장에서 정문은 국가
상실을 초래하는 데 원인이 된 봉건적 이념의 상징물로서 격렬한 반감의
대상인 것이다.

이와 같이 대비되는 두 시인의 자세는 '고향'에 대한 태도 면에서 좀더
포괄적으로 드러난다. 오장환의 시적 편력은 전통과 관습이 자아를 무겁게
억누르는 공간인 고향을 박차고 떠나면서 시작되었다고 말해도 과언이
아닐 것이다. 앞에서 검토했듯이 「소야의 노래」의 시구, "어메야, 아즉도
차디찬 묘속에 살고 있느냐"는 어머니가 살고 있는 고향을 차디찬 무덤
속으로 간주하고 있을 정도이다. 반면에 백석의 작업은 주로 고향 상실감에
대한 시적 대응으로서의 의의를 갖는다. 위의 「정문촌」에서도 유년시절을
회상하는 장면이 나오지만 그의 초기 대표작에 속하는 「여우난곬족」이나
「고야(古夜)」 등은 주로 유년시절의 고향을 재현하는 데 바쳐진 시라고
할 수 있다. 즉 오장환의 초기 시에서 고향은 결코 달가운 곳이 될 수
없는 반면 백석의 초기 시에서 고향은 시인이 유년시절로 돌아가 아늑히
안길 수 있는 공간으로 그려져 있다.

이렇듯이 오장환과 백석이 판이한 자세를 보이게 된 이유는 무엇일까.
그 이유는 우선 두 시인의 출신 배경에서 찾을 수 있겠다. 백석의 시에는
유년시절에 집안사람들의 사랑을 받는 장면이 자주 나오는데 "내가 엄매
등에 업혀가서 상사말 같이 항약에 야기를 쓰면 한창 뛰는 함박꽃을 밑가지
채 꺾어주고 종대에 달린 제물배도 가지채 쪄주고"(「넘언집 범같은 노큰마
니」[38])는 그러한 한 예이다. 그리하여 자신의 성씨에 대해서도 "수원백씨

---

38. 『문장』, 1939. 4.

정주백촌(水原白氏 定州白村)의 힘세고 꿋꿋하나 어질고 정많은"('목구」[39])이
라고 긍정적으로 말할 수 있었을 것이다. 하지만 오장환의 시에는 유년
체험이 전혀 나타나지 않으니 그 점은 서자 출신으로서 겪은 갖은 수모와
무관할 수 없을 듯하다. 따라서 오장환에게 성씨는 무거운 껍데기와 같은
것으로서 "내 성은 오씨. 어째서 오가인지 나는 모른다"('성씨보」)고 말하
게 되는 것이다.

방금 논의한 바대로 고향이나 전래적 풍속에 대한 판이한 시적 태도에는
두 시인의 서로 다른 성장기의 체험이 짙게 깔려 있다고 말할 수 있다.
성장기의 자신에게 적대적이었던 전래적 관습을 우상파괴적으로 부정하는
자세를 취하는 것이 오장환의 시라면 성장기의 자신에게 우호적이었던
전래적 풍속을 살뜰하게 재현해놓은 것이 백석의 시인 셈이다. 그리고
이러한 성장기의 체험이 두 시인의 시정신을 형성하는 데 나름대로 중요하
게 작용했을 것이라는 점도 어렵지 않게 가늠해볼 수 있겠다. 오장환의
경우 전래적 관습으로부터 빨리 벗어나야겠다는 강박관념이 과격한 진보
주의로 이어졌다면 백석의 경우 일제의 식민지 지배와 함께 촌락 공동체인
고향 자체가 급격히 붕괴되고 있다는 안타까움이 비관주의로 기울게 한
요인으로 보인다. 「정문촌」의 주된 정조인 안타까움에는 정문집의 몰락에
대해 어찌할 수 없다는 비관주의적 인식이 깔려 있음은 물론이다.

한편 거시적 안목으로 정신사적 맥락을 살펴볼 때 1930년대는 국가
상실감이 고향 상실감으로 구체화되는 시기이다. 1920년대의 대표적 시인
인 김소월과 한용운의 '님'이 국가 상실감의 대응물로서 창조된 존재라는
것은 널리 알려진 사실이거니와 그러한 국가 상실감이 1930년대에 오면
고향 상실감으로 변주된다고 하겠다. 그런데 단순한 풍물묘사나 향수
차원에 그치지 않고 고향 상실감에 대한 창작적 대응이라는 면에서 가장
주목할 만한 성취를 보여주는 시인이 백석이라 생각된다. 고향 상실감에

---

39. 『문장』, 1940. 2.

대한 대응이라는 면에서 백석은 대체로 두 가지 유형의 시를 보여주는데 그 하나는 유년 화자를 설정하여 고향을 재현하는 시이고 다른 하나는 성인인 시적 자아가 고향 상실감을 지배적 정서로 드러내는 시이다. 시기적으로 보면 '고향을 재현하는 시'에서 '고향 상실감을 드러내는 시'로 옮아가는 양상을 보이는바 그것은 백석의 시적 변모의 주된 줄기에 해당된다.

> 저녁술을 놓은 아이들은 외양간섶 밭마당에 달린 배나무동산에서 쥐잡이를 하고 숨굴막질을 하고 꼬리잡이를 하고 가마 타고 시집가는 놀음 말 타고 장가가는 놀음을 하고 이렇게 밤이 어둡도록 북적하니 논다
> 밤이 깊어가는 집안엔 엄매는 엄매들끼리 아르간에서들 웃고 이야기하고 아이들은 아이들끼리 웃간 한 방을 잡고 조아질하고 쌈방이 굴리고 바리깨돌림하고 호박떼기하고 제비손이구손이하고 이렇게 화디의 사기방등에 심지를 몇번이나 돋구고 홍게닭이 몇번이나 울어서 졸음이 오면 아릇목싸움 자리싸움을 하며 히드득거리다 잠이 든다 그래서는 문창에 텅납새의 그림자가 치는 아츰 시누이 동세들이 욱적하니 홍성거리는 부엌으론 샛문틈으로 장지문틈으로 무이징게국을 끓이는 맛있는 내음새가 올라오도록 잔다
>
> ──「여우난곬족」 부분[40]

명절날 여우난곬이라는 산골마을에 한 집안 아이들이 모여 북적하게 노는 이야기가 다루어진 시이다. 십여 가지의 유희가 계속 열거되는 이 시의 행간에 세계현실 속에서 살아가는 주체의 갈등이나 고통은 스며들 여지가 없다. 궁벽스런 평안도 방언이 가장 집중적으로 구사되는 것도 이와 같이 고향을 재현하는 시에서인데 그 이유는 방언 자체가 고향의 한 부분이기 때문일 것이다. 즉 「여우난곬족」은 자아가 세계 속에서 충족감

---

40. 『조광』, 1935. 12.

을 느끼며 살았던 어린 날로 돌아가 그때의 고향을 생생하게 재현함으로써 고향 상실감에 대응하려 한 작품이라 하겠다. 이와 같이 유년 화자가 등장하여 고향을 재현하기에 주력하는 시로는 「가즈랑집」「고야」「고방」「오리 망아지 토끼」「개」「넘언집 범같은 노큰마니」 등을 더 들 수 있는데 이러한 시편들에 비관주의는 잘 드러나지 않는다. 고향은 유년기의 자아가 아무 걱정 없이 즐겁게 뛰놀 수 있는 공간이기 때문이다.

그러나 백석의 초기 시가 비관주의와 무관하다는 것은 아니다. 위에서 언급한 고향을 재현하는 시를 제외한 백석의 초기 시에 비관적 정조는 광범위하게 나타난다. 앞에 인용한 「정문촌」도 그러한 예가 되려니와 시집 『사슴』에서 뽑아본 시구, "어디서 서러웁게 목탁을 뚜드리는 집이 있다"(「미명계(未明界)」)나 "수리취 땅버들의 하이얀 복이 서러웁다"(「쓸쓸한 길」) 등이 그 점을 말해준다. 두 가지 모두 감정이입에 의해 주체의 정서가 표현된 시구인데 목탁소리를 서럽다고 한다거나 수리취나 땅버들의 흰빛을 복 입은 것으로 보고 서럽다고 하는 것은 예사롭지 않아 보인다. 사물의 객관적 형상에 비해 주체의 서러운 감정을 다소 무리하게 이입시켰다는 느낌이 들 정도이기 때문이다. 즉 백석의 초기 시에도 비관주의는 배경처럼 깔려 있는데 고향 재현의 시에서는 행복했던 유년의 공간으로 돌아가 자신의 슬픈 감정을 다스리려 했다고 해석할 수 있겠다.

> 나는 그때
> 아모 이기지 못할 슬픔도 시름도 없이
> 다만 게을리 먼 앞대로 떠나 나왔다
> 그리하여 따사한 햇귀에서 하이얀 옷을 입고 매끄러운 밥을 먹고 단샘을
> 마시고 낮잠을 잤다
> 밤에는 먼 개소리에 놀라나고
> 아픔에는 지나가는 사람마다에 절을 하면서도
> 나는 나의 부끄러움을 알지 못했다

그동안 돌비는 깨어지고 많은 은금보화는 땅에 묻히고 가마귀도 긴
족보를 이루었는데
이리하야 또 한 아득한 새 넷날이 비롯하는 때
이제는 참으로 이기지 못할 슬픔과 시름에 쫓겨
나는 나의 옛 한울로 땅으로— 나의 태반으로 돌아왔으나

이미 해는 늙고 달은 파리하고 바람은 미치고 보래구름만 혼자 넋없이
떠도는데

아, 나의 조상은 형제는 일가친척은 정다운 이웃은 그리운 것은 사랑하는
것은 우러르는 것은 나의 자랑은 나의 힘은 없다 바람과 물과 세월과
같이 지나가고 없다.

—「북방에서」 부분[41]

　「북방에서」의 '북방'이란 만주를 가리킬 터이니 시인 자신의 만주방랑
체험이 반영되어 있는 시이다. 인용문은 「북방에서」의 뒷부분인데 생략된
앞부분 두 연에는 시적 자아가 방랑하면서 거쳤던 여러 지명들이 등장한다.
시의 대체적인 골격은 외지로 나간 시적 자아가 '이기지 못할 슬픔과
시름에 쫓겨' 자신의 태반으로 돌아왔으나 '그리운 것은 사랑하는 것은
사라지고 없다'는 내용으로 구성되어 있는바 탈향과 귀향의 구조로 짜여
있다고 하겠다. 고향 상실감의 다른 표현인 '슬픔과 시름'을 못 이겨 지리적
인 고향에는 돌아오지만 고향다운 아무것도 남아 있지 않다는 점에서,
즉 진정한 귀향은 영원히 불가능하다는 사실을 절감한다는 점에서 상실감
은 더욱 증폭된다고 할 수 있다. 그리고 그러한 상실감은 "해는 늙고

---

41. 『문장』, 1940. 7.

달은 파리하고 바람은 미치고 보래구름만 혼자 넋없이 떠도는데"와 같은 감정이입의 시구에 절절하게 표현되어 있다. 즉 「북방에서」는 앞의 고향 재현의 시와는 확연히 변별되는, 고향 상실감이 지배적 정서로 드러나 있는 시이다.

「여우난곬족」은 '고향을 재현하는 시'를, 「북방에서」는 '고향 상실감을 드러내는 시'를 각각 대표한다고 하겠는데 실상 백석의 시는 그 두 가지 경향 사이에서 다양하게 분포하고 시기적으로 전자의 시에서 후자의 시로 옮아가면서 비관적 정조가 짙어지는 양상을 보인다. 그런데 고향 상실감에 시달리다가 고향의 재현에 성공하는 것이 논리적으로 맞을 듯한데 백석의 경우 왜 그 둘 사이의 순서가 역전되어 나타나는가. 그 점에 대해서는 세계현실과 그 속에 놓인 창작주체의 사정을 염두에 두고 살펴볼 필요가 있겠으니 상황의 악화와 함께 시인 자신이 만주로 이주하게 된 전기적 사실을 고려할 필요가 있을 듯하다. 즉 전자의 시를 쓸 때만 해도 고향의 재현을 통해 어느 정도 고향 상실감을 다스릴 수 있었던 반면 후자의 시를 쓸 무렵에는 그러한 제어가 도저히 불가능한 상태에 다다르게 된 것이다. 그리고 그러한 현상은 시가 논리라기보다 창작주체의 삶 전체로부터 산출되는 것이라는 점에서 필연성을 지닌다.

미래가 막막하여 아무런 희망도 가질 수 없을 때 비관적 정조에 사로잡히는 것은 인지상정으로 보이고 「북방에서」는 그러한 마음의 상태에서 자연스럽게 우러나온 시라 생각된다. 비관주의란 원하지 않는 방향으로 사태가 전개됨에도 불구하고 그에 대해 주체가 개입하거나 작용할 여지가 없다는 인식을 바탕으로 한다. 다시 말해 비관주의는 개인의 뜻이나 의지가 아무런 생산적 결과를 가져올 수 없다는 의식을 내포하고 있다. 인용시의 결구인 "나의 자랑은 나의 힘은 없다 바람과 물과 세월과 같이 지나가고 없다."는 탄식은 세계현실에 대한 주체의 무력감을 고스란히 드러내는 시구라고 하겠다. 백석의 고향 상실감을 드러내는 시편들이 씌어진 시기인 1940년 무렵은 바람직한 사회로 나아가는 현실적 전망이 보이지 않아 암울한 절망감이 시대적 분위기를 형성하고 있었다. 그리고 「북방에서」와 다음에 검토할 「흰 바람벽이 있어」는 그러한 시대적 분위기를 시적 주체의 상실감을 통해 통절하게 그려낸 대표적 비가(悲歌)로 보인다.

그런데 또 이즈막하야 어늬 사이엔가
이 흰 바람벽엔
내 쓸쓸한 얼골을 처다보며
이러한 글자들이 지나간다
──나는 이 세상에서 가난하고 외롭고 높고 쓸쓸하니 살어가도록 태어
났다
    그리고 이 세상을 살어가는데
    내 가슴은 너무도 많이 뜨거운 것으로 호젓한 것으로 사랑으로
슬픔으로 가득찬다
그리고 이번에는 나를 위로하는 듯이 나를 울력하는 듯이
눈질을 하며 주먹질을 하며 이런 글자들이 지나간다
──하늘이 이 세상을 내일 적에 그가 가장 귀해하고 사랑하는 것들은
모두
    가난하고 외롭고 높고 쓸쓸하니 그리고 언제나 넘치는 사랑과 슬픔
속에 살도록 만드신 것이다
    초생달과 바구지꽃과 짝새와 당나귀가 그러하듯이
    그리고 또 프랑시스 쨈과 도연명과 라이넬 마리아 릴케가 그러하듯이
                    ──「흰 바람벽이 있어」 부분[42]

고향 상실감을 드러내는 시의 하나로서 발표지면이 『문장』 종간호라는 사실이 당시의 시대적 상황을 말해준다. 시적 자아는 객지의 좁다란 방안에

─────────
42. 『문장』, 1941. 4.

서 그 방의 벽면인 '흰 바람벽'을 바라보며 떠오르는 영상과 상념을 노래하고 있다. 그러한 영상과 상념에는 비관적 정조가 짙게 배어들어 있고 그것은 또한 운명론적 세계관과 연결된다. "나는 이 세상에서 가난하고 외롭고 높고 쓸쓸하니 살아가도록 태어났다"는 구절에서 개인의 의지로 어찌할 수 없는 운명에 대한 자각을 감지하게 된다. 인용시의 주된 정서는 외롭고 쓸쓸함인데 그것은 백석의 후기 시의 특성이기도 하면서 어찌할 수 없는 운명을 자각한 자의 비관적 세계인식과도 결부된다. 그의 후기 시를 대표하는 「남신의주 유동 박시봉방」[43]에는 "내 뜻이며 힘으로, 나를 이끌어가는 것이 힘든 일인 것을 생각하고, 이것들보다 더 크고, 높은 것이 있어서, 나를 마음대로 굴려가는 것을 생각"한다고 하였는데 이 구절 또한 운명론적 인식을 드러내고 있다.

비관주의자는 운명을 불가항력적인 것으로 여기기에 운명에 도전하지 않고 체념함으로써 심리적 안정을 구한다. 어떤 의미에서 이러한 운명론은 세상살이의 지혜로 작용할 수도 있을 것이다. 그런데 앞에 거론한 임화의 「한잔 포도주를」에서는 "승패란 자고로 싸움의 어찌할 수 없는 운명이 아니냐"라고 말하고 있다. 세계의 압도적인 힘에 무력감을 느낀다는 점에서 임화 또한 운명의 힘을 의식하지 않을 수 없었지만 시인으로서 임화는 적어도 체념함으로써 마음의 평정을 구하려 하지 않는다. 패배하더라도 주체를 세워 끝까지 도전하는 것이 진보주의자로서의 임화의 기본 태도라면 운명의 힘에 자신을 맡기는 것이 비관주의자로서의 백석의 태도라고

---

43. 『학풍』, 1948. 8. 이 시의 창작시기는 「흰 바람벽이 있어」와 큰 차이가 없으리라 추정된다. 해방 후에 발표된 백석의 시들은 만주로부터 귀경한 소설가 허준에 의해 발표된 것으로 보이기 때문이다. 『문장』 속간호(1948. 10)에 발표된 「칠월 백중」의 말미에는 "이 시는 전쟁 전부터 내가 간직하여 두었던 것을 시인에게 묻지 않고 감히 발표한다. 허준"이라고 부기되어 있고 「마을은 맨천 구신이 돼서」와 「적막강산」이 발표된 지면 말미에도 유사한 의미의 첨언이 뒤따르고 있다는 사실이 그러한 추정의 근거이다. 「남신의주 유동 박시봉방」은 발표 지면에 그와 같은 언급이 없지만 발표 시기가 「칠월 백중」과 같고 시가 지면을 가득 채워 부기할 곳이 없다는 사정을 감안하면 마찬가지의 내력을 지닌 듯하다.

할 수 있다. 백석의 「흰 바람벽이 있어」나 「남신의주 유동 박시봉방」 등이 임화의 「한잔 포도주를」보다 사태가 더욱 악화된 뒤의 소산이라는 점을 감안해야 하겠으되 암울한 시대적 상황 속에서 임화가 자신의 뜻에 투철하다면 백석은 자신의 감정에 솔직한 셈이다.

실상 운명론적 세계관은 우리의 불행했던 역사와 함께 유구하며 '팔자는 못 속인다'는 속담으로 나타날 정도로 사람들의 마음속에 깊숙이 녹아들어 있는 것이다. 하지만 관상사주나 묏자리를 보는 풍속이 말해주듯 아무래도 운명론적 세계관은 전근대적 사유방식이라고 봐야 할 것이다. 그런데 근대시 혹은 현대시를 논하는 마당에 새삼스레 운명론을 문제 삼는 이유는 그것이 백석의 시에서처럼 비관주의와 결부되어 나타나기 때문이다. 1940년 무렵의 상황에서는 어떤 진보주의자라 하더라도 비관적 인식에 기울지 않을 수 없었다. 진보주의적 시정신을 대표하는 임화와 오장환의 시도 그 무렵에 오면 비관적 어조를 떨쳐버리지 못하고 있다. "몸과 마음이 상할 / 자리를 비어주는 운명이 / 애인처럼 그립다"(「자고 새면」[44])는 임화의 시구이고 "이제는 보람도 없는 회상이 외로운 이의 어깨를 짚어"(「강물을 따러」[45])는 오장환의 시구이다. 즉 시인의 존립 근거뿐만 아니라 겨레의 운명마저 위태롭게 보이던 시절에 비관주의적 시정신의 분출은 어쩌면 자연스러운 현상이고 당대의 시대정신의 표출인 셈이다.

3. 현실주의적 경향

사회의 진보가 그것을 열망한다고 해서 이루어진다면 이 땅의 근·현대사가 그토록 고통스럽게 전개되지는 않았을 것이다. 현실의 역사전개가

---

44. 『찬가』. 「자고 새면」은 원래 「실제(失題)」라는 제목으로 『문장』(1939. 2)에 발표된 작품이다.
45. 『인문평론』, 1940. 8.

늘 진보주의자의 이상을 배반해왔다는 점이 우리 민족사의 비극이다. 특히 식민지 파쇼체제 아래서의 이상과 현실 사이의 괴리는 진보적 시인들의 시세계 형성에 매우 심대한 영향을 끼쳤다고 생각된다. 암담한 사회현실 속에서 끝까지 이상을 포기하지 않겠다는 것이 진보주의자의 태도라면 무력감에 시달리는 것이 비관주의자의 태도일 것인데 그러한 지향에 이끌리는 시정신에 대해서는 지금까지 살펴본 셈이다. 그런데 이 두 가지 시정신이 현실과의 긴밀한 상관관계를 배제한 채 편향에 빠질 경우 시적 긴장을 잃게 된다. 시적 주체를 영웅화시켜 일방적으로 이상에만 몰두하거나 전망의 상실로 인한 절망감을 지나 운명론에 함몰되거나 사회현실에 대한 시적 대응은 탄력을 잃고 약화되게 마련이다.

사회의 진보를 지상의 과제로 두는 진보주의는 물론이고 이상의 실현이 불가능하다고 보고 절망하는 비관주의에도 바람직한 세계에 대한 열망은 내포되어 있다고 생각된다. 사회의 변혁을 꿈꾸며 기획하는 것이 진보주의자의 입장이라면 변혁의 가능성을 믿을 수 없어 절망감에 시달리는 것이 비관주의자의 입장인 셈인데 중요한 것은 아무리 암담할지라도, 그리하여 진보가 아무리 절박할지라도 현실을 진지하고 겸허하게 끌어안는 태도이다. 즉 바람직한 세상은 하루아침에 하늘에서 떨어지는 것이 아니고 어디까지나 현실세계의 변화를 통해 이룩되는 것이라는 점을 창작태도 속에 제대로 육화시키는 것이 중요하다. 여기에서 상황이 아무리 암담하더라도 절망에 빠지지 않고 진보가 아무리 절박하더라도 이상을 당위로 경화시키지 않은 채 현실에 대한 창작적 대응을 유연하고 집요하게 수행하는 자세를 상정할 수 있으니 그러한 자세를 떠받치는 시정신을 현실주의[46]라고 불러도

---

46. 이 글에서의 현실주의는 시정신 차원에서 설정된 것이므로 리얼리즘의 중국식 번역어로 사용되는 '현실주의'와는 위상이 많이 다르다. 일반적으로 리얼리즘은 문학작품에 배어들거나 구현되어 있는 정신과 방법을 아우르는 개념일 때 생산성을 갖는다고 생각된다. 그런데 '현실주의'는 아무래도 정신 혹은 세계관 차원에 비중을 두는 용어인 듯하다. 즉 '현실주의'라는 번역어 대신 리얼리즘이라는 외래어를 사용하는 이유는 다음 장에서 논의할 창작방법 차원에서의 효용성을 제대로 살리기 위해서이다.

좋을' 듯하다.

그러므로 이 글에서 논의하는 현실주의는 현실추수주의와는 전혀 다른 것이다. 세상을 바로 보고 바로 살려는 마음 가운데 우선 세상을 바로 보는 문제에 역점을 두는 것이 현실주의이긴 하지만 그것은 어디까지나 세상을 바로 살려는 마음과 긴밀하게 호응하는 차원에서이다. 반면에 현실추수주의는 사특한 마음이 바탕에 깔려 있다는 점에서 현실주의와 구별된다. 달리 말해 현실주의는 사회현실에 대한 창작적 대응을 유연하고 집요하게 수행하려 한다는 점에서 당대의 지배적 세력에 대한 영합이나 순응을 의미하는 현실추수주의와는 상반되는 개념을 내포한다. 일제강점기에 현실추수주의가 집중적으로 노출된 것은 친일시에서이고 그러한 차원에서 개인에 따라 현실주의가 현실추수주의로 변질된 경우도 없지 않다고 하겠다. 그러나 일제의 국책이나 침략전쟁을 찬양하는 시와 당대의 비참한 민족현실을 시인의 아픈 마음에 적셔 드러내는 시는 본질적으로 천양지차가 있다고 하지 않을 수 없다.

> 눈 덮인 철로는 더욱이 싸늘하였다
> 소반 귀퉁이 옆에 앉은 농군에게서는 송아지의 냄새가 난다
> 힘없이 웃으면서 차만 타면 북으로 간다고
> 어린애는 운다 철마구리 울듯
> 차창이 고향을 지워버린다
> 어린애가 유리창을 쥐어뜯으며 몸부림친다
>
> ― 오장환, 「북방의 길」 전문[47]

불과 여섯 행으로 이루어진 소품이기에 영혼에 충격을 가할 정도로 감동적이라고 할 수는 없겠으나 기차간 농부 일가족의 정경이 예사롭게

---

47. 『헌사』, 남만서방, 1939.

보이지 않는다. 파탄 상태에 빠진 당시의 조선 농민이 자신의 생활 근거지로 부터 쫓겨가는 장면을 핍진하게 형상화하고 있기 때문이다. 이 시의 시적 주체는 화자 차원으로 물러나 있고 그 점이 당대의 민족현실을 드러내는 데 기여하고 있다. 즉 시인의 주관 개입을 가능한 한 억제함으로써 효과를 본 경우인데 그 점은 시인의 울고 싶은 마음이 유리창을 쥐어뜯으며 우는 어린애의 모습으로 객관화된 데서도 드러난다. 이 시에서 오장환의 진보주 의적 세계관은 직접적으로 노출되지 않는다. 진보에 대한 열망을 숨긴 채 현실을 담담하게 그려내는 자세를 견지하고 있다. 오장환에게 이와 같은 작품이 많지는 않지만 창작태도 면에서 주목할 만하다고 생각된다.

「북방의 길」과 같은 시를 사회현실의 단편적 묘사나 자연주의적 재현의 차원에서만 바라보고 이러한 시가 손쉽게 산출되리라 생각하는 것은 아무 래도 피상적 견해임을 면하지 못할 듯하다. 이러한 시를 쓰는 시인의 내면에는 '세상을 바로 보고 바로 살려는 간절한 마음'이 깔려 있다고 보이기 때문이다. 그리고 그러한 마음이라야 "눈 덮인 철로는 더욱이 싸늘하였다"나 "소반 귀퉁이 옆에 앉은 농군에게서는 송아지의 냄새가 난다"와 같은 시구를 산출할 수 있을 것이다. 농군에게서 송아지의 냄새를 맡고 철로의 싸늘함을 느끼는 것은 시인만의 독자적인 감각이라 할 수 있는데 거기에는 시적 대상인 농군을 정겹게 느끼고 그들의 고통스러운 앞날을 예감하며 가슴 아파하는 마음이 스며들어 있다. 즉 시적 주체는 화자 차원으로 물러나 있지만 시적 대상과의 긴밀한 상관관계를 속 깊이 내장하고 있는 시라고 하겠다.

차디찬 아침인데
묘향산행 승합자동차는 텅하니 비어서
나이 어린 계집아이 하나가 오른다
옛말속같이 진진초록 새 저고리를 입고
손잔등이 밭고랑처럼 몹시도 터졌다

계집아이는 자성으로 간다고 하는데
자성은 예서 삼백오십 리 묘향산 백오십 리
묘향산 어디메서 삼촌이 산다고 한다
쌔하얗게 얼은 자동차 유리창 밖에
내지인 주재소장 같은 어른과 어린아이 둘이 내임을 낸다
계집아이는 운다 느끼며 운다
텅 비인 차 안 한구석에서 어느 한 사람도 눈을 씻는다
계집아이는 몇해고 내지인 주재소장 집에서
밥을 짓고 걸레를 치고 아이보개를 하면서
이렇게 추운 아침에도 손이 꽁꽁 얼어서
찬물에 걸레를 쳤을 것이다

— 백석, 「팔원」 전문[48]

　　'서행시초(西行詩抄)'라는 부제가 붙어 있는 백석의 기행시 가운데 하나로
서 여행 중에 마주친 장면이 객관적으로 묘사되었다. 창작의 계기가 우발적
인 데다가 어조 또한 어눌해서 한번 보고 가볍게 넘겨버리기 쉽겠지만
그 내용이 표피적 풍물 차원에 멈추지 않는다는 점을 주목할 필요가 있다.
묘사의 주된 대상은 일본인 주재소장 집에서 밥을 짓고 걸레를 치고 아이를
보았을, 손잔등이 몹시 튼 어린 계집아이다. 고아나 다름없는 그 계집아이는
하녀 노릇 하던 집을 나서 합승버스를 탄다. 그녀의 앞길이 막막하다는
것은 새하얗게 언 자동차 유리가 간접적으로 보여준다. "텅 비인 차 안
한구석에서 어느 한 사람도 눈을 씻는다"에서 어느 한 사람이 시적 주체인지
아닌지는 애매하게 처리되어 있고 그 점은 시적 대상으로 인해 촉발된
주체의 서글픈 감정을 감상적으로 노출시키지 않는 효과를 가져온다.
　　「북방의 길」과 마찬가지로 「팔원」의 시적 주체도 화자 차원으로 뒤로

48. <조선일보>, 1939. 11. 10.

물러나 있고 그 점은 자동차에 계집아이가 오르는 장면에 대한 객관적 묘사 위주로 시가 전개되는 것과 긴밀하게 호응한다. 그리고 "텅 비인 차 안 한구석에서 어느 한 사람도 눈을 씻는다"와 같은 시구도 짐짓 그러한 묘사의 한 부분인 양 처리되어 있다. 즉 주체의 슬픈 감정을 객관적 묘사 혹은 서사 속에 은근하게 묻어두고 있는바 그것은 비관적 정서를 누르고서 객관적 현실을 부각시키려는 창작태도가 투영된 결과일 것이다. 시 속에 그려진 어린 계집아이가 얼마나 전형성을 지니는가는 의문이라 하더라도 일제의 종노릇을 하던 당시 우리 민족의 모습을 어느 정도 보여주고 있다고 생각된다. 즉 동시대의 민족현실을 드러내는 시를 씀으로써 시인은 당대의 현실을 진지하게 끌어안은 셈이다. 하지만 이러한 시는 비관주의적 시정신을 주조로 하는 백석에게는 상당히 드문 경우에 해당된다.

진보에 대한 낙관적 전망이 불가능하던 시대에 현실에 대한 집요한 탐색을 계속하기는 힘들었겠지만 오장환의 「북방의 길」이나 백석의 「팔원」에서 볼 수 있는 현실주의적 창작태도도 있었다는 것은 특기할 만한 일이다. 적어도 「북방의 길」이나 「팔원」 등은 1930년대의 리얼리즘시를 논하는 마당에 간과할 수 없는 작품이라 생각된다. 이밖에도 임화의 「야행차 속」, 오장환의 「모촌(暮村)」, 백석의 「여승」 등 현실주의적 시정신이 드러나는 시가 더 있지만, 이와 같은 시들이 각 시인에게 주류를 형성하지 못했다는 사실은 당대의 상황이 현실주의적 시정신을 제약했다는 말이 된다. "현실을 있는 대로 그리면 작품 가운데 선 작자가 인생에 대하야 품고 있는 희망이라는 게 살지 못할 뿐만 아니라 오히려 암담한 절망을 얻게 되는 것"[49]이라는 임화의 진단이 당대의 문학적 상황을 말해준다. 비록 소설을 논의하는 가운데 나온 말이지만 시인 자신의 창작적 실감을 토로한 발언인 셈이다.

방금 언급한 임화의 발언에서도 간취할 수 있듯이 현실주의는 진보주의

---

49. 임화, 「세태소설론」, <동아일보>, 1938. 4. 3.

와 비관주의와의 상관관계 속에서 발현되는 시정신이다. 바람직한 사회에 대한 희망 혹은 열망은 우선 진보주의로 현현되는 것이 자연스러운 현상일 터인데 그것이 일제 말과 같은 암담한 시기에 체제의 완강함에 부딪쳐 좌절했을 때 비관주의로 나타난다고 하겠다. 하지만 이상과 현실 사이에서 이상에만 일방적으로 매달리거나 전망의 상실로 인해 절망에 빠짐으로써 문제가 풀리지는 않는다. 그리고 이러한 진퇴양난의 상황에서 일종의 변증법적 지양으로 나타나는 것이 현실주의라고 할 수 있다. 앞에서 언급했듯이 아무리 진보가 절박하더라도 이상을 당위로 경화시키지 않고 아무리 상황이 암담하더라도 절망에 빠지지 않으면서 모든 문제를 현실에 입각해서 끈질기게 풀어가는 태도를 상정할 수 있으니 그러한 정신적 경향을 현실주의라고 말할 수 있겠다.

미래의 유토피아가 주관적 편향에 의해 도래하지 않는다는 점은 새삼 말할 나위 없거니와 진보주의건 비관주의건 현실과의 접점을 상실한다면 창작적 실천이라는 면에서 주관적 편향이라는 비판을 감당할 수 없게 된다. 즉 진보를 열망하거나 전망의 상실로 인해 고통받는 시인이 유념할 사항은 진보란 현실을 토대로 이루어지는 것이요 전망 또한 미미하더라도 현실을 근거로 마련될 수밖에 없다는 사실이다. 즉 현실에 대한 탐색을 포기하지 않는 것이 창작적 실천의 전제로 놓인다고 하겠다. 이미 「북방의 길」과 「팔원」을 통해서 살펴보았듯이 시인에게 현실주의적 정신은 무엇보다도 당시의 사회현실을 시 속에 핍진하게 그려냄으로써 구현된다고 할 수 있다. 그렇지만 현실주의는 늘 이상과의 상관관계 속에 진보주의로 경사될 수 있고 좌절감에 의해 비관주의로 전화될 수 있는 만큼 고정불변의 실체일 수 없다.

이상에서 논의한 바대로 진보주의·비관주의·현실주의는 일종의 변증법적 상관관계를 형성하고 있다고 하겠다. 그러니까 임화와 오장환이 진보주의적 경향을 보이고 백석이 비관주의적 경향을 보인다는 말도 평면적으로 이해하기보다 세 가지 시정신의 상호관계 속에서 그러한 경향이 두드러진다는 뜻으로 새기는 게 좋을 것이다. 즉 임화와 오장환의 경우 진보주의를 위주로 하면서 비관주의와 현실주의를 끌어안고 있다면 백석의 경우 비관주의를 위주로 하면서 진보주의와 현실주의를 끌어안고 있다고 보는 것이 타당할 듯하다. 그런데 여기에서 남는 문제는 진보주의와 비관주의를 끌어안으면서 그 사이의 변증법적 지양으로서의 현실주의를 위주로 하는 시인은 없는가이다. 그리고 이러한 의문에 부딪쳤을 때 당대에 현실주의적 지향이 가장 강한 것으로 보이는 이용악의 작업을 검토할 필요가 생긴다.

> 가로수의 수면시간이
> 아즉 고요한 어둠을 숨쉬고 있다
>
> 지난밤 단골방에서 그린
> 향기롭던
> 명일(明日)의 화판(花瓣)은 지금 이 길을 걸으며
> 한 걸음 한 발짝이 엄청 무거워짐을 느낀다
>
> 오늘
> 씹어야 할 하로 종일이
> 씨네마의 기억처럼 듸려다보이는
> 권태—
>
>> 산을 허물어
>> 바위를 뜯어 길을 내고
>> 길을 따라 집터를 닦는다
>> 쓰러지는 동무……
>> 피투성이 된 두개골을 건치에 싸서

눈물없이 묻어야 한다

그리고 보오얀 황혼의 귀로

손바닥을 거울인 양 듸려다보고
버릇처럼 장알을 헨다
누우런 이빨을 내민 채
말러빠진 즘생처럼 방바닥에 늘어진다

어제와 같은 필림을 풀러
오늘도 어제와 같은 이 길을 걸어가는
권태—

짜작돌을 쓸어넣은 듯 흐리터분한 머리에
새벽은 한없이 스산하고
가슴엔 무룩무룩 자라나는 불만

—「오늘도 이 길을」 전문[50]

권태나 불만 같은 관념적 한자어들이 돌출되어 구사되고 있는 데서
알 수 있듯이 이용악의 시인으로서의 기량이 미처 성숙되기 이전의 서툰
구석이 남아 있는 시이다. 하지만 그렇기에 오히려 형성기의 시인의 모습을
보여주는 면이 있는 듯하다. 이 시는 이용악의 일본 유학시절의 체험이
반영되어 있는바 그 시절 그는 "온갖 가지의 품팔이 노동꾼으로 피땀을
흘려 이역의 최하층 생활권내를 유전(流轉)해가면서 학비를 조달"[51]한 것으

---

50. 『분수령』, 삼문사, 1937.
51. 김광현, 「내가 본 시인」, 『민성』, 1948. 10, 70쪽.

로 알려져 있다. 인용시의 시적 주체는 토목공사장의 막노동꾼으로 시를 쓰던 당시의 시인 자신의 모습을 형상화한 존재라고 하겠다. 그러니까 당시의 시인은 인명사고가 무시로 나는 노가다판에서 새벽부터 황혼까지 막일을 하면서 학비를 버는 한편 시를 쓴 것이다. 다시 말해 「오늘도 이 길을」은 구체적 생활체험이 이용악의 시쓰기에 주요한 계기로 작용하고 있다는 사실을 보여주는 시이다.

실상 구체적 생활체험만큼 현실적인 것은 따로 없을 듯하고 구체적 생활체험이 집중적으로 드러난 시에서 현실주의는 자연스러운 시정신이라 생각된다. 이 시의 시간은 날이 밝기 전 새벽이고 공간은 일터로 가는 길 위인데 길을 걷는 시적 주체의 뇌리 속에 시네마 필름처럼 떠오르는 상념이 액자로 처리되어 있다. 즉 "산을 허물어"부터 "말러빠진 즘생처럼 방바닥에 늘어진다"까지가 액자의 안쪽인 셈인데 특히 이 부분의 시구에 생활의 땀내가 짙게 배어들어 있다. 그리고 이렇듯 뻔하게 되풀이되는 노동자로서의 하루 생활 묘사는 간밤에 그린 "향기롭던 명일의 화판"과 대비되어 주체가 처한 현실적 상황을 드러낸다. 특히 "피투성이 된 두개골을 건치에 싸서 / 눈물없이 묻어야 한다"나 "누우런 이빨을 내민 채 / 말러빠진 즘생처럼 방바닥에 늘어진다"에서는 시쓰기에서 감정적 윤색보다 현실에 대한 묘사를 중시하는 시인의 자세를 엿볼 수 있다.

자신의 체험으로부터 창작의 빌미를 구하는 것은 현실주의적 시정신이 발현되는 일차적 통로일 것이다. 현실주의란 주체가 세계와 밀접하게 만날 때 발휘된다고 보이는데, 체험이란 그 자체에 주체와 세계의 교섭을 내포하고 있기 때문이다. 즉 풍부한 생활체험은 현실주의적 시정신의 바탕이 된다고 생각되고 이용악의 노동체험 또한 그러한 맥락에서 이해할 수 있다. 물론 그 체험은 시적 변용을 거쳐 어떤 보편적 의미를 함유할 때 리얼리즘의 성취로 연결되고 그러한 의미에서의 체험에 충실할 때 본격적으로 현실주의를 운위할 수 있을 것이다. 인용시가 서투르다는 것은 창작기법 차원에서뿐만 아니라 창작 주체의 체험이 어떤 보편적 의미를 함유하는 데 성공하지 못한 것에서도 드러난다. 하지만 자신의 노동체험을 투박하게 그려내는 인용시에서 시인 나름의 현실주의가 발현될 가능성은 충분히 찾을 수 있을 것이다.

나는 죄인처럼 수그리고
나는 코끼리처럼 말이 없다
두만강 너 우리의 강아
너의 언덕을 달리는 찻간에
조고마한 자랑도 자유도 없이 앉았다

아모것두 바라볼 수 없다만
너의 가슴은 얼었으리라
그러나
나는 안다
다른 한 줄 너의 흐름이 쉬지 않고
바다로 가야 할 곳으로 흘러내리고 있음을

지금 차는 차대로 달리고
바람이 이리처럼 날뛰는 강건너 벌판엔
나의 젊은 넋이
무엇인가 기대리는 듯 얼어붙은 듯 섰으니
욕된 운명은 밤 우에 밤을 마련할 뿐

잠들지 말라 우리의 강아
오늘밤도
너의 가슴을 밟는 뭇 슬픔이 목마르고
얼음길은 거츨다 길은 멀다

길이 마음의 눈을 덮어줄

검은 날개는 없느냐

두만강 너 우리의 강아

북간도로 간다는 강원도치와 마조앉은

나는 울 줄을 몰라 외롭다

— 「두만강 너 우리의 강아」 전문[52]

두만강 언덕을 달리는 기차간에 앉은 시적 자아가 주된 시적 대상인 두만강에게 말을 건네는 형식을 취하고 있다. 시적 자아의 표현과 시적 대상의 묘사 사이에 균형이 적절하게 유지되어 민족현실을 외면하지 않으면서 서정시로서의 효과 또한 유감없이 발휘되고 있다. "북간도로 간다는 강원도치"나 "너의 가슴을 밟는 뭇 슬픔이 목마르고"에서 볼 수 있는 것은 두만강을 넘어 비참하게 쫓겨가는 민족의 모습이다. 현실적 상황의 암담함은 "얼음길은 거츨다 길은 멀다"나 "욕된 운명은 밤 우에 밤을 마련할 뿐" 같은 비유적 시구 속에 녹아들어 있다. 그렇지만 이 시가 비관주의로 떨어지지 않는 이유는 이러한 상황을 타개하지 못하는 자신에 대한 진지한 성찰과 고민이 배어들어 있기 때문이다. 또한 미래에 도래할 유토피아적 세계에 대한 신념이 '얼음장 밑의 강물은 멈추지 않고 흐른다'는 비유를 통해 드러나기 때문이다.

이 시의 주된 내용은 두만강을 넘어 비참하게 쫓겨가는 민족의 현실이고 그러한 민족현실을 시적 주체에게 구체적으로 보여주는 존재가 기차간에 마주앉은, "북간도로 간다는 강원도치"이다. 하지만 시적 주체는 그에 대해, 나아가 그러한 민족현실에 대해 어떻게 해볼 도리가 없다. 그리고 그렇듯이 속수무책인 자신에 대한 자괴감이 "나는 죄인처럼 수그리고"나

---

52. 『낡은 집』, 삼문사, 1938.

"나는 울 줄을 몰라 외롭다"와 같은 시구를 통해 표현됐을 것이다. 그러니까 이 시의 분위기는 다분히 비관적이다. 하지만 비관주의에 일방적으로 함몰되지 않고 얼음장 밑을 흐르는 강물의 이미지를 통해 진보에 대한 궁극적 신념을 끌어내고 있다. 여기에서 그러한 강물의 이미지는 현실적 상황의 암담함을 뚫고 진보에 대한 신념을 추스르는 시인의 마음에 상응한다. 덧붙여 말하자면 진보에 대한 신념이 비관적 상황과의 정신적 싸움을 수행하면서 당대의 민족현실이 작품 속에 생생하게 드러나고 있다.

그러니까 「두만강 너 우리의 강아」는 진보주의 · 비관주의 · 현실주의의 역동적인 상관관계를 내포하고 있는 시로 보인다. 다시 말해 비관적 상황 속에서도 진보의 가능성을 믿으며 현실에 대한 창작적 관심을 포기하지 않는 창작자의 태도가 돋보이는 시이다. 위에서 운위한 주체의 자괴감은 당대를 사는 지식인으로서 갖는 양심의 자연스러운 발로일 것이고 그와 관련되는 속수무책이라는 말도 달리 새겨볼 필요가 있을 듯하다. 시인에게 시쓰기가 주된 실천의 장이라 할 때 이용악은 당시의 사회현실에 대해 효과적으로 대응하고 있다고 생각된다. 시인의 실천이란 당대의 민족현실을 핍진하게 작품으로 구현해내는 것이 본령이고 당시의 이용악에게 그이상으로 효과적인 대처 방안이 있지도 않았을 것이기 때문이다. 그리고 그러한 창작적 실천이 이루어지고 있기에 얼음장 밑을 흐르는 강물의 이미지가 공허해지지 않고 실감을 획득할 수 있을 것이다.

> 아들이 나오는 올겨울엔 걸어서라두
> 청진으로 가리란다
> 높은 벽돌 담 밑에 섰다가
> 세 해나 못 본 아들을 찾아 오리란다
>
> 그 늙은인
> 암소 따라 조이밭 저쪽에 사라지고

어느 길손이 밥 지은 자춰지
끄슬은 돌 두어 개 시름겨웁다

—「강가」 전문[53]

이 시의 공간적 배경은 강가이고 강가에서 암소에게 풀을 뜯기러 나온 늙은이와 만나 말을 주고받은 일이 전제로 놓여 있다. 그리고 시적 주체가 그 노인의 말을 옮기는 형식을 취하고 있는 부분이 첫째 연이다. 즉 시적 주체와 노인의 대화 가운데 생략되지 않고 남은 노인의 말 두 마디가 첫째 연을 구성하고 있다. 시의 전제조건을 과감히 생략한 채 노인의 말을 갑작스럽게 제시한 것은 「강가」가 오늘날의 안목에서도 참신하게 보이는 이유로 작용할 듯하다. 다시 말해 늙은이의 말을 먼저 제시해놓고 둘째 연에 와서야 그 말의 주인공을 드러내면서 동시에 '암소 따라 조밭 너머로' 사라진 것으로 처리한 것은 시인의 원숙한 기량이라고 말할 수밖에 없을 듯하다. 그리고 노인이 사라진 뒤에 '끄슬은 돌 두어 개'를 제시함으로써 산뜻하게 마무리하는 부분이 둘째 연이다.

노인의 아들이 감옥살이를 하고 있는 것과 지나가는 길손이 밥 지은 자취로 짐작되는 강가의 그슬린 돌 두어 개는 직접적 연관이 없는 것인데 노인을 매개로 하여 하나의 작품을 구성하고 있다. 이와 같이 무관한 일을 일부러 하나의 시 안에 배치함으로써 작품 속에 폭넓은 여백을 마련하고 독자의 상상력을 자극한다고 하겠다. 그리고 독자의 상상력이 자연스럽게 당대[54]의 우리 민족의 현실로 향하도록 작품이 짜여 있다. 즉 노인의 아들이 감옥살이하는 이유를 제시하지 않은 채 "끄슬은 돌 두어 개 시름겨웁다"로 시를 마무리함으로써 그 이유가 제 터전을 떠나 살 수밖에 없는

---

53. 『오랑캐꽃』, 아문각, 1947.
54. 「강가」의 첫 발표지면이 『시학』(1939. 10)이니 이 사실을 통해 이 시의 시대적 배경을 짐작할 수 있다. 덧붙이자면 잡지에 발표된 후 많은 개작을 거쳐 시집 『오랑캐꽃』에 수록된다.

일제 말의 우리 민족의 현실과 무관하지 않다는 점을 은근히 보여준다. 다시 말해 「강가」는 노인의 아들과 그슬린 돌의 상관관계를 통해 정치범과 유민이 항다반사로 발생하는 당대의 식민지 현실 전체로 연결된다.

이상의 언급에서 드러나듯이 「강가」는 절제된 시형 속에 일제 말의 식민지 현실이 고도로 농축되어 있는 시이다. 비록 소품이지만 시인의 현실주의적 정신이 밀도 높게 발휘된 경우인 것이다. 하지만 인용시에 배어들어 있는 쓸쓸한 어조를 또한 놓칠 수 없으니 그것은 계속 악화되는 사회적 상황과 무관할 수 없겠다. 즉 「강가」의 현실주의 또한 비관주의와의 싸움을 통해 발현되는 것이고 그 점은 「풀버렛소리 가득 차 있었다」나 「두만강 너 우리의 강아」의 경우와 크게 다르지 않겠지만 비장한 어조가 쓸쓸한 어조로 바뀌어 있다는 사실에 주목할 필요가 있다. 그러한 어조의 차이는 비관주의와 현실주의의 상관관계에서 역동성이 많이 가신 것에 상응한다고 보이기 때문이다. 그리고 여기에서 간취할 수 있는 것은 이용악의 비관주의와의 싸움이 일제 말로 접어들수록 더욱 힘들게 되었다는 사실이다.

앞에서 비관주의를 1940년 어름의 시대정신과 연결시킨 바 있는데 이용악 또한 예외적 존재일 수는 없었다. 시대적 분위기인 비관주의와의 싸움을 통해 현실주의적 시정신을 구현한 수준작들을 보여준 이용악이지만 그 또한 날로 악화되는 시대상황에 어찌할 도리가 없었다. "네거리는 싫여 네거리는 싫여 / 히 히 몰래 웃으며 뒷길로 가자"(「뒷길로 가자」,[55])나 "욕된 나날이 정녕 숨가쁜 / 곱새는 등곱새는 / 엎디여 이마를 적실 샘물도 없어" (「해가 솟으면」,[56])와 같은 시구가 이 점을 말해준다. 앞의 시구에 나타난 자조적 도피적 자세나 뒤의 시구에 나타난 자기 모멸감 혹은 절망감은 고스란히 비관주의의 분출로 보일 정도인바 스스로를 바보나 병신으로

---

55. <조선일보>, 1940. 6. 15.
56. 『문장』, 1940. 11.

생각하는, 일제 말 절필 직전의 시인의 심경을 보여준다고 생각된다.

　집도 많은 집도 많은 남대문 턱 움속에서 두 손 오구려 흑흑 입김 불며 이따금씩 쳐다보는 하늘이사 아마 하늘이기 혼자만 곱구나

　거북네는 만주서 왔단다 두터운 얼음장과 거센 바람 속을 세월은 흘러 거북이는 만주서 나고 할배는 만주에 묻히고 세월이 무심찮아 봄을 본다고 쫓겨서 울면서 가던 길 돌아왔단다

　띠팡을 떠날 때 강을 건늘 때 조선으로 돌아가면 빼앗겼던 땅에서 농사지으며 가갸거겨 배운다더니 조선으로 돌아와도 집도 고향도 없고

　거북이는 배추꼬리를 씹으며 씹으며 달디 달구나 배추꼬리를 씹으며 꺼므테테한 아배의 얼굴을 바라보면서 배추꼬리를 씹으며 거북이는 무엇을 생각하누

　첫눈 이미 내리고 이윽고 새해가 온다는데 집도 많은 집도 많은 남대문 턱 움속에서 이따금씩 쳐다보는 하늘이사 아마 하늘이기 혼자만 곱구나
　　　　　　　　　　　　　　　　　　　　　　—「하늘만 곱구나」 전문[57]

　이 시가 해방정국의 사회문제에 대한 관심과 결부되어 있다는 사실은 '1946년 12월 전재(戰災)동포 구제 시의 밤 낭독시'라고 부기된 데서도 드러난다. 즉 사회운동 차원에서 벌인 행사에서 낭송된 시라는 점에서 시인의 현실참여와 밀착된 작품이다. 하지만 리얼리즘과 관련하여 더욱 중요한 점은 작품 자체에 얼마나 당대의 현실이 핍진하게 반영되어 있느냐

---

57. 『개벽』, 1948. 1.

일 것이다. 인용시에서 집중적으로 그려내고 있는 인물은 배추꼬리를 씹고 있는 거북이인데 그는 해방 후 만주에서 돌아와 남대문턱 움 속에서 사는 동포의 어린 자식이다. 그러니까 「하늘만 곱구나」의 문제의식은 집도 고향도 없는 전재동포 즉 귀환동포의 비참한 생활상에 놓인다. 그리고 인용시는 그러한 주요한 사회문제를 배추꼬리를 물고 하늘을 쳐다보는 어린아이의 형상을 통해 실감나게 보여주고 있다.

그런데 「하늘만 곱구나」에서 유의할 만한 사항은 대중을 상대로 낭송하기에는 부적절해 보일 정도로 '차분하게 가라앉은 어조'이다. 이 시에서처럼 거북네의 가족사와 현재의 생활상을 효과적으로 압축해낼 수 있는 것은 분노를 감춘 차분한 어조가 바탕에 깔려 있기에 가능해졌다고 생각된다. 이러한 이용악의 「하늘만 곱구나」의 어조는 앞에 거론한 임화의 「깃발을 내리자」의 격앙된 어조와 좋은 대조를 이룬다. "살인의 자유와 / 약탈의 신성이 / 주야로 방송되는 / 남부조선 / 더러운 하날에 / 무슨 깃발이 / 날리고 있느냐 // 동포여 / 일제히 / 깃발을 내리자"와 "첫눈 이미 내리고 이윽고 새해가 온다는데 집도 많은 집도 많은 남대문 턱 움속에서 이따금씩 쳐다보는 하늘이사 아마 하늘이기 혼자만 곱구나"의 어조는 얼마나 다른가. 그리고 그 점은 「깃발을 내리자」가 선동적 화법을 취하는 데 비해 「하늘만 곱구나」가 묘사적 화법을 취하는 것과 호응한다.

「깃발을 내리자」와 「하늘만 곱구나」의 어조의 차이는 해방정국에 대처하는 진보주의자와 현실주의자의 차이로도 보인다. 누차 언급했듯이 진보주의와 현실주의는 서로 상관관계를 형성하는 것이지만, 대비시켜 말하자면 임화의 진보주의가 격앙된 어조로 '선전선동의 직접성'을 추구했다면 이용악의 현실주의는 차분한 어조로 '현실반영의 핍진성'을 추구했다고 하겠다. 대체로 해방정국의 시는 '선전선동의 직접성'과 '현실반영의 핍진성' 사이에서 다양하게 분포한다고 하겠는데 아무래도 무게중심은 전자 쪽에 가깝게 놓인다고 생각된다. 그 점은 대중집회의 낭송용으로 「하늘만 곱구나」보다 「깃발을 내리자」가 더 잘 어울린다는 사정과 무관할 수 없을 것이다. 국가 건설이라는 초미의 과제를 앞에 두고 진보주의에 경사될 수밖에 없었던 것이 당대를 진정하게 살려는 시인들의 일반적 경향이라 한다면 「하늘만 곱구나」에 구현된 현실주의는 다분히 예외적인 경우에 해당된다.

해방정국의 시대정신은 아무래도 진보주의가 위주일 듯하고 이용악도 그러한 시대정신과 무관할 수 없었다. 그의 주된 시정신으로서의 현실주의가 일제강점기에는 주로 비관주의와의 상관관계 속에 드러난다면 해방정국을 맞이해서는 주로 진보주의와의 상관관계를 통해 드러나는 것으로 보인다. 이용악 또한 「하늘만 곱구나」에서 볼 수 있는 차분한 어조와는 다른 격앙된 어조의 시를 발표하는데 그러한 어조의 변화가 진보주의적 열정의 분출과 무관할 수 없겠다. "폭풍이여 일어서는 것 폭풍이여 폭풍이여 불길처럼 일어서는 것"(「노한 눈들」,[58])이나 "핏발이 섰다 집마다 지붕 위 저리 산마다 산머리 우에 헐벗고 굶주린 사람들의 핏발이 섰다"(「기관구에서」,[59])에서 감지할 수 있는 격앙된 어조는 바로 진보적 열정의 분출이면서 '선전선동의 직접성' 추구와 결부되어 있다고 생각된다.

그렇지만 이용악의 선전선동성 추구는 구체적 사건을 계기로 하고 있다는 점에서 여타의 시인들과 구분된다. 「노한 눈들」의 경우 조선문학가동맹이 회관에서 쫓겨나게 된 사건을 취급하고 있고, 「기관구에서」의 경우 용산 기관구 철도파업 사건을 정면에서 다루고 있다는 점에서 근거 없는 구호주의로 떨어지지 않는다. 다시 말해 그러한 시들에서 진보주의와 현실주의는 역동적인 상관관계를 형성하고 있다. 즉 이용악은 진보주의적 경향이 대세를 이루는 해방정국을 맞이해서 시대적 분위기 혹은 조류에 일방적으로 휩쓸리지 않고 나름대로 치열하게 현실과의 상관관계를 형성하려 노력한 시인이다. 그러한 노력의 결과로 해방정국의 현실을 이용악만

---

58. <서울신문>, 1946. 11. 3.
59. 『문학』, 임시증간호, 1947. 2.

큼 핍진하게 그린 시인은 찾아보기 어렵고 「하늘만 곱구나」는 이와 같은
판단의 근거가 되는 시이다.

제3장

·····

리얼리즘시의 창작방법

　이 글에서 염두에 두고 있는 창작방법은 비평사에서와는 그 위상과 의미가 많이 다르다. 우리의 문예비평사에서 창작방법은 곧잘 1930년대 중반의 사회주의 리얼리즘의 적용과 관련된 논쟁에 연결되는데[1] 그러한 논쟁적 논의들은 이 글과 별로 관련이 없다. 대체로 창작방법론은 두 가지로 변별된다고 생각되는바 그 하나는 시인이나 소설가들의 창작을 통어하려는 지도비평 차원에서의 논의이고 다른 하나는 개별 작가나 작품의 창작에 작용하는 미학적 원리에 대한 탐구로서의 논의이다. 비평사 연구가 아닌 이 글은 당연히 후자에 관련되고 본 장의 주된 과제는 '시에서 리얼리즘의 성취에 기여하는 방법적 원리'에 대한 탐구에 놓인다. 달리 말해 '개별 작가나 작품의 창작에 작용하는 미학적 원리'가 이 글에서의 창작방법의 의미이고 그러한 원리를 리얼리즘과 관련하여 탐색하는 것이 본 장의 내용이 될 것이다.

1.　김윤식, 『한국근대문예비평사연구』(한얼문고, 1973), 94~118쪽에서 프로문학 비평 의 한 부분으로 창작방법론을 다룬 이래 이 문제는 주요한 비평사적 과제로 취급되고 있다.

방금 이 글의 성격이 지도비평 차원의 창작방법론과 무관하다는 점을 역설한 셈이거니와 시인들의 시창작에 지도비평이란 별다른 효과를 기대할 수 없을 듯하다. 물론 이상적 형태의 지도비평을 가정할 수는 있겠으나 실제의 지도비평은 아무래도 개별 시인의 창의성을 제약하는 방향으로 작용하기 쉬울 것이기 때문이다. 하지만 창의성에 대한 강조가 '시에서 리얼리즘의 성취에 기여하는 방법적 원리'에 대한 탐구의 필요성까지 제한할 수는 없을 터이니, 리얼리즘의 성취에 기여하는 어떤 방법적 원리가 있다면 그러한 원리를 바탕으로 창의성이 발휘되고 예술적 성취 또한 이룩될 것이기 때문이다. 가령 이 글의 연구대상인 임화, 오장환, 백석, 이용악 등의 시에서 리얼리즘의 성취에 기여하는 방법적 원리를 찾아낼 수 있다면 후세의 시인들은 그것을 참조하여 새로운 경지를 열어갈 수 있겠고 그러한 작업을 통해 전통의 창조적 계승이 가능해지리라 생각된다.

시인에 따라서는 자신의 창작방법을 시론으로 드러내기도 하지만 그것은 예외적인 경우라고 보아도 좋을 것이다. 창조적 작업의 자양이 될 만한 창작방법은 예술적 성취와 함께 작품 속에 실현된 상태로 존재하는 것이 일반적이다. 그러니까 리얼리즘시의 창작방법을 논의하는 올바른 길은 작품 속에 구현된 다양한 창작방법을 살핌으로써 '시에서 리얼리즘의 성취에 기여하는 방법적 원리'에 대한 탐구로 나아가는 데 있을 것이다. 한편 통상적으로 창작방법 논의라 하면 시인 지망자들에게 제공되는 '시창작의 길잡이' 정도로 오해하기 쉬우나 필자는 창작방법이라는 명목으로 창작기법을 논의할 생각은 없다. 리얼리즘시와 관련하여 창작방법을 논한다는 것은 시인의 세계인식이 어떻게 고양되어 예술적 성취에 이르는가를 살피는 것이기에 수사법이나 창작기술을 따지는 것은 이 글의 중심 과제에서 벗어나는 문제에 해당된다.

또한 이 글은 어디까지나 과거에 씌어진 리얼리즘시를 연구하는 차원에서 집필되는 만큼 창작방법에 대한 탐구도 작품에 대한 속 깊은 이해에 기여하는 방향으로 진행될 필요가 있겠다. 여기에서 창작방법을 살핀다는 것은 '어떻게 한 편의 작품이 이루어지게 되나'를 가늠해보는 것이니 시에 대한 일종의 생성론적 접근이라 할 수 있다. 그리고 이러한 생성론적 접근이야말로 유기적 형상으로서의 시에 대해 입체적으로 살펴볼 수 있는 유력한 방안이 되리라 기대하는 것이다. 아무래도 시론은 시에 대한 논리적 접근으로서의 성격을 지니기 마련이기에 유기적 형상의 형성과정을 죄다 설명할 수는 없는 노릇이다. 하지만 모든 것을 예술가의 천재성으로 돌리지 않고 최대한으로 논리적 접근을 시도하는 것이 예술론의 본령이라고 할 때 작품으로부터 출발하는 창작방법 논의의 가능성 또한 충분히 열려 있다고 생각된다.

그런데 정작 논의를 시작하려 하는 마당에 리얼리즘시의 창작방법은 어떠한 구도를 설정하여 탐구해나가는 것이 좋을까. 필자로서는 그러한 구도 설정의 단서를 서론에서 제기한, '세상에 대한 진실된 마음' '주체와 세계의 긴밀한 상관관계' '세계현실의 핍진한 반영' 등의 문제와 관련하여 찾으려 한다. 그리하여 '세상에 대한 진실된 마음이 시에서 어떻게 구현되는 가'의 문제는 1절 '진실성의 구현'의 항에서, '주체와 세계의 긴밀한 상관관계가 시 속에서 어떻게 드러나는가'의 문제는 2절 '시적 주체의 형상화와 주체 세우기'의 항에서, '세계현실의 핍진한 반영'의 문제는 3절 '산문적 확장과 시적 응축' 및 4절 '전형성의 추구' 항에서 차례로 살펴볼 것이다. 이 네 가지 항목들은 유기적 형상에 대한 논리적 접근을 위한 이론적 추상의 통로로서, 리얼리즘시를 쓰기 위한 규범으로 이해할 필요는 없을 것이다. 물론 이러한 항목 혹은 논의의 축 사이에는 밀접한 상관관계가 있고 이 글 또한 그러한 상관관계의 형성에 유념하면서 써나갈 예정이다. 그리고 이러한 상관관계의 그물을 통해 창작방법 논의가 최대한 구체성을 띨 수 있도록 유의할 것이다.

1. 진실성의 구현

시적 표현이 일반적 서술과 다른 점은 진실성의 문제와도 깊숙이 관련되는 듯하다. 다소 도식화시켜 말하자면, 일반적 서술이 지시내용과의 일치여부에 의해 진실성이 가려진다면 시적 표현은 그러한 차원을 넘어선다고 생각된다. 시적 표현방법으로 광범위하게 구사되는 비유나 역설 등은 시에서 축자적 의미의 진실성을 따지는 일이 헛수고라는 점을 말해준다. 그러한 사실은 가령 김광균의 「설야(雪夜)」[2]에서 눈 내리는 소리를 "먼 곳에 여인의 옷벗는 소리"로 비유하는 것이나 한용운의 「님의 침묵」[3]에 구사된 시구, "아아 님은 갔지마는 나는 님을 보내지 아니하였습니다"만 보아도 드러난다. 그리고 이와 같은 비유나 역설은 시인 나름의 독자적 감각이나 세계인식을 드러내는 데 불가결한 표현방법일 터이다. 다시 말해 시에서 진실성이란 진술과 그 지시내용의 일치 차원을 넘어서는 문제인 것이다.

위에서 간략하게 언급한 바대로 시에서 축자적 의미의 진실성을 따지는 일이 무의미하다는 것은 일종의 상식에 해당된다. 또한 이러한 상식은 시가 허구적 성격을 지니게 마련이라는 사실과도 통한다. 그리고 이러한 맥락에서 '시에서 진실성을 논하는 것이 무슨 의미가 있는가'라는 의문이 제기될 법도 하다. 그런데 시에서, 특히 리얼리즘시에서 실감이 감동의 원천이라고 한다면 진실성 논의는 회피할 수 없는 과제라고 하겠다. 시에서 실감이란 진실성의 바탕 위에서 획득될 수 있다고 생각되기 때문이다. 가령 어떤 시가 거짓이며 허위라고 느껴질 때 어떻게 그 시에서 실감을 얻을 수 있겠는가. 즉 진실성의 구현은 시적 성취에 이르는 데 기본적으로 요구되는 사항이면서 리얼리즘시의 바탕을 이룬다고 생각된다. 그리고

---

2. <조선일보>, 1938. 1. 8.
3. 『님의 침묵』, 회동서관, 1926.

진실성이란 '시 쓰는 동기가 순수하고 올바르다'고 해서 저절로 확보되는 것이 아니라는 점에서 창작방법의 문제와 결부된다고 하겠다.

하지만 '시 쓰는 동기가 순수하고 올바르다'는 것은 시에서 진실성을 구현하는 데 기본적으로 필요한 조건일 것이다. 그리고 그것은 리얼리즘시의 요건인 '세상에 대한 진실된 마음'과도 맥락을 함께하는 것이다. 그러니까 리얼리즘시에서 진실성이란 '시의 진술과 그 지시내용이 일치한다'는 의미를 넘어서서 '주체의 세계에 대한 진정한 마음이 시 속에 스며들어 있다'는 의미로 새기는 것이 좋을 듯하다. 그리고 여기에서 한 단계 더 나아간다면 '그러한 진정한 마음이 얼마나 간절한가'의 문제가 제기될 것이다. 이러한 문제에 대해 위에 거론한 「설야」와 「님의 침묵」을 비교하여 말하자면 「설야」의 경우 아무래도 개인적이거나 사적인 서정을 벗어나지 못한 한계를 지니고 있는 반면, 「님의 침묵」의 경우 주체가 살아가는 세상에 대한 진정한 마음이 더욱 절실하게 배어들어 있다는 점에서 진실성 구현의 한 본보기가 된다고 말할 수 있다.

> 그러나
> 인류의 범죄자
> 역사의 도살자인
> 아메리카—뿌르죠아의 정부는
> 사랑하는 우리의 동지
> 세계 무산자의 최대의 동모
> 작코, 반젯틔의 목숨을 **빼**엇었다
> 전기로—
>   (푸로레타리아트의 발전하는 전기로)
>
> 그러나
> 제2인터내슈낼은

드디어 양동지(兩同志)구명아메리카위원회의 전세계 노동자의 쩌너랠스
트라익의 요망을 모반하였다
그들은 임에[이미] 우리의 힘이 아니다
푸로레타리아의 조직이 아니다
룸펜 인텔리겐차의 허울좋은 도피굴이다

우리들은 새로운 힘과 계획을 가지고 전장에로 가자
우리는 작코, 반젯틔를 죽인 전기의 발전자가 아니냐
　　　　　　　　　　　　　　—임화, 「담(曇)—1927」 부분[4]

　임화가 맑스주의에 입문한 지 얼마 되지 않은 상태에서 쓴 작품으로
시 쓰는 동기의 정당성이 진실성의 구현과 얼마든지 동떨어질 수 있음을
보여주는 예이다. 시사적 지식과 학습한 수준의 사상이 뒤엉킨 채 거의
직설적으로 토로되어 있는 이 시에서 주체와 세계는 지극히 관념적으로
무리하게 묶여 있다. 미국에서 노동운동을 하다가 처형당한 작코와 반젯틔
에 대해 "사랑하는 우리의 동지 / 세계 무산자의 최대의 동모"라 하였는데
그러한 발언에 얼마만큼 창작주체의 진정이 담겨 있는지 의아스럽다.
가까이 일제에 의해 죽어간 동포들이 허다하다는 사정을 감안해볼 때
태평양 너머의 작코와 반젯틔에 대해 얼마나 진정으로 사랑을 느꼈는지
의아스러운 것이다. 우경화한 제2인터내셔널에 대해서 "룸펜 인텔리겐차
의 허울좋은 도피굴" 운운하는 데서도 그러한 판단의 옳고 그름을 떠나서
그러한 발언을 하게 된 절실한 이유로서의 주체의 내적 필연성을 찾기
힘들다.
　따라서 인용시에서 찾아볼 수 있는 동기의 정당성조차 피상적 수준을
넘어서지 못한다는 판단에 이르게 된다. 조선의 현실에 대한 고민이 결락된

4.　『예술운동』, 1927. 11.

채 아메리카 부르주아 정부에 대해 "인류의 범죄자 역사의 도살자"라고 목청을 높이는 데서 주체의 세계에 대한 진정한 마음이 스며나올 가능성은 거의 없다. 진실성의 구현이란 만해의 「님의 침묵」에서처럼 세상에 대한 진정한 마음이 시에서 자연스럽게 스며나오는 경지를 두고 이르는 말이라면 인용시와는 거리가 멀다고 할 수밖에 없다. 이 시에서 '우리'란 '세계 무산자'를 가리키는 듯한데 이렇듯 막연한 '우리'와 창작주체는 잘 연결되지 않으며, 세계 무산계급의 궁극적 승리를 고창하는 것이 이 시의 창작의도로 보이는바 그것이 창작주체의 삶과 자연스럽게 연결되지 않는다. 즉 창작의도가 생경하게 노출될 때 작위성이 드러나고 작위성이란 진실성의 구현에 심각한 장애 요인으로 작용하는 것이다.

대체로 정치의식이 강하게 드러나는 시일수록 작위성을 극복하는 데 어려움이 많은 듯하다. 인용시의 경우 미처 습작기의 잔재를 떨쳐버리지 못한 작품이기에 여러 가지 약점을 노출한다고 말하면 그만이지만 그 실상을 살피자면 시인의 체험과 삶이 정치적 의욕에 턱없이 못 미치기에 작위성이 노출된다고 말할 수 있다. 달리 말해 창작주체의 내적 필연성에 의해서 자연스럽게 씌어지지 않고 의욕이 지나치게 앞서 나간 경우인 셈이다. 가령 "우리들은 새로운 힘과 계획을 가지고 전장에로 가자"고 외칠 때 그렇게 외치게 된 창작주체의 절박함 혹은 내적 필연성이 작품 속에 드러나기를 기대한다. 그런데 그러한 필연성이 제대로 드러나지 않기에 진실성의 구현에 실패한 것으로 판단되는 것이다. 즉 주체의 내적 필연성의 확보가 진실성을 구현하는 데 절실히 요망된다고 하겠고 바로 이 점은 일인칭 양식으로서의 시의 양식적 특수성과도 긴밀히 접맥된다고 생각된다.

별 많은 밤
하늬바람이 불어서
푸른 감이 떨어진다 개가 즞는다

—백석, 「청시(靑柿)」 전문[5]

백석이 이미지즘에 경도된 적이 있다는 것을 보여주는 듯한 작품으로
동양화의 산수도를 대할 때의 느낌을 자아내는 담백한 시이다. 별, 하늬바람,
푸른 감, 개가 어울린 밤 풍경으로 시적 주체는 화폭 뒤에 숨어 있다.
앞에서 살펴본 임화의 「담—1927」과는 대조적으로 창작주체의 정치적
의욕이 개입될 여지가 없는 소품이다. 「담—1927」이 감당할 수도 없는
정치적 의욕을 과다하게 노출함으로써 진실성의 구현에 실패한 경우라면
인용시는 그와 상반되는 양상을 보이고 있다. 아예 주체와 사회현실과의
상관관계를 배제함으로써 사회의식 혹은 정치의식을 증발시킨 경우이다.
이러한 시에서 주체의 세계에 대한 진정한 마음이 배어나올 여지는 거의
없다. 사특한 마음이 개입될 여지도 없다는 점에서 소극적 의미의 진실성마
저 부정할 필요는 없겠지만 리얼리즘시로서 요구되는 세상에 대한 진정한
마음은 감지하기 힘들다.

사회현실에 대한 정당한 관심 혹은 올바른 정치의식은 리얼리즘시에서
절실히 요구되는 사항일 것이다. 그런데 막상 중요한 것은 사회의식 혹은
정치의식을 시 속에서 제대로 소화해내는 문제이다. 위의 「청시」가 아예
정치의식을 배제한 경우라면 「담—1927」은 사회의식의 과잉으로 소화불
량에 걸린 경우이다. 소화불량에 걸리기보다는 사회의식을 아예 배제함으
로써 작품으로서의 파탄을 막을 수는 있을 것이다. 하지만 그런 식으로는
리얼리즘의 성취뿐만 아니라 진정한 의미의 시적 성취 또한 기대할 수
없을 것이다. 「담—1927」과 같은 약점을 노출하는 것이 카프 시들의
일반적 양상이라면 「청시」와 같은 약점을 노출하는 것이 이른바 순수시들
의 일반적 양상이라 하겠는데 이는 일종의 내용과 형식의 분리이다. 여기에
서 사회의식 혹은 정치의식을 시로 올바르게 소화해내는 문제가 관건으로

---

5. 『사슴』, 선광인쇄주식회사, 1936.

떠오르는바 이것이 바로 내용과 형식의 분리를 극복하는 문제에 해당된다.

「담—1927」과 「청시」는 자못 극단적인 예이고, 임화와 백석의 경우 각각 그러한 편향들을 극복하려 하거나 극복한 시세계를 보여주고 있기에 이 글의 논의 대상으로 부각된다고 하겠다. 다소 범박하게 말해서 임화의 경우 정치의식이 시적 제어에서 벗어나는 문제를 극복하려 하는 데서 시세계가 펼쳐진다면, 백석의 경우 현실세계로부터 도피하는 자세를 극복하려 하는 데서 시세계가 펼쳐지는 것으로 보인다. 그리고 이러한 극복의 과정은 시인으로서 정치의식 혹은 사회의식을 단련하는 과정에 해당된다. 당대의 사회현실에 대해 속 깊이 마음 아파하지 않은 상태에서 진실성의 구현이란 아무래도 무망한 노릇일 것이다. 즉 임화와 백석 모두 자신이 살아가던 시절의 사회적 질곡에 대해 고통스러워하는 것이 시쓰기의 기본적 전제인 셈이다. 그런데 그러한 질곡에 대해 임화가 전위적 응전태세를 앞세웠다면 백석은 자신의 고통으로 내면화하는 경향을 보여준다.

> 처마 끝에 명태를 말린다
> 명태는 꽁꽁 얼었다
> 명태는 길다랗고 파리한 물고긴데
> 꼬리에 길다란 고드름이 달렸다
> 해는 저물고 날은 다 가고 볕은 서러웁게 차갑다
> 나도 길다랗고 파리한 명태다
> 문턱에 꽁꽁 얼어서
> 가슴에 길다란 고드름이 달렸다
>
> — 백석, 「멧새 소리」 전문[6]

백석의 주된 시정신인 비관주의가 드러나 있는 시이다. 제재는 명태인데

---

6. 『여성』, 1938. 10.

'멧새 소리'라는 다소 엉뚱한 제목을 달고 있다. 아마 멧새 울음소리를 떠올리며 이 시를 읽어달라는 뜻이리라. 아무튼 「멧새 소리」에서 집중적으로 묘사되고 있는 것은 처마 끝에 매달아 말리는 명태로 꼬리에는 고드름이 달려 있다. 그런데 그 꽁꽁 언 채 말려지는 명태를 시적 주체와 동일시함으로써 비관주의가 짙게 드러난다. 그러니까 이 시의 배경인 차가운 날씨는 주체의 세계에 대한 감각으로 읽어도 될 것이다. 처마 끝에 매달린 명태에 비유되는 시적 주체에게서 세계에 대한 적극적 대응의 자세를 기대하기는 힘들고 그 점은 백석의 시세계의 특성을 이룬다. 하지만 이 시를 통해 세상 속에서 살아가는 창작주체의 아픔은 절실하게 감지된다. 즉 현실세계가 구체화되지는 않았지만 주체의 세계에 대한 진정한 마음은 짙게 스며들어 있다.

「청시」의 시적 주체는 별 많은 밤에 한가로이 풋감 떨어지는 소리를 듣는 심미적 존재인 반면 「멧새 소리」의 시적 주체는 아무런 전망도 보이지 않는 상태에서 세상의 추위에 고통스러워하는 존재이다. 물론 한 개인으로 볼 때 심미적 존재일 수도 있고 세상 속에서 고통스러워하는 존재일 수도 있겠으나, 백석의 시세계에서 볼 때 전자와 같은 시적 주체는 초기의 이미지즘 시풍을 보이는 시들에 잠시 나타나고 사라진다. 즉 「청시」는 1930년대 중반에 이 땅에서 유행하던 이미지즘의 창작방법을 시험해본 듯한 시로서 백석의 진면목을 보여준다고 생각되지는 않는다. 달리 말해 「청시」의 경우 시적 주체의 목소리에 다분히 가성이 섞여 있다고 보이는 반면 「멧새 소리」의 목소리에는 훨씬 더 창작주체의 진정이 배어들어 있다고 느껴지고, 그 점은 「멧새 소리」가 진실성의 구현이라는 면에서 「청시」보다 차원 높은 성취를 보여준다고 생각되는 이유이다.

하지만 현실세계가 구체화되지 않고 단지 '추위'라는 감각으로 나타나는 데 그친 점은 아무래도 「멧새 소리」의 한계로 보인다. 세상에 대한 진실된 마음은 현실세계를 끌어안고 부대끼는 데서 속 깊이 우러나올 것이기 때문이다. 그러한 과정이 결락되어 있기에 인용시에서 감지되는 고통에는 그 필연성이 제대로 드러나지 않는다. 응축적 양식으로서의 시에서 생략된 부분은 독자가 상상력을 발휘할 공간이므로 고통의 필연성이 산문적으로 드러날 필요는 없을 것이다. 그렇지만 고통의 필연성을 유추하거나 상상할 단서조차 변변하게 남기지 않은 것은 아쉬운 점이라고 하지 않을 수 없다. 그리고 이 점은 「멧새 소리」의 고통이 사사로움으로부터 온전히 벗어나지 못한 이유이기도 하다. 불과 여덟 행의 단시에서 많은 것을 요구하는 것도 무리겠으나 시적 주체를 처마 끝에 매달린 명태에 비유하게 된 근거가 막연하기에 실감이 다소 떨어진다는 점은 부인할 수 없겠다.

눈보라는 하로 종일 북쪽 철창을 따리고 갔다
우리들이 그날 회사 뒷문에서 '피케'를 모든 그 밤같이……

몇 번 몇 번 그것은 왔다 팔 다리 코구녕 손꾸락에
그러나 나는 그것이 아푸고 쓰린 것보다도 그 뒤의 일이 알고 싶어
정말 견딜 수가 없었다

늙은 어머니와 굶은 안해들이
우리들의 마음을 풀리게 하지나 않었는가 하고

그러나 모두들 다 사나이 자식들이다
언제나 우리는 말하지 않었니

너만이 늙은 어메나 아베를 가진 게 아니고
나만이 사랑하는 계집을 가진 게 아니라고

어메 아베가 다 무에냐 계집 자식이 다 무에냐
세상에 사나이 자식이 어떻게 ××이 보기좋게 패북하는 것을 눈깔로

보느냐

올해같이 몹시 오는 눈도 없었고 올해같이 치운 겨울도 없었다
그래도 우리들은 계집애 어린애까지가
다 기계틀을 내던지고 일어나지 않았니

동해 바다를 거쳐오는 모진 바람 회사의 뽐푸, 징박은 구두발 휘몰아치는
눈보라!
그 속에서도 우리는 이십 일이나 꿋꿋이 뻗대오지를 않았니

해고가 다 무에냐 끌려가는 게 다 무에냐 그냥 그대로 황소같이 뻗대이고
나가자
보아라! 이 치운 날 이 바람부는 날! 비누궤짝 짚신짝을 싣고
우리들의 이것을 이기기 위하야
구루마를 끌고 나아가는 저 어린 행상대의 소년을……
그리고 기숙사란 문 잠근 방에서 밥도 안먹고 이불도 못 덮고
이것을 이것을 이기려고 울고 부르짖는 저 귀여운 너희들의 계집애들
을……

—임화, 「양말 속의 편지」 전문[7]

단편서사시의 대표작 가운데 하나로서 리얼리즘시와 관련하여 임화를
논하는 일의 타당성을 어느 정도 보여주는 시이다. 시적 수준을 확보하면서

7. 『카프시인집』, 집단사, 1931. 원래 『조선지광』(1930. 3)에 발표된 시로, 발표 당시의
    시에서 뒷부분 9행이 『카프시인집』에 수록되면서 제외되었다. 제외된 부분이 시상의
    통일을 방해하는 면이 있다고 보이는바 시인 스스로 개작하면서 삭제했을 가능성이
    많다. 잡지에 발표될 때는 '1930. 1. 15. 남쪽 항구의 일'이라 부기되어 있는데 이
    시의 창작 계기가 된 그 일은 김윤환, 『한국노동운동사 — 일제하편』(청사, 1982),
    253~56쪽을 참조할 때 부산의 조선방직공장의 파업으로 추정된다.

당시의 노동운동에 이만큼 밀착된 작품도 드물기 때문이다. 이 시의 제재는 파업이고 시의 위상은 파업투쟁 중인 동료 노동자들에게 보내는 '양말 속의 편지'로 상정되어 있다. 편지의 발신자로 설정된 이 시의 화자는 파업 주동자로서 철창에 갇혀 있는바, 시인의 분신으로서의 시적 주체와는 다르다는 점에서 일종의 배역인 셈이다. 편지의 사연 가운데 파업투쟁에 얽힌 이야기들이 다루어지고 있다는 점에서 서사지향성도 강하게 나타나고 있다. 즉 「양말 속의 편지」는 임화의 단편서사시의 주요 속성인 서사지향성과 배역시로서의 성격을 동시에 지니고 있고[8] 그러한 양식적 속성을 통해 당시의 노동운동을 핍진하게 그리고 있다는 점에서 당대로서는 드문 수준의 성취를 보여준다고 하겠다.

「담——1927」과 비교해볼 때 「양말 속의 편지」는 현저하게 추상성 혹은 작위성을 탈피하고 있고 이 점은 제목에서부터 드러난다. 세계무산자를 의미하는 「담——1927」의 '우리'가 하염없이 막연한 반면 이 시에서의 '우리'는 파업투쟁의 주동자와 그의 동료들이라는 점에서 훨씬 더 구체성을 띠고 있다. 또한 「양말 속의 편지」에서 다루어지고 있는 사건이 바로 이 땅에서 진행 중인 파업투쟁이라는 점에서 태평양 건너에서 벌어진 작코와 반젯틔 처형사건을 운위하는 것과는 차원이 다르다. 이에 연결되는 현상으로 「담——1927」에서는 세부에 대해 거의 운위할 수도 없는 형편인데 반해 「양말 속의 편지」에서는 어느 정도 세부가 구체화되어 있다. 그리고 그 구체화된 정도는 검열로 인한 복자(伏字)를 '파업'으로, '이것'을 '파업투쟁'으로, '그것'을 '고문의 통증'으로 각각 새겨볼 수 있다는 사실에서 미루어 짐작할 수 있다.

인용시에서 창작주체의 현실세계에 대한 관심은 노동문제로 집중되어 있고 그것은 임화의 카프 시인다운 면모인 셈이다. 달리 말해 주요한

---

8. 단편서사시의 양식적 속성에 대한 상세한 논의는 필자의 논문, 「임화의 시세계」, 『사회비평』(1989, 여름), 291~98쪽을 참고할 수 있다.

현실문제를 정면으로 끌어안고 부대끼는 모습을 보여주는바 주제의 무거움을 감당하는 시인으로서의 역량이 주목된다고 하겠다. 파업투쟁을 이끄는 선진적 노동자를 시의 화자로 삼아 그에게 말하게 함으로써 무거운 주제를 다루는 데 수반되기 쉬운 작위성을 상쇄하고 있다. 아마 시인의 분신으로서의 시적 주체가 직접 말하는 방식이었다면 "해고가 다 무에냐 끌려가는 게 다 무에냐'와 같은 발언의 무게를 제대로 감당할 수 없었을 것이다. 또한 이 시의 위상이 편지의 사연으로 설정되어 있기에 사건의 전말이 제대로 드러나지 않아도 되는 효과를 거두고 있다. 발신자와 수신자가 함께 겪은 일에 대해 그 사건의 전말을 상세히 기록할 필요가 없겠으니, 이 점은 생략과 응축이라는 시의 양식적 속성과도 호응한다고 생각된다.

단편서사시 나름의 양식적 속성을 잘 살리고 있는 「양말 속의 편지」는 임화가 그의 전위적 정치의식 혹은 사회의식을 형태에 무리가 가지 않게 소화하는 데 성공한 대표적 작품 가운데 하나이다. 또한 정치의식을 시적으로 소화시키지 못함으로 인해 노출되는 작위성도 별로 눈에 띄지 않는다. 즉 「양말 속의 편지」는 진실성의 구현이라는 면에서 「담——1927」보다 훨씬 윗길이라고 말할 수 있다. 하지만 배역으로서의 화자와 시인의 분신으로서의 시적 주체가 다소 동떨어진 상태를 보이고 있다는 한계는 어찌할 수 없는 듯하다. 다시 말해 시적 주체가 철창에 갇힌 노동자로 분장하고 시 속에 등장한다고 볼 때 배역을 의식하지 않아도 될 정도까지 자연스러운 경지에는 미치지 못한 듯하다. 아무래도 창작주체의 삶에서 자연스럽게 우러나온 시가 아니기에 갖는 한계라 하겠고 그 점은 진실성의 구현이라는 면에서 「양말 속의 편지」가 다소 미흡해 보이는 이유일 것이다.

이상에서 논한 바대로 백석의 「멧새 소리」와 임화의 「양말 속의 편지」는 진실성의 구현이라는 면에서 괄목할 만한 성취를 보이고 있다고 생각된다. 「멧새 소리」가 세상 속에서 살아가는 시인의 고통이 짙게 각인된 시라면 「양말 속의 편지」는 시인의 전위적 응전태세가 주목되는 시라 하겠는데 그 점은 그들의 주된 시정신인 비관주의와 진보주의에 각각 호응하는 것으로 보인다. 즉 두 편 모두 창작주체 나름의 시정신으로부터 솟아나온 진정한 마음을 감지할 수 있게 하는 시이다. 하지만 미흡한 점도 엿보이는데 「멧새 소리」에서는 세계현실이 거의 드러나지 않는 반면 「양말 속의 편지」에서는 주체의 마음이 속 깊이 녹아들어 있지 못하다는 점이 그것이다. 대체로 주체와 세계현실 사이의 긴밀한 상관관계가 고도의 밀도로 형상화되면서 주체의 세계에 대한 진정한 마음도 곡진하게 스며든다고 할 때 두 편의 시가 갖는 한계가 상대적으로 드러난다고 하겠다.

시에서 진실성이 구현되려면 주체의 내적 필연성의 확보와 함께 사사로움을 벗어나는 것이 관건인 듯하다. 달리 말해 창작주체가 그 시를 쓰게 된 필연적인 이유가 자연스럽게 배어들어 있으면서 그 이유가 사사로움을 벗어나 공적일 필요가 있는 것이다. 앞에서 거론한 「님의 침묵」의 경우 "님은 갔습니다 아아 사랑하는 나의 님은 갔습니다"에 들어 있는 상실감에 주체 나름의 간절함이 스며들어 있으면서 동시에 그 '님'이 국가 상실감의 대응물로서 창조된 존재라는 점에서 사사로움을 벗어난다. 그리고 바로 여기에 「님의 침묵」이 진실성의 구현이라는 면에서 한 본보기가 되는 이유가 있는 것이다. 그런데 「멧새 소리」의 경우 사사로움을 온전히 벗어나지 못한 데 비해 「양말 속의 편지」의 경우 주체의 내적 필연성의 확보라는 면에서 아쉬움이 남는다. 하지만 한 편의 시에서 너무 많은 것을 기대하기에 이러한 한계가 확대되어 보인 점도 있을 것이다.

> 우리 집도 아니고
> 일가집도 아닌 집
> 고향은 더욱 아닌 곳에서
> 아버지의 침상 없는 최후 최후의 밤은
> 풀버렛소리 가득 차 있었다
>
> 노령(露嶺)을 다니면서까지

애써 자래운 아들과 딸에게
한마디 남겨두는 말도 없었고
아무울만(灣)의 파선도
설룽한 니코리스크의 밤도 완전히 잊으셨다
목침을 반듯이 벤 채

다시 뜨시잖는 두 눈에
피지 못한 꿈의 꽃봉오리가 깔앉고
얼음장에 누우신 듯 손발은 식어갈 뿐
입술은 심장의 영원한 정지를 가르쳤다
때 늦은 의원이 아모 말 없이 돌아간 뒤
이웃 늙은이 손으로
눈빛 미명은 고요히
낯을 덮었다

우리는 머리맡에 엎디어
있는 대로의 울음을 다아 울었고
아버지의 침상 없는 최후 최후의 밤은
풀버렛소리 가득 차 있었다
　　　　　　　　── 이용악, 「풀버렛소리 가득 차 있었다」 전문[9]

　창작자의 체험이 시에서 얼마나 중요한 역할을 하는가를 보여주는 듯한
작품이다. 인용시에서 집중적으로 그려지는 것은 아버지의 임종 혹은
객사의 정황으로, 시인의 가족사에서 핵심적인 부분에 해당된다. 이 시의
긴장은 주로 가족사라는 긴 시간을 임종의 순간으로 압축해놓은 데서

---

　9. 『분수령』, 삼문사, 1937.

발생하는 것으로 생각되는데 이 점은 아마 "아무울만의 파선"과 연결시켜 고려해볼 수도 있겠다. 아무울만의 파선은 아버지의 생애 혹은 가족사에서 굉장히 중요한 사건일 터이지만 이 시에서는 간단한 언급으로 지나쳐가고 있고 그것은 임종의 순간으로 시가 집중되어 있기에 자연스러운 처리가 된다. 임종의 정황을 감싸고 있는 주된 이미지는 '풀버렛소리'인바, 이 시에 강력하게 통일성을 부여하는 요소로 작용하고 있다. 또한 그것은 가족들의 슬픔의 객관적 상관물임과 동시에 시적 주체의 회상과 함께 환청으로 들리는 소리로 읽힌다.

시인마다 자신의 시세계의 근저에 놓이는 시가 있다면 이용악에게는 「풀버렛소리 가득 차 있었다」가 그에 해당되리라 생각된다. 인용시는 시인의 가족사의 핵심 부위를 형상화함으로써 이용악의 시적 출발을 보여주는 듯한 시이다. 달리 말하자면 시인이 자신의 가족사에 뿌리를 내림으로써 시를 쓰게 된 필연성을 속 깊이 확보하고 있는 작품이다. 그런데 이 시에서 중요한 점은 개인의 특수한 체험이 민족사적 보편성을 띠고 있다는 사실이다. 아마 우리의 민족사에서 당대만큼 생존 자체를 위해 이민족들의 영역을 넘나들며 살았던 시기는 없었을 것이고 인용시의 제재인 아버지의 객사는 바로 그러한 사례의 하나이다. 즉 「풀버렛소리 가득 차 있었다」는 자신의 체험을 충실하게 그림으로써 민족현실을 고도로 형상화하고 있는 시이며 이러한 시를 통해 이용악은 자연스럽게 리얼리즘의 성취에 다가갈 수 있게 된 셈이다.

리얼리즘시에서 체험에 충실하다는 것은 개인적인 신변잡사를 장황하게 늘어놓는 것과는 사뭇 다르다. 이러한 문제에 대해서는 현실주의적 시정신과 관련하여 앞에서 거론한 「오늘도 이 길을」과 비교하면서 음미할 필요가 있다. 그 시에 다루어진 막노동의 체험은 어떤 보편적 의미를 함유하지 못한 상태이고 따라서 신변잡사의 혐의를 온전히 떨쳐버리지 못하고 있다. 반면에 「풀버렛소리 가득 차 있었다」에 다루어진 가족사적 사건은 전혀 신변잡사로 보이지 않고 당대의 현실을 강력하게 환기하는 역할을 하고 있다. 즉 인용시는 개인의 특수한 체험이 보편적 의미를 폭넓게 함유함으로써 리얼리즘의 성취를 보인 경우인 것이다. 「풀버렛소리 가득 차 있었다」는 당대의 현실에 대한 효과적인 창작적 대응이라 할 수 있고 시인의 현실주의적 정신이 자신의 체험과 결부되어 발현된 수작으로 보인다.

언뜻 보아 주체의 내적 필연성의 확보와 사사로움의 탈피는 서로 이율배반적인 요구사항이라고 할 수 있다. 하지만 그러한 이율배반적 요소를 끌어안고 통일해내는 것이 진실성의 구현과 관련된 시인의 창조적 역량일 것이다. 이 점은 시 속에 창작주체의 삶과 정신이 절실하게 투입되면서 동시에 보편적 의미를 획득하는 문제와 다르지 않다. 「풀버렛소리 가득 차 있었다」의 경우 가족사의 핵심적 사건인 아버지의 객사를 다루었다는 점에서 창작주체의 시쓰기에 있어 필연성이 고도로 확보된 것이고 그 객사가 당대 우리 민족의 보편적 상황을 드러낸다는 점에서 사사로움으로부터 온전히 벗어나고 있다. 위에서 논했듯이 「풀버렛소리 가득 차 있었다」에 다루어진 가족사적 사건은 신변잡사를 벗어나 민족사적 보편성을 함유하고 있는바 그에 호응하는 현상이 '내적 필연성의 확보'와 '사사로움의 탈피'의 통일이라 하겠다.

    양아, 어린 양아
    조히를 주마.
    어째서 너까지
    동물원에 사는지

    양아, 어린 양아
    보드라운 네 털
    구름과 같구나
    잔듸도 없는

쓸쓸한 목책 안에서
양아 어린 양아
너는 무엇을 생각하느냐.

양아 어린 양아
조히를 주마.
보낼 곳도 없이
그냥 그리움에 내어친 편지

양아 어린 양아
새암물같이 맑은 눈
포도알모양 초롱초롱한 눈으로
나도 좀 보아라.
간약한 목책에 기대어서서
양아, 어린 양아
나마저 무엇을 생각하느냐.

— 오장환, 「양」 전문[10]

　인용시 「양」을 제대로 읽기 위해서는 1943년 11월이라는 발표 시기를
감안하는 것이 좋을 듯하다. 당시 일제가 태평양전쟁과 민족말살정책으로
극악을 떨던 상황에서 이러한 시가 발표될 수 있었던 것은 상당히 희귀한
일이다. 친일행위가 아닌 공개적 문필활동은 거의 찾아보기 힘든 시대이기
때문이다. 당시의 시인들에게는 세 가지 존립양상이 있었는데 발표를
염두에 두지 않고 꾸준히 작품을 쓰는 경우와 절필을 하는 경우, 그리고
친일시를 쓰는 경우가 바로 그것이다. 그런데 일제에 순응하거나 절필하지

10.『조광』, 1943. 11.

않고 자신의 시세계의 변모를 통해 일제 말을 통과해가는 모습을 보여주는 대표적 시인이 오장환이고 그 집중적 사례가 시집『나 사는 곳』이라고 할 수 있다. "지상에 발표라는 가망도 없을 때" "정신까지는 썩지 않으려고 얼마나 발버둥쳤는가"[11]라는 술회가 그 점을 말해주거니와 「양」은 그러한 역경 속에서 씌어진 작품이 예외적으로 발표된 경우이다.

이 시를 읽는 독자는 형식상으로 시인이 어린 양에게 뭔가 소곤거리는 것을 엿듣는 입장이 된다. 시인이 사람을 상대로 하지 않고 동물원에 가서 양에게 소곤거린다는 것은 단순한 기법 차원에 머물지 않고 당시의 폐쇄적 상황과 관련되어 기묘한 감동을 준다. 양에게 주겠다고 하는 종이는 바로 "보낼 곳도 없이 / 그냥 그리움에 내어친 편지"이다. 보낼 곳도 없는 편지, 그것은 발표할 기약도 없이 쓴 시를 연상하게 하고 간접적으로 그 무렵의 시인의 존립양상을 말해준다고 하겠다. 감정이 직접적으로 표현되어 있지는 않지만 시 속에 스며들어 있는 시인의 간절한 마음을 감지하지 못한다면 「양」을 제대로 읽은 것이 아닐 것이다. 그리고 그 간절한 마음이란 이 땅에서 시를 쓰는 자가 맞닥뜨린 가장 어려운 상황에서 진실되게 살려는 마음과 다르지 않다. 이렇듯이 시 속에 배어든 '진실되게 살려는 마음'은 진실성의 구현에 자연스럽게 연결된다.

당시의 시대적 상황을 배제한 채 「양」을 대한다면 인용시에 배어들어 있는 쓸쓸한 어조에서 당대를 진실되게 살려는 간절한 마음을 감지하기 힘들 것이다. 또한 목책에 기대어 선 시적 주체가 어린 양의 "새암물같이 맑은 눈"을 보면서 자신을 보아달라고 말하는 뜻을 해득하기 힘들 것이며 잔디도 없는 목책 안의 양에 대한 친화감의 근거도 찾기 어려울 것이다. 그러니까 시에서 진실성을 살피기 위해서는 섬세하고도 폭넓은 안목이 요구된다고 하겠고 인용시를 읽으면서 시대적 상황을 감안하는 것 또한 그와 관련된다고 할 수 있다. 그렇지만 「양」의 경우 엄혹한 시대적 상황으로

---

11. 오장환, 「'나 사는 곳'의 시절」, 『나 사는 곳』, 헌문사, 1947, 93~94쪽.

인한 한계 또한 엄연하게 내포하고 있다. 리얼리즘의 관점에서 볼 때 시적 주체가 위축되어 있기에 사회현실과의 상관관계라는 면에서 역동성이 제대로 발현되지 못하고 있고 그에 따라 현실반영의 핍진성 또한 잘 드러나지 않고 있다.

「양」과 「풀버렛소리 가득 차 있었다」를 비교해볼 때 두 편 모두 진실성의 구현이라는 면에서 주목되는 작품이라 생각된다. 각각 그 양상은 다르지만 세상에 대한 진정한 마음이 절실하게 스며들어 있다는 점에서 진실성 구현의 좋은 본보기가 될 수 있을 듯하다. 그런데 리얼리즘의 성취라는 면에서 「풀버렛소리 가득 차 있었다」가 더욱 주목되는 이유는 무엇일까. 그 이유는 주로 '현실반영의 핍진성' 차원에 놓여 있는 것으로 보인다. 따라서 '진실성의 구현'은 창작방법의 하나로 검토될 사안이지 리얼리즘의 성취를 가늠하는 유일하거나 절대적인 척도일 수는 없다. 그렇지만 진실성 구현의 정도가 리얼리즘의 성취뿐만 아니라 시적 성취에 있어 주요하게 작용한다는 점은 부인할 수 없을 듯하다. 그러한 사실은 역으로 허위의식이 리얼리즘의 성취뿐만 아니라 시적 성취에 있어 얼마나 심각한 장애 요인인가를 감안한다면 쉽사리 수긍할 수 있을 것이다.

일반적으로 허위의식은 진실성의 구현에 정면으로 배치되는 요소일 것이다. 시 쓰는 동기 자체부터 노골적으로 사특한 의도가 개입되어 있는 친일시야 두말할 나위가 없겠으나 작품의 내면에 은근히 녹아들어 있는 허위의식은 떨쳐내기도 간파해내기도 쉽지 않다고 하겠다. 그러한 허위의식은 이데올로기의 문제와도 속 깊이 겹치는 사안일 것이기 때문이다. 창작자의 입장에서 허위의식으로부터의 탈피는 끊임없는 자기 갱신과정을 통해 이루어질 수 있을 듯하고 그러한 자기갱신이란 세상에 대한 진정한 마음이 생생하고도 활발하게 살아 있어야 가능해지리라 생각된다. 한편 독자의 입장에서 허위의식을 간파해내는 것은 독자 자신이 허위의식을 탈각하는 문제와 무관할 수 없고 이와 관련하여 시의 사회적 역할을 논의할 수도 있을 것이다. 그리고 이러한 문제의 언저리에 진실성의 구현이 창작적 실천과 결부되는 이유가 묻혀 있다고 생각된다.

2. 시적 주체의 형상화와 주체 세우기

앞에서 논의한 주체의 내적 필연성의 확보 문제는 시적 주체에 대한 좀더 본격적인 논의를 요구하는 듯하다. 서론에서도 언급했듯이 시적 주체[12]란 '시 속에 반영된 창작주체의 형상'이라고 말할 수 있고 내적 필연성의 확보는 아무래도 '시적 주체'를 매개로 가능하겠기 때문이다. 이 점을 좀더 일반화시켜 말하자면 '시적 주체의 진실성'을 바탕으로 시에서 진실성을 구현할 수 있다고 하겠다. 시적 주체의 진실성을 위해서는 대체로 두 가지 층위의 문제가 충족될 필요가 있는데 그 하나는 시적 주체가 세계에 대하여 진실된 자세를 보여야 한다는 것이고, 다른 하나는 시인의 삶이 시적 주체를 온전히 감당할 수 있어야 한다는 것[13]이다. 달리 말해서

---

12. 이 글에서 사용하는 '시적 주체'와 유사한 용어로는 '시의 화자' '시적 자아' '서정적 주인공' '서정적 주체' 등이 있다. 통상적으로 많이 사용되는 '시적 자아'는 개인의 내면세계 표현이 위주가 된 시에 적합한 용어인 듯하고 '시의 화자'는 서사지향성이 강한 시에 걸맞은 용어인 듯하다. 그러니까 '시적 주체'는 종래의 '시적 자아'와 '시의 화자'를 포괄하는 중용의 용어라 하겠는바 특히 리얼리즘시에서는 현실문제에 대응하여 실천하는 주체의 의미를 부각시킨다는 점에서 더욱 적절하다고 생각된다. 그리고 '시의 화자'는 배역시로서의 성격이 강한 경우, '시적 주체'와 그 개념적 내포가 상이할 수도 있다. '시적 주체'는 어디까지나 창작주체가 시 속에 구현된 존재이지만 '시의 화자'는 배역 자체를 의미할 수도 있기 때문이다. 부언하자면 배역시 에서의 시적 주체는 배역을 맡아 행하는 자라는 점에서 '시의 화자'와는 위상이 다르다고 할 수 있다. 한편 '서정적 주인공'은 북한의 시론에서 사용하는 용어인데 '창작주체의 형상'에 일률적으로 너무 과다한 비중을 둔다는 점에서 균형 잡힌 시 연구를 위해서는 부적합하다고 생각된다. 덧붙여 말하자면 시적 주체가 주인공의 비중을 갖지 않는 시가 얼마든지 있고 그러한 시의 경우 '서정적 주인공'은 엉뚱한 용어가 되기 쉬운 것이다. 또한 '서정적 주체'는 시 속에서 주체가 서정으로만 형상화되 지는 않는다는 점에서 일면적인 용어인 듯하다. 달리 말해 시적 주체는 정서의 담지자일 뿐만 아니라 사유의 주체일 수도 있고 행위의 주체일 수도 있는 것이다.
13. '시적 주체' 및 '시적 주체의 진실성'에 대해서는 졸고 「'리얼리즘시' 재론」(『실천문

시적 주체가 허위의식에 사로잡혀 있다면 애초부터 진실성의 구현을 기대할 수 없고, 시인의 삶에서 자연스럽게 우러나온 시적 주체가 아니라면 작위성을 노출하기 마련이라고 하겠다.

마치 한 개인에게 성격이 있듯이 시적 주체도 나름대로 개성을 갖춘 존재이고 한 개인의 성격이 하루아침에 형성되지 않듯이 시적 주체 또한 갑작스럽게 형성되지는 않는다고 생각된다. 나아가 시적 주체란 개별 작품의 문제로 끝나지 않고 한 시인의 전체 작품 속에서 생명을 누리는 존재라고 하겠다. 따라서 한 권의 시집 속에 서로 이질적인 시적 주체가 등장한다면 진정한 의미의 한 권의 시집이라고 보기 어렵고 한 시인의 시에서 한 개인의 변모라고 보기 어려운 상충되는 성격의 시적 주체들이 등장한다면 통일된 시세계를 형성하기 어렵다고 할 수 있다. 즉 시적 주체를 작위적으로 설정할 수는 없으니, 그렇게 한다면 시인으로서의 존립 근거를 스스로 허무는 행위가 되는 셈이다. 물론 배역을 이용해서 다양한 시적 발화를 할 수는 있겠으되 배역시에도 배역을 맡아 행하는 시적 주체는 엄연히 존재한다는 점에서 큰 차이는 없는 듯하다.

시적 주체의 형성은 섣부른 재주로 되는 것이 아니고 한 시인의 삶의 무게가 제대로 실려 있을 때 진실성의 구현으로 연결된다고 말할 수 있다. 시 속에 반영된 창작주체의 형상이라는 점에서 시적 주체는 시 속에 형상화된 시인의 자화상인 셈이다. 그러니까 시적 주체의 진실성이란 예술가로서 거짓 자화상을 만들 수 없는 것과도 통한다. 물론 시인의 모습이 사진처럼 반영되는 것이 아니라 강조와 생략 등의 예술적 변용을 거쳐 드러나는 것이 시적 주체라고 하겠다. 시적 주체에는 시인의 성향이 반영되기 마련이지만 적어도 리얼리즘시에서는 그 과정에 어느 정도 전형화의 원리가 작동하는 듯하다. 시인 주변의 온갖 신변잡사가 걸러지고 감수성이 됐든

학』, 1993, 봄), 212~16쪽에서 먼저 다룬 바 있지만 창작방법의 차원에서 좀더 충실한 논의가 이루어질 필요가 있다.

세계관이 됐든 한 인간으로서의 정수가 주체를 중심으로 응결되는 것이다. 즉 시를 통해 시인은 자신의 진면목을 보여주게 되는데 그것은 시적 주체를 매개로 해서 가능해진다고 하겠다.

이제까지 시적 주체가 진실성을 구현하기 위해서는 무엇보다도 시인 자신의 삶에 솔직할 필요가 있으며 그것은 시적 주체의 자기동일성 확보의 문제와도 연결된다는 논지를 피력한 셈이다. 그런데 여기에서 자기동일성을 고정불변의 실체로 곡해할 필요는 없을 것이다. 즉 리얼리즘시에서의 자기동일성은 끊임없는 자기 갱신과정과 무관할 수 없으니, 시적 주체가 붙박이로 굳어 상투성을 띨 지경이라면 이미 리얼리즘의 성취는 기대하기 어렵다고 생각된다. 주체와 세계 사이의 긴밀한 상관관계가 리얼리즘시의 요체인 이상 세계현실 혹은 상황의 변화와 무관하게 아무런 변화도 보이지 않는 시적 주체가 생생하게 살아 있는 형상일 수는 없는 것이다. 이 글의 논의 대상이 되는 시인 모두 시적 주체의 변모를 보여주고 그것이 시세계의 변모와 결부된다 하겠는데 특히 임화, 오장환, 이용악 등은 시를 통해 성격이 전혀 다른 시기인 일제 말과 해방정국을 통과하는 모습을 보여주는 만큼 시적 주체의 변화 면에서도 우여곡절이 많다.

> 언제나 철없는 제가 오빠가 공장에서 돌아와서 고단한 저녁을 잡수실
> 때 오빠 몸에서 신문지 냄새가 난다고 하면
> 오빠는 파란 얼골에 피곤한 웃음을 웃으시며
> …… 네 몸에선 누에 똥내가 나지 않니—하시든 세상에 위대하고
> 용감한 우리 오빠가 웨 그날만
> 말 한마디 없이 담배 연기로 방속을 미워버리시는 우리 우리 용감한
> 오빠의 마음을 저는 잘 알었에요
> 천정을 향하야 기여올라가든 외줄기 담배 연기 속에서—오빠의 강철
> 가슴 속에 백힌 위대한 결정과 성스러운 각오를 저는 분명히 보았에요
> 그리하야 제가 영남이의 버선 하나도 채 못기웠을 동안에

문지방을 때리는 쇳소리 바루르[마루를] 밟는 거치른 구두소리와 함께
―― 가버리지 않으셨어요

―― 임화, 「우리 오빠와 화로」 부분[14]

시어의 장황한 구사에서 보듯 인용시는 작품으로서의 완성도 차원에서
미흡한 점이 있지만 리얼리즘의 문제를 숙고하기에는 여러 면에서 유효한
시이다. 서사지향성이나 배역시의 문제가 함께 엉켜 있을 뿐만 아니라
일종의 리얼리즘시 논의라 할 수 있는 단편서사시 논쟁을 촉발시킨 작품이
기 때문이다. 하지만 여기에서는 시적 주체의 문제를 중심으로 살펴볼
터인데 그것은 자연스럽게 배역시의 문제와 연결된다. 인용시에서 화자는
제사공장에 다니다 쫓겨난 여공이고 시적 주체는 그러한 배역을 소화해내
는 자이다. 이렇듯이 시적 주체가 노동자로서의 배역을 소화한다는 것은
임화의 단편서사시[15]가 갖는 주요한 특성이라 하겠는바 그 점은 앞에서
살펴본 「네거리의 순이」나 「양말 속의 편지」에서도 마찬가지이다. 다만
「우리 오빠와 화로」의 경우 여성노동자라는 점에서 배역시로서의 성격이
더욱 두드러져 보인다고 생각된다.

단편서사시에서 시적 주체를 노동자 배역을 맡아 소화하는 자로 설정한
것은 노동자가 아닌 카프 시인으로서 임화의 고심의 발로로 해석할 수
있다. 노동자들의 사상과 감정과 행위를 형상화하는 것이 프롤레타리아
문학의 본령이라 할 때 진보적 지식인 중심의 카프의 시문학적 성과가
배역시의 성격을 지닌 단편서사시로 나타나는 이유의 일단이 드러난다.
즉 지식인 시인이 단도직입적으로 노동자의 목소리를 내기보다는 배역을

---

14. 『조선지광』, 1929. 2.
15. 단편서사시라는 명칭은 김기진의 평문 「단편서사시의 길로」(『조선문예』, 1929. 5)에
서 부여된 이래 관용화되어 있으니 그대로 사용하는 것이 좋겠다. 또한 '단편서사시'의
범주를 '짧은 서사적 성격의 시'로 일반화시키기보다는 문학사적 용어로 한정할 필요가
있으니 임화의 단편서사시가 갖는 '서사지향성'과 '배역시로서의 성격'을 존중해서
그러한 성격을 지니는 카프 시로 제한하는 것이 논의의 생산성을 살릴 수 있을 듯하다.

매개로 하는 것이 진실성의 확보에 더욱 유리하다는 판단이 가능해진다. 노동자로서 잔뼈가 굵은 시인이라면 직접 자신의 목소리로 노동시를 쓸 수 있겠고, 그러한 가능성은 대략 육 년 후에 산출된 안용만(安龍灣, 1916~?)의 「강동의 품」이나 「저녁의 지구(地區)」가 보여준다. 그렇지만 노동체험이 없는 임화가 배역을 통해 노동자의 생활과 감정을 노래한 것은 일단 프로문학을 하고자 하는 시인의 창조적 의욕이 적절한 미학적 장치를 발견한 것으로 해석된다.

임화의 단편서사시에서 시적 주체는 노동자로서의 배역을 소화하거나 소화하려 함으로써 세계현실과의 접점을 형성하고 있다. 여기에서 주체와 세계 사이의 상관관계의 밀도는 주로 배역을 얼마만큼 충실히 소화하느냐에 달려 있고, 시적 주체가 배역을 얼마나 실감나게 소화하느냐는 단편서사시의 성취 여부에 결정적인 중요성을 지닌다. 그리고 그 점은 「네거리의 순이」, 「우리 오빠와 화로」, 「양말 속의 편지」, 「우산 받은 요코하마의 부두」 등이 여타의 단편서사시보다 돋보이는 이유이기도 하다. 인용시에서 '신문지 냄새'와 '누에 똥내'의 삽화는 배역을 상당한 밀도로 소화하고 있다는 판단의 근거가 될 수 있을 것이다. 하지만 '위대한 결정과 성스러운 각오'에서처럼 충분히 육화되지 못한 채 시인 자신의 목소리가 노출되기도 한다. 정도 차는 있겠으되 단편서사시의 일반적 약점이라 할 감상성이 개입된 장황한 어투 또한 배역의 육화가 충분하지 못하기에 빚어진 현상으로 보인다.

일상생활에서 어떠한 역할을 맡아 행하는 것이 사람 구실이요 세상살이인 만큼 배역시는 그러한 삶의 조건으로부터 생성된 것으로 볼 수 있다. 즉 시적 주체가 배역을 맡아 행하는 것 자체를 작위적이라고 생각할 필요는 없을 것이다. 하지만 시 속에서 일시적 의욕으로 배역을 맡을 경우 구체적 체험과 유리되게 마련이고 그렇기에 작위성을 노출하기 쉽다고 하겠다. 「우리 오빠와 화로」의 경우 여공 배역은 프로문학을 하는 시인으로서 스스로 떠맡은 역할이고 그 나름대로 선구적 역할을 한 셈이지만 구체적 체험과 밀착되어 있다고 볼 수는 없을 듯하다. 즉 여공으로서의 생활과 감정을 충분히 소화했다고 보이지 않고 그 점이 「우리 오빠와 화로」의 주된 한계인 셈이다. 의식적 배역이기에 노출되는 이러한 한계는 임화의 단편서사시가 두루 안고 있는 문제로 보아도 될 듯하고 이후 배역시를 포기하게 되는 것은 그러한 한계에 대한 자각과 무관할 수 없을 것이다.

> 때로 내가 무모한 돌격을 시험했을 때,
> 적이여! 너는 아픈 타격으로 전진을 위한 퇴각을 가르치었다.
>
> 때로 내가 비겁하게도 진격을 주저했을 때,
> 적이여! 너는 뜻하지 않은 공격으로 나에게 전진을 가르치었다.
> 만일 네가 없으면 참말로 사칙법도 모를 우리에게,
> 적이여! 너는 전진과 퇴각의 고등수학을 가르치었다.
>
> 패배의 이슬이 찬 우리들의 잔등 위에 너의 참혹한 육박이 없었더면,
> 적이여! 어찌 우리들의 가슴 속에 사는 청춘의 정신이 불탔겠는가?
>
> 오오! 사랑스럽기 한이 없는 나의 필생의 동무
> 적이여! 정말 너는 우리들의 용기다.
>
> ── 임화, 「적」 부분[16]

카프의 활동정지 및 해산을 전후한 시기에 임화의 시적 변모의 핵심 가운데 하나는 시적 주체가 의식적 배역을 포기하고 본모습을 드러내게 되었다는 점이라 하겠고, 인용시는 그러한 변모가 이루어진 뒤의 작품이다. 즉 「적」은 창작주체의 형상으로서의 시적 주체가 직접 전면에 등장하는

---

16. 『현해탄』, 동광당서점, 1938.

시이다. 관점에 따라서는 사람 노릇 자체에 본원적으로 역할놀이[17]의 가능성이 열려 있다고 볼 수도 있겠지만 「우리 오빠와 화로」에서의 '저'와 「적」에서의 '나'는 위상이 많이 다르다. 시적 주체가 배우처럼 여공의 역할을 하는 경우가 전자라면 시인 자신의 진면목을 보여주는 측면이 강한 경우가 후자라고 생각되기 때문이다. 물론 적과의 대응의 자세를 견지하는 인용시의 시적 주체가 일상생활 속에서의 시인 자신과 고스란히 일치한다고 말할 수는 없겠지만 시인의 속마음이 구현된 존재라는 점에 대해서는 별다른 이견이 없을 듯하다.

1930년대 중반 이후의 임화 시의 주된 과제는 상황의 악화에도 불구하고 좌절하지 않고 싸움의 자세를 견지하는 일, 즉 시인 나름의 주체 세우기에 있다고 생각되고 인용시의 주제 또한 그와 관련된다. 상대로 하여금 "가슴 속에 사는 청춘의 정신"을 불타게 하는 존재가 적이며 세상살이의 의미와 지혜를 적과의 싸움을 통해 체득하는 존재가 인용시의 시적 주체로 보이기 때문이다. 이 시에서처럼 적과의 대응의 자세를 늦추지 않는 시적 주체는 시집 『현해탄』의 세계로 확대시켜볼 때 주체 세우기에 상대적으로 성공한 경우에 해당된다. 다시 말해 인용시의 시적 주체는 상황의 악화에 따른 좌절감 극복의 과제와 무관할 수 없는 존재이자 그러한 과제의 실현에 어느 정도 성공하고 있는 존재이다. 대체로 진보주의적 정신이 일제 파쇼체제에 부딪쳐 싸우는 모습을 보여주는 시집이 『현해탄』이라면 인용시의 시적 주체는 그러한 모습을 드러내는 존재라고 하겠다.

근대시인 혹은 현대시인의 요건 가운데 하나가 개성적인 시세계의 확보라고 할 때 그것은 많은 경우 개성적인 시적 주체의 형성을 전제로 한다.

---

17. 역할놀이(role-playing)에 대해서는 Thomas F. Van Laan, *Role-playing in Shakespeare* (Toronto: University of Toronto Press 1978) 참조. 이 책은 셰익스피어의 「당신 좋으실 대로」에 나오는 "세상은 무대요 모든 남녀는 단지 배우일 뿐"이라는 구절을 인용하면서 시작되고 있는바, 논지의 바탕은 셰익스피어가 인간을 '역할놀이적 동물'로 파악한다는 데 있다.

여기에서 개성적인 시적 주체는 궁극적으로 시인 자신의 진면목을 보여주는 차원과 결부되게 마련이고 인용시 「적」을 비롯한 임화의 『현해탄』 수록 시편들 대다수가 그러한 양상을 보인다. 물론 「우리 오빠와 화로」나 「양말 속의 편지」에서처럼 노동자 배역을 소화하는 시적 주체도 나름대로 시인의 독자적인 시세계를 열어놓은 바 있지만 시쓰기를 통해 자기동일성을 확보하는 문제를 도외시하고서 개성적인 시세계를 이룩한 시인은 찾아보기 어렵다. 따라서 임화가 자신의 진면목을 보이는 시를 쓰게 된 것은 시인으로서 확고하게 자신을 세우는 문제와 결부된다. 자신의 진면목을 보이는 시와 무관하게 배역시만 쓴 시인은 거의 없다고 판단되고 자신의 본모습을 드러내는 시를 중심으로 다양한 배역을 소화하는 것이 보편적 양상인 듯하다.

개괄적으로 보아 일제강점기 임화의 시적 주체는 '노동자 배역을 소화하는 자'로부터 '암담한 상황 속에서도 세계에 대한 대결을 회피하지 않는 자'로 변모하는바, 후자의 시에 세계현실이 구체화되어 나타나지는 않는다. 인용시의 '적'이 일제의 파쇼체제와 결부된다는 점은 시대상황에 비추어볼 때 거의 자명하다고 생각되지만 적이나 파쇼체제의 현실이 제대로 구체화되지는 않고 있다. 싸움의 실상이 드러나야 세계현실이 구체화될 터인데 실상은 거의 암시조차 되지 않으면서 전진과 퇴각을 위주로 한 싸움의 문제 자체에 몰두하고 있는 상태이다. 「우리 오빠와 화로」나 「양말 속의 편지」의 경우 세계현실과의 접점이 풍부하게 형성된 반면 「적」의 경우 그러한 면모가 나타나지 않는 것이다. 당시의 상황을 감안할 때 세계에 대한 대결을 회피하지 않는 시적 주체의 형성만으로도 소중한 일이고 그 자체로 문학사적 의의를 인정할 수 있지만 현실과 접점이 풍부하지 못한 것은 아무래도 아쉬운 점이라 하겠다.

방금 세계에 대한 대결을 회피하지 않는 시적 주체의 형성만으로도 문학사적 의의를 인정할 수 있다는 말을 했거니와 1930년대 후반의 임화 시에서의 주체 세우기는 시대적 의의를 지닌다고 생각된다. 미래의 유토피아에 대한 전망이 제대로 형성되지 않고 절망감과 좌절감이 시대적 분위기를 형성하고 있던 시기의 주체 세우기는 바로 좌절감 극복의 문제이기도 하기 때문이다. 상황이 암담할 때 좌절감에 시달리는 것은 인지상정이겠으나 그러한 시대일수록 절망하지 않고 현실세계에 대한 대응의 자세를 갖추는 것, 즉 주체의 확립이 긴요한 과제로 부각된다고 하겠다. 실상 주체 세우기는 시집 『현해탄』의 가장 주요한 주제로 보이기까지 하는데 그 점을 뒤집어보면 그만큼 주체 세우기가 쉽지 않았다는 말이 된다. 그런 뜻에서 『현해탄』 수록 시편들의 시적 주체는 시인의 의지의 담지자로 보이고 현실에 대한 탐구를 도외시한 채 시인의 의지가 지나치게 강조될 때 낭만적 편향이 드러난다고 생각된다.

추라한 지붕 썩어가는 추녀 위엔 박 한 통이 쇠었다. 밤서리 차게 나려 앉는 밤 싱싱하던 넝쿨이 사그러붙던 밤 지붕밑 양주는 밤새워 싸웠다. 박이 딴딴히 굳고 나뭇잎새 우수수 떨어지던 날 양주는 새 바가지 꿰어들고 추라한 지붕 썩어가는 추녀가 덮인 움막을 작별하였다.

— 오장환, 「모촌(暮村)」 전문[18]

앞에서 살펴본 「적」의 시적 주체가 전면에 부각되어 있다면 인용시 「모촌」의 시적 주체는 화자의 차원으로 물러서 있다. 시적 주체의 정서나 사유 혹은 행위를 드러내기보다는 시적 대상을 그리는 데 역점이 놓이는 시에서 시적 주체는 화자의 차원으로 물러서는 것이 자연스러운 경우가 많다. 또한 그럴 경우 시적 대상에 대한 화자의 적절한 거리두기가 유효하게 작용하게 되는바 「모촌」이 바로 그러한 예로 보인다. 「모촌」의 주된 시적 대상은 박이 쇠는 초라한 지붕밑 '양주'인데 그들이 밤새워 싸운 것은 막막한 앞날에 대한 걱정 때문일 것이다. 아무튼 그들은 새 바가지를

---

18. 『시인부락』, 1936. 11.

꿰어들고 움막을 작별하는바 박속으로 허기를 때운 사연은 생략되어 있다. 앞길이 막막한 상태에서 생활 근거로부터 떠나게 되는 유랑농민의 상황이 박 한 통을 매개로 간명하게 그려져 있는데 응축과 생략이 고도로 구사된 일종의 이야기시라고 하겠다.

이 시에서 집중적으로 그려지고 있는 '움막을 떠나는 양주'는 당대의 민족현실을 대변해주는 형상으로 보인다. 그런데 그러한 현실에 대한 주체의 반응은 직접적으로 표출되지 않는다. 시 속에 반영된 창작자의 형상인 시적 주체가 화자의 차원으로 물러나 시적 대상에 대한 서사적 거리를 유지하고 있기 때문이다. 그러니까 「모촌」은 주체의 반응을 자제한 채 당대의 현실을 그려내는 데 주로 바쳐진 시인 셈이다. 하지만 행간에 감추어져 있는 당대의 막막한 현실에 대한 깊은 슬픔이나 바람직한 사회에 대한 시적 주체의 열망을 감지하지 못한다면 「모촌」을 제대로 읽은 것이 아닐 것이다. 여기에서 시적 주체와 시적 대상 사이의 길항작용을 상정한다면 주체가 한껏 뒤로 물러섬으로써 대상으로서의 세계를 시의 화폭의 중심으로 끌어내고 있다고 하겠다. 즉 「모촌」의 시적 주체는 화자의 역할을 효과적으로 수행함으로써 리얼리즘의 성취에 기여한 경우이다.

「모촌」에서 움막을 떠나게 된 양주의 앞날은 독자의 상상에 맡기고 있지만 "새 바가지 꿰어들고"에서 은근히 드러나듯 '유리걸식의 삶'이 될 듯하다. 그리고 이 시에 암시된 양주의 앞날은 낙관적 전망을 허용하지 않던 당대의 암울한 사회현실과 긴밀히 결부되는 것으로 보인다. 그런데 시인은 그러한 현실을 그려내는 데 치중할 뿐 자신의 비관적 정조를 직접적으로 표출하지 않는다. 그러니까 「모촌」의 경우 시적 주체가 화자의 차원으로 물러선 것은 시인의 비관적 정조를 다스리면서 당대의 현실을 가능한 한 객관적으로 형상화하기 위한 미학적 장치라고 볼 수 있다. 하지만 「모촌」은 시적 주체와 시적 대상 사이의 길항작용을 상정할 때 상당히 극단적인 경우인 셈이다. 대부분의 시인에게 시적 주체가 전면에 부각되는 시가 주류이고 그 점은 「모촌」의 시인 오장환에게도 전혀 예외가 아니다.

가도, 가도 붉은 산이다

가도 가도 고향뿐이다.

이따금 솔나무 숲이 있으나

그것은

내 나이같이 어리고나

가도 가도 붉은 산이다.

가도 가도 고향뿐이다.

— 오장환, 「붉은 산」 전문[19]

    진보주의적 시정신과 결부시켜 「소야의 노래」를 살펴보는 자리에서 언급한 바 있듯이 오장환의 시적 주체는 편력을 수행하는 순례자의 모습을 띠는 경우가 많은데 인용시 「붉은 산」도 이러한 작품에 해당된다. 불과 일곱 행에 지나지 않는 소품에서 "가도 가도"가 네 번이나 반복되는 것은 이 시가 얼마나 편력에 비중을 두고 있는가와 그러한 편력이 얼마나 지난한가를 보여준다. '붉은 산'이 상징하는 것은 아무래도 당대의 황폐한 식민지 현실로 보이고 인용시의 시적 주체는 그러한 세계로의 편력을 수행하는 자이다. 물론 여기에서 편력이란 단순한 공간이동이 아니라 그것을 외피로 한 정신적 편력을 의미할 터이다. 인용시에서 편력의 공간은 일제 지배하의 조선땅이겠고 조선땅 어디를 가보아도 자신의 고향처럼 황폐해졌다는 인식이 편력을 수행하는 시적 주체의 깨달음이라 하겠다.

    「붉은 산」의 창작시기[20]는 「모촌」보다 늦지만 일제강점기 오장환의

---

19. 『나 사는 곳』, 헌문사, 1947.
20. 「붉은 산」은 해방 후에 발간된 시집 『나 사는 곳』에 실려 있는데 시집 후기의 기록에 따르면 수록된 시편들의 창작시기는 1939년 7월부터 1945년 해방 때까지이다. 일제 말 암흑기에 쓴 시가 해방 후에 발표되는 것은 자연스러운 일이기에 발표지가 『건설』(1945. 12. 22)이라는 사실 때문에 창작시기를 해방 후로 추정할 수는 없다.

시세계를 시적 주체와 결부시켜 조망하기 위해서는 두 시를 함께 논의할 필요가 있을 듯하다. 어차피 시세계란 작품 낱낱의 독자성을 넘어 그들 간의 상관관계를 통해 형성되는 측면이 있고 시적 주체 또한 한 시인의 시세계 속에서 생명을 누리는 존재이기 때문이다. 그리하여 「모촌」과 「붉은 산」의 시적 주체를 동일한 인물로 볼 때, 「모촌」에 반영된 민족현실은 「붉은 산」에서와 같은 시적 주체의 편력을 통해 포착된 것으로 보이고 '붉은 산'이 상징하는 황폐한 식민지 현실은 '움막을 떠나는 양주'로 구체화되는 것이다. 즉 「모촌」과 「붉은 산」을 오장환의 시세계 속에 놓고 함께 대할 때, 두 시는 각각 '순례자의 눈에 비친 민족현실'과 '구체적 민족현실 속의 순례자'의 의미가 부각되어 더욱 실감나게 그리고 풍부하게 읽을 수 있을 것이다.

「붉은 산」에 나오는 '고향' 또한 오장환의 시세계 속에 놓고 볼 때 더욱 풍부한 의미를 띠게 되는 듯하다. 전통 부정의 진보주의자인 초기의 그에게 '고향'은 달가운 것일 리 없지만 고향을 떠나 편력을 거치면서 고향의 의미를 새롭게 발견하게 되는데 「붉은 산」은 그러한 발견이 이루어지고 있는 작품인 것이다. 그러한 고향의 발견은 식민지 현실에 대한 심화된 인식 및 역사의식의 심화와 맞물려 있다고 생각된다. 일제강점기 오장환의 시적 주체는 세계를 편력하는 자로 나타나는 경우가 많고 그러한 편력을 통해 세계와의 접점을 형성한다. 그리고 그러한 편력의 공간이 민족현실을 강력히 드러낼 때 리얼리즘의 성취에 이르는 것으로 보인다. 소품이라는 한계에도 불구하고 「붉은 산」이 감동적일 수 있는 주된 이유는 아마 민족현실의 복판을 경유하는 시적 주체의 편력이 일제 말에도 꾸준히 지속된다는 점에 있을 것이다.

새끼오리도 헌신짝도 소똥도 갓신창도 개니빠디도 너울쪽도 짚검불도
가락닢도 머리카락도 헝겊조각도 막대꼬치도 기와장도 닭의짗도 개터럭도
타는 모닥불

재당도 초시도 문장(門長)늙은이도 더부살이 아이도 새사위도 갓사둔도
나그네도 주인도 할아버지도 손자도 붓장사도 땜쟁이도 큰개도 강아지도
모두 모닥불을 쪼인다.

모닥불은 어려서 우리 할아버지가 어미아비 없는 서러운 아이로 불상하
니도 몽둥발이가 된 슬픈 력사가 있다

— 백석, 「모닥불」 전문[21]

인용시의 1연과 2연에서는 모닥불의 연료와 모닥불을 쪼이는 군상들에
대한 나열식 묘사가 행해지다가 3연에서는 모닥불에 얽힌 할아버지의
일화가 제시되고 있다. 그런데 모닥불을 묘사하거나 일화를 제시하는
가운데 시인의 태도나 정서적 반응이 나타나게 마련이고 바로 그러한
태도나 반응을 통하여 시적 주체가 형상화된다고 할 수 있다. 쓸모없어진
온갖 잡동사니들이 모여 모닥불로 함께 타오른다는 것, 그러한 모닥불의
온기를 어느 누구나 평등하게 쬔다는 묘사는 시인이 평등한 공동체적
삶을 열망한다는 점을 보여주고 그러한 열망을 품은 존재가 「모닥불」의
시적 주체인 셈이다. 또한 고아로 자라던 할아버지가 화상을 입어 몽둥발이
가 된 슬픈 일화에서는 가족을 소중하게 생각하는 시인의 마음을 읽을
수 있다. 즉 인용시의 시적 주체는 가족을 기본으로 한 공동체적 삶을
살뜰하게 여기는 존재라는 것이 드러난다.
　백석 시의 주된 정서와 과제인 고향 상실감과 고향의 탐구라는 것도
공동체적 삶에 대한 열망에 닿아 있다는 점에서 「모닥불」이 백석의 시세계
에서 갖는 위상을 가늠해볼 수 있다. 고향 상실감에 대한 시적 대응의
차원에서 공동체적 삶의 공간이 파괴되기 이전의 고향을 탐구 혹은 재현했

---

21. 『사슴』.

다고 보이는데, 실상 「모닥불」은 그러한 고향 탐구의 시편 가운데 하나[22]이다. 여기에서 당시의 고향 상실감을 국가 상실감이 구체화된 것으로 받아들인다면 「모닥불」에 나타난 공동체적 삶에 대한 열망이 단순한 개인적 취향의 문제가 아니라는 사실이 드러난다. 공동체적 삶을 열망한다는 것은 역으로 그러한 삶이 이루어지지 못하고 있다는 점을 드러내고 이 점은 일제의 통치가 종래의 공동체적 삶의 기반이던 농촌의 철저한 파괴를 불러왔다는 역사적 사실을 상기시킨다. 또한 이러한 사실은 모닥불의 연료인 '새끼오리' '소똥' '짚검불' '닭의짖' 등의 농촌적 소재의 열거가 무작위적인 것이 아니라는 점에 연결된다.

오장환의 「모촌」과 백석의 「모닥불」을 비교할 때, 전자가 박 한 통을 매개로 농촌의 피폐한 현실을 압축적으로 그려놓은 시라면 후자는 피폐해지기 이전의 농촌의 공동체적 삶에 대한 열망을 모닥불을 매개로 그려놓은 시라 하겠다. 즉 당대의 현실에 대한 반영이라는 면에서 「모촌」이 상대적으로 직접적인 데 반해 「모닥불」은 간접적이라고 할 수 있다. 여기에서 직접적인 현실반영의 측면에만 초점을 맞춘다면 「모닥불」을 간과하기 쉽고 그렇게 해서는 시에서 리얼리즘을 풍부하게 논의하기 힘들 것이다. 달리 말해 현실을 반영하는 양상이 직접적이냐 간접적이냐가 리얼리즘의 성취 면에서 우열을 결정하지는 않을 것이다. 관건적인 문제는 현실반영의 핍진성과 반영하는 주체의 간절한 마음이 얼마나 상승작용을 일으키느냐에 있는데, 어디까지나 상대적으로 「모촌」이 전자에 비중을 두고 있는 시라면 「모닥불」은 후자에 비중을 두고 있는 시이다.

　　알록조개에 입맞추며 자랐나
　　눈이 바다처럼 푸를뿐더러 까무스레한 네 얼골

---

22. 「모닥불」은 유년시절의 고향을 탐구한 대표적 작품인 「가즈랑집」 「여우난곬족」 「고방」 「고야」 「오리 망아지 토끼」 등과 함께 시집 『사슴』의 '얼럭소새끼의 영각' 편에 수록되어 있다.

가시내야
나는 발을 얼구며
무쇠다리를 건너온 함경도 사내

바람소리도 호개도 인전 무섭지 않다만
어드운 등불 밑 안개처럼 자욱한 시름을 달게 마시련다만
어디서 흉참한 기별이 뛰어들 것만 같애
두터운 벽도 이웃도 못미더운 북간도 술막

온갖 방자의 말을 품고 왔다
눈포래를 뚫고 왔다
가시내야
너의 가슴 그늘진 숲속을 기어간 오솔길을 나는 헤매이자
술을 부어 남실남실 술을 따르어
가난한 이야기에 고히 잠거다오

네 두만강을 건너왔다는 석 달 전이면
단풍이 물들어 천리 천리 또 천리 산마다 불탔을 겐데
그래두 외로워서 슬퍼서 초마폭으로 얼굴을 가렸더냐
두 낮 두 밤을 두루미처럼 울어 울어
불술기 구름 속을 달리는 양 유리창이 흐리더냐

차알삭 부서지는 파도소리에 취한 듯
때로 싸늘한 웃음이 소리없이 새기는 보조개
가시내야
울 듯 울 듯 울지 않는 전라도 가시내야
두어 마디 너의 사투리로 떼아닌 봄을 불러줄께

손때 수집은 분홍 댕기 휘 휘 날리며
잠깐 너의 나라로 돌아가거라

이윽고 얼음길이 밝으면
나는 눈포래 휘감아치는 벌판에 우줄우줄 나설 게다
노래도 없이 사라질 게다
자욱도 없이 사라질 게다

— 이용악, 「전라도 가시내」 전문[23]

　인용시 「전라도 가시내」는 일제강점기의 시 가운데 '현실반영의 핍진성'
과 '반영하는 주체의 간절한 마음'이 고도로 상승작용을 일으키고 있는
대표적 작품으로 보인다. 시적 대상으로 부각된 '전라도 가시내'는 남해
바닷가 마을에서 북간도 술막으로 팔려온 처녀이고 시적 주체는 눈보라를
뚫고 온 술꾼으로 그 처녀와 마주앉아 있다. 그러니까 술꾼인 시적 주체와
술집 작부인 시적 대상이 함께 술 마시는 상황이 설정되어 주체와 대상이
더불어 시의 화폭 중심에 자리 잡게 된다. 술을 마시면서 대화를 나누는
것이 자연스러운 행위일 것인데 그 처녀를 청자로 설정하여 떠오르는
상념을 토로하는 것이 이 시의 기본 구도이다. 시 속의 상황과 구도가,
주체와 대상 사이의 상관관계가 긴밀하게 형성되도록 잡혀 있고 그것을
바탕으로 '현실반영의 핍진성'과 '반영하는 주체의 간절한 마음'이 상승작
용을 일으킨다.
　시적 주체가 어느 정도 전면에 나서는가, 혹은 화자의 차원으로 물러서는
가는 작품에 따라 천차만별의 변주를 보일 터인데 인용시는 주막이라는
공간을 설정함으로써 주체가 전면에 나서서 대상과 마주치고 있는 경우이

---

23. 『오랑캐꽃』, 아문각, 1947. 원래 『시학』(1939. 8)에 발표된 시로서 『신선시인집』(시학
　　사, 1940)에도 수록되어 있는데 계속적인 개작과정을 거쳐 시집 『오랑캐꽃』에 수록되
　　었다.

다. 이와 유사하게 주막에서 시적 대상인 여성을 대하는 상황이 펼쳐지는 작품으로는 「제비 같은 소녀야」[24]가 있는데 나중에 씌어진 「전라도 가시내」가 더욱 시적으로 육화된 작품인 듯하다. 뒤집어 말한다면 「제비 같은 소녀야」가 좀더 직설적이라고 할 수 있는데 "너는 어느 흉작촌이 보낸 어린 희생자냐"와 같은 시구가 이 점을 말해준다. 실상 '전라도 가시내'도 유사한 내력을 지닌 여성이라는 점은 "너의 가슴 그늘진 숲속을 기어간 오솔길"이나 "가난한 이야기"와 같은 시구를 통해 은근히 드러난다. 제목으로 떠오른 '전라도 가시내'라는 시적 대상 자체가 당대의 민족현실을 상징하는 존재로 보인다 하겠다.

그러니까 「전라도 가시내」의 공간인 '북간도 술막'은 민족현실을 상징하는 시적 대상과 그러한 민족현실에 대해 안타까워하고 괴로워하는 시적 주체가 만나는 장소로서의 의미를 띠게 된다. 또한 그런 맥락에서 '전라도 가시내'와 '함경도 사내'의 출신지나 "천리 천리 또 천리"와 같은 시구가 한반도를 포괄하는 의미를 지니게 된다. 하지만 이 시의 시적 주체를 독립운동가로 과장해서 해석할 필요는 없을 것이다. 오히려 "너의 가슴 그늘진 숲속을 기어간 오솔길을 나는 헤매이자"나 "어드운 등불 밑 안개처럼 자욱한 시름을 달게 마시련다만"에 나타나듯이 당대의 현실을 외면하지 않고 진정으로 괴로워하는 존재로 보는 편이 타당할 것이다. 리얼리즘 시인의 기본적 요건이 당대의 현실을 외면하지 않고 자신의 처지에서 정직하게 대면하는 데 있다면 인용시의 시적 주체는 바로 그러한 시인의 모습이 핍진하게 형상화된 존재로 보인다.

한편 이 시에서 주체와 대상 사이의 만남은 취기를 빌려 더욱 긴밀해질 수 있겠고 그것은 술막이라는 공간 설정이 발휘하는 또 다른 효과라고 생각된다. 또한 취기가 전제되어 있기에 "두 낮 두 밤을 두루미처럼 울어 울어 / 불술기 구름 속을 달리는 양 유리창이 흐리더냐"나 "손때 수집은

---

24. 『분수령』.

분홍 댕기 휘 휘 날리며 / 잠깐 너의 나라로 돌아가거라"와 같은 화려한
색채 이미지가 자연스러워 보이는 것이다. 덧붙여 말하자면 앞구절은
북간도로 팔려오기까지의 이틀 동안의 여정과 관련되고 뒷구절은 술자리
에서의 환상일 것인데 불수레가 구름 속을 달리는 이미지나 분홍 댕기의
환상이 취기가 오른 시적 주체의 말로 펼쳐지기에 자연스럽게 느껴진다.
또한 술은 낙관적 전망을 마련할 수 없었던 시인 자신의 울분을 달래는
길이었을 것이니 이 시에서의 취기는 전망 부재라는 암담한 시대적 분위기
와도 연결되는 듯하다.

　임화, 오장환, 백석, 이용악 등의 1940년 전후의 시에서 시적 주체는
다같이 낙관적 전망을 마련하지 못해서 괴로워하는 존재이다. 그런데
임화의 경우 상황이 아무리 암담하더라도 좌절하지 않는 시적 주체를
세우려 했던 반면 나머지 시인들의 경우 대체로 당대의 현실에 대해 깊이
안타까워하고 슬퍼하는 자로 시적 주체를 형상화하고 있다. 임화의 경우
시인의 의지가 다분히 개입된 반면 나머지 시인들의 경우 자신의 처지에
더욱 솔직한 셈이다. 그런데 어떤 경우에도 리얼리즘시에서 중요한 것은
주체와 세계 사이의 상호작용을 통한 세계현실과의 접점 형성인데 방금
인용한 이용악의 「전라도 가시내」는 그 모범적 사례의 하나로 보인다.
하지만 일제 말의 폭압적 상황에서 주체와 세계 사이의 길항작용을 통한
세계현실과의 접점 형성은 점점 더 어려워지게 되었고 리얼리즘의 성취
또한 해방 이후에야 가능해지게 되었다.

　　핏발이 섰다 집마다 지붕 위 저리 산마다 산머리 우에 헐벗고 굶주린
　사람들의 핏발이 섰다

　　누구를 위한 철도냐 누구를 위해 동트는 새벽이었나 멈춰라 어둠을
　뚫고 불을 뿜으며 달려온 우리의 기관차 이제 또한 우리를 좀먹는 놈들의
　창고와 창고 사이에만 늘여놓은 철길이라면 차라리 우리의 가슴에 안해와

어린것들 가슴팍에 무거운 바퀴를 굴리자

피로써 물으리라 우리의 것을 우리에게 돌리라고 요구했을 뿐이다 생명
의 마지막 끄나푸리를 요구했을 뿐이다

그러나 아느냐 동포여 우리에게 총부리를 겨누고 다가서는 틀림없는
동포여 자욱마다 절그렁거리는 사슬에서 너희들까지도 완전히 풀어놓고저
인민의 앞잽이 젊은 전사들은 원수와 함께 나란히 선 너희들 앞에 일어섰거
니

강철이다 쓰러진 어느 동무의 소리가 바람결에 들릴지라도 귀를 모아
천 길 일어설 강철 기둥이다

며칠째이냐 농성한 기관구 테두리를 지키고 선 전사들이어 불 꺼진
기관차를 끼고 옳소 옳소 외치며 박수하는 똑같이 기름 배인 검은 손들이어
교대 시간이 오면 두 눈 부릅뜨고 일선으로 나아갈 전사 함마며 핏겔을
탄탄히 켠 채 철길을 베고 곤히 잠든 동무들이어

핏발이 섰다 집마다 지붕 위 저리 산마다 산머리 우에 억울한 모든
사람들이 우리의 승리를 약속하는 핏발이 섰다
— 이용악, 「기관구에서」, 전문[25]

격앙된 어조에다 휘몰아가는 율조로 짜인 이 시는 사태의 추이가 급박했
던 해방정국에서 이용악의 존립양상을 보여주는 대표적인 시라 생각된다.
어쩌면 숨가쁘게 돌아가던 당대의 정치적 상황에 호흡을 맞추려는 시인의

---

25. 『문학』, 임시증간호, 1947. 2.

존립양상이 「기관구에서」처럼 격렬하게 휘몰아가는 율조로 나타났다고 볼 수도 있을 듯하다. 실제로 이 시에는 '남조선 철도파업단에 드리는 노래'라는 부제가 붙어 있는데 철도파업은 1946년 9월 총파업의 발단이자 주축이 된, 당시의 사회·정치적 사안 가운데서도 핵심적인 것이다. 또한 제목의 '기관구'란 용산기관구로서 파업단 주력이 집결하여 본부로 삼은 곳이다. 그런데 유의할 것은 철도파업을 단순한 소재 차원에서 다루거나 관망하지 않고 농성자들에 대해 적극적으로 동지적 유대를 표시하는 시적 주체가 등장한다는 점이다. 즉 「기관구에서」의 시적 주체는 농성자들을 '우리'라 부르고 있거니와 그런 맥락에서 당시 시인 이용악의 존립양상이 드러난다고 하겠다.

이 시에서 대결의 구도는 "생명의 마지막 끄나푸리"를 요구하는 인민의 전사와 원수의 편에 서서 총부리를 겨누고 다가서는 동포 사이로 나타나 있는데 그 점은 당시의 철도파업이 감원 및 일급제로의 전환에 따른 생존권 투쟁과 결부되어 있었고 파업 노동자들을 강제해산했던 주축이 장택상 휘하의 군정경찰이라는 사실[26]과도 관련되는 듯하다. 또한 "핏발이 섰다"와 같은 시구는 투쟁의 처절함을 드러내며, 그러한 투쟁은 진정한 해방을 이룩하기 위한 것으로 의미가 부여되고 있다. 다시 말해 「기관구에서」에서 는 해방정국의 격동하는 현실이 정면에서 다루어지고 있으며 그러한 현실 이 시적 주체의 정치적 선택과 결부되어 핍진하게 형상화되어 있다. "헐벗고 굶주린 사람들'의 입장에 서는 것이 시인으로서의 양심을 이행하는 것이라 면 시인 이용악은 그에 따라 정치적 선택을 한 것이고 인용시의 시적 주체는 그러한 입장에 서서 세계현실과 고도로 긴장된 상관관계를 맺고 있다고 하겠다.

인용시 「기관구에서」의 시적 주체는 분노와 전투적 열정에 불타고 있다.

---

26. 성한표, 「9월총파업과 노동운동의 전환」, 강만길·김광식 외, 『해방전후사의 인식 2』, 한길사, 1985, 377~89쪽 참조.

이를 뒤집어보면 분노를 중심으로 한 전투적 정서가 시적 주체를 형상화하는 데 긴요하게 작용하고 있다. 기본적으로 시적 주체는 정서와 사유와 행위의 주체이기에 주체의 정서와 사유와 행위에 따라 시적 주체가 형상화된다고 볼 수 있다. 「기관구에서」의 시적 주체는 철도파업을 "자욱마다 절그렁거리는 사슬"에서 풀려나기 위한, 진정한 해방을 위한 싸움으로 보고 있으며 그러한 싸움에 동지적 유대로 동참하여 선전선동을 하고 있다. 다시 말해 철도파업이라는 상황과의 긴장된 상관관계를 형성하고 있는 인용시의 시적 주체는 전투적 정서뿐만 아니라 해방투쟁이라는 사유와 선전선동하는 행위를 통해서도 형상화된다고 할 수 있다. 그런데 이렇듯 시 속에서 생생하게 살아 있으면서 세계현실에 대해 적극적으로 참여하는 시적 주체는 일제강점기의 시에서는 거의 찾아보기 어렵다고 할 수 있고 그 점은 앞에서 거론한 「전라도 가시내」의 시적 주체와 비교해보아도 그 상대적 면모가 확연히 드러난다.

우리의 시문학사에서 해방정국은 어느 시기보다도 사회현실 문제 혹은 변혁운동에 대해 적극성을 띤 시적 주체가 광범위하게 등장하는 시기이고 「기관구에서」는 그 점을 보여주는 대표적인 작품으로 보인다. 구체적 사건과 얼마나 밀착되어 있느냐는 작품마다 차이가 많지만 변혁운동에 대해 적극성을 띤 시적 주체가 등장한다는 점은 해방 직후의 작품이 전해지지 않는 백석을 제외하면 임화, 오장환, 이용악의 경우가 대동소이하다. 또한 그와 같은 시적 주체는 바람직한 국가 건설이라는 지상 과제와 함께 사회적 실천의 통로가 열려 있던 당대의 시대적 상황에 상응하는 것이다. 그러니까 사회현실 문제에 적극적으로 참여하는 시적 주체의 등장을 해방정국의 리얼리즘시의 일반적 특성으로 확대해서 보아도 될 듯하다. 시대적 상황이 구체적인 실천을 요구할 때 시적 주체가 세계현실에 대해 적극성을 띠는 것은 지극히 자연스러운 일이며 경우에 따라 그것은 주체와 세계 사이의 속 깊은 상관관계를 형성하기 위한 전제조건으로 작용할 가능성도 있는 것이다.

3. 산문적 확장과 시적 응축

시가 응축적 양식이라는 점에 대해서는 별다른 이견이 없겠으되 '어떠한 응축이냐'는 시마다 혹은 시인마다 천차만별의 다양한 양상으로 나타날 것이다. 그런데 적어도 리얼리즘시에서의 응축이란 산문적 확장과 무관할 수 없을 듯하다. 창작주체와 세계현실 사이의 접점 형성이 산문적 확장으로 나타날 것이기 때문이다. 그러므로 이 글에서의 산문적 확장이란 시적 주체와의 상관관계 속에 드러난 세계현실을 의미한다고 보아도 좋을 것이다. 여기에서 세계현실에 대한 탐색으로서의 산문적 확장이란 진정한 의미의 시적 응축을 가능하게 하는 바탕이 된다고 생각된다. 산문적 확장과의 팽팽한 긴장관계에 의해 시적 응축이 생생하게 작용할 수 있을 것이기 때문이다. 또한 이 점을 뒤집어본다면 시적 응축과의 긴장관계가 이완된 산문적 확장이란 시의 양식적 가능성 탐구와는 무관한 것이 되기 쉬울 듯하다.

시적 응축이란 무엇보다도 시로서의 형태적 완결성 혹은 예술성을 지향한다고 생각된다. 하지만 형태적 완결성 혹은 예술성의 표준은 미리 정해져 있지 않다. 특히 자유시의 경우 형태는 내용과의 상관관계 속에서 작품마다 늘 새롭게 형성되기 마련이다. 한편 시에서의 산문의 확장이란 새롭고도 충실한 내용의 확보를 지향한다고 할 수 있다. 따라서 산문적 확장이란 그러한 내용의 확보를 위한 모험이라 하겠고 그 모험이 시적 응축과의 팽팽한 긴장관계 속에 수행되지 않는다면 바람직한 새로운 시가 생성되지 않을 것이다. 형태적 완결성 혹은 예술성의 일차적 징표는 생생하게 살아 있는 운율이다. 그런데 산문적 확장이 운율 혹은 음악성을 질식시키는 시가 있다면 시적 응축과의 긴장관계가 무너진 예로 보아도 좋을 것이다. 또한 새로운 내용 없이 새로운 형태가 형성될 수 없듯이 산문적 확장과 무관하게 생동하는 운율이 형성되기를 기대하기도 힘들 것이다.

김수영의 말을 빌려 부언하자면 산문적 확장이란 '언어의 서술'에, 시적 응축이란 '언어의 작용'[27]에 연결된다. 대체로 언어의 서술에 의해 산문적 확장이 이루어진다면 언어의 음성적 작용에 의해 시적 응축이 이루어진다. 하나의 시구를 두고 볼 때 거기에는 서술되는 의미의 측면과 음성으로 작용하는 측면이 동시에 관여하고 있다. 마찬가지로 한 편의 시작품이 있다면 그 시는 의미의 측면과 음성의 측면에 동시에 관련된다. 그러므로 한 편의 시다운 시가 씌어지기 위해서는 의미의 측면과 음성의 측면이 상승효과를 거둘 필요가 있다. 가령 고뇌하는 내용이 매끄럽게 흘러가는 율조에 실려 있다면 의미와 음성이 배타적으로 작용하게 되고 그래서는 시로서의 진실성이 구현될 수 없을 것이다. 즉 산문적 확장과 시적 응축의 대립이 배타적으로 작용하지 않고 상승효과를 거둘 때 참된 시가 산출된다고 하겠다.

지금 어머니가 살았을 때 그렇게 귀여하는 이 아들은 어머니의 굳은 몸이 누어가든
이 파란 이슬길을 걸어오고 있우
그런데 어머니!
웨 나는 이 길을 언제나 관(棺) 뒤에만 따라갔다 와야 하게 되었는지 모르겠어
이 키가 훌죽한 엉석백이가 지금은 터지는 가마같은 가슴을 눌르며
동모두 누어가고 어머니도 누어간 이 길을 가만가만히 어른같이 걸어가우

어머니!
언제나까지 언제까지 이따우 놈의 일이 계속될가
오늘은——

27. 김수영, 「생활현실과 시」, 『창작과비평』, 1968, 가을, 405쪽.

그렇게 째지게 가난하면서도 귀여운 큰 자식 때문에 노 웃고 살아가든
순봉이 어머니가 그 아들을 몹쓸 그 병에 잃어버린 그날이라우

어머니가 그해 봄에 우리가 그렇게 서러워하는데두 돌아가구
이 거미같은 오빠만을 어른같이 믿고 살아가는 불상하고 외로운 옥순이
가
처음으로 세상에서 마음을 맥기며 믿고 사랑하든
잘 웃구 용감하든 생대같은 그 순봉이가 들것에서 누어나온 지 꼭 열하로
만에 옥순이가 그렇게 서러하는 줄도 알고 어머니가 불상한 줄도 알면서도
사랑하는 옥순이에 무릎에 누어 분하구 분한 눈물을 목에다 채 넘기지도
못하구 죽어간 그 길을 나는 울고 있는 그 어머니와 옥순이 때문에
아주 어른같은 생각을 하구 또 길을 걷고 있구료
— 임화, 「어머니」 부분[28]

작품마다 편차가 많겠지만 임화의 단편서사시의 일반적 약점으로 지적
될 사항의 하나가 장황한 어투이고 인용시 「어머니」는 그러한 약점이
더욱 적나라하게 노출된 경우이다. 죽은 어머니를 상대로 죽은 동무의
사연을 거의 신파조에 가까운 말투로 토로하고 있는바 자유시로서의 율격
마저 변변하게 형성되지 못한 형편이다. 다시 말해 시의 내용을 시인이
제대로 감당하지 못함으로써 창작주체의 호흡이 시구 속에 자연스럽게
스며들지 못하고 있는 상태이다. 게다가 시의 내용으로서의 분한 사연과
나열식으로 느슨하게 풀어진 어투는 시의 내용과 형식 사이의 괴리를
단적으로 드러낸다. 즉 「어머니」는 당대의 사회현실에 대한 시인의 의욕적
관심이 산문적 확장을 가져왔으되 시적 응축과의 상관관계를 제대로 형성
하지 못하고 있는 시이다. 다시 말해 인용시는 시적 응축과의 긴장관계가

---

28. 『조선지광』, 1929. 4.

제대로 형성되지 못함으로써 산문적 확장 또한 성공하지 못한 경우에 해당된다.

일제강점기의 시 가운데 임화의 단편서사시는 아마 의욕적으로 산문적 확장을 시도한 대표적 사례일 것이다. 상대적으로 보아 「네거리의 순이」나 「양말 속의 편지」 등이 성공적인 경우라면 위에 인용한 「어머니」는 실패한 경우로 보인다. 여기에서 정작 문제가 되는 것은 산문적 확장의 질적 수준인데 이것은 시적 응축과의 긴장관계에 의해 좌우되는 측면이 많은 듯하다. 이와 관련하여 「네거리의 순이」나 「양말 속의 편지」가 설명적 어투의 장황함을 떨쳐내는 방향으로 개작이 이루어졌다는 것은 시사하는 바가 많다고 생각된다. 가령 「네거리의 순이」의 경우 『조선지광』(1929. 1)에서는 "어서 너와 나는 번개같이 손을 잡고 또 다음 일 계획하러 또 남은 동모와 함께 검은 골목으로 들어가자"로 되어 있던 것이 『현해탄』에서는 "어서 너와 나는 번개처럼 두 손을 잡고,/내일을 위하여 저 골목으로 들어가자"로 바뀌어 있고 그것은 시적 응축이 개작과정에 작용했다는 증거일 것이다.

단편서사시에 두드러지는 산문적 확장이 창작주체의 세계현실에 대한 적극적 모색과 결부된다는 점에 대해서는 별다른 이견이 없을 듯하다. 그런데 시적 응축과의 긴장관계가 이완된 상태의 산문적 확장으로 인해 형태의 파탄을 초래한 경우가 적지 않다는 점이 문제로 지적될 사항이다. 임화가 단편서사시를 창작한 것은 산문적 확장과 시적 응축 사이의 관계에 대한 자각이 여타의 카프 시인들보다 앞섰기 때문이라고 할 수 있다. 「네거리의 순이」나 「양말 속의 편지」 등을 보면 형태의 파탄 직전의 아슬아슬함이 감지되거니와 그 점을 뒤집어보면 시적 응축이 가까스로 산문적 확장을 통어하고 있다는 말이 된다. 시적 응축이 산문적 확장을 통어하기 위해서는 창작주체가 소재를 온전히 장악할 필요가 있다. 허다한 카프 시들이 관념적 구호 차원에 머문 것은 시적 응축과 산문적 확장의 상관관계가 제대로 형성되지 못했기 때문이라 하겠고 그러한 경우 세계현실에 대한 모색을 제대로 수행하지 못했다고 할 수 있다.

산뽕닢에 빗방울이 친다
멧비들기가 닌다
나무등걸에서 자벌기가 고개를 들었다 멧비들기켠을 본다
— 백석, 「산비」 전문[29]

묘사로 이루어진 백석의 초기 시의 하나로 산비가 내리기 시작하는 순간의 정황이 간명하게 그려져 있다. 산뽕닢, 빗방울, 멧비둘기, 나무등걸, 자벌레가 어울려 하나의 화폭을 구성하고 있는데 마치 동양화처럼 여백의 미가 있는 시이다. 이 시에서 시적 응축은 주로 선택적 묘사를 통해 이루어진다. 실제의 산 풍경을 가상해볼 때 시 속에 등장하는 소재는 특별히 선택된 것으로 볼 수밖에 없을 것이다. 또한 이 시에서 시적 응축은 순간의 미세한 움직임을 포착하여 묘사했다는 데서도 찾아볼 수 있다. 특히 자벌레가 멧비둘기 쪽을 보는 장면은 영화의 근접촬영 기법과 같은 효과를 얻고 있다. 즉 「산비」는 군더더기 없이 산뜻한 시적 응축이라는 점에서 한 본보기가 될 만한 시이다. 하지만 당대의 삶과 사회현실에 대한 탐구로서의 산문적 확장과의 긴장관계는 무화되어 있고 그런 맥락에서 리얼리즘시로서의 시적 응축으로 보이지는 않는다.

자벌레의 보호색과 천적으로서의 산비둘기를 염두에 두고 생물의 생존 문제가 「산비」에서 다루어지고 있다고 보는 견해가 있다면 전적으로 틀리다고만 할 수는 없을 것이다. 하지만 그러한 자벌레의 생존의 모습에서 일제강점기의 우리 민족의 삶의 양태를 읽어내는 견해가 있다면 견강부회에 지나지 않을 것이다. 인용시에서 삶의 양태는 오히려 자연풍경을 완상하거나 관조하는 시적 주체의 태도에서 읽어낼 수 있을 것이다. 하지만

---

29. 『사슴』.

그러한 관조적 태도는 세계현실에 대한 모험과는 무관하거나 역행하는 입장에서 나온다고 생각된다. 즉 진정한 의미의 산문적 확장을 찾아보기 어렵다는 점이 「산비」가 리얼리즘의 성취와 무관하게 보이는 이유일 것이다. 앞에서 살펴본 「어머니」가 산문적 확장을 제대로 감당하지 못함으로써 시적 형태를 갖추는 데 실패했다면 「산비」는 산문적 확장을 거의 시도하지 않음으로써 시적 형태를 갖추는 데 별다른 어려움이 없었다고 할 수 있다.

> 북쪽은 고향
> 그 북쪽은 여인이 팔려간 나라
> 머언 산맥에 바람이 얼어붙을 때
> 다시 풀릴 때
> 시름 많은 북쪽 하늘에
> 마음은 눈 감을 줄 모르다
>
> ── 이용악, 「북쪽」 전문[30]

시적 응축이 고도로 구사된 짧은 서정시이다. '북쪽'과 '그 북쪽', '얼어붙을 때'와 '풀릴 때', '시름'과 '마음'이 서로 짝을 이루면서 호흡의 완급을 적절히 조절하고 있거니와 그러한 운율은 이 시의 비장한 어조와 긴밀히 호응하고 있다. 시의 전체적 짜임새를 보자면 "북쪽은 고향"을 "그 북쪽은 여인이 팔려간 나라"로 변주시킴으로써 고향의 실상을 먼저 제시하고, "머언 산맥에 바람이 얼어붙을 때 / 다시 풀릴 때"를 통해 고향과의 시간적 공간적 거리를 드러낸 다음, "시름 많은 북쪽 하늘에 / 마음은 눈 감을 줄 모르다"를 통해 고향에 대한 안타까운 감정을 완곡하게 표현하면서 마무리하고 있다. 마치 시조처럼 삼단구성의 간명하면서도 탄탄한 짜임새를 갖추고 있다. 또한 이 시에서는 정서와 결부된 형상적 표현이 돋보이는데

---

30. 『분수령』.

산맥에 얼어붙는 바람이나 눈 감을 줄 모르는 마음의 이미지가 이 점을 잘 보여준다.

대체로 시적 응축 혹은 예술적 완성도의 징표를 '생생한 운율' '탄탄한 짜임새' '참신하면서도 자연스러운 형상화' 등에서 찾을 수 있다는 점에서 「북쪽」은 충분히 주목할 가치가 있는 시라 하겠다. 그런데 「산비」와는 달리 「북쪽」에서의 시적 응축이 특별히 주목되는 이유는 산문적 확장과의 긴장관계를 팽팽하게 지탱하고 있다는 데 있는 듯하다. 「북쪽」에서 산문적 확장의 핵심이 되는 시어는 아무래도 "여인이 팔려간 나라"일 것이다. '여인이 팔려간 나라'는 시적 주체의 비장하고도 안타까운 정조가 실감을 획득하는 근거가 되면서 동시에 그 정조가 사사로움을 시원히 벗어나게 한다. 여인이 팔려간 나라로서의 고향은 단순히 시인 이용악의 고향에 그치지 않고 당대 우리 민족의 현실을 집약시켜 대표하는 곳으로 보이기 때문이다. 그리하여 "마음은 눈 감을 줄 모르다"와 같은 시구에서는 당대의 민족현실에 대한 시적 주체의 하염없는 안타까움을 읽어낼 수 있는 것이다.

시의 양식적 특성 중의 하나가 내포와 함축이라는 점은 두루 알려진 사실이거니와 인용시 「북쪽」의 경우 내포와 함축이라는 면에서 드물게 돋보이는 절창으로 보인다. 가령 "머언 산맥에 바람이 얼어붙을 때 / 다시 풀릴 때"는 고향과의 시공간적 거리를 드러내고 있는데 이러한 시공간 속에서 수많은 일들이 벌어지고 있다는 상념을 자아낸다. 그리고 이러한 무수한 일들은 '여인이 팔려간 나라'에서 항다반사로 벌어지는 사건들일 것이고 그러한 맥락에서 '시름 많은 북쪽 하늘'이라는 시구가 곡진하게 이해될 수 있을 것이다. 「북쪽」에 돋보이는 내포와 함축은 단순한 응축만으로 조성된 것이 아니고 산문적 확장과의 고도의 긴장관계 속에서 시적 응축이 이루어짐으로써 형성될 수 있었다고 생각된다. 아무래도 시적 응축이란 산문적 확장과의 긴장관계 속에서 작용해야 진가를 발휘할 수 있다고 하겠다.

재를 넘어 무곡을 다니던 당나귀
항구로 가는 콩시리에 늙은 둥굴소
모두 없어진 지 오랜
외양깐엔 아직 초라한 내음새 그윽하다만
털보네 간 곳은 아모도 모른다

찻길이 뇌이기 전
노루 멧돼지 쪽제피 이런 것들이
앞뒤 산을 마음 놓고 뛰어다니던 시절
털보의 세째 아들은
나의 싸리말 동무는
이 집 안방 짓두광주리 옆에서
첫 울음을 울었다고 한다

「털보네는 또 아들을 봤다우
　송아지래두 붙었으면 팔아나먹지」
마을 아낙네들은 무심코
차그운 이야기를 가을 냇물에 실어보냈다는
그날 밤
저릅등이 시름시름 타들어가고
소주에 취한 털보의 눈도 일층 붉더란다

갓주지 이야기와
무서운 전설 가운데서 가난 속에서
나의 동무는 늘 마음 졸이며 자랐다
당나귀 몰고간 애비 돌아오지 않는 밤
노랑 고양이 울어 울어

종시 잠 이루지 못하는 밤이면
어미 분주히 일하는 방앗간 한구석에서
나의 동무는
도토리의 꿈을 키웠다

그가 아홉 살 되든 해
사냥개 꿩을 쫓아다니는 겨울
이 집에 살던 일곱 식솔이
어대론지 사라지고 이튿날 아침
북쪽을 향한 발자욱만 눈우에 떨고 있었다

　　　　　　　　　—이용악, 「낡은 집」 부분[31]

　전체 50행 가운데 33행만 인용하였는데 일제강점기의 시 중에서 산문적
확장이라는 면에서 주목할 만한 작품이다. 주로 서사적 골격에 의해 시가
전개되고 있는바 당대의 대표적인 이야기시라 할 만하다. 앞에서 거론한
「북쪽」과 연결시켜 보자면 '여인이 팔려간 나라'인 고향에서 일어난 전형적
사건의 하나를 구체화한 시가 「낡은 집」이다. 이 시에서 다루어진 중심
사건은 털보네의 야반도주이고 그것은 일제의 통치에 따른 민족민중의
궁핍화 현상의 단적인 사례일 것이다. 털보네의 생업은 무곡인데 그것은
아낙이 방앗간에서 찧어놓은 곡식을 털보가 당나귀 등에 싣고 가 파는
일일 것이다. 하지만 찻길이 놓이고 기계화된 방앗간이 들어섰을 때 털보네
는 더 이상 생계를 꾸려나갈 수 없게 되고 그 귀결이 야반도주로 나타난
셈이다. 즉 「낡은 집」은 다루어진 사건의 골격이 웬만한 단편소설을 상회할
만큼 산문적 확장이 광범위하게 일어난 시이다.
　이 시에서 산문적 확장이 서사적 시구를 통해 이루어진다는 점에 대해서

---

31. 『낡은 집』, 삼문사, 1938.

는 별다른 이견이 없을 것이다. 물론 여기에서 말하는 '서사'는 장르 구분과 관련된다기보다 주로 '인간의 행위에 관한 기술'로서의 의미를 지니고 있다. 따라서 서사는 인간의 삶의 문제를 취급하는 데 불가결한 기술 방법이라 생각된다. 이런 맥락에서 앞의 「북쪽」에서 산문적 확장의 근거가 되는 시구를 '여인이 팔려간 나라'로 잡은 것을 재음미해볼 필요가 있다. 문제의 이 시구에 서사의 편린이 개입되었다고 볼 수 있기 때문이다. 즉 단형 서정시로서의 「북쪽」이 산문적 확장의 통로를 열어놓게 된 것은 서사의 편린이 개입되었기 때문이라고 할 수 있다. 일반적으로 인간의 삶의 문제에 대한 관심이 배제된 사회현실에 대한 탐색 혹은 세계현실로의 모험은 상정할 수 없다는 점에서 서사성의 문제는 산문적 확장의 문제와 긴밀하게 결부되는 듯하고 「낡은 집」은 이러한 대표적인 시라 하겠다.

그런데 다른 장르에서와는 달리 시에서 서사는 시적 주체와의 밀접한 관계 속에서 구사되는 것이 일반적이다. 인용시 「낡은 집」의 경우 시적 주체는 서사의 서술자 혹은 이야기 화자의 역할을 수행하고 있다. 하지만 단순한 화자에 그치지 않고 자신의 호흡과 정서를 시구 속에 은밀하면서도 자연스럽게 스며들게 하고 있다. 가령 "마을 아낙네들은 무심코 / 차그운 이야기를 가을 냇물에 실어보냈다는 / 그날 밤 / 저릅등이 시름시름 타들어 가고 / 소주에 취한 털보의 눈도 일층 붉더란다"와 같은 부분을 보자. 시행의 배열 자체에 주체의 호흡이 배어들어 있다고 보일뿐더러 '차그운 이야기'나 '시름시름 타들어가고'에서는 정서의 개입을 감지할 수 있다. 즉 시적 주체의 호흡과 정서가 자연스럽게 스며들어 있다는 것은 시적 서사의 특징이거니와 이러한 특징이 나타난 것은 시적 응축과의 긴장관계 속에서 산문적 확장이 이루어지기 때문이라고 할 수 있다.

산문적 확장과 시적 응축이 적당한 비율로 절충되는 방식으로 작용해서는 시적 성취를 기대할 수 없을 터이다. 이 점은 내용적 충실성과 형태적 완결성이 적당히 절충되는 방식으로 통일되지는 않는 것과 마찬가지이다. 산문적 확장과 시적 응축은 서로 최고 최선의 상태를 지향한다. 김수영의 말처럼 "예술성의 편에서는 하나의 시작품은 자기의 전부이고 산문의 편, 즉 현실성의 편에서도 하나의 시작품은 자기의 전부"[32]이기 때문이다. 그러니까 고도의 긴장 상태에서 산문적 확장과 시적 응축의 통일이 이루어진다 하겠고 그 통일의 양태는 작품마다 다르게 나타날 수밖에 없다. 기왕에 함께 논의한 「북쪽」과 「낡은 집」의 경우 전자는 시적 응축에, 후자는 산문적 확장에 최대한으로 밀착해서 긴장이 조성된 작품으로 보인다. 그리고 앞에서 살펴본 「강가」나 「전라도 가시내」는 그 사이에 놓인다고 생각되고, 그러한 자유자재함이 리얼리즘 시인으로서 이용악의 역량으로 보이기도 하는 것이다.

　　흙이 풀리는 내음새
　　강바람은
　　산김승의 우는 소릴 불러
　　다 녹지 않은 얼음장 울멍울멍 떠나려간다

　　진종일
　　나룻가에 서성거리다
　　행인의 손을 쥐면 따듯하리라

　　고향 가차운 주막에 들려
　　누구와 함께 지난날의 꿈을 이야기하랴
　　양구비 끓여다 놓고
　　주인집 늙은이는 공연히 눈물지운다

　　간간히 잿내비 우는 산기슭에는

---

32. 김수영, 「시여 침을 뱉어라」, 『창작과비평』, 1968, 가을, 412쪽.

아즉도 무덤속에 조상이 잠자고
설레는 바람이 가랑잎을 휩쓸어간다

예 제로 떠도는 장꾼들이어!
상고(商賈)하며 오가는 길에
혹여나 보셨나이까

전나무 우거진 마을
집집마다 누룩을 듸듸는 소리, 누룩이 뜨는 내음새······
　　　　　　　　　　　　── 오장환, 「고향 앞에서」 전문[33]

　　원래 『인문평론』(1940. 4)에 발표된 「향토망경시(鄕土望景詩)」를 약간
고친 것이 인용시인데 일제 말 오장환의 시적 편력의 모습이 잘 드러나
있는 작품이라 생각된다. 앞에서 「소야의 노래」와 「붉은 산」을 살펴보면서
세계로의 편력을 수행하고 있는 시적 주체에 주목하였는데 「고향 앞에서」
도 같은 맥락에서 이해할 수 있을 듯하다. 세계 혹은 조선의 현실로의
편력을 거쳐 고향에 되돌아오고 있는 시적 주체가 고향 가까운 나루터
주막에 다다른 것으로 보이기 때문이다. 원래 고향을 박차고 떠난 것은
전통에 대한 부정 때문이었는데 세계로의 편력을 통해 역사나 현실에
대한 의식이 심화되고 마침내 귀향의 도정에 오르는 것은 오장환의 시세계
를 형성하는 주요 축이라 할 수 있다. 그리고 역사나 현실에 대한 의식의
심화가 고향에 대한 새로운 의미 발견과 관련된다는 점에 대해서는 이미
「소야의 노래」와 「붉은 산」을 통해 살펴본 셈[34]이다.

---

33. 『나 사는 곳』.
34. 세계로의 편력을 수행하는 시적 주체가 등장하는 시 가운데 「여수」, 「소야의 노래」,
　　「붉은 산」, 「고향 앞에서」를 함께 읽는 것이 오장환의 시세계를 살펴보는 데 유익하리라
　　생각한다. 또한 이러한 시들에 공통적으로 고향에 대한 의식이 나타난다는 점도

그런데 "진종일 / 나룻가에 서성거리다"에서 보듯 귀향이 순조로운 것은 아니다. 지리적인 고향에 가기는 어렵지 않지만 집집마다 누룩을 띄워 술을 빚는 전나무 우거진 마을로서의 고향이 사라지고 없기 때문이다. 마찬가지 현상으로 무덤 속에 조상이 잠자는 것은 여전하지만 지난날의 꿈을 함께 이야기할 사람이 없기 때문이다. 이러한 고향의 황폐화 혹은 사라짐이 일제의 통치와 수탈에 따른 결과라는 것은 시를 섬세하게 읽은 독자라면 누구나 상상할 수 있을 것이다. 아무래도 진정한 의미의 귀향은 주체와 세계 사이의 갈등과 부조화를 해소해가는 것과 무관할 수 없을 것이다. 하지만 일제강점기의 세계현실 속에서 그러한 정신적 차원까지 포괄하는 귀향은 가능하지 않았을 터이다. 그러므로 「고향 앞에서」는 귀향의 불가능함을 드러내고 깊이 슬퍼함으로써 일제강점기의 민족현실을 심도 있게 형상화한 시라 하겠다.

산문적 확장과 시적 응축의 긴장관계가 팽팽하게 유지될 필요가 있다는 점은 이 글의 기본 전제이거니와 이러한 필요조건이 충족될 때 당대의 민족현실을 심도 있게 형상화할 수 있다고 하겠다. 위에서처럼 귀향이 순조롭지 못한 이유를 찾아보는 것은 시에 대한 해석이 늘 그렇듯이 시적 응축을 거꾸로 풀어가는 작업일 것이고 그 점은 역으로 「고향 앞에서」의 시적 응축의 밀도를 말해주는 듯하다. 그런데 시적 응축과 분리되어 작용할 수 없는 산문적 확장은 인용시에서 어떻게 나타나고 있는가. 아무래도 「고향 앞에서」의 산문적 확장은 시적 주체의 세계로의 편력과 결부된다고 생각된다. 편력을 거쳐 귀향하려 하지만 그것이 뜻대로 되지 않는 상황의 개진이 인용시의 산문적 확장의 요체로 보이기 때문이다. 특히 떠돌이 장꾼들에게 집집마다 누룩이 뜨는 마을을 묻는 장면에서 이 시의 산문적 확장이 민족현실 전반을 겨냥하고 있음을 알 수 있다.

음미할 만한 현상으로 보인다. 고향을 떠나 세계로의 편력이 진행되면 될수록 현실의식 이 심화되고 그에 따라 봉건적 관습의 소굴이었던 고향이 보편적 민족현실을 대변하는 곳으로 의미변화가 이루어지고 있다.

오장환의 시에 자주 등장하는 길 위에 있는 시적 주체는 바로 세계로의 편력을 수행하고 있는 존재이고 그러한 편력은 대체로 산문적 확장으로 연결되는 듯하다. 「소야의 노래」, 「붉은 산」, 「고향 앞에서」 등이 리얼리즘시로서 주목되는 이유 또한 시적 주체의 편력이 당대의 민족현실을 효과적으로 드러내고 있기 때문일 것이다. 달리 말해 시적 주체의 편력이 리얼리즘시로서의 산문적 확장에 기여하고 있기 때문일 것이다. 여기에서 편력은 풍물을 구경하는 차원의 단순한 기행과는 달리 당대의 암담한 시대상황에서 희망의 출구를 발견하려는 순례의 성격을 지니고 있다. 덧붙여 말하자면 진보주의자로서 자신을 포기할 수 없는 절박감이 시적 주체의 편력을 추진하는 동력으로 작용하고 있다. 즉 「소야의 노래」 등에서의 편력에는 주체의 절실함이 바탕에 깔려 있기에 그에 따른 산문적 확장이 쉽사리 세태소설적 평면성으로 함몰되지 않는다고 생각된다.

우리들의 어린 것이 낯선 도시에 와서
호을로 눈물지으며 외로이 잠자든 공장에서
너이들은 어떻게 살었느냐
우리들의 동무가 주림과 박해에 못이겨
성낸 이리처럼 싸움에 일어났을 때
너이들은 무엇을 하였느냐

너이들은 국외에서 싸우지 않고 승리를 기다리었고
너이들은 우리의 교만한 주인으로 행복하였고
너이들은 능히 일본군경의 양우(良友)이었다

아아 모처럼 돌아오려는 자유를 찾어 깃발을 날리는 메이데이
오늘에 또다시 이빨을 갈며 달려드는 너이는 대체 어느나라 사람이냐

꾀꼬리 우는 시냇가에 발을 잠그고 해마다 조국에 향그런 5월 1일이
오면
회파람 불며 불행한 동포의 지나간 이야기를
사랑하는 우리 어린것들에게 들려줄 메이데이를 위하여
대한의 병든 가축을 치는
너이들의 운명을 파멸로 인도해야겠다

아아 나의 눈은 핏발이 서서 감을 수가 없다.
　　　　— 임화, 「나의 눈은 핏발이 서서 감을 수가 없다」 부분[35]

　원래 부제를 '메이데이 송가'로 붙여 날짜에 맞춰 신문에 발표(<현대일
보>, 1946. 5. 1)했다는 점에서 노동절 기념시로서의 성격을 지니고 있는
작품이다. 해방 직후에 자신의 정치적 지향을 직접적으로 드러낸 대표적
시인으로 누구보다도 먼저 임화를 들 수 있겠고 인용시는 그러한 시인의
성향을 잘 보여주는 예라 생각된다. 그의 정치적 선택에 따른 투쟁의식이
시의 제목 '나의 눈은 핏발이 서서 감을 수가 없다'에서부터 물씬 풍겨
나오고 있기 때문이다. 이 시에서 투쟁은 '너희들'과 '우리들' 사이에 벌어지
는 것으로 되어 있는데 그것이 이른바 우익과 좌익의 싸움이라는 것은
재론할 필요가 없을 듯하다. 특히 시사적 성격이 강한 이 시에서는 조선노동
조합전국평의회에 대항하기 위해 우익진영에서 결성한 대한독립촉성노동
총동맹을 강하게 의식하고 있다고 하겠는데 그 점은 인용문의 '대한의
병든 가축'이 신문에 발표될 때는 '대한독립노동총동맹의 병든 가축'으로
되어 있었다는 점에서 분명히 드러난다.
　궁극적으로 미군정 당국과의 대결이 되는 싸움에서 시인이 '우리들'이라
고 여기는 진영이 지고 말았다는 것은 역사적 사실이지만 당시의 임화로서

---

35. 『찬가』, 백양당, 1947.

는 정치적 정당성에 대한 확신을 갖고 인용시를 썼다고 할 수 있다. '일본군 경의 양우(良友)'였던 자들이 미군정 당국의 후원으로 급조한 것이 대한독립 촉성노동총동맹인 데 반해 조선노동조합전국평의회는 일제시대부터 감옥을 드나들며 줄기차게 노동운동에 참여해온 사회주의 운동가들의 노고의 결실[36]이라고 할 수 있기 때문이다. 또한 일본인 기업주의 철수에 따른 공장접수 및 자주관리운동과 연계된 조선노동조합전국평의회에 대한 노동 대중의 호응도 인용시를 쓰는 정당성을 뒷받침한 듯하다. 그러므로 임화는 이와 같은 정당성을 바탕으로 "오늘에 또다시 이빨을 갈며 달려드는 너이는 대체 어느 나라 사람이냐"라고 질타할 수 있었던 셈이다. 즉 인용시는 시적 주체가 해방정국의 사회적 갈등의 한복판에 뛰어듦으로써 산문적 확장이 격렬하게 이루어진 경우로 보인다.

사회현실 문제에 대한 실천적 관심이 산문적 확장을 불러오게 마련이라는 점은 인용시뿐만 아니라 해방정국의 진보주의적 경향의 시에서 두루 확인할 수 있다. 하지만 주체의 내면에서 우러나오는 절실함이 자연스럽게 스며들어 있지 못하다는 점이 당시의 정치적 성향의 시가 노출하기 쉬운 약점으로 보이고 인용시 또한 이러한 한계를 드러내고 있다. 시적 응축이란 주체의 내면에서 우러나온 절실함이 자연스럽게 스며드는 과정과 맞물려 있다는 점에서 인용시에 두드러지는 산문적 확장은 시적 응축과의 긴장관계를 제대로 형성하지 못하고 있다. 달리 말해 시 속의 높은 목청이 정서의 자연스러운 삼투에 의한 형태적 완성을 방해하고 있는 형국이다. 이렇게 된 데는 급박하게 돌아가는 사회적 사안에 기동성을 갖고 대응하려는 시인에게 예술성 확보란 한가한 것으로 보인 까닭도 없지 않았을 것이다. 하지만 시가 예술성을 포기했을 때 진정한 감동을 줄 수 없기는 당시에도 마찬가지였을 것이다.

진보주의적 열정에 의해 추진된 광범위한 산문적 확장은 해방정국의

---

36. 김낙중, 『한국노동운동사 ― 해방후편』, 청사, 1982, 61쪽.

주류적 시경향이라고 할 수 있다. 임화, 오장환, 이용악 등의 기성시인뿐만 아니라 김상훈, 유진오, 이병철 등 당시의 신진시인들의 시에서도 시대적 과제의 해결에 투신하는 시적 주체가 광범위하게 나타난다. 그러한 시편들에서 시적 주체가 밀실에 갇혀 있지 않고 광장이나 가두로 진출해 있는 것은 당연한 현상일 터인데 그것이 산문적 확장과 무관할 수 없음은 물론이다. 하지만 시대적 과제의 해결에 조급한 나머지 산문적 확장이 시적 응축과의 긴장관계를 제대로 형성하지 못한 경우가 많다는 것이 문제이고 인용시 「나의 눈은 핏발이 서서 감을 수가 없다」도 그러한 문제점을 노출하고 있다. 그렇지만 시적 응축이 제대로 작용하는 가운데 산문적 확장이 적극적으로 추진됐을 때 시적 긴장이 증폭되고 리얼리즘시로서의 역동성 또한 배가된다고 하겠다. 이미 살펴본 임화의 「깃발을 내리자」나 이용악의 「하늘만 곱구나」, 「기관구에서」 등은 그러한 예로 보인다.

4. 전형성의 추구

의지할 만한 이론적 토대가 없는 리얼리즘시에 관한 논의 자체가 원천적으로 창의적인 사유를 요구하는데 이 점은 시에서 전형을 논의하는 데에도 고스란히 해당된다. 즉 시적 전형을 논의하기에 전범이 될 만한 이론적 바탕은 아직 마련되지 않았다고 보는 것이 좋을 듯하다. 시적 전형론의 이론적 바탕으로 미흡한 것은 리얼리즘에 관한 엥겔스의 유명한 명제, "세부의 충실함 이외에도 전형적 상황에서의 전형적 성격들의 충실한 재현"[37]도 마찬가지라고 생각된다. 원래 장편소설을 염두에 두고 말한 엥겔스의 이 명제를 창의적인 변환 없이 리얼리즘시에 적용하는 것은

---

37. 만프레트 클림 편, 조만영·정재경 역, 『맑스·엥겔스 문학예술론 1』, 돌베개, 1990, 163쪽.

아무래도 우격다짐으로 보인다. 하지만 그렇다고 해서 시에서 전형의 문제를 배제하는 논의가 생산성을 갖는다고는 생각되지 않는다. 적어도 리얼리즘을 논의하기 위해서는 '전형' 개념이 함축하는 정확하고도 원만하며 포괄적인 현실인식의 중요성[38]을 제대로 살려낼 필요성이 있기 때문이다.

이론적 경직성이 초래하는 폐해를 감안할 때 리얼리즘 시론이 규범적 논리로 구성돼서는 곤란할 듯하다. 엥겔스의 명제를 리얼리즘시를 규정하는 규범처럼 시에 적용하려 하거나 거꾸로 시에서 전형성 논의를 배타적으로 부인하려 하거나[39] 논리의 경직성을 초래하기는 마찬가지라는 것이 필자의 생각이다. 엥겔스의 명제를 규범처럼 시에 적용하려 하는 것은 궁극적으로 시의 양식적 독자성을 부인하는 논리로 함몰되기 십상일 것이다. 반면에 시적 전형론의 유효성을 전면적으로 부정하는 것은 시를 통해서는 현실세계에 대한 적실하면서도 유연한 인식이 불가능하다고 보는 논리로 귀결될 듯하다. 현실세계에 대한 정확하고도 원만하며 포괄적인 인식을 시적 형상으로 구현하는 문제가 다름 아닌 시적 전형의 문제로 될 것이기 때문이다. 즉 시 속에 구현된 형상이 현실세계에 대한 정당한 인식과 결부되는 문제를 제대로 살펴보기 위해서는 아무래도 전형성 논의를 회피할 수 없다.

리얼리즘시의 창작방법의 하나로 '전형성의 추구'를 논한다는 것은 개별적 형상이 어떻게 현실세계의 보편적 문제를 끌어안을 수 있느냐의 과제를 탐색하는 것이다. 예술적 현실반영이 "특정하고도 본질적인 한 측면에서 현실을 드러내 보이는 것"[40]인 이상 시적 전형론의 초점은 시적

---

38. 백낙청, 「시와 리얼리즘에 관한 단상」, 『실천문학』, 1991, 겨울, 118쪽.
39. 엥겔스의 명제를 변환 없이 적용하는 대표적인 논의는 김형수, 「서정시의 운명을 밝히는 사실주의」(『한길문학』, 1991, 여름)를 들 수 있고 전형성 논의를 엥겔스주의적 반영론으로 보고 배타적으로 부인하는 대표적인 논의는 윤영천, 「한국 '리얼리즘 시론'의 역사적 전개와 지향」(『민족문학사연구』 2호, 1992)을 들 수 있다.
40. 게오르크 루카치, 홍승용 역, 『미학서설』, 실천문학사, 1987, 260쪽.

형상을 통해 어떻게 현실인식의 순간성과 파편성을 극복하느냐에 놓인다고 할 수 있다. 그런데 시론이란 작품의 실상으로부터 형성되게 마련인 만큼 시적 전형론도 당대의 현실이 핍진하게 드러난 시를 두고 그렇게 된 이유를 찾아보는 과정을 통해 구축될 수 있다고 하겠다. 따라서 소설을 중심으로 구성된 인물과 환경의 전형성 논의가 단도직입적으로 리얼리즘 시론에 적용되기는 어렵다고 생각된다. 곧잘 암시, 생략, 비유, 상징 등과 결부되는 시적 형상이 소설 속의 인물이나 환경과는 판이할 수밖에 없기 때문이다. 하지만 전형이란 어디까지나 형상이기에 시 나름의 양태로 부각된 인물이나 상황을 감안하지 않을 수 없는데 중요한 것은 얼마나 리얼리즘의 성취 혹은 시적 성취에 기여하는 형상이냐일 것이다.

근래의 리얼리즘시 논쟁 과정에서 '전형'의 문제는 중요한 쟁점으로 부각된 바 있는데 이와 관련하여 "전형의 개념이 시에 적용될 수 있다면, 그 대상은 서정적 주체, 더 정확하게 말한다면 서정적 주체가 환기하는 정서, 혹은 정서적 체험이 되어야 한다"[41]는 오성호의 주장이 주목된다. 시적 주체의 전형성에 대해서는 필자도 논의한 바 있지만[42] 오성호의 경우 그것을 전일적으로 관철하면서 동시에 정서의 전형성 문제로 나아감으로써 쟁점이 형성되었다고 하겠다. 여기에서 정서의 전형성 문제는 시적 주체의 전형성 문제로 수렴될 수 있다고 생각되는바 정서 자체가 시적 형상이기도 어려울 뿐만 아니라 시 속에 표현된 정서는 시적 주체의 성격을 형성하는 주요한 원천이 되겠기 때문이다. 또한 시적 주체가 부각되는 시에서 시적 주체의 전형성을 탐색하는 것은 당연하지만 시적 대상이 부각되는 시 또한 얼마든지 있다는 점에서 시적 주체 혹은 서정적 주체로 일원화시켜 전형을 논하는 것은 아무래도 무리라는 것이 필자의 판단이다.

리얼리즘의 성취 혹은 시적 성취를 염두에 둘 때, 시에서 전형 논의는

---

41. 오성호, 「시에 있어서의 리얼리즘 문제에 관한 시론」, 『실천문학』, 1991, 봄, 181쪽.
42. 졸고 「김상훈론」, 『한국학보』, 1990, 겨울, 94~100쪽 참조

최대한으로 유연성을 살릴 필요가 있다고 생각된다. 우선 시적 전형론에 의해 손쉽게 리얼리즘의 성취 여부가 판가름나는 게 아니라 전형성의 구현 정도가 리얼리즘의 성취에 주요한 요소로 작용한다고 보는 게 타당할 듯하다. 마찬가지 맥락에서 '시는 서정시이므로 정서에서 전형성을 찾아야 한다'는 식의 연역적 논리를 앞세우기보다는 리얼리즘의 성취와 관련하여 '개별적 형상이 얼마나 현실세계의 핵심적 문제를 끌어안고 있느냐'를 살피는 것이 필요할 듯하다. 중요한 것은 이론적 단순성이 아니라 시와 리얼리즘에 대한 곡진한 해명일 것이기 때문이다. 그러한 사고의 유연성이 살아날 때 전형성의 구현 정도를 가늠해보는 대상으로서의 개별적 형상을 시적 주체로 고정시킬 필요는 없을 것이다. 전형성 논의의 대상은 당연히 시 속에 집중적으로 부각된 형상인 것이고 그 형상은 시적 주체에 해당될 수도 시적 대상에 해당될 수도 있기 때문이다.

여승은 합장하고 절을 했다
가지취의 내음새가 났다
쓸쓸한 낯이 넷날같이 늙었다
나는 불경처럼 서러워졌다

평안도의 어늬 산깊은 금덤판
나는 파리한 여인에게서 옥수수를 샀다
여인은 나어린 딸아이를 따리며 가을밤같이 차게 울었다

섶벌같이 나아간 지아비 기다려 십년이 갔다
지아비는 돌아오지 않고
어린 딸은 도라지꽃이 좋아 돌무덤으로 갔다

산꿩도 설게 울은 슬픈 날이 있었다

산절의 마당귀에 여인의 머리오리가 눈물방울과 같이 떨어진 날이 있었
다

— 백석, 「여승」 전문[43]

　주관성의 일방통행을 허용하지 않는 것이 리얼리즘시의 특징이라면
그러한 특징은 주관과 객관 혹은 주체와 세계가 상호작용하는 모습이
시 속에 투영됨으로써 드러나는 것이 자연스러울 것이다. 인용시 「여승」의
경우 시적 대상으로서의 '여승이 된 여인'이 집중적으로 다루어지고 있는데
시적 주체는 여승의 생애를 압축적으로 재구성해서 이야기하는 화자의
역할을 하고 있다. 여승의 생애가 시인의 마음속에 적지 않은 파장을
일으켰기에 시쓰기가 이루어졌다 하겠고 그렇기에 시 속에 형상화된 여승
의 생애에는 시인의 마음이 적셔져 있다. 즉 「여승」은 시적 주체가 시적
대상인 여승의 생애에 대해 독자적이고도 창의적인 화자의 역할을 수행함
으로써 주관과 객관이 상호작용하는 모습을 보여주는 작품이라 하겠다.
그리고 그러한 상호작용을 통해 집중적으로 부조된 형상은 시적 주체라기
보다 '여승이 된 한 여인'이라 하겠으니 시적 주체의 위상이 여승에 대해
말하는 존재로 설정되어 있기 때문이다.
　이 시에서 시적 주체는 시적 대상인 여인을 두 번 만난 것으로 되어
있다. 만난 시기는 첫 번째가 금점판에서 옥수수 행상을 할 때이고 두
번째가 산절에 들어가 여승이 된 뒤이다. 그러니까 여인의 생애로 볼
때 2연이 1연보다 앞선 시기를 다루고 있고 3연과 4연에서는 그 사이의
결락된 부분, 즉 평범한 한 여인이 옥수수 행상을 거쳐 여승이 되기까지의
사연이 다루어지고 있다. 여인의 생애의 전환점은 "섶벌같이 나아간 지아
비"에 나타나 있는데 그 이전의 평범한 사연은 과감히 생략되어 있다.
하지만 '섶벌같이'를 통해 그 이전의 생활이 암시된 셈인데 지아비를 울타리

---

43. 『사슴』.

가의 꿀벌에 비유한 점이 주목된다. 식구를 먹여 살리기 위해 섶벌처럼 분주하던 농가의 가장이 먹고살 길을 찾아 광산으로 떠나고 여인은 돌아오지 않는 남편을 찾아 어린 딸을 데리고 옥수수 행상 등을 하며 광산을 전전하게 된 것이다. 하지만 딸마저 죽고 여인은 결국 산절에 들어가 중이 된 것인데 참으로 기구한 사연이 고도의 밀도로 응축되어 있다.

　인용시의 시적 응축은 우선 과감한 생략을 통해 이루어지는바 가령 지아비의 행적은 끝까지 밝혀지지 않고 있다. 여인도 끝내 알아낼 수 없던 사고로 죽었을 거라는 추정을 하게 하면서 진한 여운을 남기고 있는 것이다. 또한 이 시의 시적 응축은 주체의 깊은 슬픔이 행간에 스며들면서 이루어진다고 볼 수 있겠다. 달리 말해 인용시의 여인의 생애에 관한 이야기에는 시적 주체의 막막하고도 안타까운 마음이 적셔져 있다. 나아가 그러한 막막하고도 슬픈 정조는 이 시의 어눌한 어조와 긴밀하게 호응하고 있다. 그리고 이러한 어조를 통해 "쓸쓸한 낯이 넷날같이 늙었다"나 "어린 딸은 도라지꽃이 좋아 돌무덤으로 갔다"와 같은 소박하면서도 효과적인 비유가 구사되는 것이다. 즉 「여승」은 한 여인의 파란만장한 생애가 불과 열두 행의 시구에 수용되어 있지만 시의 형태에는 조금도 무리가 가지 않고 있다. 산문적 확장과 시적 응축의 긴장이라는 면에서 그야말로 괄목할 만한 경지를 보여준 경우이다.

　그런데 문제는 「여승」 속에 구현된 여인의 기구한 생애가 당대의 식민지 현실 전체와 연결된다는 데에 있다. 금점판에서 옥수수 행상을 하다가 승려가 되고 가지취의 냄새가 나는 여인은 특별한 개인이지만 그녀의 생애는 가족이 붕괴될 지경의 당시의 농촌현실을 실감나게 보여주기 때문이다. 즉 인용시의 여인은 개별적 형상이로되 생존 자체가 의문시될 정도로 열악해진 일제강점기 민족현실을 대변하고 있는 존재이다. 따라서 인용시의 '여승'의 형상에서 전형성의 구현을 보는 것은 지극히 자연스러운 시각일 것이다. 그리고 그 점은 역으로 「여승」이 당대의 시 가운데 리얼리즘의 성취라는 면에서 돋보이는 이유가 될 수 있을 것이다. 물론 인용시에 나타난 여인의 생애는 소설에서와는 판이하게 과감한 생략에 의해 극도로 압축되어 있으며 그러한 이야기마저 시적 주체의 정서에 적셔져 있다. 하지만 그것은 시적 형상이 갖는 특수성이고 「여승」의 전형성을 부인하는 이유가 될 수는 없다고 생각된다.

  사투리는 매우 알아듣기 어렵다.
  허지만 젓가락으로 밥을 나려가는 어색한 모양은,
  그 까만 얼골과 더불어 몹시 낯익다.

  너는 내 방법으로 내어버린 벤또를 먹는구나.

  '젓갈이나 걷어 가주 올게지……'
  혀를 차는 네 늙은 아버지는
  자리가 없어 일어선 채 부채질을 한다.

  글쎄 옆에 앉은 점잖한 사람이 수건으로 코를 막는구나.

  아직 멀었는가 추풍령은……
  그믐밤이라 정거장 푯말도 안 보인다.
  답답워라 산인지 들인지 대체 지금 어디를 지내는지?

  나으리들뿐이라, 누구한테 엄두를 내어
  물을 수도 없구나.

  다시 한번 손목시계를 드려다보고 양복장이는 모를 말을 지저귄다.
  아마 그 사람들은 모든 것을 다 이니보다.

되놈의 땅으로 농사가는 줄을 누가 모르나.
면소(面所)에서 준 표지를 보지, 하도 지척도 안뵈니까 그렇지!

— 임화, 「야행차 속」 부분[44]

「야행차 속」은 임화의 시로서는 드물게 목소리가 차분히 가라앉아 있는 시이다. 이 시의 공간은 밤 기차 속인데 화폭의 중심에는 "되놈의 땅으로 농사가는" 농부 일가족이 놓여 있다. 당시에 만주로 쫓겨가던 조선 농민의 모습을 정면에서 그리고 있다. 인용시의 시적 주체는 농부 일가족의 모습을 그리면서 특히 "내어버린 벤또"를 먹는 아이에게 말하는 자세를 취하고 있다. 그러니까 「야행차 속」은 시적 주체가 시적 대상에게 말하는 화법을 취함으로써 주관과 객관의 상관관계를 형성하고 있는 시이다. 그런데 이 시의 시적 주체 혹은 화자의 말은 아이와의 대화를 전제로 한 것이라기보다 나름대로 아이의 마음을 읽으면서 하는 혼잣말에 가깝다. 인용시의 목소리가 격앙되지 않고 차분히 가라앉아 있는 것도 시적 주체의 말이 독백의 성격을 강하게 지니는 것과 호응한다. 즉 「야행차 속」은 밤 기차 속에서 이민 가는 농사꾼 가족의 아이를 보고 토로하는 시적 주체의 말로 이루어진 시이다.

「야행차 속」의 시구에 주체의 정서나 사유가 녹아들어 있음은 물론이다. 여기에 인용되지 않은 시구, "대체 어디를 가야 이 밤이 샐까?"에는 더욱 직접적으로 주체의 정서와 사유가 표현되어 있지만 객관적 정경의 묘사로 보이는 시구, "너는 내 방법으로 내어버린 벤또를 먹는구나"에도 주체의 마음이 드러나 있다. 그 마음을 추상화시켜 말하자면 민족현실에 대한 안타까움이라 할 수 있는데 그것이 기차간에서 만난 농사꾼 일가족의 모습을 통해 구체화된 점이 중요하다고 하겠다. 이 시에서 시적 주체의 전형성을 따지는 일을 일단 시도해볼 수는 있을 것이다. 민족해방으로

---

44. 『현해탄』.

나아가는 길이 보이지 않는 상태에서 괴로워하는 양심적 지식인의 모습을 시적 주체를 통해 살펴볼 수 있을 것이기 때문이다. 하지만 그러한 모습은 이제까지 검토한 대부분의 시에서도 대동소이하게 살펴볼 수 있는 사항이다. 즉 「야행차 속」에서 시적 주체의 전형성을 따지는 일은 이 시를 곡진하게 이해하는 데 별다른 도움이 되지 않는다.

「야행차 속」에 집중적으로 묘사된 것은 아무래도 시적 대상으로서의 농부 일가족이다. 장편소설에서라면 이 농부 일가족이 생활근거를 잃게 된 과정과 만주에 가서 정착하기 위해 겪는 간난신고가 함께 다루어지겠지만 이 시에서는 기차간에서 밥을 주워 먹으며 이민 가는 상황만 부각시켜놓고 있다. 하지만 그 점은 시의 양식적 특수성인 것이고 이민 가는 상황 자체는 시 나름의 특성에 맞추어 충분히 형상화되어 있는 셈이다. 그런데 이 시에 집중적으로 묘사된 상황은 개별화된 형상이면서 동시에 당대의 보편적 현실로 연결된다는 점에서 전형성이 구현되었다고 할 수 있다. 기차간 농부 일가족이야 개별적 내력을 갖고 떠나는 사람들이지만 그들의 이민은 민족말살정책이라는 일제의 기본정책의 소산이라 할 수 있기 때문이다. 또한 그러한 농부 일가족의 상황에 의해 시적 주체의 정서가 객관화된다는 점에 유의할 필요가 있다. 임화의 많은 시에서 노출되는 낭만적 편향을 「야행차 속」에서는 찾아볼 수 없는 것은 바로 이 때문이다.

소설에서의 전형을 기준으로 해서 시에서의 전형을 찾으려 한다거나 그것이 불합리하기에 전형 논의 자체가 불가능하다고 보는 것은 다같이 리얼리즘 시론 형성에 도움이 되지 않는다. 이제까지 「여승」과 「야행차 속」을 통해 시적 전형론의 가능성을 탐구해왔는데 그와 동시에 시적 전형론이 두 작품에 대한 이해에 얼마나 기여하느냐를 살핀 셈이다. 아무래도 단편적이면서도 주관적인 현실인식에 머무는 것이 바람직하지 않은 이상 시적 전형론은 필요할 듯하고 그러한 논의가 작품에 대한 더욱 깊이 있는 이해에 기여할 수 있을 것이다. 「여승」과 「야행차 속」의 경우 개별적 형상을 통해 당대의 민족현실의 핵심을 부각시켰다는 점에서 전형성이 구현되어 있다는 점을 부인하기 어려울 듯하다. 달리 말해 당대의 현실에 대한 정확하면서도 포괄적인 인식이 시의 양식적 특성을 살리면서 구현되었다고 하겠다. 즉 전형성 논의는 「여승」이나 「야행차 속」이 당시의 시 가운데 리얼리즘의 성취라는 면에서 돋보이는 이유를 살펴볼 수 있는 중요한 통로라고 생각된다.

한편 「여승」이 「야행차 속」보다 리얼리즘의 성취라는 면에서 더욱 뛰어나 보이는 이유는 무엇일까. 그 이유는 3절에서 검토한 산문적 확장과 시적 응축의 긴장의 밀도에서 찾을 수 있을 듯하다. 바꾸어 말하자면 「야행차 속」은 「여승」에 비해 시상의 통일이라는 면에서 다소 산만하다고 생각된다. 가령 '모를 말' 즉 일본어를 지저귀는 양복장이와 '내어버린 벤또'를 먹는 아이의 대비는 산문적 확장이라는 면에서 나름의 의미가 있겠으되 그로 인해 시상이 다소 흐트러졌다는 점은 부인할 수 없다. 시상이 흐트러진다는 것은 산문적 확장과 시적 응축의 긴장이 이완된 결과이고 이 점이 「여승」에 비해 미흡하다고 하겠다. 이러한 논의를 통해 추론할 수 있는 것은 시에서 전형성 논의가 전일적으로 관철될 수는 없다는 점이다. 리얼리즘의 성취 자체가 시적 성취에 부응할 때 의미가 있다는 점에서, '전형성 논의'만이 리얼리즘 시론의 핵심인 양 생각해서도 곤란할 듯하다. 즉 '전형성의 추구'는 리얼리즘시의 창작방법의 하나에 해당되는 것이다.

내 성은 오씨. 어째서 오가인지 나는 모른다. 가급적으로 알리워주는 것은, 해주로 이사온 일청인(一淸人)이 조상이라는, 오래인 가계보의 검은 붓글씨. 옛날은 대국숭배들을 유심히는 하고 싶어서, 우리 할아버지는 진실, 이가였는지 상놈이었는지 알 수도 없다. 똑똑한 사람들은, 항상 가계보를 창작하였고 매매하였다. 나는 역사와 내 성을 믿지 않아도 좋다. 바닷가으로 쓸려온 소라쪽처럼, 나는 껍데기가 무척은 무거웁고나. 수통하구나. 이기적인, 너무나 이기적인 애욕을 잊을랴면은 나는 성씨보가 필요치 않다. 성씨보와 같은 관습이 필요치 않다.

— 오장환, 「성씨보」 전문[45]

오장환의 초기 작품 가운데 하나로 전통과 관습을 구분하지 않고 부정하는 진보주의자로서의 시인의 면모가 잘 나타나 있는 시이다. 계승할 만한 전통에 대한 배려 없이 전래의 관습을 송두리째 부정하고 보는 시인의 시정신에 대해서는 앞에서 이미 논한 바 있고 이 시에서는 그 부정의 대상이 봉건적 인습인 성씨보 즉 족보이기에 공감의 폭이 크다고 하겠다. 주된 시적 대상은 제재인 성씨보이지만 그것이 묘사의 대상으로 떠오른 것은 아니다. 이 시는 '성씨보'에 대한 시적 주체의 반응에 초점이 맞추어져 있다. 그러므로 인용시에 집중적으로 부각된 형상은 족보를 무겁고도 흉측한 껍데기로 보고 격렬하게 반감을 표시하는 시적 주체라고 할 수 있다. 족보는 이기적인 애욕의 산물로서 조작된 것이고 자신은 오씨이지만 어째서 오가인지 모른다는 식의 우상 파괴적 태도를 취하고 있는바 이러한 태도를 통해 시적 주체가 형상화된다고 하겠다.

시에 대해 일인칭 양식이라고 한다면 그것은 시적 주체가 시에서 중요한 작용을 한다는 의미로 새겨볼 수 있다. 그런데 시적 주체가 중요한 작용을 한다는 것과 중심되는 형상으로 부각된다는 것은 구분할 필요가 있다. 즉 시적 주체가 차지하는 비중은 개별 작품마다 다를 터이니, 「여승」이나 「야행차 속」의 경우와 달리 「성씨보」에서는 시적 주체가 중심 형상으로 부각되어 있다. 인용시에 집중적으로 부조된 인물형상은 성씨보와 같은 봉건적 인습에 대해 격렬하게 반항하는 청년이다. 그런데 그 청년이 바로 시인 자신의 모습이 투영된 시적 주체인 것이다. 오장환의 족보에 대한 반감은 그 자신이 서자 출신이라는 것과 무관할 수 없을 것이다. 아니 오히려 서자 출신으로서 겪은 갖은 수모가 이러한 시를 쓰게 된 내면적

---

45. <조선일보>, 1936. 10. 10.

동기일 것이다. 하지만 그러한 구구한 개인적 동기를 생략함으로써 사사로움을 떨쳐내고 있다. 즉 시인이 시적 주체로 투영되는 데에도 어느 정도 전형화의 원리가 작용하고 있는 것이다.

일제강점기의 주요한 역사적 과제를 '반제 반봉건'으로 잡는다고 할 때 「성씨보」는 반봉건의 문제가 정면으로 취급된 대표적인 시로 보인다. 그런데 그러한 문제가 생경하게 다루어지지 않고 시적 주체의 정서적 정신적 태도 속에 무르녹아 표현되어 있다는 점이 시적 성취라고 하겠다. 인용시에서처럼 "우리 할아버지는 진실, 이가였는지 상놈이었는지 알 수도 없다"는 식으로 극언을 하는 인물은 아마 당시의 소설에서도 별로 찾아볼 수 없을 것이다. "나는 역사와 내 성을 믿지 않아도 좋다"는 말에서는, 자신의 성씨뿐만 아니라 역사까지 부인함으로써 전통 부정의 진보주의자로서의 면모를 드러내고 있다. 하지만 그러한 격한 발언이 이어지는데도 그것이 시의 형태 속에서 자연스럽게 구사된다는 사실에 유의할 필요가 있다. 다시 말해 인용시의 시적 주체는 드물게 독특한 인물로서 그 형상 속에 당대의 시대적 과제인 반봉건의 문제를 절실하게 끌어안고 있는 것이다. 즉 「성씨보」의 시적 주체에는 전형성이 나름대로 수준 높게 구현되어 있다고 하겠다.

　　이빨 자욱 하얗게 홈 간 빨뿌리와 담뱃재 소복한 왜접시와 인젠 불살러도 좋은 몇 권의 책이 놓여 있는 거울 속에 너는 있어라

　　성미 어진 나의 친구는 고오고리를 좋아하는 소설가 몹시도 시장하고 눈은 내리던 밤 서로 웃으며 고오고리의 나라를 이야기하면서 소시민 소시민이라고 써놓은 얼룩진 벽에 벗어버린 검은 모자와 귀걸이가 걸려 있는 거울 속에 너는 있어라

　　그리웠든 그리웠든 구름 속 푸른 하눌은 우리 것이라 그리웠든 그리웠든

메에데에의 노래는 우리 것이라

　어느 동무들이 희망과 초조와 떨리는 손으로 주위 모은 활자들이냐
아무렇게나 쌓어놓은 신문지 우에 독한 약봉지와 한 자루 칼이 놓여 있는
거울 속에 너는 있어라

─── 이용악, 「오월에의 노래」 전문[46]

　해방정국이라는 격변의 시기를 맞이하여 시인 자신의 모습을 찬찬히
들여다보고 있는 듯한 시이다. 자신을 정리할 시간적 여유를 갖지 못한
채 목소리가 격앙되기 쉬웠던 당시에 이처럼 차분히 자기성찰을 수행하고
있는 경우도 드물 것이다. 시 속의 중심인물이라 할 '거울 속의 너'는
실상 자기성찰의 대상인 시인 자신이겠으니 「오월에의 노래」는 시인의
분신으로서의 시적 주체가 묘사의 대상으로 떠올라 있는 시이다. 1연부터
4연까지가 각각 기·승·전·결에 해당되는 방식의 탄탄한 구성으로
짜여 있는바 3연을 제외하고는 모두 '거울 속의 너'에 묘사의 초점이
놓여 있다. 그리고 '거울 속의 너' 주위에는 특별히 선택된 몇 가지 소도구들
이 배치되어 있는데 그 소도구들은, 뒤이어 상론하겠지만, 시인의 삶뿐만
아니라 정신세계까지 보여주고 있다. 즉 「오월에의 노래」는 해방정국을
맞이해서 그린 이용악의 자화상에 해당되는 시이다.
　"이빨 자욱 하얗게 홈 간 빨뿌리"나 "담뱃재 소복한 왜접시"는 소시민적
삶을 드러내는 소도구로 보인다. 일제강점기에 시인은 고골리의 나라에서
일어난 사회주의 혁명을 동경하면서도 소시민적 삶을 극복하지 못했는데
이제 바야흐로 그러한 삶을 떨쳐낼 시기가 왔다는 것이 시적 주체의 마음인
셈이다. 시의 제목이 '오월의 노래'가 아니고 '오월에의 노래'인 것도 바로
이러한 마음의 지향과 관련된다. 그리고 그러한 마음의 결의를 간접적으로

---

46. 『문학』, 1946. 7.

보여주는 소도구가 '독한 약봉지'와 '한 자루의 칼'이다. 시인에게 진정한 해방의 의미는 3연에 잘 드러나 있다. 그리웠던 구름 속 푸른 하늘과 메이데이의 노래가 우리의 것이 되는 시기라는 것인데 그것은 시인의 삶의 방향을 가리킨다고 하겠다. 즉 「오월에의 노래」에는 해방과 기쁘게 노동하는 것을 동일시하고 바야흐로 그러한 사회로 나아가는 시기를 맞아 그에 부응하는 방향으로 자신의 삶을 변모시키겠다는 결의가 드러나 있다.

정체보다는 변화 속에서 인물의 성격이 생생하게 드러나는 측면이 있는데 「오월에의 노래」의 시적 주체는 바로 그러한 경우에 해당된다. 특히 해방정국과 같은 비상한 시기를 만나 변모하는 모습을 보여준다는 점에서 그 인물 형상이 더욱더 생생하게 보인다고 할 수 있다. 그러므로 인용시에 부각된 시적 주체는 해방정국의 진보적 지식인의 마음가짐을 대변해주는 역동적인 형상인 셈이다. 과거의 무력했던 삶을 반성하면서 바람직한 사회를 건설하는 일에 동참하려는 진실된 인간의 모습이 시적 주체를 매개로 고도로 응축된 형태 속에 형상화되어 있다. 그러니까 인용시는 개성을 지닌 한 인물로서의 시적 주체를 통해 해방정국에서의 진보적 지식인의 보편적 모습을 생생하게 보여준다는 점에서 현실인식의 순간성과 파편성을 극복하고 있다. 즉 「오월에의 노래」에서 현실인식의 순간성과 파편성을 극복하는 미학적 원리로서의 전형성의 구현을 보는 것은 지극히 자연스러운 시각일 것이다.

무엇을 실었느냐 화물열차의
검은 문들은 탄탄히 잠겨졌다
바람 속을 달리는 화물열차의 지붕 우에
우리 제각기 드러누워
한결같이 쳐다보는 하나씩의 별

두만강 저쪽에서 온다는 사람들과

쟈무스에서 온다는 사람들과
험한 땅에서 험한 변 치르고
눈보라 치기 전에 고향으로 돌아간다는
남도 사람들과
북어쪼가리 초담배 밀가루떡이랑
나눠서 요기하며 내사 서울이 그리워
고향과는 딴 방향으로 흔들려 간다

푸르른 바다와 거리 거리를
설움 많은 이민열차의 흐린 창으로
그저 서러이 내다보던 골짝 골짝을
갈 때와 마찬가지로
헐벗은 채 돌아오는 이 사람들과
마찬가지로 헐벗은 나요
나라에 기쁜 일 많아
울지를 못하는 함경도 사내

총을 안고 뽈가의 노래를 부르던
슬라브의 늙은 병정은 잠이 들었나
바람 속을 달리는 화물열차의 지붕 우에
우리 제각기 드러누워
한결같이 쳐다보는 하나씩의 별

—— 이용악, 「하나씩의 별」 전문[47]

해방 직후의 민족이동의 현장이 다루어진 희귀한 시인데, 그것이 시인

---

47. 『이용악집』, 동지사, 1949.

자신의 직접체험과 결부되어 그려져 있다는 점에 유의할 필요가 있다. 이 시의 공간은 화물열차의 지붕 위이고 거기에서 시적 주체는 귀향하는 남도 사람들을 만나고 있다. 시인 자신이 두만강 건너에서 오지는 않았지만 그들과 마찬가지로 헐벗은 채 화물열차 지붕 위에서 하나씩의 별을 쳐다보고 있다. 즉 이 시는 시인이 해방 직후 고향을 떠나 서울로 가는 길에 귀향 동포들을 만난 체험을 작품화한 것이다. 시인으로 볼 때 자신의 직접체험이야말로 시쓰기의 원천일 터인데 그것이 해방 직후의 민족이동이라는 중대사와 결부됨으로써 사사로움을 떨쳐내고 있다. 역으로 민족의 중대사가 펼쳐지고 있는 상황 또한 시적 주체의 체험과 결부됨으로써 구체성을 획득하고 있다. 즉 「하나씩의 별」은 주체와 세계 혹은 주관과 객관의 상호작용이 리얼리즘의 성취에 어떻게 기여하는가를 보여주는 듯한 시이다.

제목으로 삼은 '하나씩의 별'이란 해방과 함께 품게 된 소중한 희망을 상징한다고 할 수 있고 헐벗은 자들이 화물열차의 지붕 위에 누워 그 별을 쳐다보는 장면은 해방정국의 상황을 핍진하게 보여주는 한 폭의 그림으로 보인다. 그런데 이 시의 시적 주체는 그러한 그림 속에 들어가 한 자리를 차지하고 있다. 그들과 함께 "북어쪼가리 초담배 밀가루떡이랑 / 나눠서 요기하며" 자연스럽게 그림의 한 부분이 되고 있다. 시적 주체가 「오월에의 노래」에서는 화폭의 전면을 차지하다시피 하고 있다면 「하나씩의 별」에서는 한 부분을 차지하고 있는 셈이다. 인용시를 통해 해방정국의 한 국면을 실감할 수 있다면 그것은 당대의 상황을 핍진하게 그려낸 형상 때문일 것이고 나아가 그 형상에 전형성이 구현되었기 때문이라고 할 수 있다. 즉 인용시에서 시적 주체의 전형성을 찾기는 힘들지만 시적 주체가 전형적 상황 속에 들어감으로써 당대의 현실이 실감나게 형상화되어 있다고 하겠다.

일반적으로 시인의 정신과 삶이 당대의 핵심적 문제와 결부되지 않는다면 전형성 추구는 성공하기 어렵다고 생각된다. 그런데 그러한 핵심적 문제가 시적 주체와의 상관관계 속의 '시적 대상'에 구현된 경우와 시적 대상과의 상관관계 속의 '시적 주체'에 구현된 경우가 있겠는데 「여승」과 「야행차 속」이 전자에 해당된다면 「성씨보」와 「오월에의 노래」는 후자에 해당된다고 하겠다. 장시가 아닌 보통의 시에서 시적 형상은 시적 대상을 중심으로 통일되거나 시적 주체를 중심으로 통일되는 것이 일반적이다. 그리하여 「여승」과 「야행차 속」의 경우 시적 대상에서 전형성을 찾고 「성씨보」와 「오월에의 노래」의 경우 시적 주체에서 전형성을 찾은 것이다. 그런데 「하나씩의 별」은 시적 주체가 시적 대상 속으로 들어감으로써 주체와 대상 사이의 거리를 무화시킨 경우로 보인다. 이 점은 「야행차 속」의 시적 주체가 이민 가는 농부 일가족에 대해 상대적으로 거리를 두는 것과 대비시킬 때 좀더 뚜렷이 드러난다.

이상에서 논의한 바대로 시적 대상이 됐든 시적 주체가 됐든 한 편의 시에서 집중적으로 부각된 형상을 근거로 전형성의 구현을 찾는 것은 당연하고도 자연스러운 일일 것이다. 그런데 시적 대상이 부각되는 경우와 시적 주체가 부각되는 경우 시인의 정신과 삶이 당대의 핵심적 문제와 결부되는 방식의 차이를 알아볼 필요가 있다. 「여승」이나 「야행차 속」에서는 시적 대상에 대한 주체의 절실한 마음을 통해 당대의 핵심적인 문제를 만나고 있다면 「성씨보」와 「오월에의 노래」에서는 주체의 삶과 정신 자체가 문제적이라고 할 수 있다. 전자의 경우 시인의 정신과 삶이 당대의 핵심적인 문제와 정당한 관계를 맺는 것이 요건이 되겠고 후자의 경우 시인의 정신과 삶 자체가 핵심적인 문제를 내포할 것이 요구된다고 하겠다. 리얼리즘의 풍성한 성취를 위해서는 그 두 가지 방식을 동시에 밀고나갈 필요성이 있는데 그것이 시인으로서의 진정한 현실참여라는 점은 두말할 나위가 없을 것이다.

제4장

．．．．．

시세계의 다양성과 리얼리즘

리얼리즘의 성취가 시적 성취에 우선할 수 없듯이 시 연구 차원에서 리얼리즘을 문제 삼는 이유가 참다운 시에 대한 올바른 해명에 있음은 재론할 필요가 없을 것이다. 앞에서 고찰해온 바대로 리얼리즘 시론은 과거에는 제대로 조명받지 못했던 좋은 시를 해명하는 데 유력한 이론적 바탕이 될 수 있다고 생각한다. 그런데 리얼리즘 미학이 좋은 시를 해명하는 데 유력한 이론적 근거가 될 수 있다는 견해와 모든 좋은 시는 리얼리즘 미학에 의하지 않고서는 해명할 수 없다는 주장은 구분해두는 것이 좋을 듯하다. 또한 이와 유사한 맥락에서 리얼리즘의 성취가 시적 성취에 이르는 주요하고도 바람직한 통로라는 견해와 모든 좋은 시는 리얼리즘시라는 주장도 구분해두는 것이 좋을 듯하다. 경직된 주장이 초래하는 폐해를 피하면서 리얼리즘시에 대해 열린 자세로 유연하게 논의할 필요가 있기 때문이다.

열린 사고는 개별 시인의 시세계를 살펴보는 경우에도 마찬가지로 필요하다. 이제까지 임화, 오장환, 백석, 이용악 등의 시를 리얼리즘의 입장에서 조명해왔는데 그들의 모든 시를 리얼리즘의 범주 안에 두고 해명하려는 것은 아무래도 무리라고 판단된다. 그들의 시적 성취가 주로 리얼리즘의 성취를 통해 달성되고 주요한 시들이 리얼리즘시의 범주에 속한다는 점은 이제까지 논의한 셈이다. 그러나 그와 함께 낭만주의나 모더니즘으로부터 자양을 취하거나 영향을 받은 측면 또한 감안하는 것이 그들의 다양한 시세계를 온전히 이해할 수 있는 길일 듯하다. 아무래도 시에서의 리얼리즘이란 고립된 채보다는 낭만주의나 모더니즘과의 교섭 혹은 갈등 속에서 추구되는 것이 실상일 것이기 때문이다. 그러므로 시에서 리얼리즘의 문제를 제대로 해명하게 위해서는 낭만주의나 모더니즘과의 상관관계를 구명할 필요가 있다.

새삼 확인하는 바이지만 이 글의 주된 과제는 리얼리즘의 성취와 결부시켜 임화, 오장환, 백석, 이용악 등의 시를 조명하고 그와 동시에 리얼리즘 시론을 체계화하는 데 놓여 있다. 그런데 시에서 리얼리즘의 문제는 시정신과 창작방법을 살피는 내부적 접근에 의해서뿐만 아니라 그와 변별되는 경향과의 대비를 통한 외부적 접근에 의해서도 선명히 드러나는 측면이 있을 것이다. 더구나 한 시인의 시세계가 다른 경향을 넘나들며 다양하게 펼쳐질 경우 리얼리즘시 연구를 위해서는 다른 경향을 변별해낼 필요가 더욱 커진다. 가령 오장환의 시는 리얼리즘적 경향뿐만 아니라 모더니즘적 경향을 보이기도 하고 낭만주의적 경향을 보이기도 하는데 이들 사이의 차이와 상호작용을 살피는 것이 리얼리즘시 연구를 위해 긴요하다고 생각된다. 그러한 안목을 기초로 할 때 리얼리즘의 성취 문제를 좀더 포괄적이면서도 심도 있게 탐구할 수 있을 것이기 때문이다.

1. 모더니즘의 수용과 극복

모더니즘의 핵심이 현대성 혹은 새로움의 추구에 있다면 그것은 문학작품의 요체 가운데 하나인 만큼 리얼리즘시 또한 그와 무관할 수 없을 것이다. 시대에 뒤떨어지거나 구태의연한 시에서 리얼리즘의 성취를 찾기는 힘들 것이기 때문이다. 그러므로 중요한 것은 현대성 혹은 새로움의 추구가 시쓰기에서 어떠한 위상을 차지하느냐인데, 다소 단도직입적으로 말하자면 모더니즘적 경향의 시쓰기에서는 이 부분에 사활적 중요성을 두는 데 반해 리얼리즘적 경향의 시쓰기에서는 그렇지 않다는 차이가 있는 듯하다. 덧붙여 말해서, 현대성의 추구를 미적 가공기술의 혁신 문제에 연결시키면서 창작기법의 개발에 비중을 두는 경우가 모더니즘적 창작태도라면 주체의 반응과 결부시켜 당대의 생생한 현실을 최선의 형태를 통해 핍진하게 드러내다 보면 새로움 또한 자연스럽게 구현되는 것으로 생각하는 경우가 리얼리즘적 창작태도라 하겠다.

하지만 이러한 창작태도의 차이가 리얼리즘과 모더니즘 사이에 단절을 초래하지는 않는 듯하다. 현대성 혹은 새로움을 제대로 추구하다 보면 리얼리즘의 성취도 어느 정도 가능해질 수 있고 역으로 당대의 생생한 현실과 그에 대한 주체의 반응에 충실하다 보면 진정으로 새로운 시를 창조할 수도 있기 때문이다. 또한 한 시인의 시창작에서 그 두 가지 태도가 습합되는 경우도 얼마든지 있을 것이다. 즉 시에 대한 유연한 접근을 위해서는 창작태도의 차이를 절대화하지 않는 것이 좋겠는데 그렇다고 해서 창작태도의 문제가 부차적인 것일 수는 없다고 생각된다. 창작태도는 시인의 세계관과 결부되어 형성되고, 창작태도의 차이는 결국 시세계의 차이를 노정할 수밖에 없기 때문이다. 그러니까 리얼리즘과 모더니즘의 만남의 자리를 인정하면서 동시에 창작태도의 차이가 작품의 실상과 어떻게 결부되는가를 살피는 것이 요망된다고 하겠다.

실상 모더니즘의 내포도 리얼리즘의 내포만큼이나 광범위해서 창작태도의 차이에 의해 그 둘을 일률적으로 간단히 구분할 수는 없다. 다만 그러한 차이를 실마리로 해서 '모더니즘의 수용과 극복'이라는 과제를 풀어나가는 것이 우리의 문학사적 맥락에서 생산성을 띨 수 있다고 생각된다. 우리의 문학사에서 대표적인 모더니즘 시인이라면 먼저 정지용과 이상을 들 수 있는데 그들의 경우 이 글에서 집중적으로 다루고 있는 시인들과 거의 동시대에 활동했다는 점에서 더욱 주목된다. 정지용이나 이상은 새로운 미적 가공기술과 결부된 현대성의 추구라는 면에서 당대에 누구보다도 자각적이었다는 사실을 음미할 필요가 있다. 정지용이 참신한 이미지의 창조를 통해 새로움을 추구했다면 이상은 과격한 형태 파괴와 함께 자의식의 세계를 드러냄으로써 현대성을 탐구했던 것이다.

그런데 정지용이나 이상이 모더니즘의 대표적 시인인 이유는 그들의 시가 갖는 형태상의 새로움이 새로운 내용을 매개해낸다는 데 있고, 이것이 미적 가공기술의 혁신이 갖는 적극적 의의일 것이다. 그리고 이러한 새로운 내용이 그들 나름의 시정신과 결부될 것이라는 점 또한 능히 짐작할 수 있다. 정지용 시에서 중심이 되는 유리창 이미지가 사회의식을 지우는 문학적 장치[1]로서의 성격을 갖고 이상 시의 주제가 합리적 세계에 대한 절망으로 수렴된다는 점[2]은 그들의 시정신이 비관주의적 성격을 지닌다는 사실을 드러낸다. 그런데 그들의 비관주의는 사회현실과의 변증법적 상관관계가 단절된 상태로 드러난다는 점이 특징이다. 그들의 미적 가공기술의 혁신은 사회현실에 대한 탐구가 막힌 상태에서 돌파구로서의 성격을 지니는바 이러한 측면은 프로문학운동의 퇴조와 함께 모더니즘 문학운동이 상대적으로 활기를 띠게 되는 문학사적 사실과 맥락이 통한다고 하겠다.

1930년대 모더니즘운동의 중심인물인 김기림은 모더니즘시에 대해 '현대문명에 대한 감수성'과 '말의 가치 발견에 대한 노력'을 근거로 의미를 부여하면서, 그것을 통해 낭만주의의 감상성과 경향파의 내용편중을 극복한 것으로 보았다. 또한 모더니즘시의 한계를 '기교주의적 말초화'라고

---

1. 구체적 사회현실은 단절시키면서 풍경은 통과시키는 유리창 이미지가 정지용의 시에서 갖는 위상과 의미에 대한 상세한 사항은 졸고 「정지용의 시세계」, 『창작과비평』(1988, 여름), 117~30쪽을 참조할 수 있다.
2. 가령 묘혈을 파고 그 속에 들어가 눕는 심리적 행위를 끝없이 되풀이하는 「절벽」(<조선일보>(1936. 10. 5) 같은 시의 주지는 '절벽과 같은 세상에서 묘혈을 파는 행위밖에 어떤 의미 있는 일도 할 수 없다'는 절망에 있다.

지적하고 시단의 새로운 진로를 말의 가치와 사회성을 종합하는 데서 찾았는데[3] 이는 음미할 만한 견해라고 하겠다. 여기에서 모더니즘시를 기교주의적 말초화 혹은 사회성의 결핍으로 본 것은 주체와 세계 사이의 변증법적 상관관계가 단절된 모더니즘시의 한계를 적절히 지적한 것이라고 해석할 수 있다. 그런데 '말의 가치 발견에 대한 노력'이 이미지의 효과에 대한 지나친 집착이 아닌 한 모더니즘시에만 해당될 리 없고 현대문명에 대한 감수성 또한 표피적인 것이 아닌 한 리얼리즘 시인도 갖추어야 할 덕목일 것이다. 즉 모더니즘시를 진정으로 극복해내는 자리에 리얼리즘의 성취가 놓인다고 볼 수 있을 듯하다.

> 흙담벽에 볕이 따사하니
> 아이들은 물코를 흘리며 무감자를 먹었다
>
> 돌덜구에 천상수(天上水)가 차게
> 복숭아 낡에 시라리타래가 말러갔다
>
> ― 백석, 「초동일(初冬日)」 전문[4]

「초동일」은 백석의 초기 시 가운데 하나로서 앞에서 검토한 「청시」나 「산비」와 함께 이미지즘의 영향을 짙게 받은 시이다. 초겨울 날의 풍경이 '흙담벽 앞에서 볕을 쪼이며 물감자를 먹는 아이들'과 '돌절구에 괸 빗물'과 '복숭아나무에 걸어 말리는 시래기 타래'에 대한 묘사를 통해 선명하게 그려져 있다. 묘사에서 지배적인 인상을 중심으로 한 선택의 원리가 얼마나 중요한가를 보여주는 듯이 간명하게 완성된 작품이다. 즉 「초동일」은 객관적 사물에 대한 묘사 위주로 짜인 회화지향의 시이기에 이미지즘

---

3. 김기림, 「모더니즘의 역사적 위치」, 『인문평론』, 1939. 10, 83~85쪽 참조.
4. 『사슴』, 선광인쇄주식회사, 1936.

계열이라는 점에 대해서는 별다른 이견이 없을 듯하다. 1930년대 모더니즘 시의 주류가, 초현실주의와 연결되는 이상을 예외로 친다면, 정지용, 김기림, 김광균 등의 이미지즘 계열에 있다는 점은 널리 알려진 사실이거니와 백석의 초기 시 가운데서도 「초동일」에서처럼 이미지즘의 창작기법이 구사되는 경우를 적지 않게 찾아볼 수 있다.

여기에서 김기림의 견해를 참고로 하여 인용시를 본다면 '말의 가치 발견에 대한 노력'은 '묘사에 의한 선명한 이미지의 창출'과 연결될 수 있는데 '현대문명에 대한 감수성'은 거의 찾아볼 수 없는 상태이다. 김기림은 모더니즘을 "도회의 아들"이라 하고 "문명 속에서 형성되어가는 새로운 감각, 정서, 사고"를 모더니즘시의 주요한 특징으로 꼽았으되[5] 「초동일」은 시골의 한가로운 풍경이 시의 화폭을 채우고 있는 형편이다. 대체로 모더니즘이 자본주의가 성숙된 산업사회를 기반으로 한다는 점은 주지의 사실이지만 1930년대 당시의 이 땅에는 그러한 토대가 제대로 구축되어 있지 않았다. 그리하여 세계관보다는 창작방법 차원에서 모더니즘 시운동이 추진된 측면이 많은데 그 점은 특히 이미지즘 계열의 시에서 두드러지는 듯하다. 백석의 이미지즘시는 초기에 한정되어 나타나고 그의 시의 본령은 다른 데 있다고 생각되지만, 일단 「초동일」은 이미지즘의 창작방법을 활용한 예이다.

인용시와 같은 이미지즘에 두드러지는 특징은 주지주의적 태도에 의한 감정의 절제인데 그런 의미에서 모더니즘시가 백조파류의 감상성을 극복하고 있다는 문학사적 평가가 가능하다. 또한 감당하지 못할 사회적 내용을 미리부터 배제하고 있기에 시의 형태에 무리가 가지 않은 점도 실패한 카프 시와는 다르다. 「초동일」과 같이 욕심을 내지 않고 조촐하게 완성된 시에서 시를 읽는 담백한 맛을 느끼는 것은 어쩌면 자연스러운 일일 것이다. 또한 초겨울의 평화롭고도 한적한 풍경에 스며들어 있는 시인의 순수한

---

5. 김기림, 앞의 글, 83쪽.

마음도 간과할 수 없을 것이다. 하지만 그러한 풍경이 사회의식을 배제하고 난 후의 공백을 메우고 있다는 혐의를 떨칠 수 없는 한 웅숭깊은 감동의 세계로 독자를 이끌지는 못하리라 생각된다. 즉 「초동일」에서 주체와 세계 사이의 상호작용과 그로부터 발생하는 긴장의 역동성을 찾아보기는 요원한 일이고 그런 까닭에 인용시를 두고 리얼리즘의 성취를 말하기는 힘들 것이다.

　　낡은 질동이에는 갈 줄 모르는 늙은 집난이 같이 송구떡이 오래도록
　남어 있었다

　　오지항아리에는 삼춘이 밥보다 좋아하는 찹쌀탁주가 있어서
　　삼춘이 임내를 내어가며 나와 사춘은 시금털털한 술을 잘도 채어먹었다

　　제삿날이면 귀머거리 할아버지가에서 왕밤을 밝고 싸리꼬치에 두부산
　적을 께었다

　　손자아이들이 파리떼같이 모이면 곰의 발같은 손을 언제나 내어둘렀다

　　구석의 나무말쿠지에 할아버지가 삼는 소신같은 짚신이 둑둑이 걸리어
　도 있었다

　　넷말이 사는 컴컴한 고방의 쌀독 뒤에서 나는 저녁 끼때에 부르는 소리를
　듣고도 못들은 척하였다
　　　　　　　　　　　　　　　　　　　　　　　　— 백석, 「고방」 전문[6]

6.　『사슴』.

촌락 공동체가 생생하게 살아 있던 시절의 고향을 고방 즉 광을 중심으로 재현하고 있는 시이다. 대체로 백석의 시가 고향의 재현으로부터 고향 상실감의 표출로 이어지는 흐름에 놓인다고 할 때 「고방」은 백석 시의 본령을 보여주는 작품에 해당된다. 백석의 시에서 고향은 성인인 시적 주체가 등장하여 세계와의 불화를 해소하는, 현존하는 공간은 아니다. 인용시에서 보듯 그의 고향은 주로 유년시절에 대한 회상과 결부되어 있다. 따라서 백석의 고향은 세계와의 불화가 없던 유년시절의 충족적 공간인 것이고 그런 의미에서 그의 고향 재현은 고향 상실감에 대한 시적 대응인 셈이다. 고향 상실감이 갖는 당대적 의의는 국가 상실감의 구체화라는 점에서 찾을 수 있거니와 그런 뜻에서 「고방」은 시인 개인의 이색 취향의 산물이 아닌 것이다. 즉 인용시는 일제강점기의 정신사적 상처를 민감하게 앓고 있는 시인이 상처를 치유하려는 내적 동기에 의해 쓰게 된 작품이라 할 수 있다.

고향 상실감을 다스리려는 내적 동기에 의해 고향을 재현할 경우 그 재현은 '구체성'을 생명으로 한다고 하겠다. 구체적인 고향이라야 우선 시 쓰는 주체에게 실감을 줄 수 있고 상실감을 치유하는 효과를 거둘 수 있기 때문이다. 가령 "손자아이들이 파리떼같이 모이면 곰의 발같은 손을 언제나 내어둘렀다"나 "구석의 나무말쿠지에 할아버지가 삼는 소신같은 짚신이 둑둑이 걸리어도 있었다"는 어눌하면서도 얼마나 실감나는 묘사이며 서사인가. 그리고 이렇듯이 고향을 실감나게 하는 묘사와 서사가 고향 상실감에 대응하는 백석 득의의 효과적인 방법인 셈이다. 그런데 「고방」에서의 묘사는 인간의 행위에 관한 기술로서의 서사와 교직되면서 구사된다는 점이 구체성을 배가시키는 요인으로 작용하는 듯하다. 달리 말해 인간의 행위가 배제되거나 정지된 풍경 묘사와 달리 유년시절의 체험과 결부된 살아 있는 인간의 모습을 생생하게 그려냄으로써 구체성을 확보하고 있는 시가 「고방」이라 하겠다.

백석의 시작 수업이 이미지즘의 세례 속에서 이루어졌다는 점은 「초동

일」, 「청시」, 「산비」와 같은 시가 잘 보여준다. 그런데 그와 같은 이미지즘시
는 담백하고도 세련된 인상을 주지만 시적 감동이라는 면에서 「고방」,
「모닥불」, 「여우난곬족」 등의 고향 재현의 시에 미치지 못한다고 생각된다.
또한 시로서의 새로움 혹은 독창성이라는 면에서도 사투리와 전래의 풍속
이 생생하게 살아 있는 고향 재현의 시가 한층 윗길이라고 생각된다.
그런데 시로서의 독창성 자체를 모더니즘의 징표로 삼지 않는 이상 「고방」,
「여우난곬족」 등을 모더니즘의 범주 안에 놓고 다룰 필요는 없을 것이다.
오히려 '고향을 재현하는 시'로부터 '고향 상실감을 토로하는 시'로 이어지
는 백석 시의 주류는 모더니즘시와는 계통을 달리하는 것으로 보인다.
다시 말해 고향 상실감을 치유하려는 주체의 내적 요구에 따라 당시에
유행하던 이미지즘 혹은 모더니즘 시풍을 극복해낸 경우가 「고방」을 위시
한 고향을 재현하는 시편들로 보인다.

　리얼리즘의 요체 가운데 하나가 구체적 실감이요 그것이 당대의 시대적
정서인 고향 상실감과 결부된다는 점에서 「고방」 등의 시편들을 근거로
리얼리즘의 성취를 논하는 것이 자연스러울 듯하다. 「고방」의 경우 사회의
식은 직접적으로 노출되어 있지 않다. 주체와 세계 사이의 상호작용도
은근하여 치열한 대결의 양상을 띠지 않는다. 인용시 「고방」을 통해 시인은
기억 속의 고향의 한 모습으로서의 "넷말이 사는 컴컴한 고방"을 재현하는
데 몰두하고 있다. 하지만 이 시에서 고향의 재현은 단순한 회고 취미로
보이지 않고 당대적 상황 속에서 소중한 창작적 실천으로 보인다. 농촌
공동체의 급격한 붕괴가 당대의 핵심적 사회현실인 이상 고향의 재현이
단순한 회고 취미일 수는 없다. 즉 시인은 공동체적 삶의 공간으로서의
고향의 재현을 통해 은근히 자신의 사회의식을 삼투시키고 있다. 당대의
현실에 대한 대응이 창조적 형상으로 구현될 때 비로소 리얼리즘의 성취를
말할 수 있다는 점에서 「고방」은 눈여겨볼 만한 작품이라 생각된다.

　　달빛 밝고 머나먼 길 오시리

두 손 합쳐 세 번 절하면 돌아오시리

어머닌 우시어

밤내 우시어

하아얀 박꽃 속에 이슬이 두어 방울

— 이용악, 「달 있는 제사」 전문[7]

마치 정물화처럼 제목을 붙인 「달 있는 제사」는 고도의 시적 응축과
함께 세련된 언어 구사가 돋보이는 시이다. 워낙 짧은 시라서 본격적으로
리얼리즘의 성취를 운위하기는 힘들지만 자신의 생활체험에 뿌리를 내리
고 있기에 리얼리즘적 성향을 보이는 시라 하겠다. 앞에서 「풀버렛소리
가득 차 있었다」를 살펴보면서 이용악 시의 근저에 놓이는 것이 가족사적
체험이라는 언급을 한 바 있거니와 인용시에서도 그러한 양상을 찾아볼
수 있다. 유년시절에 겪은 아버지의 객사를 다룬 시가 「풀버렛소리 가득
차 있었다」라면 아버지의 제사를 다룬 인용시는 그 후속편인 셈이다.
이 시의 중심에는 어머니가 있고 밤새워 우는 그녀의 울음을 통해 가장이
없는 집안의 고생스러운 삶이 암시되어 있다. 그런데 그 울음은 하얀
박꽃 속의 이슬방울로 정화됨으로써 감상성의 흔적을 남기지 않는다.
하얀 박꽃이 소복을 연상하게 하는 점도 「달 있는 제사」를 단순한 소품에
머물지 않게 한다.

인용시만으로는 잘 드러나지 않지만 그의 시 속에서 다루어지고 있는
가족사가 당대의 식민지 현실과 긴밀히 연결된다는 점은 「풀버렛소리
가득 차 있었다」를 통해 밝힌 바 있다. 즉 「달 있는 제사」는 민족현실의
시적 반영이라는 이용악 시의 주류적 경향 속에 놓고 볼 수 있는 시이다.
그런데 「풀버렛소리 가득 차 있었다」의 경우 체험의 무게 자체에 비중이
놓이고 그 무게를 시의 형태가 감당해내는 형국이지만 「달 있는 제사」의

---

7. 『오랑캐꽃』, 아문각, 1947.

경우 세련된 언어 구사 속에 체험의 무게를 거의 느낄 수 없을 정도이다. 예를 들어 "얼음장에 누우신 듯 손발은 식어갈 뿐 / 입술은 심장의 영원한 정지를 가르쳤다"와 "달빛 밟고 머나먼 길 오시리 / 두 손 합쳐 세 번 절하면 돌아오시리"를 비교해볼 때 상대적으로 전자가 질박한 느낌을, 후자는 세련된 느낌을 자아낸다. 그리고 두 시 사이의 이러한 차이는 모더니즘의 수용과 결부시켜 해명할 필요가 있을 듯하다.

이용악의 시집 『분수령』과 『낡은 집』의 세계를 '질박한 생활의 시'라고 개괄할 수 있다면 그러한 특징을 대변해주는 시가 「풀버렛소리 가득 차 있었다」나 「제비 같은 소녀야」 등이라고 할 수 있다. 반면에 시집 『오랑캐꽃』에 실린 「달 있는 제사」나 「전라도 가시내」는 훨씬 더 능숙한 언어 구사력을 보여준다. 질박한 언어의 시가 세련된 언어의 시보다 더 큰 감동을 줄 수 있다는 점은 「풀버렛소리 가득 차 있었다」와 「달 있는 제사」를 비교해볼 때 드러나는 바이지만 역으로 언어 구사력 혹은 시적 형상화 역량의 가치를 유감없이 인식시켜주는 시가 「전라도 가시내」라고 할 수 있다. 「제비 같은 소녀야」와 「전라도 가시내」는 다같이 '북간도 술막으로 팔려온 소녀'를 제재로 한 작품이지만 시적으로 육화시켜내는 수준의 차이가 작품의 성취도의 차이로 연결되는 듯하다. 그러므로 이용악의 모더니즘의 수용은 '언어의 세련'과 관련시킬 때 긍정적인 측면과 부정적인 측면을 아울러 갖고 있다고 하겠다.

대체로 이용악의 시적 성취는 '구체적 생활체험'과 '언어 구사력' 사이의 변증법적 상호작용 속에서 이루어진다고 할 수 있다. 그리고 방금 논의한 작품들 모두 그러한 예에 해당되는 듯하다. 하지만 상대적으로 「풀버렛소리 가득 차 있었다」가 '구체적 생활체험'에, 「달 있는 제사」가 '세련된 언어 구사'에 좀더 비중을 두고 있다는 점은 위에서 논의한 셈이다. 이 점을 시집으로 확대해서 해석하자면 『분수령』과 『낡은 집』은 '구체적 생활체험'에, 『오랑캐꽃』은 '언어의 세련된 구사'에 좀더 경사되어 있다고 말할 수 있다. 시집 『분수령』과 『낡은 집』에 비해 『오랑캐꽃』에 실패한 시가 적은 것은 바로 이 '언어 구사력'의 증대와 긴밀히 관련되는 듯하다. 언어에 대한 자각을 1930년대 모더니즘 시운동의 공으로 돌린다면 이용악은 그러한 면에서 모더니즘으로부터 자양을 취했다고 볼 수 있다. 그러나 언어 구사력이 기교 차원으로 해석되어 생활체험의 빈곤을 기교로 메우려 할 때 리얼리즘의 위축을 유발한다고 하겠다.

> 푸른 입술 어리운 한숨 음습한 방안엔 술잔만 훤하였다. 질척척한 풀섶과 같은 방안이다. 현화식물과 같은 계집은 알 수 없는 웃음으로 제 마음도 속이여온다. 항구, 항구, 들리며 술과 계집을 찾어다니는 시꺼문 얼골. 윤락된 보헤미안의 절망적인 심화(心火). 퇴폐한 향연 속—모두 다 오줌싸개마냥 비척어리며 얇게 떨었다. 괴로운 분노를 숨기여가며······. 젖가슴이 이미 싸늘한 매음녀는 파충류처럼 포복한다.

> — 오장환, 「매음부」 전문[8]

공간적 배경은 유곽이고 유곽 체험이 정면에서 적나라하게 다루어지고 있는 시이다. "술과 계집을 찾어다니는 시꺼문 얼골"이 바로 시적 주체의 형상이라 할 때 시인 자신의 유곽 체험이 형상화된 시인 셈이다. 형태상으로 산문시이지만 "질척척한 풀섶과 같은 방안이다"와 같은 감각적 언어와 "절망적인 심화"와 같은 주체의 감정이 어우러져 이 시를 범속한 산문으로 떨어지지 않게 하고 있다. 이 시에서 그려지고 있는 시적 주체의 유곽 체험은 오장환의 시적 편력의 한 국면인 '항구도시에서의 타락'과 관련된다. 제2장에서 「해항도」를 거론하여 전통 부정의 진보주의자인 오장환의 면모를 살펴본 바 있거니와 이 시에서의 윤락 혹은 타락도 과격한 진보주의자가 진보의 출구를 찾지 못해 몸부림치는 모습이라 할 수 있다. 그러니까 「매음부」에서의 "괴로운 분노"란 전망 부재의 상태에서 진보주의자가

---

8. 『시인부락』, 1936. 12.

겪게 되는 갈등과 별로 다르지 않고 그 갈등으로 인해 "퇴폐한 향연 속"에 뛰어들었다고 할 수 있다.

오장환은 다양한 모색을 보여주는 시인이기에 그의 시에서의 모더니즘적 요소 또한 단순하지 않다. 그의 시에서의 모더니즘적 요소는 다양한 형식실험이나 문명비판 혹은 도시적 감수성 등 여러 방면에서 찾아볼 수 있겠는데[9] 그러한 특성들은 실상 오장환의 시세계에서 핵심적인 위치를 차지하지는 않는다고 생각된다. 인용시의 경우 항구도시의 유곽이 다루어진다는 점에서 일단 도시적 감수성을 찾아볼 수는 있지만 그것은 피상적인 것에 지나지 않는 듯하다. 반면에 이 시의 관건적인 요소는 '유곽이라는 폐쇄공간에서의 세상과의 단절감'에 있다고 생각되고 바로 여기에서 이 시의 모더니즘적 요소를 발견할 수 있다. '유곽이라는 폐쇄공간에서의 세상과의 단절감'이야말로 대표적인 모더니즘 작가인 이상 문학의 핵심적인 모티프이기도 하거니와 여기에서 '세상과의 단절감'은 리얼리즘시와 구분되는 모더니즘시의 주요한 특징으로 보인다. 하지만 이 시가 이상의 시와 다른 점은 세상에 대해 "괴로운 분노"를 숨기고 있다는 것이고 그 점이 「매음부」를 모더니즘시에 머물지 않게 하는 듯하다.

오장환의 시세계를 관류하는 주요한 특성 가운데 하나를 '시적 편력의 역동성'이라 할 때 「매음부」를 모더니즘시로만 보는 시각의 한계가 드러난다. 시의 배경으로서의 유곽은 편력의 경유지로서 시인 자신이 선택한 공간이지만 그 자리에 오래 머물지 않으리라는 점은 "절망적인 심화"의 열도에서도 드러난다. 시인 자신을 "윤락된 보헤미안"이라 하고 있는데 윤락 상태로부터 벗어나는 것이 이후의 시적 편력인 셈이다. 오장환의 전통 부정이 격렬하듯이 그의 타락 또한 격렬한 것은 오장환의 편력이 그만큼 역동성을 지니고 있다는 징표로 해석된다. 그의 시적 편력이 진보주

---

9. 이에 대해서는 서준섭, 『한국 모더니즘 문학 연구』(일지사, 1988), 149~68쪽을 참조할 수 있다. 서준섭은 특히 퇴폐적인 도시체험과 결부시켜 오장환을 모더니즘 시인으로 취급하고 있다.

의적 열정에 의해 수행된다는 점은 시정신을 논하면서 언급한 바 있는데, '시적 편력의 역동성'은 '진보주의적 열정의 강도'에 비례하는 측면이 있다. 그러니까 오장환에게 '유곽이라는 폐쇄공간에서의 세상과의 단절감' 이란 일시적인 것이고 그 공간을 통과해가는 시적 편력의 역동성에 관심을 가질 때 「매음부」는 오히려 리얼리즘적 지향을 보이고 있다고까지 말할 수 있겠다.

저무는 역두에서 너를 보냈다.
비애야!

개찰구에는
못 쓰는 차표와 함께 찍힌 청춘의 조각이 흩어져 있고
병든 역사가 화물차에 실리어 간다.

대합실에 남은 사람은
아즉도
누굴 기둘러

나는 이곳에서 카인을 만나면
목놓아 울리라.

거북이여! 느릿느릿 추억을 싣고 가거라
슬픔으로 통하는 모든 노선이
너의 등에는 지도처럼 펼쳐 있다.
— 오장환, 「The Last Train」 전문[10]

---

10. 『헌사』, 남만서방, 1939.

오장환의 의욕적인 시적 편력은 그의 많은 시에서 시적 주체를 길 위에 있게 하는바, 이 시에서는 기차역 대합실이 시적 공간으로 설정되어 있다. 그의 시적 편력이 단순한 공간이동이 아닌 이상 정신적인 편력을 수반하겠으니 이 시의 기차역 대합실 또한 단순한 물리적 공간이 아니다. 무엇보다도 전별의 대상이 '비애'와 '병든 역사'와 '추억'이라는 점에서 이 시의 공간 자체가 일종의 비유로서의 속성을 강하게 지니고 있다. 각각 1연, 2연, 5연에 분산되어 자연스럽게 배치된 '비애' '병든 역사' '추억'은 다같이 전별의 대상이라는 점에서 대등한 위상을 차지하고 있는데 그것들을 한데 묶어 재구성한다면 '비애의 추억이 서린 병든 역사'라고 할 수 있다. 다시 말해 이 시의 시적 주체는 마지막 열차에 '비애의 추억이 서린 병든 역사'를 실어 보내는, 일종의 전별 의식을 치르고 있는 것이다. '비애의 추억이 서린 병든 역사'는 일단 과거의 시간이니 비유적 의미에서 전별의 대상이 될 수 있을 것이다.

이 시에서 "대합실에 남은 사람"이란 일종의 전별식을 치르고 있는 시적 주체 자신일 터이다. 그리고 그러한 의식을 치르고 있는 시적 주체가 죄의식에 시달리고 있다는 점은 "나는 이곳에서 카인을 만나면 / 목놓아 울리라"에 잘 드러나 있다. 그런데 그의 죄의식은 아무래도 '비애의 추억이 서린 병든 역사'와 관련되는 듯하다. 그의 시적 편력을 감안할 때 격렬한 전통 부정으로부터 출발하여 항구에서의 타락을 거쳐 구약성서적 원죄의식을 통과하는 것이 시집 『성벽』과 『헌사』의 세계라면[11] 인용시에서의 죄의식은 원죄의식과 관련하여 숙고할 만한 가치가 있을 것이다. 「정문」이나 「성씨보」와 같은 전통 부정의 시에서는 죄의식의 흔적조차 찾아볼 수 없는 반면 「The Last Train」에서 죄의식이 짙게 나타나는 이유는 '병든

---

11. 오장환의 시적 편력에 관한 더욱 상세한 사항은 졸고 「오장환의 시적 편력과 진보주의」, 김윤식·정호웅 편, 『한국문학의 리얼리즘과 모더니즘』(민음사, 1989), 311~19쪽을 참조할 수 있다.

역사'와 자신을 무관한 것으로 보지 않고 연루되어 있다고 보는 데에 있다고 생각된다. 달리 말해 병든 역사에 대해 자신의 책임을 인정하느냐 않느냐의 차이가 죄의식의 유무로 나타나는 듯하다.

그런데 오장환의 전통 부정이 국가 상실감과 결부되는 만큼 타락이나 죄의식 또한 그러한 맥락에서 검토해볼 필요가 있을 것이다. 국가의 상실을 초래하는 데 결부됐을, 과거로부터의 전승 전체를 부정하는 시적 주체가 관습의 터전으로서의 고향을 박차고 떠나는 것은 당연한 일일 터이다. 그렇지만 시적 편력을 통해 국가 회복 혹은 진보의 전망을 쉽사리 발견할 수 없던 것이 당시 오장환의 상황이었다. 그러한 상황에서 그는 항구에서의 타락과 구약성서적 원죄의식을 통과하게 되는데 이것은 그의 역사의식의 성숙과정에 해당된다. 쉽게 말해서 미성년의 시인은 역사적 과오를 조상 탓으로 돌리면 되었지만 막상 청년이 되어 타락 외에 아무런 생산적인 일도 할 수 없는 경험을 치른 시인으로서는 역사에 대한 인식을 새롭게 할 수밖에 없었던 것이다. 전통 부정의 태도에는 국가 상실의 과오에 자신은 무관하다는 의식이 바탕에 깔려 있다면 인용시에서 볼 수 있는 죄의식에는 자신 또한 '병든 역사'에 연루되어 있다는 인식이 깔려 있다.

오장환을 모더니즘의 범주 안에 한정해놓고 볼 때 "일종의 범법자와 같은 심정으로 퇴폐의 극에 도달하였고 또 그것을 문학의 이름으로 거침없이 고백하고 합리화하였던 극단적이고도 도착적인 시인"[12]이라는 평가가 가능하겠지만 그것은 피상적인 견해라고 생각된다. 그의 타락이 닫힌 전망 때문에 괴로워하는 위악적인 몸짓이라는 점을 감안하지 않았을 뿐만 아니라 그의 전체 시세계와 관련해 시인을 평가한 것도 아니기 때문이다. 오장환의 시세계 속에서 볼 때 초기 시에 나타나는 항구도시에서의 타락은 부분적인 것에 지나지 않는다. 그리고 그 타락 또한 역사의식의 성숙 과정과 맞물려 있다는 점에서 '문학의 이름으로 퇴폐를 합리화한 도착적인

---

12. 서준섭, 앞의 책, 161쪽.

시인'이라는 평가는 시인의 진정한 면모에 대한 왜곡이라는 혐의가 짙다. 그러한 왜곡이 빚어진 이유는 아마 오장환을 모더니즘시의 테두리 안에 두고 보려는 데 있는 듯하고 그러한 문제점을 극복하기 위해서는 아무래도 시를 현실세계 혹은 사회현실에 대한 대응방식으로 보는 리얼리즘적 시각이 요구된다고 하겠다.

오장환의 시적 편력이란 주체와 세계 사이의 상관관계가 역동적으로 재정립되는 가운데 나타나는 측면이 강하다. 그리고 그러한 측면은 그의 시적 편력이 기본적으로 진보주의적 열정에 의해 추진된다는 점과 호응관계에 놓인다. 그러므로 그의 타락은 부분적으로는 '퇴폐의 향연'을 즐기는 것이라고 볼 수도 있겠지만 그의 시세계를 조망하면서 본다면 주체와 세계 사이의 상관관계를 재정립하기 위한 몸부림인 것이다. 그리고 그러한 재정립의 순간을 작품화한 것이 「The Last Train」이라고 볼 수도 있다. 이 시에서의 추억이란 편력을 통해 만들어지고 '거북등 위에 지도처럼 펼쳐 있는 노선'이란 기왕에 거쳐온 편력의 노선으로 해석될 여지가 있기 때문이다. 그러므로 오장환은 다양한 시적 편력의 과정에서 모더니즘과의 접점을 형성하기도 하지만 그의 본령은 리얼리즘에 있다고 할 수 있다. 그가 인간을 위한 문학을 역설하면서 정지용, 김기림, 이상을 비판하고 카프의 시에 의미를 부여한 것[13]도 그의 본령이 리얼리즘에 있는 것과 관련된다.

2. 낭만적 계기의 활용

'정서의 표현'과 관련하여 서정시와 낭만주의의 원천적 친화성을 감안할 때 시에서 리얼리즘을 제대로 논하기 위해서는 낭만주의의 문제를 검토하

---

13. 오장환, 「문단의 파괴와 참다운 신문학」, <조선일보>, 1937. 1. 28.

지 않을 수 없을 듯하다. 그런데 서정시와 낭만주의의 친화성의 근거를 '주관적 감정표현'에서 찾고 '시는 곧 서정시'라는 논리 아래 '주관성'을 절대시한다면 시에서 리얼리즘을 논의하기 어렵게 된다. 시에서 서정시의 비중이 크듯이 감정표현이 중요하긴 하지만 아무리 낭만주의시라도 주관성에 매몰되어서는 공감을 얻기 힘들 것이다. 즉 주관적 감정이란 객관적 세계와의 상관관계 속에서 주관성을 탈피하는 질적 변화를 거쳐 개성적인 시의 창출로 이어질 수 있다고 하겠다. 그런데 주관성을 탈피하는 질적 변화가 역동성을 지니면서 고도로 진행되어 객관적 현실이 핍진하게 드러날 때 리얼리즘의 성취를 운위할 수 있고 주관성을 제대로 탈피하지 못한 채 주관적 감정과 사유의 표현에 머문 경우 낭만적 경향을 보인다고 할 수 있다.

'주관적 감정과 사유'와 '객관적 현실'의 문제를 이상과 현실의 문제로 바꾸어놓고 보더라도 사정은 비슷할 듯하다. 단순하게 말해서 이상에 경도되는 것이 낭만주의요 현실에 충실한 것이 리얼리즘이라고 하겠지만 이상과 현실 사이의 긴밀한 상관관계 속에서 진정한 문학이 창출된다고 보는 것이 더욱 타당한 시각일 것이다. 좀더 섬세하게 말하자면 리얼리즘시가 객관적 현실에 입각해서 이상을 추구한다면 낭만주의시는 객관적 현실과의 관련을 제대로 맺지 못한 채 이상에 경도된다고 하겠다. 하지만 이것은 편의상의 구분이고 이상을 제대로 추구하다 보면 현실과의 상관관계 또한 긴밀해지지 않을 수 없다는 점에서 진정한 낭만주의시는 진정한 리얼리즘시와 통한다고 할 수 있다. 여기에서 이상과 현실 사이의 조화는 문학작품 안에서 한갓 형식논리로 추구할 수 있는 것이 아니고 어디까지나 사회적 맥락을 감안해서 검토할 필요가 있는 문제일 것이다.

우리의 근·현대사가 대체로 그렇지만 이 글의 논의대상인 시들이 씌어지던 때야말로 이상과 현실 사이의 괴리가 심각한 문제로 등장하던 시기라고 할 수 있다. 특히 임화의 경우 카프의 활동정지 및 해산을 계기로 이상과 현실 사이의 괴리를 절감한 듯한데 그의 시가 낭만적 경향을 보이게 된 것도 바로 이와 관련되는 듯하다. 덧붙여 말하자면 "암흑한 현실을 미워하고 무력한 자기를 혐오하고 오히려 내일의 희망을 잃지 않고 자기의 노래 가운데서 읊을랴는 기도"[14]가 제대로 성공하지 못하고, 이상과 동떨어진 현실에 절망하거나 일방적으로 이상에 매달리는 결과를 초래한 것이다. "일상성의 속악한 쇄사(瑣事)"에 만족할 수 없어서 "인류사회를 광대한 미래로 인도하는 정신"으로서의 낭만적 정신[15]을 강조한 임화의 낭만주의론 자체에 이미 주관주의적 편향이 개입되어 있거니와 그러한 편향은 그의 논리보다 시에 더욱 적나라하게 드러나 있다.

> 나는 다시 한번 온몸의 격렬한 전율을 느끼며,
> 춥고 바람 부는 삼동의 긴 겨울밤,
> 그렇게도 잘 새벽 나루로 나를 나르던,
> 내 착하고 충성된 거루의 긴 항행을 회상한다.
> 굴욕의 분함이 나를 땅바닥에 메다쳤을 제도,
> 너는 보복의 뜨거운 불길을 가지고 나를 일으키었고,
> 패퇴의 매운 바람결이
> 내 마음의 엷은 피부를 찢어,
> 절망의 깊은 골짝 아래 풀잎같이 쓰러뜨렸을 그때에도,
> 너는 어머니와 같이 나를 달래어 용기의 귀한 젖꼭지를 빨리면서,
> 아침 해가 동쪽 산 머리에 벙긋이 웃을 때,
> 일지도 않게 늦지도 않게 새벽 항구로 나를 날랐었다.
>
> 지금
> 우리들 청년의 세대의 괴롭고 긴 역사의 밤,

---

14. 임화, 「진보적 시가의 작금」, 『풍림』, 1937. 1, 17쪽.
15. 임화, 「낭만적 정신의 현실적 구조」, <조선일보>, 1934. 4. 25.

검은 구름이 비바람 몰고 노한 물결은 산더미 되어,
비극의 검은 바다 위를 달리는 오늘
그 미덥던 너도 돛을 버리고 닻줄을 끊어,
오직 하늘과 땅으로 소리도 없는 절망의 슬픈 노래를 뜯어,
가만히 내 귓전을 울린다.

오오, 이것이 청년의 내 주검의 자장가인가?
　　　　　　　　　　　　　　　　　—임화, 「옛 책」 부분[16]

　카프 해산 무렵의 임화의 괴로운 마음이 잘 드러나 있는 작품이다.
그 무렵의 시대적 상황을 나타내는 '암흑의 밤'을 배경으로 한 시로는
「암흑의 정신」 「나는 못 믿겠노라」 「옛 책」 등이 있는바 이러한 자매편적
성격을 지니는 시 가운데 인용시 「옛 책」은 카프 해산을 더욱 직접적으로
다루고 있는 경우이다. 이 시에서 '너'는 '거루'를 의인화한 호칭일 터인데
그 거룻배가 카프에 대한 비유로 해석된다. 즉 "착하고 충성된 거루의
긴 항행"이란 카프의 그동안의 활동을, "너도 돛을 버리고 닻줄을 끊어"는
카프의 해산을 비유하는 것으로 읽힌다. 인용문 앞부분의 생략된 시구
가운데 "벌써 나의 배는 파선하고 마는 것일까? / 한조각의 썩은 널조차
나를 돌보지 않고"란 구절이 있는바 여기에서 '배의 파선'은 '카프의 해산
혹은 붕괴'를 의미하는 것으로 보아도 될 듯하다. 즉 인용시 「옛 책」은
카프의 해산으로 인한 시인의 절망감과 번민이 집중적으로 토로되어 있는
작품인 셈이다.
　이 시의 비유체계로 볼 때 카프는 희망의 새벽 항구로 시적 주체를
실어나르는 배에 해당된다. 그리고 그 배가 닻줄을 끊어 뜯는 "절망의
슬픈 노래"를 "내 주검의 자장가"로 듣고 있는데 여기에서 임화가 카프에

---

16. 『신동아』, 1935. 9.

대해 얼마나 운명적 유대감을 느끼고 있는가가 드러난다. 그런데 여기에서 우리는 동시에 시인이 카프의 의미를 지나치게 사적인 차원에서 수용하고 있다는 느낌을 받게 된다. 카프의 의미를 사적인 차원에서 받아들이고 있다는 점은 "내 착하고 충성된 거루의 긴 항행"이라는 시구에서도 찾아볼 수 있다. 그리고 이 점은 인용문 20행 가운데 '나'에 해당되는 단어가 무려 아홉 번이나 사용된다는 사실에서 더욱 확연해진다. 물론 시가 개인적인 차원에서 어떤 현상을 수용하는 것이긴 하지만 그와 동시에 공적인 의미를 내포할 때 리얼리즘의 성취를 운위할 수 있겠는데 인용시에서는 카프 해산이라는 시대적 사건이 지나치게 주관적인 측면에서 다루어지고 있다.

가령 이용악의 「낡은 집」의 경우 개별적인 사건을 취급함에도 불구하고 그 의미가 당대의 식민지 상황을 포괄하는 방향으로 확산되고 있는데 인용시 「옛 책」의 경우에는 당대의 상황을 상징할 만한 공적인 의미를 내포하는 사건을 다루면서도 그 의미가 지나치게 사적인 차원으로 위축되어 있다고 생각된다. 그리고 이 점은 당대의 상황을 드러내는 데 추상적 비유에 의존하는 것과도 호응하는 듯하다. "검은 구름이 비바람 몰고 노한 물결은 산더미 되어,/ 비극의 검은 바다 위를 달리는 오늘"이 바로 그러한 시구인데 이러한 추상적 비유를 통해 구체성이 확보되기는 어렵다. 또한 이러한 비유는 "청년의 세대의 괴롭고 긴 역사의 밤"과 같은 사변적 언어와도 서로 맥락이 통한다. 즉 인용시는 추상적 비유와 사변적 언어를 통한 사적인 의미 추구의 주관주의적 편향을 보임으로써 임화의 낭만적 시경향이 갖는 한계를 고스란히 안고 있는 경우라고 생각된다.

임화의 주관주의적 편향의 문제는 '암흑의 현실을 미워하고 내일의 희망을 잃지 않으려는 기도'와 관련하여 좀더 천착할 필요가 있을 듯하다. 아무리 시대적 상황이 어렵더라도 역경 속에서 희망을 찾으려는 노력은 소중한 것이고 그러한 노력의 성과에 대해 리얼리즘의 성취를 논할 수 있을 것이다. 하지만 '암흑의 현실'을 추상적으로 파악하고 희망을 '용감한 청년'의 일방적인 의지로 찾아 나서려 할 때 주관주의적 편향이 노출되는 듯하다. 즉 '암흑의 현실'과 '희망' 혹은 '이상'이 서로 긴밀한 상관관계 속에 추구될 필요가 있는 것이다. 그러기 위해서는 우선 암흑의 현실에 대한 구체화와 그 구체화의 과정에서 희망의 기미를 찾아내는 창조적인 작업이 요구된다. 그러므로 아무리 미미하더라도 희망 혹은 이상을 현실 속에서 찾아내려는 것이 리얼리즘적 창작태도라면 희망 혹은 이상을 당위로 설정하여 현실과 유리된 희망에 매달릴 때 주관주의적 편향이 나타난다고 할 수 있다.

그렇지만 임화 자신이 현실과 희망 사이의 긴밀한 상관관계의 중요성을 몰랐다고는 할 수 없다. 그의 입장을 감안해볼 때 현실에 대한 천착을 통해 희망을 찾기에는 시대적 상황이 지나치게 암담하므로 현실에 대한 시적 탐색을 일단 접어두었다고 보는 시각이 타당할 듯하다. 다소 역설적으로 말하자면, 비슷한 시기에 예외적으로 현실에 대한 시적 탐색을 보여주고 있는, 그의 「야행차 속」에서 희망적인 전망을 거의 찾아볼 수 없다는 것이 그 증거라고 할 수 있다. 즉 희망적인 전망을 구현할 수 없는 현실에 대한 탐색보다는 강고한 의지에 의한 이상 추구로 나아간 것이 1930년대 후반의 임화의 행로인 셈이다. 그의 시적 과제로서의 주체 세우기는 강고한 의지에 의한 이상의 추구를 뒷받침한다고 하겠는데 바로 그러한 면에서 임화의 시가 시대적 의의를 지니며 시대정신을 구현하고 있다고 하겠다. 즉 임화의 낭만적 계기의 활용은 주관주의적 편향이라는 부정적인 측면과 시대정신의 구현이라는 긍정적인 측면을 아울러 갖고 있다고 생각된다.

> 시인의 입에
> 마이크 대신
> 재갈이 물려질 때,
> 노래하는 열정이
> 침묵 가운데
> 최후를 의탁할 때,

바다야!
너는 몸부림치는
육체의 곡조를
반주해라.

── 임화, 「바다의 찬가」 부분[17]

　인용시는 임화의 낭만적 경향의 시가 갖는 시대적 의의와 한계를 동시에 보여주는 예이다. "장하게 / 날뛰는 것을 위하여,/ 찬가를 부르자"로 시작되는 이 시는 파도로 일렁이는 바다의 형상을 빌려 '아무리 어려운 상황 속에서도 기꺼이 몸부림치는 행위를 기리는 찬가'라 하겠다. 그의 암담한 현실인식은 "시인의 입에 / 마이크 대신 / 재갈이 물려질 때,/ 노래하는 열정이 / 침묵 가운데 / 최후를 의탁할 때"라는 단속적인 율격과 비장한 어조의 시구에 실감나게 표현되어 있다. 또한 이 시구의 '최후'라는 단어에는 시적 주체의 위기의식이 응결되어 있는 듯하다. 아무리 어려운 상황이 닥치더라도 기꺼이 몸부림치겠다는 의지의 시대적 의미는 인정하는 게 타당할 듯하고 그런 뜻에서 「바다의 찬가」는 시대정신을 구현하고 있다고 하겠다. 하지만 바다에게 반주를 요청할 정도의 기개는 현실과 동떨어진 허세라는 느낌을 지울 수 없다. 그리고 이 점이 임화의 낭만적 경향의 시가 안고 있는 한계로 보인다.

　이상과 현실 사이의 간극을 메우기 위해 임화는 "이상에의 적합을 향하야 현실을 개조하는 행위"[18]를 문학의 기본적 성질로 내세우기도 하지만 현실이 그렇게 만만하지 않다는 사실은 우리의 역사 전개가 늘 확인시키는 뼈아픈 진실이다. 이상에 맞추어 현실을 개조한다는 문학적 포부는 바다에

---

17. <조신일보>, 1937. 6. 23.
18. 임화, 「위대한 낭만적 정신」, <동아일보>, 1936. 1. 1.

게 반주를 요청하는 기개와도 통한다고 할 수 있겠는데 이는 다분히 주관주의적 편향을 안고 있다. 현실 속에서 이상의 구현을 찾는 것이 불가능하기에 이상에 맞추어 현실을 개조한다는 견해를 피력한 셈인데 이러한 견해가 얼마나 주관적인가는 시인의 입에 마이크 대신 재갈을 물리는 당대의 상황 자체가 여실히 보여준다. 즉 시인의 노래가 현실을 개조하는 것이 아니라 역으로 식민지 파쇼체제라는 당대의 세계현실이 시인의 입에 재갈을 물리게 된 것이다. 일제 말 임화의 시창작이 오장환, 백석, 이용악 등에 비해 빨리 중단된 이유 가운데 하나는 현실과의 유대를 상실한 그의 드높은 이상이 끈질긴 시적 대응을 질식시킨 점도 있다고 생각된다.

이상의 논의에서 드러나듯이 1930년대 후반 임화의 시는 리얼리즘과 낭만주의의 접점에서 발생하는 주요한 문제를 내포하고 있다. '어떻게 하면 세계현실을 바람직한 방향으로 변화시킬 수 있나'의 문제는 늘 임화의 뇌리에서 떠나지 않은 화두로서 이러한 문제의식은 방금 검토한 「옛 집」이나 「바다의 찬가」의 바탕에도 깔려 있다고 생각된다. 즉 임화의 시의 바탕에는 늘 리얼리즘적인 문제의식이 깔려 있는데 현실이 암담하기에 낭만주의적 편향을 보인 경우가 「옛 집」이나 「바다의 찬가」와 같은 시라 하겠다. 되풀이하여 말하자면 이상과 현실 사이의 괴리 때문에 현실에 대한 시적 탐색을 접어둔 경우인 것이다. 현실이 암담하기에 현실에 대한 시적 탐구를 유보하는 것은 아무래도 리얼리즘 시인의 정도가 아닐 것이고 임화 시의 주요한 한계 또한 이와 관련된다. 하지만 주체를 강고하게 세워 주체의 의지로 이상을 추구한다는 자세는 시대적 의미를 지니는 것이고 그 점이 낭만적 계기의 유효한 활용으로 보인다.

죽어도
썩지 않을
하나를 지닌
가슴과 가슴은

공처럼 부풀어 올라

드는 손
마디마다 맺힌 피
발을 구르면
따뜻이 흘러내려
너른 회장은
온전히 한 심장

여기 인민공화국의
수도가 있다
노래에도
연설에도
이미 살 길은 명백하고
우리는 단지
죽는 법을 배워
돌아가면 그만이다.

— 임화, 「헌시」 전문[19]

　해방정국의 임화의 시경향을 단적으로 드러내는 작품으로서 제목 아래
부기된 바에 따르면 전국청년단체총동맹 결성대회에 부친 '헌시'이다.
남로당 외곽단체의 하나인 전국청년단체총동맹의 정치적 지향이 임화의
노선과 일치하기에 인용시는 임화의 정치적 지향에 대한 헌시라고도 볼
수 있다. 가령 "여기 인민공화국의 / 수도가 있다"는 시구는 1945년 12월에
있었던 결성대회가 '인민공화국 절대지지'에 초점을 맞추어 진행된 사실[20]

---

19. 『건설』, 1946. 1. 19.

과 호응하고 그것은 당시 임화의 정치적 노선과 결부되는 것이다. 그러므로 인용시는 단순히 하나의 단체 결성에 부친 헌시가 아니라 임화 나름의 신성한 정치적 과제에 대한 헌시로서의 성격을 아울러 지니는 듯하다. 그리고 이 점은 당시 임화 시의 중요한 주제인 '정치적 지향에의 헌신'과도 맥락이 통한다. 인용시에 나오는 '살 길'은 정치적 지향으로, '죽는 법'은 그에 대한 헌신으로 연결되고 이러한 헌신의 자세는 당시 임화 시의 핵심적 성격을 형성한다고 생각된다.

「헌시」는 「바다의 찬가」와 형태상으로 유사한데 그 요체는 시행을 짧게 끊어 씀으로써 발생하는 단속적인 율격과 비장하고도 단호한 어조이다. 그리고 이러한 율격과 어조는 주체의 강렬한 의지를 투영해내는 효과를 거두고 있다. 그러므로 「바다의 찬가」와 「헌시」는 상황이 전혀 다른 시기의 산물이로되 주체의 강렬한 의지를 표현하고 있다는 점은 유사하다고 할 수 있다. 그런데 전자의 경우 주체의 의지가 어려운 시대를 견디기 위한 안간힘의 성격을 지닌다면 후자의 경우 바람직한 국가의 건설이라는 구체적 목표를 향하고 있다. 남로당 노선의 문화적 대변자인 임화의 노선과 결부시켜 말하자면 "노래에도 / 연설에도 / 이미 살 길은 명백하고"에서의 '살 길'이란 바로 '진보적 민주주의 국가 건설'이라는 말로 표방되는 정치적 과제를 달성하는 데 있는 것이다. 즉 「헌시」는 '바람직한 국가의 건설에 진력하자'는 데 주제가 놓이고 그런 맥락에서의 헌신을 선동하는 시인 셈이다.

해방정국의 임화의 시는 시인의 내면에서 우러나온 것이라기보다는 정치적 과제와 결부된 측면이 강하고 인용시 「헌시」도 그러한 예이다. 정치적 과제와 결부된 목표 지향적 성향이 강하기에 작위성을 노출하기 쉽고 이 점이 이 시기 임화 시의 일반적 약점이라 생각된다. 그에게 정치적 과제는 외부에서 주어지는 성질의 것이지 시적 형상화 과정 속에서 자연스

---

20. 김남식, 『남로당연구』, 돌베개, 1984, 88~91쪽 참조.

럽게 떠오르는 것이 아니기 때문이다. 하지만 이 시기 임화 시에 나타나는 강렬한 정치성이 그의 진보주의적 열정과 호응한다는 점 또한 인정하는 것이 마땅할 듯하다. 바람직한 국가의 건설이라는 정치적 과제는 사회적 토대의 변혁과 동궤에 놓인다는 점에서 당시의 사회현실과는 거리가 있고 그렇기에 주체의 의지에 따른 헌신이 요구된다고 하겠다. 즉 현실에 대한 문학적 탐색만으로는 부족하고 '주체의 의지 혹은 열정'과 '이상을 향한 헌신'을 요구하는 것이 당시 임화의 시적 태도라 볼 수 있으며 그런 뜻에서 혁명적 낭만주의가 개입되어 있다고 하겠다.

> 아름다운 서울, 사랑하는 그리고 정들은 나의 서울아
> 나는 조급히 병원 문에서 뛰어나온다.
> 포장 친 음식점, 다 썩은 구루마에 차려놓은 술장수
> 사뭇 돼지구융같이 늘어슨
> 끝끝내 더러운 거릴지라도
> 아, 나의 뼈와 살은 이곳에서 굵어졌다.
>
> 병든 서울, 아름다운, 그리고 미칠 것 같은 나의 서울아
> 네 품에 아모리 춤추는 바보와 술취한 망종이 다시 끓어도
> 나는 또 보았다.
> 우리들 인민의 이름으로 씩씩한 새 나라를 세우려 힘쓰는 이들을……
> 그리고 나는 웨친다.
> 우리 모든 인민의 이름으로
> 우리네 인민의 공통된 행복을 위하야
> 우리들은 얼마나 이것을 바라는 것이냐.
> 아, 인민의 힘으로 되는 새 나라
>
> 8월 15일, 9월 15일,

아니 삼백예순날

나는 죽기가 싫다고 몸부림치면서 울겠다.

너희들은 모도 다 내가

시골구석에서 자식 땜에 아주 상해버린 홀어머니만을 위하야 우는 줄

아느냐.

아니다. 아니다. 나는 보고 싶으다.

큰물이 지나간 서울의 하늘이……

그때는 맑게 개인 하늘에

젊은이의 그리는 씩씩한 꿈들이 흰구름처럼 떠도는 것을……

—오장환, 「병든 서울」 부분[21]

    오장환의 대표적 작품 가운데 하나로서 낭만적 열정의 분출이 두드러지는 시이다. 전체 72행에 달하는 긴 시를 긴장감 있게 이끌고 가는 힘이 주로 낭만적 열정에서 나온다고 여겨질 정도이다. 그런데 「병든 서울」이 해방정국의 시 가운데 빼어난 작품일 수 있는 이유는 무엇보다도 솔직한 자기비판이 바탕에 깔려 있다는 데에 있는 듯하다. 일제 말을 어떻게 겪어냈는가에 대한 시쓰기를 통한 자기비판이야말로 시인으로서의 양심의 이행일 것이기 때문이다. 그런 의미에서 "사뭇 돼지구융같이 늘어슨 / 끝끝내 더러운 거릴지라도 / 아, 나의 뼈와 살은 이곳에서 굵어졌다."는 인식의 소중함이 드러나고, 인용에서 생략된 결구, "아 그동안 슬픔에 울기만 하여 이냥 질척어리는 내 눈 / 아 그동안 독한 술과 끝없는 비굴과 절망에 문드러진 내 쓸개 / 내 눈깔을 뽑아버리랴, 내 쓸개를 잡어떼어 길거리에 팽개치랴"와 같은 시구가 감동적으로 읽힐 수 있는 것이다.

    솔직한 자기비판을 생략한 채 당위 혹은 정치적 과제로서 "인민의 힘으로 되는 새 나라"를 외친다면 시로서 공감을 얻기 힘들 것이다. 또한 뼈와

---

21. 『병든 서울』, 정음사, 1946.

살 속에 배어들어 있는 일제잔재 혹은 식민지인의 근성을 청산하고 극복하려는 노력과 무관하게 "인민의 힘으로 되는 새 나라"의 건설에 뛰어드는 것은 허황된 노릇이 되기 쉬울 것이다. 즉 「병든 서울」의 낭만적 열정이 공허해지지 않은 이유 가운데 하나는 솔직한 자기비판에 있다고 생각된다. 그리고 그러한 자기비판은 당대의 현실에 대한 정당한 인식과 긴밀하게 연결되는 듯하다. 식민지인으로서 뼈와 살이 굵어졌기에 자신이 병들었다는 인식은 당시의 세계현실이 병들었다는 인식으로 확산되고 그런 가운데서 "김승보다 더러운 심사에 눈깔에 불을 켜들고 날뛰는 장사차"와 "씩씩한 새 나라를 세우려 힘쓰는 이들"을 동시에 보고 있다. 즉 「병든 서울」의 낭만적 열정이 공허해지지 않은 또 하나의 이유는 '당대의 현실에 대한 정당한 인식'과 접맥되어 있다는 데서 찾을 수 있다.

「병든 서울」의 낭만적 열정이 "인민의 힘으로 되는 새 나라"의 건설을 향하고 있다는 점은 두말할 나위가 없겠다. 그런데 이러한 이상을 향한 열정이 현실에 대한 정당한 인식과 접맥되어 있다는 점에 주목할 필요가 있겠다. 바람직한 경우라면 '이상을 향한 열정'과 '현실에 대한 정당한 인식'은 서로 상승작용을 일으키겠고 그런 맥락에서 시적 성취를 논할 수 있다. '이상을 향한 열정'이 '현실에 대한 정당한 인식'에 접맥되어 공허함을 탈피하고 '현실에 대한 인식'이 '이상을 향한 열정'을 통해 평면성을 탈피하는 것은 바람직한 상호작용의 한 예일 것이다. 즉 좋은 시에서 리얼리즘과 낭만주의는 배타적으로 작용하지 않고 상승작용을 일으킬 수 있고 「병든 서울」은 그러한 예가 된다고 하겠다. 당시의 조선문학가동맹 결성대회에서 제기한 창작방법 논의에서 "혁명적 로맨티시즘을 계기로 내포한 진보적 리얼리즘"[22]을 내세운 것도 유사한 맥락에서 긍정적인 의미를 부여할 수 있을 것이다.

---

22. 김남천, 「새로운 창작방법에 관하여」, 『건설기의 조선문학』, 조선문학가동맹중앙집행위원회 서기국, 1946, 169쪽.

「헌시」와 「병든 서울」에서 보듯 해방정국의 진보적 시인들의 시에 낭만적 경향이 나타나는 것은 대체로 바람직한 국가의 건설이라는 시대적 과제와 결부된다. 나라 세우기라는 희유의 과제를 앞에 두고 시인들은 당대의 현실에 대한 민감한 반응과 이상을 향한 치열한 열정을 드러냈으니 이 점은 임화, 오장환, 이용악 등 기성시인들뿐만 아니라 유진오, 김상훈, 이병철, 박산운, 최석두 등 신진시인들의 시에서도 광범위하게 찾아볼 수 있다. 즉 진보주의적 열정이 시대적 분위기를 형성한 해방정국은 리얼리즘과 낭만주의의 접점에 놓이는 시들이 풍부하게 산출된 시기이다. 하지만 시대적 과제에 너무 긴박된 나머지 현실에 대한 정당한 인식 및 차분한 탐색보다는 이상에의 일방적 경도로 일탈하는 경우 또한 적지 않았다고 생각된다. 가령 당대의 대표적 시집으로 알려진 오장환의 『병든 서울』의 시편들에도, 「병든 서울」과 같은 수준작을 예외로 친다면, 부정적인 의미에서의 낭만적 편향이 개입되어 있다.

일반적으로 해방정국과 같은 격동기에는 리얼리즘 계열의 시인들이 혁명적 낭만주의에 경사되기 쉽다. 사회의 변혁을 위한 뜨거운 열정과 헌신이야말로 시 쓰는 자의 양심을 실천하는 행위가 될 것이기 때문이다. 나아가 사회현실과의 긴장된 상호관계를 바탕으로 이상을 향한 뜨거운 열정을 구현하는 것은 리얼리즘의 성취에 이르는 주요한 통로라고 할 수 있다. 그리고 그러한 의미에서 혁명적 낭만주의를 리얼리즘시를 쓰는 도정의 주요한 계기로 삼을 수도 있을 것이다. 앞에서도 언급했듯이 좋은 시의 경우 리얼리즘과 낭만주의는 상승작용을 일으키면서 합류할 수가 있고 그런 맥락에서 리얼리즘과 낭만주의를 자유자재로 넘나드는 것이 시인의 역량이기도 할 것이다. 하지만 이상과 열정에 일방적으로 휩쓸려 현실과의 긴장된 상관관계를 상실할 때 낭만적 편향이 나타나고 그러한 편향이 시적 성취에 장애로 작용하는 듯하다. 그리고 이 점은 현실에 대한 정당한 인식 및 끈질긴 탐색으로서의 리얼리즘의 중요성을 역으로 드러낸다고 하겠다.

제5장
·····
결론

이 글의 기본 가설은 리얼리즘의 시각으로 조명할 때 그 시세계와 문학사적 위상이 제대로 드러나는 비중 있는 시인들이 엄연히 존재한다는 것이고 이러한 시인들의 시가 한국 현대시사의 주된 줄기의 하나를 형성하고 있다는 것이다. 그리하여 연구 대상으로 떠오른 시인들이 임화, 오장환, 백석, 이용악 등인바 이들의 시를 심도 있게 논의함으로써 한국 현대시사의 주요한 줄기로서 리얼리즘시의 위상을 드러내는 데 이 글의 중심 과제가 있다. 연구 대상으로 임화, 오장환, 백석, 이용악 등을 선정한 이유로는 이들의 시가 당대의 현실과의 긴밀한 상관관계를 통한 실감의 획득과 예술적 성취라는 면에서 돋보인다는 점 외에도 이들 모두 1930~40년대를 중심으로 하는 유사한 시대적 배경 속에서 활동한 사실을 들 수 있다.

'시와 리얼리즘'의 문제는 이른바 민족민중시의 미학적 기반 마련과 관련하여 필자의 해묵은 관심사이기도 하지만 이 글을 집필하는 데 자극이 됐던 것은 1990년대 초반의 리얼리즘시 논쟁이다. 이 논쟁에 참여하는 과정에서 쟁점 위주의 글을 넘어서는 본격적인 논문을 집필할 필요성이 대두되었던 것이다. 즉 민족민중시의 문학사적 원류를 밝힘과 동시에 리얼리즘 시론을 종합적으로 체계화하는 데에 이 글의 또 다른 과제가 놓인다. 설령 믿고 의지할 만한 시론이 있는 경우라 할지라도 고도의 정신작용의 산물인 시에 적용하기 위해서는 연구자의 창조적 변환이 요청된다. 더구나 이론적 기반으로서의 리얼리즘 시론은 형성과정에 있는 만큼 이 글의 집필에는 애초부터 시론을 형성하면서 문학연구를 진행할 것이 요구되었던 셈이다.

따라서 이 글의 기본적 방법은 '형성과정에 있는 시론'과 '수준에 오른 작품' 사이의 생산적 대화를 연구자의 사유 속에서 깊이 있게 소화하는 데 있고 그것이 기성품으로서의 방법론을 앞세우지 않은 이유의 하나이다. 방법론을 앞세우지 않은 또 다른 이유는 시의 양식적 속성에 대한 연역적 논리보다 우리의 시 작품들을 통해 논리가 형성되는 일이 소중하다는 데 있다. 하지만 이 글을 진행하기 위한 최소한의 기초를 점검할 필요는 있었으니 그에 따라 '시는 열린 장르로서 정서로만 환원할 수 없으며 시 나름의 현실 탐구의 가능성 또한 열려 있다'는 명제와 '리얼리즘시의 창작은 주관과 객관 혹은 자아와 세계의 긴밀한 상관관계 속에 이루어진다'는 명제의 타당성을 논증하였다. 언뜻 보면 대수롭지 않겠지만 이 두 가지 명제를 통해 주관적 정서의 표현에 그친 시에서 리얼리즘의 성취를 기대하기는 어렵다는 점을 부각시킨 것이다.

리얼리즘시는 아무래도 당대 사회현실의 핍진한 형상화와 무관할 수 없고 그런 차원에서 리얼리즘의 성취를 운위할 수 있을 것이다. 그런데 사회현실의 핍진한 형상화는 의당 시 장르의 속성을 최대한으로 살리면서 이루어져야 하는 만큼 시적 성취에 부응하지 못하는 리얼리즘의 성취란 애당초 가능할 수 없다. 즉 '리얼리즘의 성취' 문제는 '리얼리즘시의 범주 설정' 문제보다 항상 더 본질적인 것이다. 여기에서 시 장르의 특수성에 입각한 리얼리즘 미학의 보편성 추구의 문제가 발생하는데 시의 속성을 최대한으로 살리면서 리얼리즘 미학의 보편성 또한 고도로 구현해내는 작업이 요청되는 것이다. 따라서 소설 위주의 리얼리즘론이 우격다짐으로 시에 적용될 수 없고 시이기에 사회현실의 핍진한 형상화와 무관하게 리얼리즘을 운위할 수도 없다.

실상 리얼리즘시의 문제는 '시가 얼마나 세상을 바로 보고 바로 살려는 마음과 결부되는가'의 문제와 '정당한 현실인식이 시 장르의 속성에 호응하면서 어떻게 구현될 수 있는가'의 문제로 수렴되는 듯하다. 달리 말하자면 '리얼리즘의 시정신'과 '리얼리즘시의 창작방법'의 문제인데 가령 '세상에 대한 진실된 마음'이나 '현실인식의 정당성 여부', '바람직한 창작적 실천', '사회현실의 핍진한 형상화' 등 리얼리즘과 관련된 온갖 사안이 이 두 가지 문제로 수렴되는 것이다. 이 글이 시정신과 창작방법 위주로 집필된 것은 이 때문이다. 하지만 리얼리즘시에 대한 해명은 시정신과 창작방법을 살피는 내부적 접근만으로는 미진하다고 하겠다. 실제로 개별 시인들의 창작과정에 모더니즘이나 낭만주의의 영향을 찾아볼 수 있는 이상 그러한 경향과의 상관관계를 살피는 외부적 접근이 아울러 요청되는 것이다.

인간의 정신작용의 정수를 보여주는 양식이 시라는 점에서 '시 속에 투영된 창작주체의 정신'으로서의 시정신 논의는 시론의 요체에 해당된다. 앞에서 말한 '세상을 바로 보고 바로 살려는 마음'은 리얼리즘의 시정신의 근원이 되겠으되 그것이 구체화되지 않을 경우 지당하나 공허한 말이 되기 쉬울 것이다. 따라서 이론적 변환이 필요한데 그것은 개념적 추상의 중간항들을 구체적 시인이나 작품에 대한 논의와 결부해 모색함으로써 가능해진다. 이 글에서 개념적 추상의 중간항으로 마련된 '진보주의' '비관주의' '현실주의'는 임화, 오장환, 백석, 이용악 등의 시세계를 관류하는 시정신이라 여겨진다. 즉 그들의 시에서 '세상을 바로 보고 바로 살려는 마음'이 진보주의, 비관주의, 현실주의와의 상관관계를 통해 발현된다고 생각된다.

진보주의를 '진보에 대한 열망이나 신념을 위주로 하는 정신 경향이라고 규정한다면 일제강점기의 양심적 지식인들이 진보주의에 경사되는 것은 자연스러운 현상이라 하겠다. 당시의 진보주의는 일제의 지배를 벗어나는 것이 진보의 전제조건이라는 인식과 결부되는 것이기 때문이다. 일제강점기의 문학사에서 진보주의가 작용하는 모습은 카프의 문학운동에서 우선적으로 찾아볼 수 있는데 카프의 구성원들이 맑스주의에 경도된 이유 또한 '역사의 진보에 대한 절박감'에서 찾을 수 있다. 하지만 카프 시에 정신의 작용을 생생하게 형상으로 보여주는 경우는 그다지 많지 않다. 시인에게 정신의 단련은 시적 성취와 함께 나아가는 것이 정도라는 점에서 진보주의적 정신의 구현과 관련하여 카프의 시인 가운데 가장 주목되는 존재는 아무래도 임화이다.

임화의 시세계를 관류하는 시정신이 진보주의라는 점은 진보주의적 정신이 당대의 상황에 따라 시적 변모의 형태로 표출되는 데서 우선적으로 드러난다. 가령 프로문학운동이 활발할 때는 역사의 진보를 이끌어갈 사명을 지닌 '노동자' 배역의 단편서사시를 의욕적으로 썼다면 진보에 대한 전망이 막혀 있던 1930년대 후반에는 주체 세우기에 진력함으로써 진보에 대한 신념을 지키려 했던 것이다. 임화의 시에 진보를 이룩하기 위해 매진하는 청년이 등장하거나 진보에 대한 신념을 견지하려는 시적 주체가 나타나는 것은 바로 그의 시정신과 관련하여 이해할 수 있는 특성이다. 또한 해방정국을 맞이해서는 그의 시적 주체가 바람직한 국가의 건설에 투신하는 자세를 취하면서 현저히 공적인 목소리를 내는바 이 또한 진보주의적 정신이 당대의 상황과의 상관관계 속에 발현되는 모습으로 보인다.

임화의 현해탄에 대한 집착은 '새로운 것에 대한 강렬한 선망'이 진보주의의 한 양상이라는 점을 드러내거니와 그것이 전통 부정의 형태로 표출되는 모습은 오장환이 가장 실감나게 보여준다. '전통에 대한 격렬한 반감'은 오장환의 초기 시의 특성을 이루는바 전래적 습속에서 벗어나 사회가 진보하기를 바라는 마음의 표현인 것이다. 전망의 문제와 무관한 진보주의는 상정할 수 없지만 막상 진보를 향한 출구가 막혀 있었던 것이 당시의 상황이었고 그로 인해 발생하는 문제가 진보주의적 갈등이라고 하겠다. 항구도시에서 '위악적 타락'의 몸부림을 보이는 오장환의 시적 주체는 그러한 갈등을 특징적으로 보여주는 형상인 셈이다. 일제 말의 꾸준한 순례 혹은 시적 편력과 해방 직후의 낭만적 열정의 표출 또한 오장환의 진보주의적 정신이 당대 현실과의 길항작용을 통해 드러나는 모습일 것이다.

일제강점기는 진보를 위주로 생각하지 않을 수 없게 하면서 동시에 진보주의적 사유가 제대로 뻗어갈 수 없게 하는 시대이다. 따라서 진보주의적 갈등이 나타나는 것은 필연적인 현상이겠는데 임화의 주체 세우기나 오장환의 편력은 그러한 갈등을 극복하기 위한 시인 나름의 자세이자 방법으로 보인다. 하지만 진보주의적 갈등이 주체의 의지에 따라 일방적으로 극복되는 것은 아닐 터이다. 진보주의적 신념이나 열정이 일제의 파쇼체제에 부딪칠 때 무력해질 수밖에 없었던 것이 당대의 실상인 만큼 그와 관련하여 비관주의적 시정신을 논의할 필요성이 대두된다. 일제 파시즘의 폭압 아래서 민족해방에 대한 전망을 마련할 수 없던 시인들은 사회적 상황의 악화에 따라 절망감에 깊숙이 빠져들게 되었으니 그러한 경우의 시정신을 비관주의라고 불러도 좋을 것이다.

일제 말에 백석은 무력한 개인이 쓸 수 있는 최고의 비가를 산출하였고 그런 의미에서 그는 비관주의적 경향을 대표하는 시인이다. 백석의 시사적 의의는 무엇보다도 고향 상실감에 대한 가장 의미 있는 시적 대응을 보여주었다는 점인데 '고향을 재현하는 시'로부터 '고향 상실감을 토로하는 시'로 이어지는 것이 백석 시의 주류이다. 이 가운데 비관주의는 고향 상실감을 절박하게 드러내는 후기 시에서 특히 짙게 나타난다. 비관주의란 원하지 않는 방향으로 사태가 전개됨에도 불구하고 주체의 의지가 개입될 여지가 없다는 인식을 바탕으로 하는바 백석의 후기 시는 그러한 인식이 운명론과 결부되는 모습을 보여준다. 하지만 그의 초기 시에도 비관주의는 배경처럼 깔려 있다고 보이고 고향을 재현하는 시에서는 행복했던 유년의 공간으로 돌아가 자신의 상실감을 달래려 했다고 해석할 수 있다.

암담한 사회현실 속에서 끝까지 이상을 추구하는 것이 진보주의적 태도라면 무력감에 시달리는 것이 비관주의적 태도인데 중요한 것은 이 두 가지 시정신이 현실과의 긴밀한 상관관계를 형성하지 못할 때 시적 긴장을 잃게 된다는 점이다. 시적 주체를 영웅화시켜 일방적으로 이상에만 몰두하거나 전망의 상실로 인해 절망에 빠지거나 사회현실에 대한 시적 대응은 탄력을 잃고 약화되게 마련이다. 그런데 상황이 아무리 암담하더라도 절망에 빠지지 않고 진보가 아무리 절박하더라도 이상을 당위로 경화시키지 않은 채 현실에 대한 창작적 대응을 유연하고 집요하게 수행하는 자세를 상정할 수 있으니 그러한 자세를 떠받치는 시정신을 현실주의라고 할 수 있다. 여기에서 현실주의는 현실에 대한 창작적 대응을 전제로 한다는 점에서 현실추수주의와는 판이한 개념을 갖는다.

바람직한 사회에 대한 희망 혹은 열망은 우선 진보주의로 현현되는 것이 자연스러운 현상일 터인데 그것이 일제 말과 같은 암담한 시기에 체제의 완강함에 부딪쳐 좌절했을 때는 비관주의로 나타난다. 그리고 이러한 진퇴양난의 상황에서 일종의 변증법적 지양으로 나타나는 시정신이 현실주의인 셈이다. 그러니까 임화와 오장환이 진보주의적 경향을 보이고 백석이 비관주의적 경향을 보인다는 말도 평면적으로 이해하기보다 세 가지 시정신의 변증법적 상호작용 속에서 그러한 경향이 두드러진다고 보는 시각이 타당할 것이다. 즉 임화와 오장환의 경우 진보주의를 위주로 하면서 비관주의와 현실주의를 끌어안고 있다면 백석의 경우 비관주의를 위주로 하면서 진보주의와 현실주의를 끌어안고 있다는 뜻으로 새기는 것이 실상에 맞을 것이다.

그런데 여기에서 남는 문제는 진보주의와 비관주의를 끌어안으면서 그 둘의 변증법적 지양으로서의 현실주의를 위주로 하는 시인은 없는가 하는 것이고 그런 면에서 주목되는 시인이 이용악이다. 이용악의 경우 일제강점기에는 주로 비관주의와의 상관관계를 통해, 해방정국에는 주로 진보주의와의 상관관계를 통해 현실주의적 정신을 육화해낸다. 구체적 생활체험에 뿌리를 내리면서 그것을 당대의 보편적 민족현실로 연결시킴으로써 비관주의적 편향을 극복하려는 것이 일제강점기의 시라면 시인의 현실참여를 바탕으로 구체적 사건을 다룸으로써 진보주의적 편향을 극복하려는 것이 해방정국의 시라 하겠는데 그런 의미에서 이용악은 현실주의적 정신을 구현한 대표적 시인으로 보인다. 이용악이 사회현실의 핍진한 형상화라는 면에서 주목되는 시를 가장 많이 산출하게 된 연유도 우선 그의 시정신과 관련하여 이해할 수 있다.

진보를 열망하거나 전망의 상실로 인해 고통받는 시인이 유념할 사항은 진보란 현실을 토대로 이루어지는 것이요 전망 또한 미미하더라도 현실을 근거로 마련될 수밖에 없다는 사실이다. 즉 현실에 대한 탐색을 포기하지 않는 것이 창작적 실천의 전제로 놓이고 현실주의는 무엇보다도 당시의 사회현실을 핍진하게 그려냄으로써 구현된다고 말할 수 있다. 그렇지만 현실주의는 늘 이상과의 상관관계 속에 진보주의로 경사될 수 있고 좌절감에 의해 비관주의로 전화될 수 있는 만큼 진보주의·비관주의·현실주의의 변증법적 긴장을 견뎌내는 것 자체가 정신의 치열성과 결부된다. 그런데 시적 성취에 이르지 못한 시에 나타나는 정신은 아무래도 단련되지 못한 어설픈 것에 지나지 않는다는 점에서 시정신 논의는 어차피 창작방법 논의로 이어질 필요가 있다.

창작방법을 살핀다는 것은 '어떻게 한 편의 작품이 이루어지게 되나'를 살피는 것이니 시에 대한 일종의 생성론적 접근이라 할 수 있다. 그런데 이 글의 연구 대상이 되는 시들을 염두에 둘 때 창작방법은 예술적 성취와 함께 기왕의 작품 속에 이미 실현된 상태로 존재하는 것이다. 따라서 리얼리즘시의 창작방법을 논의하는 올바른 길은 작품 속에 구현된 다양한 창작방법을 살핌으로써 '시에서 리얼리즘의 성취에 기여하는 방법적 원리'에 대한 탐구로 나아가는 데 있을 것이다. 이 글에서는 그러한 탐구를 위해 '진실성의 구현' '시적 주체의 형상화와 주체 세우기' '산문적 확장과 시적 응축' '전형성의 추구' 등의 항목들을 설정하였는데 이 네 가지 항목들은 유기적 형상에 대한 논리적 접근을 효과적으로 수행하기 위한 이론적 추상의 통로인 셈이다.

시 혹은 리얼리즘시에서 감동의 원천은 실감이라 할 수 있고 실감은 진실성을 바탕으로 획득될 수 있다고 하겠다. 진실성에 역행하는 허위의식이란 실감과 감동을 결정적으로 훼손하는 요인이 되기 때문이다. 즉 진실성의 구현은 시적 성취에 기본적으로 요구되는 사항이면서 리얼리즘시의 바탕을 이루는 것이다. 그런데 리얼리즘시에서 진실성의 구현이란 '시 쓰는 동기의 정당성이나 순수성'을 넘어서서 '주체의 세계에 대한 진정한 마음이 시 속에서 자연스럽게 스며나오는 경지'를 지향한다. 그러니까 정치의식이 표면적으로 강하게 노출되는 경우 주체의 마음의 자연스러운 발로로서의 내적 필연성을 확보하기 어렵고 사회의식이나 정치의식을 증발시킨 시의 경우 세계에 대한 진정한 마음이 배어나오기 어렵다는 점에서 리얼리즘의 성취로 이어지는 진실성의 구현에 실패하게 된다.

진실성을 구현하기 위해서는 우선 시 쓰는 마음가짐이 정당하고 순수해야 할 것이다. 그런데 임화, 오장환, 백석, 이용악의 시에서 '시 쓰는 동기의 정당성이나 순수성'에 문제가 있는 시는 거의 없다. 하지만 그들의 시편 가운데 시적 주체의 내적 필연성을 확보하지 못함으로써 작위성을 노출한 경우나 세계현실과의 긴밀한 상관관계를 형성하지 못함으로써 사사로움을 제대로 탈피하지 못한 경우는 적지 않다. 언뜻 보아 '주체의 내적 필연성의 확보'와 '사사로움의 탈피'는 서로 이율배반적인 요구사항이라고 할 수 있다. 하지만 그러한 이율배반적인 요소를 끌어안고 고도로 통일해내는 것이 진실성의 구현과 관련된 시인의 역량일 것이다. 그리고 이 점은 시 속에 창작주체의 삶과 정신이 절실하게 투영되면서 동시에 보편적 의미를 획득하는 문제와 다르지 않다.

창작주체의 삶과 정신이 시적 주체를 매개로 시 속에 투영된다고 할 때 진실성은 통상적으로 '시적 주체의 진실성'을 바탕으로 구현된다고 할 수 있다. 시적 주체가 허위의식에 사로잡혀 있다면 진실성의 구현을 기대할 수 없고 시인의 삶에서 자연스럽게 우러나온 시적 주체가 아니라면 작위성을 노출하기 마련일 것이기 때문이다. 마치 한 개인에게 성격이 있듯이 시적 주체도 나름대로 개성을 갖춘 존재이고 한 개인의 성격이 하루아침에 형성되지 않듯이 시적 주체 또한 갑작스럽게 형성되지는 않는다고 생각된다. 나아가 시적 주체란 개별 작품의 문제로 끝나지 않고 한 시인의 전체 작품 속에서 생명을 누리는 존재라고 하겠다. 즉 시적 주체의 형성은 섣부른 재주로 되는 것이 아니고 한 시인의 삶의 무게가 제대로 실려 있을 때 진실성의 구현으로 연결되는 것이다.

시적 주체에는 시인의 성향이 반영되기 마련이지만 적어도 리얼리즘시에서는 그 과정에서 어느 정도 전형화의 원리가 작동하는 듯하다. 시인 주변의 온갖 신변잡사를 걸러냄으로써 한 인간으로서의 진면목이 시적 주체를 중심으로 응결되는 것이다. 주체와 세계 사이의 긴밀한 상관관계가 리얼리즘시의 요체인 이상 상황의 변화와 무관하게 아무런 변화도 보이지 않는 시적 주체가 살아 있는 형상일 수는 없을 것이다. 즉 시적 주체가 자기동일성을 지니면서 변모해가는 것이 각 시인들의 시세계의 형성과 변모에 직결된다고 생각된다. 임화, 오장환, 백석, 이용악의 시적 주체가 각기 독자적 성격을 지니고 있음은 물론이고 이것은 그들의 시정신과 결부된다. 또한 그들의 시적 주체가 시대상황의 변화에 따라 제각기 뜻깊은 반응을 보임으로써 생동감 있는 시세계를 형성하고 있다.

범박하게 보아 1930년대 후반 임화, 오장환, 백석, 이용악의 시적 주체는 다같이 낙관적 전망을 마련하지 못해서 괴로워하는 존재이다. 그런데 임화의 경우 상황이 아무리 암담하더라도 좌절하지 않는 시적 주체를 세우려 했던 반면 나머지 시인들의 경우 대체로 당대의 현실에 대해 깊이 안타까워하고 슬퍼하는 자로 시적 주체를 형상화하고 있다. 한편 사회현실 문제에 적극적으로 참여하는 시적 주체의 등장은 해방정국의 리얼리즘시의 일반적 특성으로 보이는바 당시의 작품이 전하지 않는 백석을 제외하면 임화, 오장환, 이용악의 경우가 유사하다고 생각된다. 시대적 상황이 구체적 실천을 요구할 때 시적 주체가 세계현실에 대해 적극성을 띠는 것은 자연스러운 일이며 그것은 주체와 세계 사이의 긴밀한 상관관계를 형성하는 데 전제가 될 수도 있을 것이다.

시적 주체와 세계현실 사이의 긴밀한 상관관계가 리얼리즘시의 요건이라 할 때 '산문적 확장'의 문제가 과제로 떠오른다. 이 글에서의 산문적 확장이란 시적 주체와의 상관관계 속에 드러난 세계현실을 의미하는 것이기 때문이다. 그런데 시로서의 형태적 완결성을 지향하는 것이 '시적 응축'이라고 볼 때 시적 응축과의 긴장관계가 이완된 산문적 확장이란 무의미해지기 쉬울 것이다. 산문적 확장이란 새로운 내용의 확보를 위한 모험이라고 하겠는바 그 모험이 시적 응축과의 팽팽한 긴장관계 속에서 수행되지 않는다면 바람직한 새로운 시가 생성되지 않을 것이기 때문이다. 원천적으로 산문적 확장과 시적 응축은 적당한 비율로 절충되는 방식으로 통일되지는 않는다. 다시 말해 고도의 긴장 상태에서 최고의 내용적 충실성과 최선의 형태적 완결성을 동시에 지향한다고 하겠다.

일반적으로 인간의 삶의 문제에 대한 관심이 배제된 세계현실로의 모험은 상정할 수 없다는 점에서 서사성의 문제는 산문적 확장의 문제와 연결된다. 리얼리즘의 성취라는 면에서 간과할 수 없는 임화의 「야행차 속」, 오장환의 「모촌」, 백석의 「여승」, 이용악의 「낡은 집」 등이 서사성을 강하게 지니고 있는 것은 우연이 아닌 것이다. 그런데 다른 장르에서와는 달리 시에서의 서사는 시적 주체와의 밀접한 관계 속에서 구사되는 것이 일반적이다. 위의 시들에 주체의 호흡과 정서가 비교적 자연스럽게 스며들어 있다는 것은 시적 응축과의 긴장관계 속에서 산문적 확장이 이루어지고 있다는 증거이다. 여기에서 시적 응축이란 주체의 내면에서 솟아나오는 운율이나 정서의 자연스러운 삼투에 의한 형태의 완성과 다르지 않기 때문이다.

사회현실 문제에 대한 실천적 관심이 산문적 확장을 불러온다면 그것은 현실세계에 대한 정확하고도 유연한 인식을 시 속에 구현하려는 '전형성의 추구' 문제와 접속된다. 리얼리즘시의 창작방법의 하나로 '전형성의 추구'

를 논한다는 것은 개별적 형상이 어떻게 현실세계의 보편적 문제를 끌어안을 수 있느냐의 과제를 탐색하는 것이다. 그러므로 '사사로움의 탈피' 문제와도 연결되는 시적 전형론의 초점은 시적 형상을 통해 어떻게 현실인식의 순간성과 파편성을 극복하느냐에 놓인다고 하겠다. 그런데 곧잘 암시·비유 등과 결부되는 시적 형상이 소설 속의 인물이나 환경과는 판이할 수밖에 없을 것이다. 따라서 시 나름의 방식으로 부조된 형상에서 전형을 찾을 수밖에 없으니 중요한 것은 얼마나 리얼리즘의 성취 혹은 시적 성취에 기여하는 형상이냐일 것이다.

일반적으로 시인의 정신과 삶이 당대의 핵심적 문제와 결부되지 않는다면 전형성 추구는 성공하기 어려울 것이다. 그런데 그러한 핵심적인 문제가 '시적 대상'에 구현된 시와 '시적 주체'에 구현된 시가 있겠으니 가령 백석의 「여승」이 전자에 해당된다면 이용악의 「오월에의 노래」는 후자에 해당된다. 즉 시적 주체가 됐든 시적 대상이 됐든 한 편의 시에서 집중적으로 부각된 형상을 근거로 전형성의 구현을 찾는 것은 지극히 당연한 일일 것이다. 그런데 시적 대상이 부각되는 경우와 시적 주체가 부각되는 경우 시인의 정신과 삶이 당대의 핵심적인 문제와 결부되는 방식에 차이가 있겠으니 전자의 시에서는 시적 대상에 대한 주체의 절실한 마음을 통해 당대의 핵심적인 문제를 만나고 있다면 후자의 시에서는 주체의 삶과 정신 자체가 문제적이라고 하겠다.

시 연구 차원에서 리얼리즘을 문제 삼는 이유가 참다운 시에 대한 올바른 해명에 있음은 재론할 필요가 없을 것이다. 하지만 리얼리즘 미학이 좋은 시를 해명하는 데 유력한 이론적 근거가 될 수 있다는 견해와 모든 좋은 시는 리얼리즘 미학에 의하지 않고서는 해명할 수 없다는 주장은 구분할 필요가 있다. 이 글의 기조가 임화, 오장환, 백석, 이용악 등의 시를 리얼리즘의 입장에서 조명하는 데 있다는 점은 새삼 말할 나위가 없겠으되 그것은 그들의 모든 시를 리얼리즘의 범주 안에 두는 입장과는 다르다. 그들의 시적 성취가 주로 리얼리즘의 성취를 통해 달성되고 그들의 주요한 시들이 리얼리즘시의 범주에 속한다고 하겠지만 이와 함께 모더니즘이나 낭만주의로부터 영향받고 있는 측면 또한 감안하는 것이 그들의 시세계를 온전히 이해할 수 있는 길일 것이다.

실제의 창작현장을 감안할 때 리얼리즘과 모더니즘은 서로 영향을 주고받는다고 생각된다. 모더니즘의 핵심이 현대성의 추구나 미적 가공기술의 혁신에 있다면 리얼리즘시 또한 그와 무관할 수 없을 것이다. 시대에 뒤떨어지거나 구태의연한 방법의 시에서 리얼리즘의 성취를 기대하기는 힘들 것이기 때문이다. 하지만 리얼리즘 시인은 현대성의 추구나 미적 가공기술의 혁신 자체에 일차적으로 비중을 두지는 않는다. 당대의 생생한 현실을 주체와의 긴밀한 상관관계 속에 드러내다 보면 내용이나 형태 면에서의 새로움 또한 자연스럽게 확보된다고 보는 것이 리얼리즘적 창작 태도인 셈이다. 문학사적 맥락에서 보아 1930년대 모더니즘시의 한계를 기교주의적 말초화에서 찾는다면 모더니즘시를 진정으로 극복해내는 자리에 리얼리즘의 성취가 놓인다고 할 수 있다.

모더니즘과의 관련 양상은 시인마다 각기 다른데 백석의 초기 시에 나타나는 이미지즘의 창작방법이나 이용악의 세련된 언어 구사, 그리고 오장환의 항구도시에서의 타락 등에서 모더니즘의 영향을 찾아볼 수 있다. 그리고 이러한 영향들이 그들의 시세계를 다양하고도 풍요롭게 하고 있다. 그런데 백석의 경우 초기의 이미지즘시를 벗어나 고향 탐구의 시를 씀으로써 자신의 본격적인 시세계를 열어 갔다면, 이용악은 구체적 생활체험을 바탕으로 언어 구사력을 증대함으로써 자신의 절창들을 써냈다고 할 수 있다. 한편 오장환의 항구도시에서의 타락은 그의 시적 편력의 한 국면인 셈인데 역사의식의 성숙과 맞물려 있다는 점이 특징이다. 대체로 보아 백석, 이용악, 오장환의 시에서 모더니즘의 영향은 그들의 리얼리즘적 성취를 위한 일종의 자극으로 작용하였다고 생각된다.

서정시와 낭만주의의 친화성을 감안할 때 시에서 리얼리즘을 제대로 논하기 위해서는 낭만주의와의 접점의 문제 또한 검토하지 않을 수 없다.

시에서 감정표현의 비중이 크다는 점에 대해서는 별다른 이견이 없겠지만 표현된 감정이 주관성에 매몰되어서는 공감을 얻기 힘들다. 즉 주관적 감정이란 객관적 세계와의 상관관계 속에서 주관성을 탈피하는 질적 변화를 거칠 필요가 있다. 그런데 주관성을 탈피하는 질적 변화가 고도로 진행되어 객관적 현실이 핍진하게 드러날 때 리얼리즘의 성취를 운위할 수 있겠고 그렇지 못한 경우 낭만적 경향이 드러난다고 할 수 있다. 이 점을 이상과 현실의 문제로 바꾸어놓고 본다면, 객관적 현실에 입각해서 이상을 추구하는 것이 리얼리즘시라면 객관적 현실과의 관련을 제대로 맺지 못한 채 이상에 경도되는 것이 낭만주의시라 하겠다.

이 글의 대상 시인 가운데 낭만주의로의 경사가 가장 심한 경우는 임화인데 그 까닭은 주로 이상과 현실 사이의 괴리에서 찾을 수 있다. 시대상황이 지나치게 암담하므로 현실에 대한 탐색을 일단 접어두고 강고한 의지에 의한 이상 추구로 나아간 것이 1930년대 후반의 임화의 행로인 셈이다. 현실이 암담하기에 현실에 대한 시적 탐구를 유보하는 것은 아무래도 리얼리즘 시인의 정도가 아닐 것이고 임화 시의 주된 한계 또한 이와 관련된다. 한편 해방정국과 같은 격동기에는 리얼리즘 계열의 시인들이 혁명적 낭만주의에 경사되기 쉽다고 하겠다. 사회의 변혁을 위한 뜨거운 열정과 헌신이야말로 사회현실과의 긴장된 상관관계를 형성하는 통로가 될 수 있겠으니 임화와 오장환은 그러한 방향의 시쓰기를 밀고 나갔던 해방정국의 대표적 시인인 것이다.

이제까지의 개괄 및 요약에서도 드러나듯 '시와 리얼리즘' 문제를 논의하기 위해서는 실로 다층적이면서도 다각적으로 변증법적 사유가 요구되는데 그러한 요구에 제대로 부응하지 못한 점이 많은 듯하다. 무엇보다도 당대를 살아가는 시인들의 고투를 제대로 살피지 못하고 흘러간 과거를 바라보는 자의 시각이 지나치게 관철되지 않았나 우려된다. 논문 쓰기의 편의를 위해 논의 대상을 제한함으로써 리얼리즘의 성취가 주목되는 시들을 더욱 폭넓게 검토하지 못한 한계 또한 안고 있다. 시론의 체계를 살리기 위해 작품 분석이 섬세하지 못한 측면이 있고 쉽사리 설명되지 않는, 시의 예술적 자질에 대한 배려도 부족했다고 생각된다. 그러니까 미흡한 대로 리얼리즘시에 관한 체계적 사색의 성격을 지니는 이 글은 리얼리즘시에 관한 표준이나 규범의 제시와는 거리가 멀다. 하지만 섣부르게 표준이나 규범을 제시하는 것이야말로 리얼리즘시 논의에 요망되는 변증법적 사유로부터 이탈하기 쉬운 일이라고 생각할 수도 있을 것이다.

(『한국 현대 리얼리즘시 연구』, 1995)

제2부

한국 현대시사와 리얼리즘

『님의 침묵』과 한국 현대시사

.....

1. 『님의 침묵』에 대한 거시적 시각

이 글은 시집 『님의 침묵』을 현대시사의 큰 흐름 속에 놓고 보고자 하는 데 시각이 맞추어져 있다. 시집 간행과의 오랜 시차가 거시적 조망을 요구하기도 하지만 제대로 거리를 두고 조망할 때 잘 보이는 측면이 있기도 하다. 아무래도 한용운(韓龍雲, 1879~1944)의 『님의 침묵』의 출현은 커다란 문학사적 사건이 아닐 수 없다. 커다란 문학사적 사건은 미시적 시각으로 볼 때 오히려 그 의미를 놓치는 경우가 많다. 『님의 침묵』을 한국 현대시사의 융융한 흐름과 결부시켜 보고자 하는 것은 그 때문이다.

한국문학사에서 현대시가 모습을 드러내기 시작한 것은 1910년대 후반이다. 주요한이나 김억 등의 시인과 <태서문예신보>나 『창조』 등의 지면이 함께 거론되는 것은 그 때문이다. 그렇지만 현대시형성사가 아니고 현대시사는 1925년과 1926년에 김소월의 『진달래꽃』과 한용운의 『님의 침묵』이 연이어 간행되면서부터 본격적으로 전개된다는 것이 필자의 견해이다. 오늘날에도 독자가 많고 후배 시인들의 창작에 계속해서 영향을 미쳐

왔다는 점에서 갖게 된 견해인데 그것은 논리라기보다 실감으로부터 나온 것이라고 볼 수도 있다.

필자가 '근대시' 대신 '현대시'라는 용어를 선호하는 것도 실감과 관련된다. 김소월이나 한용운의 경우 독자층이 두텁고 후배 시인들이 의식하지 않을 수 없다는 점에서 오늘날에도 그 의미가 생생히 살아 있는 시인들로 여겨진다. 그들의 시적 성취와 무관하게 시를 쓸 수는 있겠으되 그와 같은 시가 이 땅에서 문학사적 의미를 띠기는 어렵다. 그러한 뜻에서 소월과 만해는 한국 현대시사의 초입에 서서 현대시사의 전개에 계속해서 영향력을 행사하고 있는 시인들이다.

1950년대만 하여도 전통단절론이 심각하게 거론되었지만 오늘날 한국 현대시는 전통의 무게를 제대로 감당하지 않고서는 진정으로 새로운 시인이 등장할 수 없을 만큼 축적되어 있다. 오늘날의 시쓰기는 선배나 동료 시인들이 이미 이룩한 성취를 바탕으로 삼고 이루어진다고 보아도 좋을 것이다. 역대의 수많은 시인들이 이룩한 시적 성취를 외면하거나 혹은 그에 견주어 왜소하게 위축되어서는 현대시사의 전개에 의미 있는 역할을 감당할 수 없을 것이다. 그러한 맥락에서 소월과 만해는 새로운 시인이 되기 위해 가장 먼저 통과해야 하는 관문에 해당된다고 하겠다.

현대시사와 관련하여 김소월의 지속적인 영향력은 한(恨)의 미학과 관련하여 많이 논의되었다. 김소월을 원조로 하여 김영랑, 서정주, 박재삼 등으로 이어지는 전래적 서정시 혹은 전통적 서정시가 한국 현대시사의 주요한 줄기로 인식되고 있을 정도이다. 반면에 현대시사의 흐름과 관련하여 한용운의 선구자적 위상은 제대로 밝혀져 있지 않다. 그리하여 이 글의 주된 과제는 만해가 초입에 서서 한국 현대시사의 전개에 어떤 동인으로 작용하고 있는지를 밝히는 것이다.

만해의 문학적 활동은 한시, 시조, 소설 등을 통해 펼쳐지기도 하지만 그것은 현대시사의 전개와 궤도를 달리한다. 또한 현대시에 해당하는 다른 시도 없지는 않지만 그의 시적 성취는 주로 시집 『님의 침묵』에 놓여 있다. 현대시사에서의 한용운의 위상은 『님의 침묵』의 위상과 별로 다르지 않다. 이 글의 제목을 '『님의 침묵』과 한국 현대시사'라 한 이유는 거기에 있다. 그러니까 이 글은 『님의 침묵』이 한국 현대시의 성격을 형성하는 데 어떠한 작용을 했으며 현대시사의 전개에 어떠한 동인으로 작용해왔는지를 탐색하는 데 바쳐질 것이다.

2. 개성적인 어조와 시적 자아

조선시대에 주로 향유하던 시가 한시라는 점은 주지의 사실이다. 당시에 '시(詩)'는 곧 한시였다. 최초로 국문학사의 틀을 잡은 조윤제 이후 시조를 크게 부각시켜 다루고 있지만 막상 당시의 시인들이 창작적 열정을 기울인 것은 주로 한시를 통해서이다. 한시가 과거시험 과목이기도 했거니와 개인의 소양과 재능을 재는 척도로 작용했던 것이다. 그리하여 조선시대 시가문학의 대표자라 할 수 있는 윤선도나 정철 같은 이들의 문집에서조차 한시를 앞세워 수록하고 있다. 말과 시의 긴밀한 상관관계를 감안할 때 시조나 가사가 소중해 보이지만 조선시대 문인들의 문화적 감각은 한시를 위주로 형성되었던 것이다.

일제강점기에 접어들면서 언문일치운동이 지속적으로 활발하게 전개되고 현대시운동은 그러한 시대적 흐름과 긴밀히 호응하고 있다. 다시 말해 초창기의 현대시는 말과 글의 일치의 중요성을 실감나게 구현해내는 매체로 작용하기도 하였다. 한문학적 소양을 익히면서 유소년기를 보내고 불가의 선시적 전통에 익숙한 한용운의 경우 그러한 시대적 흐름을 대변하는 존재이기도 하다. 그의 경우 일상적으로 한시를 써오다가 『님의 침묵』을 쓰게 된 것이다. 그가 가갸날의 제정에 열정적으로 호응한 것[1]은 한시

---

1. 「가갸날에 대하여」, 『한용운전집 1』 증보판, 신구문화사, 1979, 386~7쪽 참조 이

작가로서는 예외적이지만 『님의 침묵』의 시인으로서는 당연한 일일 터이다.

그런데 문학사적으로 현대시가 종래의 한시를 대체한 의미를 언문일치의 시각으로만 보아넘겨서는 수박겉핥기의 차원을 벗어날 수 없다. 물론 시에서 언문일치가 중요하기는 하지만 거기에서 나아가 한시와 현대시의 차이점을 살피는 게 필요하다. 그렇게 함으로써 현대시의 특성과 현대시가 떠맡은 장르적 역할이 제대로 드러날 것이기 때문이다. 하지만 최치원 이래의 한국 한시와 소월과 만해 이래의 한국 현대시를 비교하는 일은 필자의 역량 밖이고 이 글의 과제도 아니다. 다만 만해의 경우 현대시 못지않게 한시의 창작에도 의욕적이었던 만큼 한시와 변별되는 현대시의 특성을 살피는 데 시금석이 될 수 있을 듯하다.

만해의 경우 한시는 승려의 교양이자 문화로 산출된 측면이 강하다. 승려로서의 교유나 깨달음 기행 등이 한시의 소재로 널리 활용된다. 그리하여 만해의 한시는 그의 생활과정이 직접 간접으로 표출된 생활시[2]로서의 성격을 강하게 띠고 있다. 반면에 『님의 침묵』은 예술적 창조력의 집중에 의해 산출된 시집이다. 범박하게 말해 만해의 한시가 일상성을 특징으로 한다면 『님의 침묵』의 시들은 예술성이 훨씬 강조되어 있다. 예술성에 대해서는 좀더 논의가 필요하겠지만 친구와 만나 회포를 푸는 차원[3]에서 예술적 창조력이 발휘되기는 어렵다고 하겠다.

> 남아란 어디메나 고향인 것을(男兒到處是故鄕)
>
> 그 몇 사람 객수 속에 길이 갇혔나(幾人長在客愁中)
>
> 한 마디 버럭 질러 삼천세계 뒤흔드니(一聲喝破三千界)

책은 이 글의 주된 자료인바 이후에는 『전집 1』이라고 약하여 출전을 밝힐 것이다.

2. 김재홍, 『한용운문학연구』, 일지사, 1982, 50쪽.

3. 이에 대해서는 「석왕사에서 영호 유운 두 화상을 만나 시 두 수를 짓다(釋王寺逢映湖乳雲兩和尙作二首)」와 같은 시를 참조할 수 있다. 『전집 1』, 105~6쪽.

눈 속에 점점이 복사꽃 붉게 지네(雪裡桃花片片紅)[4]

바람도 없는 공중에 수직의 파문을 내며 고요히 떨어지는 오동잎은 누구의 발자취입니까.

지루한 장마 끝에 서풍에 몰려가는 무서운 검은 구름의 터진 틈으로 언뜻언뜻 보이는 푸른 하늘은 누구의 얼굴입니까.

꽃도 없는 깊은 나무에 푸른 이끼를 거쳐서 옛 탑 위의 고요한 하늘을 스치는 알 수 없는 향기는 누구의 입김입니까.

근원은 알지도 못할 곳에서 나서 돌부리를 울리고 가늘게 흐르는 작은 시내는 굽이굽이 누구의 노래입니까.

연꽃 같은 발꿈치로 가이없는 바다를 밟고 옥 같은 손으로 끝없는 하늘을 만지면서 떨어지는 날을 곱게 단장하는 저녁놀은 누구의 시입니까.

타고 남은 재가 다시 기름이 됩니다. 그칠 줄을 모르고 타는 나의 가슴은 누구의 밤을 지키는 약한 등불입니까.

—「알 수 없어요」 전문[5]

만해의 한시와 현대시 가운데 대표작에 해당되는 시를 각각 인용하였다. 앞에서 일상성과 예술성을 대비시켜 만해의 한시와 현대시의 특성을 부각시켰는데 그러한 논리가 우격다짐으로 관철될 수는 없다. 위의 한시의 경우 대표작이고 선승으로서 깨달음을 얻은 순간을 설파한 일종의 오도송

---

4. 『전집 1』, 172쪽.「정사년 12월 3일 밤 10시경 좌선 중에 갑자기 바람이 불어 무슨 물건인가를 떨구는 소리를 듣고 의심하던 마음이 씻은 듯 풀렸다. 그래서 시 한 수를 지었다.(丁巳十二月三日夜十時頃坐禪中忽聞風打墜物聲疑情頓釋仍得一詩)」라는 다소 긴 제목의 시의 전문이다. 참고로 전집 한시의 역자는 이원섭이고 인용문 또한 그에 따른 것이다.
5. 『님의 침묵』(회동서관, 1926)에 수록된 시는 현대어 표기법에 따르기 위해 한계진 해설·주석본(서울대학교출판부, 1996)을 텍스트로 삼았다. 이후에 인용한 한용운의 시도 마찬가지이다.

이기에 일상성이 짙게 나타나지는 않는다. 깨달음의 순간이 일상적으로 닥칠 수 없기 때문이다. 하지만 어떤 선적 깨달음의 순간에 시를 쓴다는 행위 자체는 승려로서 일상적이라고 볼 수 있다. 그런데 앞의 한시에 비해 뒤의 「알 수 없어요」가 예술성이 두드러진다는 점은 어렵지 않게 인정할 수 있겠다. 고향이나 객수와 같은 관념어 대신 돌부리나 저녁놀 같은 형상어로 시가 이루어져 있다는 사실이 그러한 판단의 우선적인 근거이다.

시에서 언문일치가 중요한 것은 무엇보다도 시에서의 예술성이 언어의 질감과 관련되기 때문일 것이다. 또한 고향이나 객수와 같은 한자어와 돌부리나 저녁놀 같은 순우리말의 질감이 다르다는 점도 시를 애호하는 이라면 두루 느끼는 사실일 것이다. 그리고 이 점은 1920년대에 이 땅에서 한시와 현대시를 쓰는 근본적인 차이라 할 수 있다. 시에서 예술성을 살리는 일은 의미와 소리의 조화가 빚는 효과를 극대화하는 문제와 연결되고 그러한 맥락에서 현대시가 예술성의 강화를 지향하지 않을 수 없다고 하겠다. 또한 예술성을 지향하다보니 시적 형상의 창조에 민감하게 되고 다채롭게 비유가 구사되는 「알 수 없어요」는 그 본보기가 되는 예이다.

언어의 질감과 관련하여 부각되는 문제는 어조이다. 말과 뜻이 구분되는 한시에서 어조를 논하는 게 어색하긴 하지만 번역을 통해서라도 목소리를 감지한다면 선승의 할(喝)에 해당되는 인용시에서 남성적인 굵은 목소리를 들을 수 있다. 반면에 「알 수 없어요」에서는 여성적인 간절한 목소리를 듣게 되는데 이러한 어조는 『님의 침묵』 시편들의 공통 특징이라 할 만하다. 그런데 전자의 목소리는 선승의 일반적인 호언으로 개성이 느껴지지 않는 반면 후자의 목소리는 『님의 침묵』의 시편들을 통해 창조된 개성적인 목소리라 할 수 있다. 개성적인 목소리를 내지 않고 진정으로 새로운 시인이 등장할 수 없다는 차원에서 보면 만해가 현대시사의 초입에 서서 어떤 역할을 하는지가 드러난다.

남성적인 굵은 목소리로도 얼마든지 개성적인 어조를 창조할 수 있겠지만 대중을 상대로 한 호언이 개성적이기는 어려운 듯하다. 선전선동을 위주로 한 1930년 전후의 카프 시에서 개성적인 목소리를 찾기는 어렵고 그러한 맥락에서 카프 시가 한국 현대시사의 주변으로 밀려난 이유를 찾을 수도 있겠다. 다시 말해 사회적 실천이라는 차원에서 투철했던 만해의 시를 계승하고 극복하려 하기보다는 쉽게 간과한 이들의 실패라고 볼 수도 있다. 이 점을 역으로 뒤집어보면 『님의 침묵』은 한국 현대시사의 초입에서 개성적인 목소리의 창조가 얼마나 중요한가를 보여주는 시집이라고 해석할 수 있다.

여성적인 간절한 어조는 『님의 침묵』의 청자가 대체로 님으로 설정된 것과 깊이 호응한다. 간절히 그리는 존재인 님에게 간곡하게 속내 말을 건네는데 "한 마디 버럭 질러 삼천세계 뒤흔드니"와 같은 호언은 가당치 않다고 하겠다. 「알 수 없어요」의 청자를 님으로 보면 이 시는 님을 향한 연속적인 질문으로 짜여 있다고 볼 수 있다. 그 질문을 통해 자연현상의 어떤 모습으로 순간적으로 나타나는 님의 존재를 감지하고 그러한 님을 향한 간절한 마음을 토로하며 마무리하고 있다. 마무리 부분의 "그칠 줄을 모르고 타는 나의 가슴은 누구의 밤을 지키는 약한 등불입니까"에서 보듯 님은 시적 자아가 헌신적으로 사랑하는 존재이니 여성적인 간절한 목소리가 나오는 것은 자연스러운 일이다.

여성적인 간절한 목소리는 여성적인 행위와 직접 연결되기도 한다. "나는 당신의 옷을 다 지어놓았습니다./심의도 짓고, 도포도 짓고, 자리옷도 지었습니다."(「수의 비밀」)와 같은 시구는 그러한 예이다. 이러한 여성적인 목소리를 내는 시적 자아가 선승이자 독립운동가로서의 시인과는 당연히 구분된다. 하지만 님의 상징 의미가 궁극적 진리나 해방된 조국을 포괄한다면 님에게 헌신적 사랑을 바치는 시적 자아가 한용운과 구분되지 않는다. 그러니까 『님의 침묵』의 시적 자아는 시인의 분신이면서 동시에 시적 진실을 구현하기 위해 개성적으로 창조된 존재이다. 그리고 이러한 개성적인 시적 자아의 창조는 『님의 침묵』의 시적 성취와 깊이 연결된다.

현대시에서 개성적인 시적 자아의 창조는 시인으로서 존재의 근거를 마련하는 일에 해당된다. 개성적인 시적 자아의 창조 없이 진정으로 새로운 시인이 되기는 어렵다. 시적 자아는 일단 시인의 분신의 성격을 지니지만 시 속에 등장할 때 변용을 겪게 마련이다. 일반적으로 시인의 성격이나 면모를 바탕으로 시적 자아가 창조된다고 하겠는데『님의 침묵』은 변용이 많이 이루어진 경우로 보인다. 변용의 정도야 어떻든『님의 침묵』은 개성적인 시적 자아의 창조가 얼마나 중요한가를 보여주는 시집이다. 그리고 그러한 차원에서『님의 침묵』은 현대시사의 전개에 동인으로 작용하고 있다. 후배 시인들에게 어떠한 시적 자아를 창조할 것인지 계속해서 묻고 있는 것이다.

3. 삶의 진실과 산문적 호흡률

앞에서 현대시사의 초입에 서 있는 시인으로 소월과 만해를 나란히 거론한 것은 그들이 단순히 초창기의 시인이라는 뜻이 아니라 자기 시대의 역사적 정신적 과제를 현대시라는 새로운 시형식을 통해 제대로 감당하고 있다는 뜻이다. 달리 말해 그 과제는 식민지 현실을 직시하면서 한국인에게 새로운 비전을 보여줄 수 있는 시형식 찾기[6]라고 할 수도 있겠는데 그러한 지난한 과제에 나름의 개성적인 방식으로 맞닥뜨려 뚜렷한 성취를 보인 시인이 소월과 만해라 하겠다. 그러니까 소월과 만해는 뜻깊은 내용과 그에 걸맞은 형식의 통일을 현대시를 통해 본격적으로 보여주기 시작한 시인들로 보인다.

소월과 만해는 동시대의 시인이기에 공유하는 측면이 적지 않은데 우선 떠오르는 것이 '님과의 이별을 전제로 한 연시'를 주로 썼다는 점이다.

6. 김윤식·김현,『한국문학사』, 민음사, 1973, 143쪽.

님과의 이별이야 예로부터 흔히 등장하는 시가의 모티프이지만 두 시인의 경우 그것이 식민지인으로서의 감각이나 정서와 깊숙하게 접맥된다. 정도 차이는 있지만 그들의 님은 단순한 연정의 대상에 그치지 않고 국가 상실감에 대응하여 창조된 존재로 해석될 여지가 많은 것이다. 님이란 조국이 존재함으로써 이루어질 것으로 기대되는 사랑 이상 희망을 두루 상징하는 말로 볼 수도 있기 때문이다. 소월의 경우 님을 상실한 아픔이 두드러지게 나타난다면 만해의 경우 부재하는 님에 대한 절대적 신뢰가 특징적인데 국가 상실에 대한 각기 다른 반응으로 보아도 좋을 것이다.

산산히 부서진 이름이여!
허공중에 헤여진 이름이여!
불러도 주인 없는 이름이여!
부르다가 내가 죽을 이름이여!

심중에 남아 있는 말 한 마디는
끝끝내 마저 하지 못하였구나.
사랑하던 그 사람이여!
사랑하던 그 사람이여!

붉은 해는 서산마루에 걸리었다.
사슴이의 무리도 슬피 운다.
떨어져 나가 앉은 산 우에서
나는 그대의 이름을 부르노라.

설움에 겹도록 부르노라.

---

7. 조동일, 「김소월·이상화·한용운의 님」, 『문학과지성』, 1976, 여름, 459쪽.

설움에 겹도록 부르노라.
부르는 소리는 비껴가지만
하늘과 땅 사이가 너무 넓구나.

선 채로 이 자리에 돌이 되여도
부르다가 내가 죽을 이름이여!
사랑하던 그 사람이여!
사랑하던 그 사람이여!

—「초혼」 전문[8]

님은 갔습니다. 아아 사랑하는 나의 님은 갔습니다.

푸른 산빛을 깨치고 단풍나무숲을 향하야 난, 작은 길을 걸어서 차마 떨치고 갔습니다.

황금의 꽃같이 굳고 빛나던 옛 맹서는 차디찬 티끌이 되어서, 한숨의 미풍에 날아갔습니다.

날카로운 첫 키스의 추억은 나의 운명의 지침을 돌려놓고 뒷걸음쳐서 사라졌습니다.

나는 향기로운 님의 말소리에 귀먹고, 꽃다운 님의 얼굴에 눈멀었습니다.

사랑도 사람의 일이라, 만날 때에 미리 떠날 것을 염려하고 경계하지 아니한 것은 아니지만, 이별은 뜻밖의 일이 되고 놀란 가슴은 새로운 슬픔에 터집니다,

그러나 이별을 쓸데없는 눈물의 원천을 만들고 마는 것은 스스로 사랑을 깨뜨리는 것인 줄 아는 까닭에, 걷잡을 수 없는 슬픔의 힘을 옮겨서 새 희망의 정수박이에 들어부었습니다.

우리는 만날 때에 떠날 것을 염려하는 것과 같이, 떠날 때에 다시 만날

---

8. 김소월의 『진달래꽃』(매문사, 1925)에 수록된 시로 현대어 표기로 바꾸어 인용하였다.

것을 믿습니다.

아아 님은 갔지마는 나는 님을 보내지 아니하였습니다.

제 곡조를 못 이기는 사랑의 노래는 님의 침묵을 휩싸고 돕니다.

　　　　　　　　　　　　　　　　　　　—「님의 침묵」 전문

소월과 만해의 널리 알려진 절창들을 인용하였는데 그들이 각자 어떻게 당대의 정신사적 과제를 감당하였는지를 보여주는 예라 하겠다. 두 편 다 부재하는 님을 전제로 하고 있는바 그 님이 단순한 연정의 상대로 읽히지 않는다. "선 채로 이 자리에 돌이 되여도 / 부르다가 내가 죽을 이름이여!"라는 소월의 절규나 "나는 향기로운 님의 말소리에 귀먹고 꽃다운 님의 얼굴에 눈멀었습니다"라는 만해의 고백이 큰 울림으로 다가오는 것은 그 상실감이나 연정이 시인만의 사사로운 것으로 보이지 않기 때문이다. 고난과 역경에 처한 이들의 슬픔과 비원에 깊숙이 뿌리내리고 있다는 점에서「초혼」과「님의 침묵」은 당대를 절실하게 대변하고 있는 시이다.

소월과 만해가 당대의 슬픔과 비원을 대변하고 있다는 것은 그들이 예술가로서 시대정신을 구현하고 있다는 증거이다. 그런데 소월의 경우 슬픔이 짙게 나타난다면 만해의 경우 비원에 비중을 두고 있다. 다시 말해 소월의 경우 님을 잃은 고통을 주로 노래한다면 만해의 경우 님을 회복하고자 하는 염원을 주로 노래하고 있다. "떨어져 나가 앉은 산 우에서 / 나는 그대의 이름을 부르노라."가 지극히 소월다운 시구라면 "아아 님은 갔지마는 나는 님을 보내지 아니하였습니다."는 지극히 만해다운 시구이다. 그리고 이러한 시구는 그들의 생애와도 접맥된다. 산골에 들어가 살다가 자살로 마감한 소월의 생애와 굽힐 줄 모르던 독립운동가로서의 만해의 생애가 그들의 시와 무관할 수 없다.

긴장감 있고 귀감이 될 만한 삶이 시적 성취로 직접 연결되는 것은 아니겠지만 느슨하고도 지리멸렬한 삶이 시적 성취로 이어지기는 힘들 것이다. 소월과 만해가 한국 현대시사의 초입에서 온몸으로 보여주고 있는 중요한 사실 가운데 하나는 '간절하고 절실한 삶 속에서 진정한 시가 나온다'는 삶과 시의 깊은 관련성에 관한 명제이다. 특히 한용운의 경우 독립운동가이자 승려로서 열렬하면서도 의연히 자기 시대를 살아낸 삶이 돋보이는바 그러한 삶의 진실이 『님의 침묵』의 시적 성취의 저변에 깔려 있다. 그러니까 『님의 침묵』은 일제 말의 친일시와 같은 시세에 영합하는 부류의 시가 한국 현대시사에 발붙이지 못하도록 하는 역할도 은연중에 하고 있다고 말할 수 있겠다.

삶과 시가 깊이 관련된다고는 하지만 삶의 진실이 시적 진실을 보장하지는 않는다. 삶의 진정성과 시의 예술성 혹은 뜻깊은 내용과 그에 걸맞은 형식은 동시에 함께 추구해야 성과를 낼 수 있고 식민지 현실을 직시하는 문제와 새로운 시형식을 찾는 문제는 당대의 시인들에게 분리할 수 없는 과제로 다가왔던 것이다. 다시 말해 시적 진실이 구현되려면 예술성이 확보되어야 하는데 그와 관련하여 우선적으로 대두되는 사안이 음악성의 문제이다. 자수와 운율이 규칙적인 한시를 버리고 새로운 시형식을 찾아야 하는바 그것은 현대시에서 음악성을 어떻게 구현할 것인가라는 과제로 이어진다. 그런데 그 과제와 관련하여 소월과 만해는 서로 대비되는 모습을 보여준다.

앞에 인용한 「초혼」에서 보듯이 소월은 3음보율을 위주로 변화하는 율격을 많이 구사한 반면 「님의 침묵」에서 보듯이 만해는 다분히 산문적인 호흡률을 주조로 삼고 있다. 흔히 민요조라 일컫는 소월의 시가 3음보율을 주조로 삼으면서 어느 정도 정형성을 바탕에 깔고 있다면 산문적으로 길게 시행을 끌고 가는 만해의 시는 훨씬 자유로운 율격을 구사하고 있다. "행과 연과 작품 전체의 긴밀한 상관관계에 따라 호흡의 완급이 조절되고 그에 따라 내적 리듬의 질서가 자리 잡히는 자유시"[9]가 한국 현대시의

---

9. 한계전, 『한국현대시론연구』(일지사, 1983), 43쪽. 클로델의 호흡률(verset)론과 관련

주류라면 소월보다는 만해의 율격이 널리 계승되고 있다고 할 수 있다. 아무래도 민요조의 정형성은 자유롭게 시상을 펼쳐가는 데 장애로 보인 것이다.

한국 현대시가 펼쳐지는 시기는 정형시가 받아들여지기 어려운 시대이다. 느슨한 형태의 정형시라 할 수 있는 시조조차도 오늘날 형태의 변화와 파괴가 많이 이루어지고 있는 것이 그 증거이다. 아무래도 정형률은 온갖 사회적 갈등과 다양한 인간관계 속에서 살아가는 현대인의 심성에 맞지 않다. 만해도 시조를 쓰긴 했지만 그 문학적 성과가 『님의 침묵』 시편에 멀리 미치지 못한다. 가령 '한강에서'라는 제목을 달고 있는, "술 싣고 계집 싣고 / 돛 가득히 바람 싣고 / 물 거슬러 노질하여 / 가고 갈 줄 알았더니 / 산 돌고 물 굽은 곳에서 / 다시 돌아오더라[10]"와 같은 시조는 앞서 인용한 「알 수 없어요」나 「님의 침묵」의 사유의 깊이나 발상의 자유로움에 도저히 미칠 수 없다.

현대시를 쓰는 데 기본적인 전제 가운데 하나를 들자면 시의 음악성이란 시인의 마음 상태나 시의 내용과 무관할 수 없다는 것이다. 그렇기에 시인마다 다르고 시마다 색다른 율격이 구사되는 것이요 역으로 새로운 율격의 창조 없이 새로운 시가 나올 수 없는 것이다. 「알 수 없어요」와 「님의 침묵」의 율격이 크게 보면 유사하면서도 자세히 보면 다른 것도 그 때문이다. 「알 수 없어요」와 「님의 침묵」을 쓸 때의 시인의 마음 상태나 시의 내용이 유사하면서도 다른 것이다. 표면적으로 드러나지는 않지만 시를 되풀이하여 읽다 보면 감지하게 되는 이러한 호흡률을 만해가 처음으로 구사한 것은 아니로되 한국 현대시의 율격으로 정착시키는 데 『님의 침묵』이 수행한 역할을 간과할 수 없다고 하겠다.

하여 초기적 수용양상에 대해서는 같은 책 28~32, 36~41쪽을 참조할 수 있다.
10. 『전집 1』, 93쪽.

4. 깨달음의 시학과 사랑의 탐구

범박하게 말해 시는 인간의 삶의 투영이요 정신작용의 산물이라 할 수 있다. 여기에서 정신 혹은 마음을 편의상 감정과 사유 혹은 감성과 지성으로 구분한다면 시란 시인의 감성과 지성의 상호작용을 통해 산출된다고 볼 수도 있다. 시가 감성과 깊이 관련된다는 점은 두루 인정되는 사실이지만 지성의 작용 또한 간과할 수 없다. 서구의 경우 낭만주의 시론에서 감성을 강조한다면 고전주의 시론에서는 지성을 강조한다. 하지만 시인의 입장에서든 독자의 입장에서든 수준급의 시라면 어떤 깨달음의 순간이 있게 마련이다. 즉 낭만적 경향이든 고전적 경향이든 시란 감성과 지성의 상호작용을 통해 산출된다고 할 수 있겠는데 이와 관련해서도 소월과 만해는 서로 대비되는 시인이다.

앞서 인용한 「초혼」과 「알 수 없어요」를 놓고 볼 때 전자가 영탄을 위주로 한다면 후자는 질문을 위주로 하고 있다. 영탄이 고양된 감정을 표출하는 방식이고 질문은 사유를 전개하는 방식이라 할 때 상대적으로 「초혼」이 감정의 표현에 역점을 두고 있고 「알 수 없어요」는 사유의 개진에 역점을 두고 있다고 볼 수 있다. 그리고 이 점은 시인의 특성으로 확대해서 해석할 수 있다. "설움에 겹도록 부르노라."가 소월다운 시구라면 "타고 남은 재가 다시 기름이 됩니다."는 만해다운 시구인 것이다. 어디까지나 상대적인 판단이지만 슬픔과 정한을 노래한 소월이 감성에 경사되어 있다면 진정한 사랑의 실현을 화두로 삼은 만해는 지성에 경사되어 있다고 하겠다.

이러한 두 시인의 성향은 당시의 두 시인의 연륜과도 연결시켜 볼 수 있겠다. 나이 들어서까지 감수성 위주로 시를 쓰기는 어렵기 때문이다. 『진달래꽃』을 간행할 당시 소월이 20대 초반이었다면 『님의 침묵』을 간행할 당시 만해는 40대 후반이었는바 적어도 만해의 경우 감수성에 일방적으로 의지할 수는 없었다고 하겠다. 단순히 생리적 나이가 아니라 독립운동가나 승려로서 쌓은 이력이 감성의 일방통행을 허용하지 않았던 셈이다. 선시에 익숙할 뿐만 아니라 불교사상에 조예가 깊은 만해로서는 자연스럽게 자신의 사상이나 깨달음을 녹여 시로 표현하게 되었으니 『님의 침묵』으로 인하여 한국 현대시인들은 사상적 깊이의 중요성을 실감하게 되었다고 하겠다.

앞에서 인용한 「님의 침묵」과 「알 수 없어요」를 다시 거론하자면 두 시 모두 불교의 울타리를 넘어서고 있지만 불교사상을 바탕에 깔고 있다. 만해의 설법 가운데 "심은 즉 진여요 불성이요 만법의 원(源)인 고로 공(空)으로 보면 진공이요, 유(有)로 보면 묘유(妙有)가 되느니"[11]와 같은 구절을 보면 그 점이 잘 드러난다. 구체적으로 보자면 "아아 님은 갔지마는 나는 님을 보내지 아니하였습니다."에서는 유심론을 바탕에 깔고서 님과의 이별에 대한 사색을 펼치고 있고 "꽃도 없는 깊은 나무에 푸른 이끼를 거쳐서 옛 탑 위의 고요한 하늘을 스치는 알 수 없는 향기는 누구의 노래입니까."에서는 진공묘유(眞空妙有)의 사상을 깔고서 님의 존재에 대한 깨달음을 말하고 있다.

　　나는 나룻배.
　　당신은 행인.

　　당신은 흙발로 나를 짓밟습니다.
　　나는 당신을 안고 물을 건너갑니다.
　　나는 당신을 안으면 깊으나 옅으나 급한 여울이나 건너갑니다.

　　만일 당신이 아니 오시면, 나는 바람을 쐬고 눈비를 맞으며 밤에서 낮까지 당신을 기다리고 있습니다.

---

11. 「선과 자아」, 『전집 2』, 322쪽.

당신은 물만 건너면, 나를 돌아보지도 않고 가십니다그려.

그러나 당신이 언제든지 오실 줄만은 알아요.

나는 당신을 기다리면서 날마다 날마다 낡아갑니다.

나는 나룻배.

당신은 행인.

——「나룻배와 행인」 전문

시에서 사상이 관념이나 개념과 다르다는 것은 두루 알려진 사실인데 인용한 시에서 나룻배와 행인의 비유는 그 점을 잘 보여준다. 사랑을 실현하기 위한 시적 자아의 희생과 인내가 어떠해야 하는가가 낡아가는 나룻배와 무심한 행인의 비유를 통해 적실하게 표현되어 있다. 정서에 적셔진 형상적 사유가 시적 사유의 특성이요 강점이라 한다면 「나룻배와 행인」은 그에 관한 본보기가 되는 시이다. 반면에 "진정한 사랑은 간단(間斷)이 없어서 이별은 애인의 육(肉)뿐이요, 사랑은 무궁이다."(「이별」)와 같은 구절은 개념적 진술에 그친 감이 있다. 이처럼 시집 『님의 침묵』에는 깨달음을 시적으로 구현하는 데 성공한 시와 실패한 시가 함께 묶여 있다.

「나룻배와 행인」이나 「알 수 없어요」의 당신은 「님의 침묵」의 님과 다르지 않다. 하지만 님 즉 당신이 서로 정확히 일치한다고 볼 수는 없다. 시마다 다른 모습을 띠고 나타나기 때문이다. 시집 『님의 침묵』의 시편들이 님에 대한 사랑의 탐구로 통일되어 있다는 점에서 동일성을 지니지만 시가 다른 만큼 다른 모습을 띠고 나타나는 것이다. "기룬 것은 다 님"이라는 「군말」의 한 구절은 님의 다의성을 드러내는 말로 유명하거니와 그만큼 만해의 사랑도 다의성을 지닌다. 님에 대한 탐구는 진정한 사랑의 실현에 대한 탐구와 다르지 않기 때문이다. 아무튼 만해의 님은 시적 자아의 삶이 의미를 갖게 하는 근원적 존재로서 궁극적 진리와 해방된 조국을 포괄하기도 한다는 점은 널리 알려진 사실이다.

『님의 침묵』은 일종의 전작시집이다. 한 편 한 편의 다양성을 배제하는 것은 아니지만 전체적으로 추구하는 주제가 선명하다. 그리고 그 핵심적 주제어는 사랑이다. 『님의 침묵』의 시편들이 연시의 형태를 띠고 있는 것도 그 때문이다. 사랑이야 동서고금의 문학예술의 영원한 주제이지만 유례가 드물게 폭넓고 웅숭깊은 인간성의 실현과 결부되어 있다는 것이 다른 점이다. 즉 만해 시의 중심 화두로서 진정한 사랑의 실현은 전환기의 승려이자 결연한 독립운동가로서 구도와 실천을 융해시켜 제대로 살아내는 일을 포괄할 만큼 폭넓은 것이다. 이 점은 대체로 문학예술 속의 사랑이 남녀 간의 연정 언저리에 머물고 마는 것과 대비되는 만해 시문학이 거둔 빛나는 성취이다.

사랑이 문학예술의 보편적 주제이지만 개인적 처지와 시대상황이 다른 만큼 각양각색의 형태를 띠게 마련이다. 더구나 그 사랑이 연정에 머물지 않고 인간성의 실현과 결부될 때 사랑의 성격은 한없이 다양해진다. 그러한 뜻에서 사랑은 한국 현대시사의 중요한 주제로 되어 왔고 그 주제를 완전히 외면한 시인은 없다고 보아도 좋을 것이다. 만해와 동시대의 시인인 소월의 경우 남녀 간의 연정의 성격을 더욱 진하게 갖고 있고 후대에 씌어진 대부분의 연시 또한 그러하다. 하지만 사회적 현실을 직시하고 실천적 삶을 지향하는 시인의 경우 사랑을 인간성의 실현과 결부시키는 것이 일반적이다. 가령 1960년대 김수영 시의 주된 주제인 사랑도 그러한 성격을 띠고 있다.

5. 『님의 침묵』과 한국 현대시사의 흐름

이 글은 한국 현대시사의 융융한 흐름을 전제로 하고 있다. 시행착오와 정체의 시기가 없었던 것은 아니지만 거시적으로 볼 때 한국 현대시는 생생히 살아 있는 문화전통으로 자리 잡은 지 오래이다. 시대정신과 예술성의 구현이라는 차원에서 귀감이 될 만한 시가 많이 축적되어 있고 오늘날에도 계속해서 좋은 시가 산출되고 있다. 자기 논에 물대기식 견해라고 할지 모르지만 우리의 현대시는 현대사의 전개와 일체가 되어 문화예술을 선도적으로 이끌어 왔다.

만해의 시집『님의 침묵』은 한국 현대시사가 융융한 흐름을 형성하는 데 중요한 역할을 한 발원지의 하나이다. 무엇보다도『님의 침묵』은 언문일치운동과 함께 현대시가 종래의 한시를 대체하는 모습을 보여준다. 만해 스스로 한시를 써오다가 현대시를 씀으로써 현대시의 물길을 새롭게 연 것이다. 또한 한시의 일상성을 탈피하고 예술성을 강화시킴으로서 현대시가 문학예술로 자리 잡는 데 이정표를 세웠다. 뜻과 소리의 상승효과를 살리는 언어예술로서의 현대시의 가능성을 본격적으로 보여준 것이다.

뜻깊은 내용과 그에 걸맞은 형식 혹은 사상성과 예술성의 통일은 시인들이 늘 희구하는 바이다. 만해의 경우 고도의 상징 의미를 갖는 님에게 말하는 화법을 통해 내용과 형식의 통일을 시도하였다. 여성적 어조의 개성적 시적 자아를 창조하여 그의 목소리로 님을 향한 절대적 사랑을 고백함으로써 사상성과 예술성의 통일을 모색하였다. 시집『님의 침묵』의 모든 시가 성공작이라고 볼 수는 없지만「알 수 없어요」「님의 침묵」「나룻배와 행인」등의 높은 성취는 한국 현대시를 본궤도에 올려놓는 데 뚜렷이 기여하였다.

개성적 시적 자아와 어조, 그리고 그에 걸맞은 율격의 창조는 시에서 예술성을 구현하는 데 중요한 요건들이다.『님의 침묵』의 시적 자아는 민족운동가이자 선승인 한용운의 분신이면서도 님에게 간절하고 절대적 사랑을 바치는 여성적 존재로 창조되었다. 현대시에서 개성적 시적 자아의 창조가 얼마나 중요한가를 선구적으로 보여준다고 하겠다. 또한 고백하는 듯한 여성적 목소리와 호응하는 율격을 형성함으로써 음악성을 살리고 있다. 현대시형성사에서 중요한 과제가 새로운 율격의 창조였는데『님의 침묵』의 산문적 호흡률은 그에 대한 응답의 성격을 갖는다.

시가 감성의 예술이라고 하지만 사상적 깊이가 없이 내용이 충실해질 수 없다. 만해의 경우 심오한 불교사상을 바탕으로 선적 깨달음을 육화시켜 표현함으로써 시의 깊이를 확보하고 있다. 그리고 그 선적 깨달음은 고통받는 민족의 현실을 직시하고 희망을 찾으려는 열정과 접맥되어 강하게 현실성을 지니게 된다. 관념적 진술을 제대로 탈피하지 못한 시도 없지 않지만 『님의 침묵』의 성공적인 시의 경우 정서에 적셔진 형상적 사유라는 면에서 후세의 시인들에게 본보기가 될 만하다.

『님의 침묵』의 핵심적 주제어는 사랑이다. 많은 시들이 연시의 형태를 띠고 있는 것도 이와 호응한다. 사랑이야 문학예술의 유구한 주제이고 오늘날에도 지속적인 탐구의 주제이지만 만해의 경우 폭넓고도 웅숭깊은 인간성의 실현과 결부되어 있다는 점이 다르다. 님이 단순한 연정의 대상에 그치지 않고 해방된 조국이나 궁극적 진리를 내포할 만큼 다의성을 지니는 것도 만해 나름의 진정한 사랑을 실현하기 위해서이다. 그러한 사랑이 개혁적 승려이자 민족운동가로서 실천적인 삶을 사는 문제와 무관할 수 없음은 물론이다.

이상의 요지에서 보듯이 『님의 침묵』은 단순히 시기적으로 앞서기에 의미를 갖는다기보다 한국 현대시사의 전개에 영향력을 행사해 왔고 지금도 하고 있기에 중요한 시집이다. 물론 수많은 시인들이 가세하여 현대시사가 융융한 흐름을 형성했지만 오늘날에도 『님의 침묵』은 한국 현대시의 발원지로서의 역할을 계속해서 수행하고 있다. 시적 경향이나 취향이 어떻든 이 땅의 시인으로서 『님의 침묵』이 도달한 경지를 외면하고서 현대시사의 전개에 의미 있는 역할을 해내기는 힘들다.

이제까지 우리의 현대시는 끊임없는 위기와 난관을 창조적으로 극복하고 돌파하면서 오늘에 이르렀다. 민족이 고통받는 시대에 그 고통을 안고서 현대시가 출현했다는 사실이 우선적인 증거이다. 또한 오늘날과 같은 현대시의 축적은 수많은 시인들의 노력의 결실일 뿐만 아니라 바람직한 사회와 역사를 일구어가고자 한 수많은 이들이 흘린 피와 땀의 결실이기도

하다. 이것이 융성하건 위축되건 한국 현대시가 앞으로도 민족의 역사와
동행할 수밖에 없는 이유이다.

(『내일을여는작가』, 2004, 가을)

1930년대 후반의 낭만적 시경향

. . . . .

1. 머리말

이 글은 1930년대 후반의 시에서 낭만주의적 경향을 추적하여 그 문학사적 위상과 의의를 밝히는 데 주로 바쳐질 것이다. 앞으로 상론하겠지만 당시의 낭만주의는 일제 파시즘의 진군이라는 폭압적 상황 속에서 리얼리즘 계열 시인들의 문학적 출구의 하나로 모색된 것이다. 1930년대 후반의 진보적 시운동의 주요한 흐름으로 낭만적 경향을 거론하는 것은 그 무렵의 임화의 비평[1]에서도 찾아볼 수 있는바 필자는 이 글에서 그 실체를 확인하려 한다. 이러한 글을 착수하게 된 작품적 근거이자 논의의 대상은 주로 임화, 이찬, 안용만 등의 시인데 그들의 당시의 시를 검토하는 작업은 카프의 활동이 위축되거나 중지된 이후의 문학사적 흐름의 한 줄기를 탐사하는 일이 될 것이다.

---

1. 「담천하의 시단 일년」, 『신동아』(1935. 12), 175~76쪽과 「진보적 시가의 작금」, 『풍림』(1937. 1), 15~17쪽 참조.

창작자 개인의 주관적 감정표현을 중시한다는 점에서 시는 원천적으로 낭만주의와 무관할 수 없는 양식이라 하겠다. 그러므로 어느 시기이건 낭만적 경향을 찾아볼 수 있는데 이 시기의 시를 두고 특별히 '낭만적 경향'을 운위하는 이유는 진보에 대한 신념 혹은 전망의 상실과 함께 시적 자아가 고립되거나 내면화되고 시인의 자의식이 시 속에 집중적으로 투영된다는 점에 있다. 또한 이상과 현실 사이의 메울 수 없는 간극 때문에 사회현실에 대한 시적 탐색을 접어두고 거의 일방적으로 이상에 경도되는 경향이 형성되었는바 그에 대해 '낭만적'이라는 칭호를 붙여도 좋을 듯하다.

1935년 카프의 해산과 1936년 『낭만』의 간행[2]은 서로 관련되어 당시의 시문학사의 흐름을 살피는 데 유효한 징표가 될 수 있을 것이다. 달리 말해서 카프의 활동중지 혹은 해산 이후의 진보적 시인들의 낭만적 성향을 '낭만'이라는 표제로 대변해준다고 생각된다. 하지만 한 호 발간에 그친 잡지 『낭만』의 역할은 그다지 비중 있어 보이지 않고 그와 무관하지 않게 이 시기 낭만주의가 시문학사의 한 시기를 규정할 만큼 전면적으로 정신사적 혹은 운동사적 주류를 형성한 것은 아니라고 판단된다. 따라서 이 글은 이 시기의 문학적 양상에 대한 섬세한 파악을 기대하며 다분히 미시적 관점을 취하려 한다.

당시의 낭만적 경향과 관련하여 가장 문제적인 시인은 앞에서도 언급한 임화, 이찬, 안용만 등이라고 생각되는데 사회의 진보의 문제에 대한 제각기 다른 반응이 서로 구별되는 양상의 낭만적 시경향으로 현현된다는 점이 주목된다. 사회적 상황은 유사하더라도 각 시인들 나름의 주체적 조건의 차이가 서로 다른 양상의 낭만적 경향을 초래한 셈이다. 이에 대해 필자는 '낭만적 정신론과 임화의 시' '이찬과 비관적 낭만주의' '안용만과 진취적 낭만주의'라는 항목을 설정하여 차례로 검토하려 한다. 이 가운데 첫 번째

---

2. 『낭만』(1936. 11)에는 카프계열의 시인들인 박세영, 임화, 이찬, 김해강, 윤곤강의 시와 더불어 오장환, 이용악 등의 초기 시가 함께 수록되어 있다.

항목에서는 임화의 시에 곁들여 그의 낭만주의론이 함께 다루어질 것이다.

진보적 문학운동 혹은 사회주의 문예이론이 주로 리얼리즘과 결부되어 추진되고 모색되어왔다는 것은 두루 알려진 사실이다. 그렇지만 시와 무관할 수 없는 것이 낭만주의인 만큼 시에서의 리얼리즘과 낭만주의의 상관관계를 규명할 필요가 대두된다. 근래 시와 리얼리즘에 관한 논의에서 이 문제가 쟁점의 하나로 부각된 것은 필연성을 띠는 것이고 바로 여기에 필자가 이 글을 착수하게 된 내밀한 이유가 잠겨 있다. 그런데 이 글의 과제가 시사적 맥락의 파악에 맞추어져 있는 만큼 리얼리즘과 낭만주의의 상관관계에 대한 탐구는 아무래도 모색의 단계를 넘어서기는 힘들 것이다.

2. 낭만적 정신론과 임화의 시

우리의 시문학사를 거슬러 올라가볼 때 리얼리즘과 낭만주의의 상관관계에 특히 자각적이었던 문인이 임화인데 그의 이러한 면모는 우선 낭만적 정신론을 중심으로 살펴볼 수 있다. 임화(林和)의 낭만적 정신론은 리얼리즘과 결부된 낭만주의론으로 주로 「낭만적 정신의 현실적 구조」와 「위대한 낭만적 정신」[3]이라는 두 편의 평론을 통해 개진되는바 비평사적 안목에서 보면 당시의 사회주의 리얼리즘의 수용을 두고 벌어진 창작방법 논쟁에서 촉발된 것이다. 덧붙이자면 사회주의 리얼리즘의 한 계기로서 논의된 키르포친류의 혁명적 낭만주의가 임화의 낭만적 정신 논의를 자극한 점이 있다.

임화의 견해에 따르면 낭만주의는 "인간의 의식성, 주관이 전면에 서 있는 문학적 조류"이다 그런데 리얼리즘 문학이란 객관적 반영만으로

---

3. 두 편의 평론은 각각 <조선일보>(1934. 4. 19~25)와 <동아일보>(1936. 1. 1~4)에 발표된 것으로 임화의 평론집 『문학의 논리』(학예사, 1940) 앞머리에 재수록되어 있다.

이루어지지 않기에 사실주의와 낭만주의는 배타적이 아니고 상대적인 관계에 놓인다. 실제 작품은 상대적인 한에서 사실적일 수도 있고 낭만적일 수도 있다는 견해이다. 그리하여 사실주의가 쇄말주의(瑣末主義)에 빠지지 않고 생명력을 얻으려면 꿈이 필요하고, 낭만적 정신의 기초는 키르포친의 말을 빌려 '현실적인 몽상'이라는 것이다. 이와 같이 몽상의 낭만주의는 사실성을 배제하는 것이 아니며 진실한 낭만적 정신이란 "역사주의적 입장에서 인류사회를 광대한 미래로 인도하는 정신"인바 이러한 정신이 없이는 진정한 사실주의도 불가능하다는 것이다.

그런데 낭만적 정신론을 펼치는 임화의 진의는 위와 같은 일반론의 개진에 있다기보다 낭만주의를 "레알리즘 가운데 시를 존재케 하는 것"이라고 보는 데 있는 듯하다. 과연 그는 "문학에 있어 사실적=서사적인 것과 낭만적=서정적인 것은 진실로 원리적인 양대의 범주"라고 말하는데 낭만과 서정을 동일시한다는 점에 주목할 필요가 있다. 즉 원래가 시인인 임화로서 자신의 시쓰기와 결부된 논리를 펴 보인 것이 낭만적 정신론인 셈이다. 일반적으로 창작방법론이란 작가의 창작과 관련하여 문예운동을 이끄는 지도적 이론으로 이해되고 있지만 다른 한편 개별 작가가 자신의 글쓰기와 결부시켜 개진한 이론으로서의 창작방법론을 상정할 수 있겠으니 임화의 낭만적 정신론은 전자에 후자가 융합되어 있다고 생각된다.

그러니까 임화가 낭만적 정신론을 내세운 내면적 이유는 시에서 낭만적·서정적 요소의 중요성을 절감했기 때문인데 여기에는 암울한 시대적 상황에 대한 창작자로서의 고민이 안팎으로 겹쳐 있다. 그의 시인으로서의 고민은 "일상성의 속악한 실재"에 묶이지 않는 것이었으니 문학의 기본적 성질로 "이상에의 적합을 향하야 현실을 개조하는 행위"를 내세운 것도 같은 맥락에서이다. 하지만 당대가 암울한 시대라는 것은 이상과 현실 사이의 상관관계 형성이 어렵다는 것이고 "현실은 만족하려면 일체의 진보를 부정하여야 되고, 그 진보의 입장에 서자면 현실을 부정해야만" 하는 것이 또한 당대의 창작적 상황이었던 셈이다. 그리고 여기에 그가 유독 미래에의 지향으로서의 꿈 혹은 창조하는 몽상을 강조하는 이유가 잠겨 있다고 하겠다.

이제까지 낭만적 정신론을 비평사적 입장에서보다 시인 임화와 결부시켜 검토했는데 그가 낭만적 정신론을 펼치는 시기는 낭만적 경향으로의 시적 변모를 보이는 시기와 대체로 일치한다. 「낭만적 정신의 현실적 구조」가 발표된 1934년에 「세월」 「암흑의 정신」 등 스스로 낭만적 경향이라 지칭한 시[4]를 발표하기 시작하기 때문이다. 널리 알려져 있다시피 임화가 대표적인 프로 시인으로 부각된 것은 「우리 오빠와 화로」를 위시한 단편서사시를 통해서인데 단편서사시를 두고 벌인 논쟁 과정에서의 자기비판 이후 약 3년 동안 시인으로서 침묵기를 거쳐 본격적으로 선보인 것이 낭만적 경향의 시이다. 즉 임화의 낭만적 정신론은 자신의 시쓰기에 대한 이론적 기반 다지기의 성격을 다분히 내포하고 있었던 것이다.

　　깊은 낙엽송의 밀림과 두터운 안개에 싸인
　　저 험한 계곡 아래,
　　지금 이 여윈 창백한 새는 날개를 퍼덕이며,
　　숨소리조차 죽은 미지근한 가슴 위에 두 손을 얹고,
　　어둠의 공포 절망의 탄식에 떨고 있다.
　　── 아무 곳으로도 길이 열리지 않는 암흑한 계곡에서.

　　우수수! 딱! 꽝! 우르르!
　　암벽이 무너지는 소리, 천세(千歲)의 거수(巨樹)가 허리를 꺾고 넘어지는
　　소리,
　　사멸의 하늘에 야수가 전율하는 소리,
　　끝없는 어둠 침묵한 암흑,

---

4. 「진보적 시가의 작금」, 15~16쪽 참조.

오오! 만유(萬有)로부터 질서는 물러가는가?

이 무변(無邊)의 대공(大空)을 흐르는 운명의 강 두 짝 기슭
생과 사, 전진과 퇴각, 패배와 승리,
화해할 수 없는 양 언덕에 너는 두 다리를 걸치고,
회의의 흐드기는 심장으로 말미암아 전신을 떨고 있지 않으냐
— 「암흑의 정신」 부분[5]

　　카프의 실질적 와해라고 볼 수 있는 1934년 2차 검거사건을 겪으면서
임화가 얼마나 좌절감에 시달렸나를 보여주는 듯한 시이다. 전진과 퇴각
혹은 패배와 승리 사이에 두 다리를 걸치고 있다는 상황 판단은 아무래도
카프의 와해 사태와 결부되는 듯하고 절망과 "회의의 흐드기는 심장으로"
전신을 떨고 있는 '창백한 새'는 시인의 분신으로서의 시적 자아와 다르지
않을 것이기 때문이다. 그리하여 위의 시를 시인의 전기적 사실과 연결시킨
다면 서기장으로서 자신의 운명과 일치시키려 했던 카프의 와해 사태를
당하여 "암벽이 무너지는 소리, 천세의 거수가 허리를 꺾고 넘어지는
소리"를 듣는 것이요, 운동의 거점으로서의 조직을 새롭게 건설할 아무런
전망이 보이지 않기에 "끝없는 어둠 침묵한 암흑"을 느끼는 것으로 읽힌다.
　　그러나 인용시 자체에 드러난 상황은 "두터운 안개에 싸인 / 저 험한
계곡 아래"에서 보듯 지나치게 추상적이어서 구체적 현실과의 접점이
잘 형성되지 않는다. 또한 "오오! 만유로부터 질서는 물러가는가?"에서도
독자들은 일제 파시즘의 횡포에 고통스러워하는 시적 자아의 절규를 듣기
보다 세계에 대한 주관적 인식에 의아해하기 쉬울 것이다. 인용시 「암흑의
정신」에 두드러진 것은 흐느끼는 심장으로부터 분출된 듯한 격정인바

5.　이후 인용한 임화의 시는 『현해탄』(동광당서점, 1938)과 『찬가』(백양당, 1947)에
　　수록된 것이고 더욱 상세한 서지사항은 신승엽이 편한 임화시전집 『현해탄』(풀빛,
　　1988)을 참고할 수 있다.

이 점은 현실과의 핍진한 관련보다도 '감정의 넘쳐흐름'을 중시하는 낭만주의시로서의 자질을 잘 보여준다. 그리고 이러한 낭만성이 몇몇 예외적 작품을 제외한 시집 『현해탄』의 지배적인 성격이라 생각된다.

정말 나는 다시 이곳에서 일지를 못할 것인가?
무거운 생각과 깊은 병의 아픔이 너무나 무겁다.

오오, 만일 내가 눈을 비비고 저 문을 박차지 않으면,
정말 강물은 책 속에 진리와 같이 영원히 우리들의 생활로부터
인연 없이 흐를지도 모르리라.

누구나 역사의 거센 물가로 다가서지 않으면,
영원히 진리의 방랑자로 죽어버릴지 누가 알 것일가?
청년의 누가 과연 이것을 참겠는가? 두말 말고 강가로 가자.
넓고 자유로운 바다로 소리쳐 흘러가는 저 강가로!

—「강가로 가자」 부분

우리의 문학사에서 임화는 가장 대표적인 진보주의자로 기억될 만한 시인인데 인용시에서도 그러한 면모가 드러난다. 진보하는 역사의 흐름을 상정하지 않고서 넓고 자유로운 바다로 흘러가는 강물의 의미를 제대로 이해할 수 없을 것이기 때문이다. 인용시에서 진리란 '역사의 진보'를 의미하는 것으로 읽힌다. 하지만 진보의 강물은 일제 파시즘에 제대로 대응하지 못하는 조선인들의 생활과는 인연이 없이 흐를지도 모른다. 달리 말해 진보란 세계사적 차원에서는 불변의 진리이지만 역사의 거센 물결을 감당하지 못하는 개별 민족에게는 '책 속의 진리'에 그치기 쉽다. 인용시에서 청년은 역사의 진보를 감당하려는 자로 설정되어 있고 '강가로 가자'는 그러한 청년의 역할을 제대로 수행하자는 제안이자 결의인 셈이다.

시집 『현해탄』에서 주인공 격으로 자주 등장하는 '청년'은 역사의 진보를 이끄는 책무를 지닌 자이며 시적 주체 또한 그러한 청년 가운데 하나이다. 그런데 인용시에서 시적 주체는 "무거운 생각과 깊은 병의 아픔이 너무나 무겁다"고 토로하며 초조해한다. 앞서 검토한 「암흑의 정신」에서는 "만유로부터 질서는 물러가는가?"라고 절망한 바 있다. 시인 자신의 폐병과도 결부되지만 시적 주체는 병들어 누워 있고 현재 '이곳'의 절망적 현실 속에서 진보에 대한 전망은 극히 어둡다. 하지만 '진리의 방랑자'로 죽어버릴 수 없기에 진보를 이끄는 책무이자 이상을 포기할 수 없다. 즉 현실이 아무리 암담하더라도 이상을 포기할 수 없다는 것이 이 무렵 임화 시의 주된 주제이고 그러한 주제의식은 낭만적 정신론을 개진한 의도와도 통한다.

> 한번도 뚜렷이 불려보지 못한 채,
> 청년의 아름다운 이름이 땅 속에 묻힐지라도,
> 지금 우리가 일로부터 만들어질
> 새 지도의 젊은 화공의 한 사람이란 건,
> 얼마나 즐거운 일이냐?
>
> ──「지도」 부분

화공이 지도를 그리듯이 새로운 역사의 창조가 이루어진다는 발상 자체부터 아무래도 낭만적이라고 말할 수밖에 없는 시이다. 역사의 진행에 따라 지도가 바뀌게 되고 진보의 담당자로서 청년은 앞으로 만들어질 새 지도의 화공으로 설정되어 있는데 임화가 얼마나 이상에 경도되어 있나를 보여준다. 이와 유사하게 시집 『현해탄』에 묘사된 '청년'은 서릿발처럼 매운 고난 속에 슬픔까지 자랑스러운 자(「내 청춘에 바치노라」)이며, 부끄러운 눈알을 한 번도 두려움에 굴려본 기억이 없는 독수리와 같은 자(「주리라 네 탐내는 모든 것을」)이다. 또한 그는 현해의 큰 물결을 조약돌보다도 가볍게 걷어차는 자(「현해탄」)이며, 꿈꾸는 사상을 향한 가슴에 로맨티시즘이 물결치는 자(「해협의 로맨티시즘」)로서 얼마나 이상화된 존재인가를 알 수 있다.

위와 같은 임화의 낭만적 이상화는 아무래도 사회현실과의 괴리를 초래하게 마련이고 이 점은 시집 『현해탄』의 실상이기도 하다. 『현해탄』에서 리얼리즘적 속성이 가장 강한 시는 「야행차 속」인데 "되놈의 땅으로 농사가는" 농부 일가족의 답답한 정황을 형상화하고 있다. 하지만 「야행차 속」은 자못 예외적인 작품이고 시인의 창작적 관심은 사회현실에 대한 탐구에 있지 않다. 그의 시에서 현실과 이상 사이의 상관관계는 제대로 형성되지 않는바 "대체 어디를 가야 이 밤이 샐까?"(「야행차 속」)나 "겨울이 오면 봄은 멀지 않았으니까"(「가을 바람」)와 같은 시구가 이 점을 말해준다. 임화의 시에서 자주 발견되는 이러한 자연현상의 비유는 이상을 실현할 현실적 방안을 찾아낼 수 없기에 구사된다고 생각된다.

> 중요한 것은 우리가
> 피로하지 않는 것이다
> 적에 대한 미움을 늦추지 않는 것이다.
> 멸망을 두려워하지 않는 것이다
> 지혜 때문에 용기를 잃지 않는 것이다
>
> ──「한잔 포도주를」 부분

시 「나는 못 믿겠노라」를 참고한다면 '지혜'는 '상황이 암담할 경우 냉정한 이성에 따라 운명에 순응함'을 뜻할 터인데 인용시에서는 그러한 지혜 혹은 순응을 거부하는 자세를 취하고 있다. 시인 자신에 대한 다짐이기도 하겠지만 단호한 어조로 피로하지 않고 적에 대한 미움을 늦추지 않고 멸망을 두려워하지 않아야 한다고 말하고 있는바 이러한 주장은 임화 시의 중요한 주제인 '주체 세우기'와 결부된다. 미시적으로 볼 경우 임화의 낭만시는 좌절감을 극복하고 현실세계에 대한 단호한 태도를 기리는 방향으로 변모하는데[6] 거기에서 중요하게 부각되는 것이 주체의 용기이다. "우리는 여하한 악천후에도 위협되지 않는 확고한 자기 주체를 재건하지 않으면 아니된다"[7]는 창작방법론상의 주장 또한 같은 맥락에서 이해할 수 있다.

방금 인용한 '악천후'는 임화의 비평에서 자주 발견되는 '시대적 중압'이나 '암담한 현실'과 일맥상통하는 말로서 주체재건론은 그러한 시대적 중압을 극복하기 위한 처방으로 모색된 것이다. 하지만 1930년대 후반의 사회적 상황은 주체의 의욕만으로 감당하기엔 역부족이었던 듯하고 이 점은 임화의 독특한 '운명론'에서도 확인할 수 있다. "그만 인젠 / 살려고 무사하려든 생각이 / 믿기 어려워 한이 되어 / 몸과 마음이 상할 / 자리를 비어주는 운명이 / 애인처럼 그립다"(「자고 새면」)라고 할 때 그의 운명론은 순응주의와는 명백히 구분된다. 순응주의적 간지(奸智)를 거부한다는 점에서 그의 운명론의 독특함이 있고 그것은 그의 주체 세우기와 일관된 맥락을 형성한다. 하지만 세계의 압도적 힘에 대해 무력감을 느낀다는 점에서는 아무래도 운명론에 수렴된다.

비평에 주목할 때 임화의 낭만적 정신론은 주체재건론을 거쳐 사실주의론으로 나아가지만 그의 시창작과 밀착된 논리는 주체재건론까지로 보인다. 소설 위주의 전형을 운위하는 임화의 사실주의론은 적어도 그의 시와는 거의 무관하다고 판단된다. 하지만 주체를 강고하게 세워 역경을 돌파해나간다는 주체재건론은 그의 시의 중심주제로 수렴될 정도이다. 낭만적 이상화와 관련된 1930년대 후반의 임화의 시에서 주체와 세계 사이의 변증법적 상관관계는 별로 드러나지 않는다. 무릇 현실세계와의 상관관계가 구체화되지 않는 차원에서의 주체 세우기는 리얼리즘의 성취로 이어지

---

6. 졸고 「임화의 시세계」, 『사회비평』, 1989, 여름, 307쪽.
7. 임화, 「주체의 재건과 문학의 세계」, 『문학의 논리』, 49쪽.

기보다 낭만성의 고취에 머물기 쉽다. 비평가 임화는 낭만주의를 리얼리즘의 성취를 위한 계기로 보았지만 시인 임화는 그에 제대로 부응하지 못했다. 그리고 이 점이 시대적 제약 속의 임화 시의 한계라고 생각된다.

3. 이찬과 비관적 낭만주의

카프 구성원들의 정신적 동력의 하나로 진보주의적 열정을 상정할 수 있는데 조직의 해체 이후 그들의 열정은 변질되거나 잠복하게 된다. 날로 가혹해지던 일제 파시즘의 폭압 속에서 진보에 대한 비관론이 당대의 정신을 지배하게 되었고 과거 카프계열의 시인들 대다수가 그러한 흐름과 무관할 수 없었다. 앞에서 논의한 '주체 세우기'에서 보듯 진보주의적 열정을 유보하지 않으려고 비장하게 격투하는 모습을 대표적으로 보여주는 시인이 임화이지만 그 또한 비관주의에 깊이 침윤되어 있었다. 바꾸어 말하자면 당시의 임화는 비관주의를 극복하려고 안간힘을 쓰고 있었던 셈이요 이 점이 그의 시가 갖는 중요성이자 특성을 형성한다.

한편 이찬(李燦)은 비관주의를 극복하려고 하기보다 비관주의에 침윤된 자신의 상태를 적나라하게 보여준다는 면에서 대표적인 시인으로 보인다. 일반적으로 시적 변모란 시인이 놓인 주체적 조건과 사회적 상황의 변화에 따라 이루어지는 것인데 이찬의 경우 1932년부터 1934년 사이의 투옥 체험이 이후의 변모에 결정적 작용을 한 듯하다. "아 내 그만 삼년이나 감옥 신세 져 그간 주는 손 느는 빚에 이리 나날의 호구조차 어렵게 되었거니"(「월야」)가 이 점을 말해주거니와 신념에 찬 어조로 "밤낮을 헤아림 없이 죽을 힘을 다하여 일하라!"(「일꾼의 노래」)고 외치던 식민지 청년으로서의 이념적 정치적 지향이 거세된 자리에 "도시 도시 풀리지 않는 이 크낙한 애수여"(「월야」)와 같은 막막한 개인적 김회의 토로가 놓이게 된 것이다.

아지아지 꽃잎 피고 버얼나븨 춤춰도
잎잎이 낙엽지고 풀벌레 몸부림해도
나는 오즉 소경인 양 걸었읍니다.

가까이 손을 들어 벗들이 불러도
때로 목을 놓아 젊음이 웨기어도
나는 오즉 귀머거린 양 걸었읍니다.

오 소경인 양 귀머거린 양 걷고걸은 먹이의 오솔길이여
고요히 돌아보매 무어라 할 일년의 나날이었소이까

어느날 길가에 내던진 열정의 강아지 지금 눈물어려 바라보는 내 가슴팍
에
꼬리치고 뜀하야 달려듭니다.

오호 두 팔 벌여 덥석 안으려는 내 마음 그러나 어디로선가 병든 어미의
가녈핀 피리소리
「휘 —」 내 허파에선 긴 숨이 나옵니다.

— 「일년」 전문[8]

---

8. 이찬의 시집으로는 『대망』(풍림사, 1937) 『분향』(한성도서, 1938) 『망양』(박문서관,
    1940)이 있고 「일년」은 『분향』에 수록되어 있다. 그런데 『분향』에 수록된 것은 『신동
    아』(1936. 2)에 발표된 원 발표문에서 불필요한 개작을 한 듯하여 원 발표문을 인용한다.
    그리고 이 글에서 인용하거나 논의하는 시 가운데 시집에 수록되지 않은 시의 서지사항
    은 다음과 같다. 「일꾼의 노래」(『학지광』, 1930. 4) 「가구야 말려느냐」(<조선일보>,
    1932. 5. 6) 「잠 안 오는 밤」(『제일선』, 1932. 11) 「독소(獨嘯)」(『조선문단』, 1935.
    5) 「월야」(『조선문단』, 1935. 8) 「귀향」(『조선문단』, 1935. 8).

이 시에서 말하는 일년이란 시인이 출옥한 다음 해인 1935년으로 추정된다. 그 일년 동안 시적 자아는 젊음의 열정을 버리고 가사에 묶여 먹이의 오솔길을 걸은 셈인데 이 점은 시인의 전기적 사실과도 일치한다. 인용시에서 시적 자아의 갈등은 병든 어미가 표상하는 개인적 생존의 문제와 벗이나 젊음이 표상하는 이념적 지향 사이에 놓이지만 그가 선택한 것은 병든 어미이다. 그 무렵 이찬의 생활은 이정구가 이찬을 두고 쓴 시에서도 살펴볼 수 있는바 "성안에 대궐 같은 집에서 쫓겨나고 / 에미는 복막염으로 드러누워 있고 / 에편네는 어린 것 데리고 물귀신처럼 메말러만 간다 / 아아 그러고 / 네 목은 월급 사십원에 매인 채 / 아츰 여들시부터 밤 열시까지 / 그렇게 격무에 시달리고 있는가"(「인고(忍苦)」,[9])가 그것이다.

목을 놓아 젊음이 소리 질러 불러도 귀머거린 양 먹이의 오솔길을 걸었다는 술회에서 이념보다는 결국 생존을 택한 이찬의 모습을 살펴보게 되거니와 그렇게 되기까지의 괴로움과 가정사를 토로한 시로 「귀향」, 「독소」, 「월야」 등이 있다. 인용시에도 나와 있지만 술장사로 생계를 꾸려온 병든 어머니가 그에게 특히 어려움을 안겨준 듯한데 출옥 직후 북청으로 귀향한 이후에 쓴 이러한 시들에 대해 임화는 "시적 영역의 신변잡사적 한계로의 퇴각"[10]이라는 수긍할 만한 비판을 가하게 된다. 하지만 이찬으로서는 자신에게 솔직한 것이야말로 시의 요건이라고 본 듯하고 「가구야 말려느냐」, 「잠 안 오는 밤」 등의 카프 시절의 이념지향적인 시에 비해 이러한 개인적 고민의 시들이 더욱 진술하게 느껴지는 것 또한 사실인 듯하다.

> 내 아무런 잘못함이 없거든
> 내 누구게 욕볼 리 만무하건만
> 어인일가 이리도 이 내 맘 속 깊이 편치 못함은

---

9. 『풍림』, 1937. 1.
10. 「담천하의 시단 일년」, 176쪽.

내 비록 가난하나 굶진 않거든
내 이 일자리 하루이틀에 뗄 리도 만무허건만
어인일가 이리도 이 내 맘 속 깊이 안정치 못함은

오 꼼꼼이 생각하면 스르르 주먹이 쥐어지나
아쉬이 쥔 주먹엔 선땀만 괴었다 사라지고

술 계집으로 달래어도 다못 한 때
모든 것을 잊자 해도 그때 그때뿐
오오 스스로 비웃어도 꾸짖어봐도
어이하랴 내 맘은 샛바람 휩쓸어치는 음산한 허공에
지향없이 오락이는 한 개의 고무풍선

우울타
시대의 담천(曇天)이여
쾌청은 언제뇨!

—「불안」 전문

　　예전의 프로 시인으로서의 이념에 대한 미련이 토로되어 있는 시이다.
특히 "꼼꼼이 생각하면 스르르 주먹이 쥐어지나 /아쉬이 쥔 주먹엔 선땀만
괴었다 사라지고"와 같은 시구에서 이 점을 살펴볼 수 있다. 그리고 이러한
정황은 앞서 인용한 「일년」의 뒷부분, 길가에 내던진 열정의 강아지가
꼬리치고 달려드는데 그걸 안지 못하고 한숨만 쉬는 대목과 아주 흡사하다.
나아가 인용시의 주제는 이념 즉 삶의 목표를 상실한 자로서의 심리적
갈등에 놓인다. 술과 계집으로 달래봐도 스스로 비웃고 꾸짖어봐도 소용없
다는 것은 이러한 심리상태에 대한 직접적 언술이거니와 "샛바람 휩쓸어치

는 음산한 허공에 / 지향없이 오락이는 한 개의 고무풍선"은 이에 대한 객관적 상관물인 셈이다.

「일년」과 「불안」은 이념의 상실에 대한 안타까움이 토로된 시라는 점에서 서로 자매편적 성격을 갖는다. 그런데 이념과 그에 따른 행동으로부터 이탈하게 된 주된 이유가 「일년」에서는 신변의 일인 데 비해 「불안」에서는 '시대의 담천'으로 나타난다. 다시 말해 「불안」의 경우 사회적 상황의 암담함 때문에 마음이 편치 못하고 불안하다는 것이다. 또한 『신동아』(1936. 3)에 발표될 때는 '어떤 젊은 인테리의 독백'이라는 부제까지 붙어 있어 당대 지식인의 불안사조와 연결되는 측면[11]도 없지 않다. 하지만 이 시의 마지막 연은 결구로서 다소 허술하다는 느낌을 지울 수 없는데 그 이유는 시대적 담천이라는 말의 막연함에 있는 듯하다. 시대적 상황의 어려움이 추상적으로 제시될 뿐 시적 주체와의 상관관계를 통해 구체화되지는 않고 있다.

시대적 상황을 시적 주체와의 상관관계를 통해 구체화한다는 것은 시에서 리얼리즘의 성취를 위한 요체라고 하겠는데 그러기 위해서는 시인이 사회현실에 대한 대응의 자세를 견지하는 것이 필요하다. 시인이 사회현실을 추상적으로 암울하게만 인식할 때 시적 주체와 사회현실과의 긴밀한 상관관계는 형성되기 어렵다. 사회현실을 막연히 암울하게 인식할 때 신변의 일은 보편성의 차원으로 고양되지 못하고 개인적인 잡사에 그치기 쉽다. 「일년」이나 「불안」 등에 나타나듯 시인은 사회현실에 대한 대응을 유기하고 있다. 그러한 상태에서 세계는 창작주체에게 다분히 주관적인 불안을 유발하고 이와 같은 세계에 대한 정신적 불안감은 낭만주의의 주요한 특징 가운데 하나[12]인 것이다.

---

11. 백철, 『신문학사조사』, 신구문화사, 1979, 422쪽 참조.
12. 에른스트 피셔, 한철희 역, 『예술이란 무엇인가』 개정판, 돌베개, 1993, 71쪽.

스산한 계절!
말 없는 나의 강은 무슨 생각에 잠기었느냐

네 좋아하는 구성진 물방아의 콧노래도 오늘엔 없고
네 즐기는 재롱둥이 애기풀의 고운 춤도 오늘엔 없고

흐르고 흐른 천리 연변
두 팔 벌여 반기는 그 고운 꽃바위들의 기억도 다시 찾을 수 없는
꿈

오늘도 너의 음울한 주거 요요(寥寥)한 변두리엔
덧없는 조석(朝夕)을 몰아 지나가는 세월의 허허한 공음(跫音)만 울려드나
니

아하 말이 없어도 나는 아노라
고고(孤苦)한 너의 가슴 터지려는 너의 가슴

가막까치 우짖는 소연(騷然)한 이 저녁
내일 날의 봄을 못 믿는 서러운 네 지혜도 나는 아노라.

—「동절(冬節)」 부분

어려운 시기를 겨울철로 보는 낯익은 비유에 의존하는 한편, 세월을
강으로 보고 강에게 말하는 형식을 취하고 있는 시이다. 시 전체가 강에게
말하는 방식의 일종의 독백인데 그 '말 없는 나의 강'에는 작가의 마음이
이입되어 있다. 시의 주된 정조이자 감정이입으로 표현된 시인의 마음은
적막하고 음울하고 괴롭다. 그리고 그 이유는 내일 날의 봄을 못 믿는
지혜로 제시되어 있다. 겨울이 가면 봄이 온다는 비유는 어려운 시대를

견디는 자들의 희망으로 형성되었다고 할 수 있다. 하지만 희망대로 되지 않으리라는 비관적 전망이 이 시에서의 '서러운 지혜'이다. 앞에서 살펴본 「한잔 포도주를」에서 임화의 경우 "지혜 때문에 용기를 잃지 않는 것"을 강조했는데 이찬의 경우 용기를 상실했기에 서러운 지혜일 것이다.

희망에 대한 간절한 요구야 두 시인에게 마찬가지였겠지만 그에 대한 태도 면에서 임화는 어떠한 상황이 오더라도 희망을 버릴 수 없다는 자세인 데 반해 이찬은 희망을 잃고 슬퍼하는 자세를 취한다. "희망을 갖는다는 것은 어려운 일이다 / 더욱이 옳은 희망을 실천한다는 것은…… / 그러나 희망을 버린다는 것은 더욱 어려운 일이다 / 비록 죽엄이 일체를 무덤 속에 파묻는 때라도"(「단장」)가 임화의 시구라면 "삭풍이 늠렬한 광야에 엄마 잃은 망아지같이 / 희망이여 희망이여 / 내 너를 웨기며 우는구나"(「희망」)는 이찬의 시구[13]이다. 다시 말해 어떻게든 절망을 이겨내려는 것이 임화의 자세라면 이찬은 절망감을 슬픔과 고통으로 드러낸다. 인용시 「동절」에 나타나듯 이찬은 내일 날의 봄을 믿을 수 없는 것이다.

비관적 전망에 용기마저 상실한 이찬의 모습은 그의 시편 곳곳에서 광범위하게 나타난다. "어이없다 기가 차다 내 오늘날 한 개의 가라지 신세 될 줄이야"(「가라지의 설움」)나 "그만 미친 녀석까지라도 돼버리고 싶다"(「고충」)나 "울자쿠나 나와 함께 천년을 만년을 소리없이 울자쿠나"(「공동(空洞)」) 등은 비관주의에 침윤된 시인의 상태를 적나라하게 보여주는 예이거니와 그러한 시구들에서 임화와 다른 이찬의 입장을 확인할 수 있다. 1937~40년에 잇따라 간행된 『대망』 『분향』 『망양』 등 이찬의 시집의 주된 정조는 비애이고 비교적 사회적 관심이 드러난 「어화」 「북만주로 가는 월이」 등에서도 별로 다르지 않다. 즉 이찬의 시를 통해 우리는 비관주의에 몸을 맡긴 시인의 모습을 그려볼 수 있고 시인 자신 또한

---

13. 「단장」은 『낭만』(1936. 11)에 「희망」은 『시건설』(1938. 6)에 발표되어 약간의 시차기 나지만 그 시차가 두 시인의 시적 태도의 차이를 살펴보는 데 별로 문제되지는 않을 것이다.

비애의 감정을 솔직히 분출한다는 점에서 비관적 낭만주의를 운위할 수 있다.

4. 안용만과 진취적 낭만주의

적어도 문학사적 가치를 지니는 시에서의 감정 혹은 정서에 작위가 개입될 여지는 거의 없을 것이다. 그러므로 이찬의 감정표현이 솔직하다고 해서 임화의 감정표현에 거짓이 개입되었다고 보이지는 않는다. 다만 임화의 경우 적극적인 의욕이나 의지로 자신의 비관적 감정을 극복하려고 했던 것이다. 다소 역설적이지만 비관주의에 대한 극복의지가 비장하기까지 한 임화의 시를 통해 추적할 수 있는 것은 1930년대 후반은 아무래도 비관주의가 지배적인 시대라는 점이다. 이 글의 초점이 낭만적 경향에 맞추어져 있기에 임화와 이찬을 표본적인 경우로 설정하여 논의했지만 세계에 대한 비관적 인식은 정지용, 백석, 이상 등 다른 시인들의 시에서도 광범위하게 찾아볼 수 있고 그것이 일종의 시대적 분위기를 형성하고 있었던 것[14]이다.

한편 안용만(安龍灣)은 당시의 시대적 분위기와는 사뭇 다른 시를 썼다는 점에서 간과할 수 없는 시인이다. 1935년 <조선중앙일보>와 <조선일보> 신춘문예에 「강동의 품」과 「저녁의 지구(地區)」가 각각 당선되어 등장한 안용만의 시[15]는 힘찬 율격과 낙천적 활기라는 면에서 우선적으로 주목된다. 진보에 대한 전망으로 낙관론과 비관론을 상정하고 그러한 전망이 낭만주

---

14. 졸고 「1930년대 후반의 시정신」, 『인문학보』 13집, 강릉대 인문과학연구소, 1992, 10~15쪽 참조.
15. 더 발굴될 여지도 없지 않지만 1930년대 후반의 안용만의 시는 「강동의 품」(<조선중앙일보>, 1935. 1. 1) 「저녁의 지구(地區)」(<조선일보>, 1935. 1. 1) 「봄의 커터 부」(<조선중앙일보>, 1936. 1. 4) 「생활의 꽃포기」(『조광』, 1937. 10) 「꽃 수놓던 요람」(『시건설』, 1939. 10) 등 다섯 편이 전한다.

의와 결부될 때 진취적 낭만주의와 비관적 낭만주의를 논의할 수 있다면 안용만의 시를 통해 우리는 진취적 낭만주의의 가능성을 타진해볼 수 있을 것이다. 아무리 상황이 암담하더라도 비관에 빠져 허우적거리는 것이 바람직하다고 볼 수는 없기에, 비록 몇 편 되지 않음에도 불구하고 안용만의 시를 검토할 필요가 있다.

    내가 사랑턴 지구—강동…… 아라가와의 물이어!
    세살 먹은 간난애쩍…… 살곳을 찾어 북국의 고향을 등지고 현해탄에 눈물을 흘리며 가족 따러 곳곳을 거쳐 닿은 곳이 너의 품이었다.
    누덕이 모멩 옷 입고 끊임없이 싸이렌이 하늘을 찢는 소란한 거리 빠락에서
    맨발 벗고 놀 때 석양의 노래를 너는 노을의 빛으로 고요히 다듬어주었다.

    아빠 엄마가 그 콩구리 담 속에서 나옴을 기다리며
    나는 아라가와의 깊은 물살을 바라보았다.
    너는 내 어린 그때부터 황혼의 구슬픈 어려운 살림의 복잡한 물결의 노래를 들리어주었다.

    내가 컸을 때 강가에 시드른 풀잎이 싹트고 낮게 배회하는 검은 연기 틈에 따뜻한 볕이 쪼이는 봄—
    나는 아라가와의 봄노래가 스며드는 금속의 젊은 직공으로 오야지—그에게서 키워 당임(當任)에까지 올랐다. 곤란한 몇 해를 겪어서.

    강동…… 아라가와의 흐름이어!
    네 봄의 따뜻한 양광(陽光)에 포만된 노래를 가득히 싣고 흐르는 푸른 얼골을 바라볼 때

몇 번— 보지 못한 반도강산 그리고 고향의 북쪽 하늘가 멀리……
얄루(鴨綠)강의 흐름을 그리었는지
    너는 안다. 너는 잔디우에 누워 약조 마칠 때 설움의 마음으로 속삭이든
고향 이야기를 깨어지는 물거품에 담어 실어갔다.

—「강동의 품」 부분

여기에서 아라가와(荒川)는 조선인 노동자들의 집단 거주지역인 일본 도쿄의 공장지대, 강동지구를 경유하는 강의 이름으로 이 시의 기본 구도는 강에게 말하는 방식으로 짜여 있다. 시인과 구분되지 않는 이 시의 시적 주체는 고향인 압록강변을 세 살 때 떠나 '강동의 품'에서 금속노동자로 성장하는데 가건물에서 맨발에 누더기 무명옷으로 온갖 곤란을 겪으며 자랐으면서도 그 목청에 아무런 구김살이 없다. 이국의 강인 아라가와지만 시적 주체의 성장을 보살피는 어머니와 같은 역할을 했기에 애정어린 고백의 상대가 되는 것이고 특히 고향의 강인 압록강에 대한 그리움을 매개하는 역할을 한다. 그리하여 그는 결국 후속되는 시구, "나의 갈 곳은 고향 얄루 강반(江畔)으로 결정되었다"와 "나는 너를 버리었다"에 나타나듯 단호하게 귀향하는 것이다.

이 시에 대해 임화는 프롤레타리아시의 최초의 발전이라 하고 진실한 낭만주의의 전형적인 예[16]라고 극찬하였는바 그 이유에 대해 생각할 필요가 있다. 우선 프롤레타리아시의 발전이라는 차원을 살피자면, 「강동의 품」을 위시한 안용만의 시는 여러 면에서 임화의 단편서사시를 계승하고 극복한 부분이 있는 듯하다. 「우리 오빠와 화로」와 「강동의 품」의 공통점으로 두드러지는 것은 시의 화자가 노동자라는 것과 서사성과 서정성이 통합된 다변의 시라는 것이다. 즉 노동자의 이야기가 서정적으로 처리되었다는 점에서 「강동의 품」은 단편서사시를 계승하고 있다고 하겠다. 그런데

---

16. 「담천하의 시단 일년」, 176쪽.

임화의 단편서사시가 배역시로서의 성격을 지니면서 노동자의 생활감정이 다소 피상적으로 표현된 데 반해 안용만의 경우 시적 주체의 체험으로 더욱 육화되어 표현되었으니 그 점이 단편서사시에서 발전된 부분으로 보인다.

젊은 노동자의 개인사와 그의 감회의 통합은 「강동의 품」의 경우 상당히 성공적이라고 생각되는데 그 점은 단편서사시의 약점으로 지적되던 감상성이 어느 정도 극복된 것과도 무관하지 않을 것이다. 감상성이 삶에 뿌리내리지 못한 거품과 같은 감정이라는 견해가 성립될 경우 시인 자신의 생활에서 우러나온 「강동의 품」의 정서는 감상성과 구분되는 낭만성의 구현에 성공하고 있다는 주장이 가능해진다. 앞에서 언급한 극찬에 이어 임화는 계속해서 자연을 생활적으로 노래하였다고 하고, 아라가와의 거센 물결은 그의 계급의 히로이즘(heroism)과 같이 약동적이라고 하였는데 이러한 발언은 그의 진실한 낭만주의라는 평가에 연결된다. 진실한 낭만주의 혹은 진취적 낭만주의의 요체가 현실 속에 이상이 약동하도록 세계를 그리는 데 있다고 본다면 진실한 낭만주의는 비관주의를 극복할 때 가능해지기 때문이다.

> 겨울의 치운 햇발이 넘어감이 길어지며
> 북국의 봄—
> 전에는 별들이 총총한 밤하늘에 찢든 고동이 황혼의 나라에 안기운다
> 자연과 살림의 아름다운 조화!
> 나는 홀린다. 보드라운 입김에 싸인 어여뿐 이 거리여!
> 나는 왔다. 저녁 거리의 품이어! 나를 맞어다고……
> 네, 입김은 소생의 뜨거움 같다
> 녹아지는 대지, 속삭이는 바람, 백은색의 연기—싹트는 네 입은 희망을 아뢰고
> 나는 네 품, 자연의 향기 속에 근로자들의 가슴을 생각한다.

새롭은 정열로 끓으는 감정을 너는 따뜻하게 키워가는 것이지.
여덟시 —— 싸이렌!
……흐르는 파란 나빠 복(服)의 떼
웃음, 농지거리, 그 바람에 실려가는 생활의 노래, 이들을 안은 저녁의
거리, 사랑하는 품이여! 나를 맞으다고 ——
생생한 정열을 읊으려는 내 가슴은
저녁 거리의 사랑에 터질 듯이 뜨겁고나.

—「저녁의 지구」 부분

  "자연의 향기 속에 근로자들의 가슴을 생각한다"나 "생생한 정열을
읊으려는 내 가슴은 / 저녁 거리의 사랑에 터질 듯이 뜨겁고나"에서 신생하
는 노동자계급의 활기를 읊으려는 시인의 집필 동기를 가늠해볼 수 있거니
와 이러한 동기는 「저녁의 지구」에 배어 있는 낙천적 활기와 접맥된다.
이와 관련하여 인용시의 계절은 "녹아지는 대지, 속삭이는 바람"의 초봄으
로 설정되고 시간 또한 작업종료의 "기쁨의 싸이렌"이 울리는 여덟시
전후로 맞추어져 있다. "흐르는 파란 나빠 복(服)의 떼"나 "웃음, 농지거리"
는 퇴근길 노동자들의 활기찬 모습을 형상화하고 있는 구절이다. 그리고
이렇듯 낙관적인 시는 당시로서는 지극히 예외적인 경우라 하겠는데 그
이유는 단순히 시인의 집필 동기만으로 해명되지는 않을 것이다.
  시인의 개인사로 볼 때 「강동의 품」이 자신의 성장지인 강동지구를
회상하는 시라면 「저녁의 지구」는 귀향 후를 다루었다는 점에서 일종의
속편으로서의 성격을 지닌다. 이 시에서의 '북국'이란 「강동의 품」의 '북국
의 고향'과 다를 게 없겠고 따라서 「저녁의 지구」의 배경이자 시적 대화의
상대인 '저녁 거리'는 시인의 고향인 신의주 '얄루 강반(鴨綠 江畔)'의 공장
앞 거리로 추정되는 것[17]이다. 그랬을 때 "나는 왔다. 저녁 거리의 품이어!

---

17. 안용만에 대한 논의는 윤영천, 『한국의 유민시』(실천문학사, 1987), 163~72쪽을

나를 맞어다고"와 같은 시구의 의미가 제대로 드러나고 시 속에 팽배한 활기가 어디에서 연유하는가가 이해되는 것이다. 그 활기는 금속노동자로 성장한 청년이 포부를 안고 귀향하여 사랑하는 고향에서 봄을 맞이하는 기쁨과도 겹쳐 있기 때문이다.

이상에서 살펴본 바와 같이 비관적 정조가 전혀 개입되지 않은 안용만의 시풍은 그의 다른 시에서도 마찬가지이다. "기계 소리의 곡조 따러 나의 즐거움에 찬 가슴은 뛰논다"(「봄의 커터 부」)나 "저녁노을 빨간 빛깔에 아름다웁게 파동하며 / 즐거움에 찬 호흡과 얼켜 물드리는 기쁨"(「생활의 꽃포기」)이나 "문득 눈에 띈 개나리꽃 한 포기여! / 너는 집단의 정열이 피어진 것!"(「꽃 수놓던 요람」) 등은 기쁨과 희망과 정열로 충만한 안용만의 시풍을 알려주거니와 거기에는 또한 젊은이다운 연정까지 개입된다. 이렇듯 형성기에 있었던 노동자계급의 삶과 관련하여 활력이 넘치는 적극적인 감정을 노래했다는 점에서 안용만은 당시로서는 드물게 진취적 낭만주의의 가능성을 보여준 시인이라는 평가가 가능해진다.

하지만 그의 예외적 성취에는 의문의 여지가 없지 않은데 그것은 그의 시가 얼마나 현실감을 획득하고 있나의 문제와 관련된다. 노동현장의 구체화까지는 요구하지 않더라도 그의 시에 충만한 기쁨과 즐거움이 당시의 노동자의 감정으로 얼마나 사실성을 갖느냐에 대해서는 쉽사리 수긍이 가지 않는다. 그러한 기쁨과 즐거움으로 고양된 시적 주체 또한 일제 파시즘의 폭압 속에 있던 당시의 노동자의 모습으로 얼마나 현실감을 갖는지도 의문이다. 좌절감에 사로잡히는 것이 바람직스럽지 않다고 해서 역경과 좌절의 문제를 접어두거나 외면하는 창작이 능사는 아닐 것이다.

참고할 만하다. 그런데 「저녁의 지구」의 배경을 일본의 조선인 특수지구로 잡고 해석한 것은 오해가 개입된 듯하다. 안용만의 시에서 남국은 일본을, 북국은 조선을 의미하는 듯하며 이 시의 배경은 북국으로 설정되어 있다. 이와 관련하여 <조선일보>(1935. 1. 4)에 소개된 안용만의 현주소가 신의주로 되어 있다는 사실에도 유익한 필요가 있다.

그 무렵의 상황으로 보아 역경과 좌절을 사상할 것이 아니라 그 속에서 희망을 찾으려고 고심하는 과정이 요구되는데 안용만은 그러한 요구에 제대로 부응하지 못했다. 그리고 그 점은 안용만의 작품 활동이 불과 몇 편의 시밖에 남기지 못할 정도로 부진한 이유와도 연결되는 듯하다.

5. 맺음말

이제까지 1930년대 후반의 낭만적 시경향을 추적하여 그 실체를 확인하고 문학사적 위상을 점검하려는 목표 아래 임화, 이찬, 안용만 등 세 시인의 시를 집중적으로 검토하였다. 그들 외에 윤곤강, 오장환, 서정주 등의 시에서도 낭만적 경향을 살펴볼 수는 있겠지만 논의의 범위를 확대하지 않은 것은 앞에서 검토한 세 시인이 카프 해체 후 낭만시의 세 가지 경향을 제각기 대표적으로 보여준다고 생각했기 때문이다. 또한 낭만적 경향으로의 경사면에서도 임화, 이찬, 안용만 등이, 작품의 질적 성취와는 무관하게, 오장환, 서정주 등에 비해 더욱 집중적이라고 판단되었기 때문이다.

1930년대 후반의 문학적 기류와 관련하여 상징적 사건이라 할 수 있는 카프의 와해는 자신의 운명을 카프와 관련시켰던 임화에게 특히 심각한 영향을 끼친 듯하다. 카프의 조직적 활동이 위축되거나 와해될 무렵 임화가 창작방법론으로 낭만적 정신론을 제기하고 낭만시의 창작으로 나아간 것은 우연이 아니라고 생각된다. 낭만적 정신론의 요체는 현실이 암담하더라도 혹은 암담할수록 이상을 붙들어야 한다는 것인데 그것은 시인 자신의 절망감을 다스리기 위한 처방이기도 했던 것이다. 진보에 대한 신념과 열정을 견지하기 위해 비장한 투쟁을 벌였던 임화 시의 주제는 절망감을 극복하는 데 놓이고 그것은 주체 세우기로 이어진다. 하지만 그러한 주제가 현실과의 긴밀한 상관관계를 통해 구체화되지 못한 것은 임화 시의 한계이면서 동시에 그의 시를 낭만시라고 부르는 이유가 된다.

일제 파시즘의 진군을 저지하고 민족해방으로 나아갈 가능성을 찾기 힘들었던 당시의 분위기는 다분히 비관주의로 기울어 있었다. 그러한 시대적 기류 속에서 비관주의를 극복하기 위해 고투하는 모습을 보여주는 문제적 시인이 임화라면, 비관주의에 침윤된 자신의 상태를 적나라하게 보여주는 대표적 시인이 이찬이다. 다시 말해 이찬의 시에는 이념에 대한 미련을 버리지 못하면서도 이념과 그에 따른 행동으로부터 유리된 자의 절망과 비애가 집중적으로 표현되어 있다. 그리고 바로 여기에 이찬을 두고 비관적 낭만주의를 논하는 이유가 있다. 그가 이념을 상실하게 된 이유는 가정사와 암울한 시대적 상황으로 드러난다. 하지만 사회적 상황과의 대응의 자세를 유보한 상태에서의 시대적 중압은 추상성을 벗어날 수 없고 가정사 또한 보편성을 확보하지 못한 채 신변잡사에 머물기 쉽다.

한편 안용만은 당시의 시대적 분위기와는 사뭇 다르게 낙천적 활기와 낙관적 서정이라는 면에서 주목되는 시인이다. 서사성과 서정성을 효과적으로 통합하여 구사함으로써 임화의 단편서사시를 계승하고 발전시킨 것으로 보이는 그의 시에서 노동자의 생활감정은 시적 주체의 체험으로 녹아들어 있다. 이와 같은 안용만의 시는 형성기에 있던 노동자계급의 삶과 관련하여 활기찬 감정을 표현했다는 점에서 진취적 낭만주의의 가능성을 보여준다고 생각된다. 진취적 낭만주의의 요건이 현실 속에서 이상이 약동하도록 세계를 그리는 데 있다면 안용만의 시는 그러한 요건에 어느 정도 부응하는 것이다. 하지만 그의 시에 충만한 기쁨이 당시 노동자의 감정으로서 얼마나 현실감이 있느냐는 의문이 남고 그 점은 안용만의 저조한 시작활동의 요인으로 작용한 듯하다.

이상의 간략한 요약에도 나타나듯 세 시인은 1930년대 후반의 낭만적 시경향을 각기 다른 형태로 보여준다. 그리고 그러한 시경향은 그들의 제각기 다른 삶의 자세의 문학적 반영이라고 생각된다. 다소 거친 비교이지만 상황이 어려울 때 비관에 빠져 괴로워하는 경우가 이찬이라면 좌절감을 극복하려고 고투하는 자세를 보이는 경우가 임화이고 상황과는 무관하게 낙관적인 태도를 보이는 경우가 안용만이다. 그런데 그들의 시를 낭만적 경향으로 함께 취급할 수 있는 이유는 객관과 주관의 상관관계에서 주관성에 과도한 비중을 두고 감정표현에 치중한다는 데 있을 것이다. 주관성과 감정표현이 시의 속성이라면 시는 어차피 낭만주의와 무관할 수 없을 것이다. 그렇지만 그들의 시의 공통적인 약점이 현실과의 긴밀한 상관관계를 확보하지 못한 데에 있다고 생각한다면 시에서 리얼리즘의 성취의 중요성을 역으로 감지할 수 있다.

(『인문학보』, 1993)

서정주론
·····

1. 머리말

　1970년대 후반 이래 영향력이 많이 감소됐지만 미당 서정주(徐廷柱, 1915~2000)가 한 시대를 풍미한 시인이라는 점은 문학사적 사실로 기록되어야 할 듯하다. 이 점에 대해 후배 시인 고은은 "서정주는 정부다"¹라는 명제로 압축했는데 이 명제는 서정주 시의 중요성에 대해 시사한다는 점에서 실언이라고만 볼 수는 없을 것이다. 시인 서정주에 대해 부정적 시각을 갖는 이조차 그의 시가 갖는 비중은 대체로 인정하고 있는 형편이기 때문이다.

　필자가 이제까지 서정주 시를 숙독해온 것은 그의 시가 한국문학사에서 차지하는 비중을 인정하기 때문이다. 그런데 새삼 이 글을 착수하게 된 것은 이제까지 서정주론이 중요한 문제를 간과해왔다는 생각 때문이다. 종래의 서정주론이 간과한 문제란 무엇인가. 그것은 시집 『화사집』을

1.　고은, 「서정주 시대의 보고」, 『문학과지성』, 1973, 봄, 181쪽.

중심으로 한 초기 시와 그 이후의 시 사이에 놓인 단층에 대해 그 현상에 주목할 뿐 그렇게 된 이유를 제대로 해명해내지 못했다는 판단과 결부된다. 또한 현상의 의미나 동인에 대한 설명이 부족하기로는『귀촉도』이래의 시적 변모에 대한 논의에서도 대동소이하다고 생각된다.

서정주 시에 대한 평가는 대체로 두 부류로 나누어지는 듯하다. 시집『귀촉도』이후의 시적 변모에 비중을 두고 전폭적인 찬사를 보내는 경우와『화사집』에 비중을 두고 이후의 시적 변모에 대해 비판적인 경우가 그것이다. 대체로 전자가 문협파 문학관의 개진이라면 후자는 1970년대 이래 민족문학론자의 입장과 결부될 것이다. 서정주의 초기 시가 서구지향적이라면 이후에는 한국적인 것의 탐구를 통해 시적 변모를 이룩했는데 왜 민족문학의 정도로부터 점점 일탈해갔는가. 그러한 의문을 푸는 것이 필자가 이 글을 쓰게 된 동기이자 과제이기도 하다.

서정주의 시적 변모와 관련하여 그 의미를 천착한 비평으로 가장 진경을 보인 이는 김우창이라 생각된다. 그에 의하면 서정주의 초기 시는 강렬한 관능과 대담한 리얼리즘이 특징이었는데 시집『귀촉도』이래 일원적 감정주의로 후퇴하여 자위적인 자기만족의 시가 되어버렸다는 것[2]이다. 현상에 대한 진단인 한 필자는 김우창의 이러한 견해에 공감하는 바가 많다. 하지만 그의 글에는 서정주의 시가 왜 그렇게 되어버렸나에 대한 천착이 거의 결락되어 있다. 또한 서정주의 실패는 한국시 전체의 실패라거나 그러한 실패를 단순하게 역사적 여건 탓으로 돌리는 판단에 대해서도 동의할 수 없다.

고은이 정부라고까지 말한 서정주의 전성기는 이 땅의 진보적 문학전통의 흐름이 복류하던 시절이었다. 비슷한 세대의 시인인 이용악이나 오장환과 대비시켜보거나 김수영과 신동엽 이래 융융한 이 땅의 진보적 시운동에 주목한다면 서정주의 실패를 한국시 전체의 실패라 하지는 않을 것이다.

---

2. 김우창,「한국시의 형이상」,『궁핍한 시대의 시인』, 민음사, 1977, 66~67쪽.

다소 직설적으로 말하자면 서정주는 분단국가인 남한의 체제에 안주하거나 순응한 대표적 시인으로서의 한계를 안고 있다. 물론 일제와 남한의 체제가 역사적 여건으로 작용했겠지만 중요한 것은 그 여건에 대한 대응을 어떻게 하느냐이다. 즉 역사적 여건이란 늘 주체와의 상관관계 속에서 검토할 필요가 있는 것이다.

필자는 이제까지 우리 시를 리얼리즘적 안목에서 천착해왔다. 그러한 안목에서 볼 때 서정주의 초기 시는 검토할 만한 대상으로서의 요건을 갖추고 있다. 그런데 그의 시적 변모는 리얼리즘으로부터 일탈하는 방향으로 이루어져왔다. 따라서 우리의 리얼리즘시의 발전적 전개를 위해서는 역설적으로 서정주의 시적 변모를 추진시키는 동인을 철저히 추적할 필요가 생기는 것이다. 본문 중에 상세히 다루겠지만 서정주의 시적 변모를 추진시키는 동인을 순응주의라 한다면 그것이 리얼리즘의 시정신으로서의 현실주의와 어떻게 다른지를 밝힐 필요가 있고 그것은 필자가 서정주론을 착수하게 된 또 다른 이유인 셈이다.

2. 지향 없는 열정과 죄의식

시가 인간의 온갖 정신활동의 집약적 산물 혹은 결정이라 한다면 그 가운데 감정 혹은 감성과 사유 혹은 지성의 상호작용은 시마다 혹은 시인마다 각기 양상을 달리할 것이다. 그런데 서정주의 초기 시에 두드러지는 것은 단연 감정 혹은 감성이다. 즉 20대 청년의 이른바 '뜨거운 가슴' 혹은 '심장'으로 쓴 시가 1941년 간행의 『화사집』에 집중적으로 수록되어 있다. 시인의 내면에서 솟구치는 감정의 표현에 충실한 문학적 경향을 이름하여 낭만주의라 한다면 미당의 초기 시에 충만한 것은 일종의 낭만적 열정이다.

아— 반딧불만한 등불 하나도 없이
울음에 젖은 얼굴을 온전한 어둠 속에 숨기어 가지고…… 너는,
무언의 해심(海心)에 홀로 타오르는
한낱 꽃 같은 심장으로 침몰하라.

아— 스스로이 푸르른 정열에 넘쳐
둥그런 하늘을 이고 웅얼거리는 바다,
바다의 깊이 우에
네 구멍 뚫린 피리를 불고…… 청년아.

애비를 잊어버려
에미를 잊어버려
형제와, 친척과, 동모를 잊어버려,
마지막 네 계집을 잊어버려,

아라스카로 가라 아니 아라비아로 가라
아니 아메리카로 가라 아니 아프리카로
가라 아니 침몰하라. 침몰하라. 침몰하라!

오— 어지러운 심장의 무게 우에 풀잎처럼 흩날리는 머리칼을 달고
이리도 괴로운 나는 어찌 끝끝내 바다에 그득해야 하는가.
눈뜨라. 사랑하는 눈을 뜨라 …… 청년아.
산 바다의 어느 동서남북으로도
밤과 피에 젖은 국토가 있다.

　　　　　　　　　　　　　　　　　　　　— 「바다」 부분[3]

---

3. 원칙적으로 각 단행본 시집을 참조하되 이 글에서 사용하는 서정주 시의 텍스트는

인용시 「바다」는 필자의 안목으로 볼 때 「자화상」, 「화사」, 「문둥이」와 함께 시집 『화사집』을 대표할 만한 수작에 해당된다. 인용시를 지배하는 것이 감정 가운데서도 격정이라는 점은 '어지러운 심장의 무게'라는 시구만 보아도 짐작할 수 있다. "스스로이 푸르른 정열에 넘쳐 / 둥그런 하늘을 이고 웅얼거리는 바다"에서 보듯 제어하기 힘든 청년 시인의 열정이 그득히 넘실대는 바다의 이미지로 형상화되어 있다. 소급해서 말하자면 솟구치는 청년의 열정이 서정주로 하여금 위와 같은 낭만적인 시를 쓰게 한 것일 터이다.

하지만 그의 시의 동력으로서의 열정이 발현될 방향성은 찾지 못하고 있는 형편이다. 인용시에 나타나듯이 그의 시야에는 반딧불만한 등불 하나도 없는 상태이다. 그리하여 "한낱 꽃 같은 심장으로 침몰하라"고 절규하는 것이다. 알라스카, 아라비아, 아메리카, 아프리카를 열거하며 연속적으로 '가라'고 외치지만 그것은 바로 아무런 방향성도 출구도 없다는 부르짖음인 셈이다. 이 점은 의미구분과 행구분을 착종시켜 행간연접으로 '가라'를 배치하고 뒤이어 '침몰하라'를 세 번이나 반복하는 시행에서 분명히 확인된다. 그러니까 인용시 「바다」에 집중적으로 표현된 것은 출구도 방향성도 없는 낭만적 열정이라고 할 수 있다.

그런데 왜 서정주의 낭만적 열정에는 출구도 방향성도 없는가. "산 바다의 어느 동서남북으로도 / 밤과 피에 젖은 국토가 있다"는 시구는 그 점에 대해 시사해주는 바가 있다. 동서남북으로 펼쳐져 있는 것이 밤과 피에 젖은 국토인데, 밤이란 시야가 막혀 있는 것과 관련되고 피에 젖은 국토란 식민지 현실과 결부될 것이다. 즉 아무런 전망도 없는 식민지 현실이 그의 열정으로 하여금 출구도 방향성도 찾을 수 없게 한 것이다.

『서정주시전집 1』, 『서정주시전집 2』(민음사, 1991)를 사용한다. 기타 상세한 시지사항에 대해서는 『서정주시전집 2』에 마련된 작품연보를 참고할 수 있다.

따라서 인용시 「바다」의 주제는 지향 없는 청년의 격정에 있고 또한 그것은 식민지 청년의 몸부림이기도 하다는 점에서 시대적 의미를 획득한다. 「바다」에서 식민지 현실을 환기시키고 시대적 의미를 획득하게 하는 통로가 된 시구는 바로 '피에 젖은 국토'인데, 이러한 시구는 미당의 후기 시에서는 찾아볼 수 없고 초기 시에서도 드물게 등장한다.

애비는 종이었다. 밤이 깊어도 오지 않았다.
파뿌리같이 늙은 할머니와 대추꽃이 한 주 서 있을 뿐이었다.
어매는 달을 두고 풋살구가 꼭 하나만 먹고 싶다 하였으나…… 흙으로
바람벽한 호롱불 밑에
손톱이 까만 에미의 아들.
갑오년이라든가 바다에 나가서는 돌아오지 않는다 하는 외할아버지의
숱 많은 머리털과
그 크다란 눈이 나는 닮았다 한다.
스물세 해 동안 나를 키운 건 팔할이 바람이다.
세상은 가도가도 부끄럽기만 하더라.
어떤 이는 내 눈에서 죄인을 읽고 가고
어떤 이는 내 입에서 천치를 읽고 가나
나는 아무것도 뉘우치진 않을란다.

찬란히 틔어오는 어느 아침에도
이마 우에 얹힌 시의 이슬에는
몇 방울의 피가 언제나 섞여 있어
볕이거나 그늘이거나 혓바닥 늘어트린
병든 수캐마냥 헐떡거리며 나는 왔다.
　　　　　　　　　　　　　　　　—「자화상」 전문

『화사집』의 서두에 수록된 시로서 서정주의 초기 시를 말할 때 가장 많이 주목의 대상이 되어온 작품이다. 시의 제목이 자화상이라거나 "이마우에 얹힌 시의 이슬"이라는 시구에서 드러나듯 시인의 분신으로서의 시적 자아에 대한 의식이 집중적으로 표현되어 있다. "애비는 종이었다"는 충격적인 진술로부터 시가 시작되는데, 그의 자의식은 종의 아들이라는 것으로 일제의 종노릇을 하고 있던 당대의 민족의 상황과 결부되어 폭넓은 실감을 자아낸다. 즉 시적 자아의 설정부터가 다분히 문제적인 시인 것이다.

시인의 자전적 진술[4]에 의하면 그의 고향 질마재는 어지간한 반촌에서는 혼사도 하지 않는 상놈의 마을로서 어느 집을 찾아가도 흙벽에는 한 장의 신문지도 바르지 않았다는 것인데 이러한 사항은 애비는 종이라거나 흙으로 바람벽한 호롱불 밑에 손톱이 까만 에미의 아들이라는 진술과 무관할 수 없다 하겠다. 어부인 외가쪽 가계 또한 자전적 진술과 시적 진술이 부합되고 있다. 문제는 「자화상」의 시적 진술이 전기적 사실과 부합되느냐에 있지는 않지만 시인으로서는 구체적 체험과 줄을 댐으로써 사실성을 확보할 수 있다는 것이 중요하다. 그러한 사실은 "외할아버지의 숱 많은 머리털과 그 크다란 눈이 나는 닮었다 한다"와 같은 시구의 구체성이 어떻게 사실성을 확보하는 데 기여하는가를 보면 드러난다.

위와 같이 미천한 출신인 시적 자아는 심한 부끄러움과 굴욕감을 동시에 느끼는데 '죄인'이나 '천치'와 같은 시어가 직접적이라면 '병든 수캐'는 비유를 통해 그 점을 말해준다. 하지만 시적 자아의 부끄러움이나 굴욕감의 이유가 자신의 미천한 출신에 있는 것으로 읽히진 않는다. 자신의 출신에 관한 한 오히려 그러한 역경을 헤치고 나왔다는 다소 도전적인 목소리까지 스며 있는 것으로 읽힌다. 그의 굴욕감의 이유를 암시하는 시행은 "세상은 가도가도 부끄럽기만 하더라" 정도인바, 세상 즉 식민지 현실을 살면서 떳떳한 일을 아무것도 하지 못한다는 데서 굴욕감의 이유를 찾도록 단서를

---

4. 「나의 방랑기」, 『인문평론』, 1940. 4, 67쪽.

남긴 셈이다.

　이러한 굴욕감은 서정주의 초기 시에서 특징적인 원죄의식과 연결된다. 인용시에서는 '병든 수캐'이지만 『화사집』에 빈번이 등장하는 '뱀'이나 '문둥이'의 이미지가 다 원죄의식과 깊은 관련을 맺고 있다. 서정주의 원죄의식의 연원은 보들레르를 매개로 한 기독교의 구약성서이겠고 그 점은 "창생 초년의 임금(林檎)"이나 "카인의 샛빨간 수의"(「웅계(雄鷄) 하」)와 같은 직설적인 시구에 반영되기도 한다. 하지만 원죄의식이 내면화되어 시적 형상으로 나타난 대표적 예는 아무래도 「문둥이」가 아닐까 한다. "해와 하늘 빛이 / 문둥이는 서러워 // 보리밭에 달 뜨면 / 애기 하나 먹고 // 꽃처럼 붉은 울음을 밤새 울었다."(「문둥이」 전문)에서 문둥이는 단순한 시적 대상에 그치지 않는다. '꽃처럼 붉은 울음'이란 어쩌면 시인 자신의 시일 수도 있기 때문이다.

　그런데 위와 같은 원죄의식이 또한 식민지 현실과 무관하지 않다는 사실이 『화사집』의 중요성에 대해 시사해준다. 청년 서정주에게 원죄의식은 기독교적 신앙심과는 무관하다. 시인은 왜 문둥이를 노래하며 그와 일체감을 느끼는가. 그러한 질문은 곧 시인은 왜 원죄의식을 내면화했는가라는 질문으로 이어진다. 천형의 병이라고 하듯 문둥병이 운명적인 것이라면 문둥이는 운명적으로 식민지인이 된 청년 시인에게 일체감을 유발할 만한 이유가 있는 시적 대상이다. 그리고 청년 시인에게 식민지인으로서의 굴욕감은 의식 차원에서 원죄로 각인된 것으로 해석할 수 있다. 현상적으로는 자신의 행위와 무관하지만 원죄처럼 그는 식민지인이었던 것이다.

　한편 『화사집』의 삽화로 '사과를 물고 있는 뱀'을 사용한 것은 우연이 아닐 것이다. 『화사집』에 가장 인상적으로 등장하는 동물 이미지는 '뱀'인데 뱀 또한 창세기 신화에 나오듯 원죄의식과 얽혀 있다. "너의 할아버지가 이브를 꼬여 내던 달변의 혓바닥이 / 소리 잃은 채 날름거리는 붉은 아가리로 / 푸른 하늘이다. 물어뜯어라, 원통히 물어뜯어"(「화사」)와 같은 시구가 이 점을 말해준다. 원통히 물어뜯는 대상은 푸른 하늘이다. 푸른 하늘이 운명을 상징한다면 화사의 물어뜯는 행위는 원죄의 형벌을 당한 자의 몸부림인 것이다. 덧붙여 말하자면 뱀이 푸른 하늘을 물어뜯을 수 없듯이 운명적 원죄는 몸부림으로 어찌할 수 없는 것이다.

또한 청년 서정주의 뱀 이미지는 단순한 원죄의식에 멈추지 않고 욕정과 결부되어 있다는 사실이 특징적이다. "땅에 누워서 배암같은 계집은 /땀흘려 땀흘려 /어지러운 날 업드리었다"(「맥하(麥夏)」)와 같은 시구는 그 구체적 예이다. 이와 같이 주체하기 힘든 욕정의 표현은 『화사집』의 주요한 특성이라 할 수 있는데 그것은 "즘생스런 웃음은 달드라 달드라"(「입마춤」)에서 보듯, 방향성을 갖는 애정이 아니라 짐승스럽고도 맹목적인 욕정이다. 그리고 그러한 짐승스런 욕정의 거침없는 표현은 그의 지향 없는 열정이 분출되는 한 양상인 셈이다.

이제까지 논했듯이 서정주의 초기 시에는 식민지 청년의 정신적 갈등과 몸부림이 집중적으로 표현되어 있다. 원죄의식으로 나타난 정신적 갈등과 지향 없는 격정을 가누지 못하는 몸부림이 시적 자아를 중심으로 형상화되었는데 그러한 시적 자아는 고통스럽게 살아가는 식민지 청년의 모습을 보여준다는 점에서 어느 정도 전형성을 갖는다고 할 수 있을 듯하다. 즉 서정주의 초기 시는 낭만적 열정이 주조를 이루기에 기본적으로 낭만주의적 성격을 지니지만 빼어난 몇몇 작품의 경우 다분히 리얼리즘을 계기로 하고 있다고 할 수 있다. 시창작에 있어서 낭만주의와 사실주의가 배타적인 관계에 있지 않고 서로 상호작용함으로써 문학적 성취를 가져오는 경우가 많은데 「자화상」, 「바다」, 「문둥이」 등의 시는 그러한 예라고 생각된다.

3. 시적 변모와 순응주의

미당의 제2시집 『귀촉도』에는 「행진곡」이나 「멈둘레꽃」과 같이 『화사집』의 세계에 귀속될 만한 시와 「밀어」나 「견우의 노래」와 같이 완연히 새로운 세계로 진입한 시가 뒤섞여 있다. 단적으로 말해서 전자가 격정을 가누지 못해 몸부림치는 시들이라면 후자는 정서적으로 여유를 보이는 시들이다. 그리고 위의 두 경향을 극으로 하여 격정을 다스려가는 모습을 보여주는 시편들이 다수 수록되어 있는바, 그런 뜻에서 『귀촉도』는 『화사집』의 세계를 이어받으면서 시적 변모의 장도에 오르는 모습을 보여주는 시집이라 하겠다.

　『귀촉도』는 1948년에 간행되었는데 창작시기 면에서 해방 전과 해방 후의 작품이 함께 수록되어 있다. 대체로 해방이 많은 시인들의 시쓰기에 중대한 영향을 끼쳤고 서정주의 경우도 딱히 예외라고 할 수는 없겠지만 그의 시적 변모의 내면적 동기는 그 이전으로 소급해 올라가 살펴보는 것이 좋을 듯하다. 1942년을 전후로 하여 미당 시의 시적 자아는 더 이상 원죄의식에 시달리지 않게 되고 지향 없는 격정으로 인한 몸부림도 현저히 수그러드는 것으로 보이기 때문이다.

　　　　오— 그 기름문은 머릿박 낱낱이 더워
　　　　땀 흘리고 간 옛사람들의
　　　　노랫소리는 하늘 우에 있어라

　　　　쉬어 가자 벗이여 쉬어서 가자
　　　　여기 새로 핀 크낙한 꽃 그늘에
　　　　벗이여 우리도 쉬어서 가자

　　　　만나는 샘물마다 목을 추기며
　　　　이끼 낀 바윗돌에 택을 고이고
　　　　자칫하면 다시 못볼 하늘을 보자.

　　　　　　　　　　　　　　　　　—「꽃」 부분

머릿박 낱낱이 더워 땀 흘리고 가는 주체는 이제 옛사람들로 처리되어 있다. 즉 시인의 분신으로서의 시적 자아가 치미는 격정을 이기지 못해 머릿속이 더워진 상태는 아닌 것이다. 나아가 만나는 샘물마다 목을 축이며 쉬어 가자고 제안하고 있다. 이 점은 『화사집』 시절의 시적 자아와 현저히 다른데 "자칫하면 다시 못볼 하눌을 보자" 운운의 시행은 지향 없는 격정으로 몸부림치며 '침몰하라'고 외치던 「바다」의 시적 자아와 연계시켜 읽을 필요가 있을 듯하다. 즉 인용시 「꽃」은 이끼 낀 바윗돌에 턱을 고일 만한 여유를 갖고 시적 변모의 도정에 오른 시인의 모습을 보여주고 있다.

그의 회고조의 자전적인 시 「이조백자의 재발견」에 따르면 「꽃」의 창작시기는 1942년이다. 그리고 위와 같은 변모의 동기를 "다소곳이 견디면서 식구들 데불고 살아갈밖엔 없다"는 인식 혹은 세상살이의 요령과 결부시켜 진술하고 있다. 이러한 진술에서 우리는 순응주의를 추출할 수 있거니와 그것이 지향 없는 격정을 다스리는 서정주 나름의 자가처방이었던 셈이다. 하지만 위의 인용시 「꽃」에 순응주의가 표면화된 것은 아니고 위와 같은 시적 변모에 순응주의가 작용했다고 보는 것이 타당할 듯하다. 아무리 험난한 세상이라 하더라도 어떻게든 적응해서 살아가야 한다는 생존의 논리가 시적 자아로 하여금 더 이상 정신적 갈등과 죄의식에 사로잡히지 않도록 만든 것이다.

식민지 청년으로서의 죄의식이 구약성서에 연원을 둔 원죄의식을 내면화하게 했다는 말은 앞에서 했거니와 이 점은 당대에 시인부락 동인으로서 정신적 교유관계에 있었던 오장환과 공유하는 부분이기도 하다. 정신적 갈등으로 몸부림치는 시적 자아 또한 시집 『성벽』이나 『헌사』와 『화사집』의 친연성을 말해준다. 그런데 원죄의식 혹은 정신적 갈등이 오장환의 경우 역사의식의 성숙으로 이어지는 반면[5] 서정주의 경우 순응주의로 이어지는데 이 점이 이후 시인으로서의 그들의 행적과 시세계를 현저히

---

5. 졸저 『리얼리즘의 시정신』, 실천문학사, 1992, 141~46쪽 참조.

다르게 하는 요인이 된다. 일제 말 서정주의 친일이란 그의 순응주의가 행동으로 표면화된 것일 터인데 그에 대해 노년의 미당은 다음과 같이 술회하고 있다.

> 나는 이조 사람들이 그들의 백자에다 하늘을 담아 배우듯이
> 하늘의 그 무한포용을 배우고 살려 했을 뿐이다
> 지상이 풍겨 올리는 온갖 미추를
> 하늘이 '괜찮다'고 다 받아들이듯
> 그렇게 체념하고 살기로 작정하고
> 일본총독부 지시대로의 글도 좀 썼고,
> 일본군 사령부의 군사훈련 때엔
> 일본 군복으로 싸악 갈아입고
> 종군기자로 끼어 따라다니기도 했던 것이다.
>
> ──「종천순일파(從天順日派) ?」 부분

시의 제목에 순종이라는 말이 포함되어 있거니와 순응주의가 얼마나 역사의식을 마비시키는가는 인용시에서 충분히 살펴볼 수 있다. 위와 같이 부당한 사회체제에 순응하는 미당의 태도에 대해 비판하기는 물론 어렵지 않다. 하지만 여기에서 유념할 사항은 이러한 미당의 오류가 시인 개인의 차원에 그치지 않는다는 사실의 중요성이다. 문제 시인의 시정신이 늘 그렇듯이 순응주의란 미당 개인의 사적 차원에 머물지 않고 그 의미가 당대 우리 민족이 처한 정신적 상황으로 확장된다. 일제의 파쇼체제 아래 놓인 민족 구성원의 과반수가 정도 차이는 있겠으되 살아남기 위한 방편으로 순응주의를 내면화했다고 보이기 때문이다.

위의 「종천순일파 ?」는 미당의 시적 변모의 동인을 살피기 위해 인용한 것으로 시적 형상이라기보다는 거의 산문적인 진술에 그친 감이 있다. 실상 『귀촉도』가 당대의 주목받는 시집이었던 이유는 예술적 완성도가

수준급이었다는 것을 전제로 한다. 즉 『귀촉도』에서 「종천순일파 ?」와 같이 직설적으로 순응주의가 나타나는 시편은 찾아볼 수 없다. 필자가 순응주의를 시적 변모의 동인으로 간주하는 이유가 여기에 있다. 하지만 순응주의가 시인의 세계관으로 내면화되었던 만큼 시 속에도 은근히 스며 들어 있다고 보는 것이 타당할 듯하다.

우리들의 사랑을 위하여서는
이별이, 이별이 있어야 하네

높었다, 낮었다, 출렁이는 물살과
물살 몰아 갔다오는 바람만이 있어야 하네.

오— 우리들의 그리움을 위하여서는
푸른 은핫물이 있어야 하네.

돌아서는 갈 수 없는 오롯한 이 자리에
불타는 홀몸만이 있어야 하네!

직녀여, 여기 번쩍이는 모래 밭에
돋아나는 풀싹을 나는 세이고……

허이연 허이연 구름 속에서
그대는 베틀에 북을 놀리게.

눈섭같은 반달이 중천에 걸리는
칠월 칠석이 돌아오기까지는,

검은 암소를 나는 먹이고

직녀여, 그대는 비단을 짱세.

—「견우의 노래」 전문

절창이라고 불러도 좋을 미당의 대표작으로 손꼽히는 시이다. 애초에
잡지 『신문학』(1946. 6)에 발표되었던 것을 대폭 개작하여 시집 『귀촉도』에
수록했는데 창작시기를 해방 후로 잡을 수 있다. 일반적으로 시적 변모란
시기별로 직선적으로 이루어지는 것이 아니고 시집 『귀촉도』 시편들 또한
우여곡절의 산물이겠지만 「견우의 노래」는 미당의 시적 변모의 도정에
있어 한 징표가 될 만한 작품이다. 즉 위의 인용시는 『화사집』 이후 『귀촉
도』에 이르기까지 미당의 시세계가 어떻게 변모해갔는가에 대해 시사해준
다고 생각된다.

시의 제목에도 드러나듯 인용시는 견우 직녀의 설화를 배경으로 하고
있다. 견우로 분장한 시의 화자가 직녀에게 말하는 형식을 취하고 있는데
견우는 단순한 배역이 아니고 시인 자신과 무관하지 않은 서정적 자아이다.
즉 시인이 견우로 분장하여 사랑노래를 부른 격인데 이러한 간접적 화자의
설정은 이 시의 유연한 정서와 서로 호응하고 있다. 그리고 이와 같은
정서적 여유는 『화사집』 시절의 출구 없는 격정과는 사뭇 다르다. 위의
"오— 우리들의 그리움을 위하여서는 / 푸른 은핫물이 있어야 하네"는
「화사」의 "우리 순네는 스물난 색시, 고양이 같이 고혼 입설…… 스며라!
배암."과 얼마나 다른가. 사랑과 관련하여 「견우의 노래」의 주된 정조를
그리움이라 한다면 이는 『화사집』 시절의 질정할 수 없는 욕정과는 현저히
다른 감정이다.

한편 「견우의 노래」가 『화사집』의 세계를 이어받는 중요한 측면이
있는데 그것은 운명적인 것에 대한 인식이라 생각된다. 『화사집』에 나타나
는 원죄의식이 운명적으로 식민지인이 된 청년 시인의 의식을 반영한다는
사실은 앞에서 지적하였거니와 「견우의 노래」의 전제는 견우와 직녀의

운명적 이별이다. 그런데 운명적인 것에 대하여 「문둥이」나 「화사」의 시적 자아가 수락할 수 없어 몸부림을 친다면 「견우의 노래」의 시적 자아는 온전히 수락하고 있다. 나아가 "우리들의 사랑을 위하여서는 / 이별이, 이별이 있어야 하네"라고 말하면서 운명적인 이별을 긍정하기까지 한다. 즉 운명에 대한 부정으로부터 긍정으로의 전환이 이 시기 미당의 시적 변모에 상응하는 것으로 판단된다.

이렇듯이 미당의 순응주의는 운명에 대한 긍정의 자세 속에 은근히 내면화되어 있다. 독자의 입장에서 읽을 때 「견우의 노래」와 같은 연시에서 순응주의는 거의 의식되지 않을 것이다. 운명에 대한 긍정은 경우에 따라 세상살이의 지혜로 작용하는 측면이 있고 사랑문제에 관한 한 더욱 그러하기 때문이다. 필자가 별다른 이의 없이 「견우의 노래」를 절창이라고 부른 이유 또한 여기에 있다. 이와 같이 사회현실과는 무관하게 운명을 수긍하는 수준급의 서정시로는 「석굴암관세음의 노래」, 「귀촉도」, 「푸르른 날」 등의 『귀촉도』 시편들에서 「무등을 보며」, 「학」, 「국화 옆에서」 등의 『서정주시선』[6] 시편들로 이어진다.

가령 「국화 옆에서」를 두고 말하자면 그 주제가 '인종의 아름다움' 언저리에 놓인다는 것은 주지의 사실이다. 소쩍새와 천둥과 무서리 등의 온갖 자연의 섭리가 작용한 한 송이 국화꽃을, 삶의 과정에서 겪는 갖은 시련을 운명으로 여기고 묵묵히 감내한 한 여인에 대응시킴으로써 그러한 주제가 형성된다는 것 또한 두루 알려진 사실이다. 세상에서 부딪치는 난관을 운명으로 여기고 순응하는 것은 경우에 따라 삶의 지혜로 작용할 수도 있을 것이다. 하지만 「국화 옆에서」의 주인공이 겪어야 했던 여러 난관을 두루 운명이라 간주한 데 문제가 있다. 그렇게 해서는 삶의 개척이란 있을 수 없고 「국화 옆에서」 또한 순응주의를 합리화한 시로 읽히게 되기

---

6. 『서정주시선』(정음사, 1956)에는 『화사집』과 『귀촉도』에서 뽑은 26편과 신작시 20편이 수록되어 있는데 새로운 시집으로서의 의의는 물론 후자에서 찾아야 할 것이다.

때문이다. 즉 「국화 옆에서」에도 시인의 세계관으로서의 순응주의가 육화
되어 있다는 판단이 무리는 아닐 것[7]이다.

> 괜, 찬, 타, ……
> 괜, 찬, 타, ……
> 괜, 찬, 타, ……
> 괜, 찬, 타, ……
> 수부룩이 내려오는 눈발 속에서는
> 까투리 메추라기 새끼들도 깃들이어 오는 소리…….
> 괜찮타, ……괜찮타, ……괜찮타, ……괜찮타, ……
> 폭으은히 내려오는 눈발 속에서는
> 낯이 붉은 처녀아이들도 깃들이어 오는 소리…….
>
> 울고
> 웃고
> 수그리고
> 새파라니 얼어서
> 운명들이 모두 다 안끼어 드는 소리. ……
>
> ──「내리는 눈발 속에서는」 부분

서정주의 자전적인 수기 「천지유정」에 따르면 인용시의 창작시기는
6·25 당시[8]이다. 내리는 눈발 속에서 시적 자아는 온갖 소리를 환청으로
들으며 '괜찮타'를 되뇌고 있다. 그러니까 인용시는 '괜찮타'는 되뇜과
환청이 교차되는 구조로 이루어진 작품이다. 미당에게 육이오전쟁은 역사

---

7. 이에 대한 상세한 논의는 졸저, 앞의 책, 336~38쪽에서 한 바 있다.
8. 『서정주문학전집 3』, 일지사, 1972, 309쪽.

적 안목으로 파악되기보다는 운명으로 닥쳐왔고 그리하여 사회적 현실에 대하여 어찌할 도리가 없다는 의식이 '괜찮타'는 주문을 되뇌게 한 것이다. "운명들이 모두 다 안끼어 드는 소리"에서 어림할 수 있듯 순응주의란 역사의식이 사라지고 운명의 힘에 굴복한 정신이 귀의할 곳일 터이다.

이러한 순응주의와 리얼리즘의 시정신으로서의 현실주의는 물론 현저히 다르다. 현실주의란 '괜찮타'고 체념하지 않고 사회적 현실에 대한 집요한 대응을 요구하는 시정신이기 때문이다. 시적 리얼리즘의 성취는 주체와 세계 사이의 긴장된 상호작용을 전제로 하는 듯하다. 정당한 역사적 안목의 획득은 주체가 세계현실에 대응하는 데 갖추어야 할 기본적 덕목일 것이다. 하지만 순응주의는 당대의 현실에 대한 역사적 안목을 거세한 데서 나오는 것이고 세계에 대한 주체의 일방적 항복과 다르지 않다. 즉 『화사집』에서 볼 수 있는 리얼리즘의 가능성이 『귀촉도』 이래 사라져가게 된 핵심적인 이유는 서정주의 시적 변모를 추진시킨 동인으로서의 순응주의에 있다고 생각된다.

4. 전통 탐구와 반근대주의

신문학이라는 말이 쓰인 이래 거듭 덧나는 우리 문학의 고질 가운데 하나가 전통단절감이라는 것은 두루 알려진 사실이다. 특히 육이오전쟁 뒤끝의 폐허는 당시의 문인들에게 전통부재의식 혹은 전통단절감에 시달리게 했던 듯하다. 그 무렵 비평적 화제의 중심이 전통단절론 혹은 계승론 등 전통 논의에 주어져 있다는 사실이 그 점을 말해준다. 육이오전쟁을 통해 한반도가 외세와 외래 이데올로기의 각축장이 되고 분단체제를 공고히 고착시킨 채 끝남으로써 민족사에 대한 허무감이 정신적 분위기를 형성하게 되었다고 하겠다. 그러한 시대적 상황에서 한국적인 것 혹은 전통적인 것에 대한 미당의 탐구는 자못 주목되는 바 있다.

미당의 전통 탐구는 1956년에 간행된 『서정주시선』 이후 그의 시적 변모와 상응하는 부분이 많을 정도로 의욕적이다. 실상 그의 한국적인 것 혹은 전래적인 것의 탐구는 "흰 무명옷 갈아입고 난 마음"으로 시작되는 『화사집』의 「수대동시」에까지 거슬러 올라가고 『귀촉도』에는 「석굴암관세음의 노래」와 「견우의 노래」가 있으며 『서정주시선』에는 '춘향의 말' 연작이 있다는 점에서, 초기의 서구편향과 대비되어 서정주의 시적 변모의 방향을 추정할 수 있겠다. 그러나 이 글의 과제가 현상의 나열에 있지 않고, 미당의 전통 탐구 가운데 두드러진 것이 '신라'인 만큼 먼저 그것에 대해 살펴보는 것이 문제의 핵심에 접근해가는 방법이자 순서일 듯하다.

이것은 언제나 매(鷹)가 그 밝은 눈으로 되찾아낼 수 있는 것이다.
그것이 만일에 솜같이 가벼운 것이거나 하고, 매의 눈에 잘 뜨이는 마당귀에나 놓여 있다면, 어느 사 간 사람의 집에서라도 언제나 매가 되채어 올릴 수까지 있는 것이다.
이것들이 제 고장에 살고 있던 때의 일들을 우리의 길동무 매는 그전부터 잘 안다. 동청송산을, 북금강산을, 남울지를, 서피전을 오르내리며 보아 잘 안다.
눈을 뜨고 봐라, 이 솜을. 이 솜은 목화 밭에 네 딸의 목화꽃이었던 것.
눈을 뜨고 봐라, 이 쌀을. 이 쌀은 네 아들의 못자리에 모였던 것, 모였던 것.
돌이! 돌이! 돌이! 삭은 재 다 되어가는 돌이!
이것은 우리들의 노래였던 것이다.

—「신라의 상품」 전문

1960년 간행의 『신라초』에 수록된 인용시는 미당의 신라 시편 중 상대적으로 가장 현실성을 띠는 작품이다. 크게 보아 앞의 다섯 행과 뒤의 두

행으로 구분되는바 앞부분은 오늘날의 상업주의적 상품생산에 대한 비판으로 읽을 수도 있다. 즉 신라의 상품에는 생산자의 정성과 혼이 스며 있다는 것이 앞부분의 주제일 것이다. 그런데 뒤의 두 행은 심한 비약으로 인해 난해한데 시인은 「신라의 영원인」이라는 논설에서 해석의 실마리를 남기고 있다. 그에 의하면 신라인들은 육신은 죽어도 영혼은 영생한다고 생각했다는 것인데 이러한 주장의 근거로 죽통미인의 이야기[9]를 제시하고 있다. 죽통 속에 죽은 애인의 혼을 넣어 다니는 사내를 만난 김유신이 그 사내의 사연을 듣는 순간 살아 있는 무수한 혼령들의 노래를 접했다는 것이다. 이렇게 작가의 의도를 존중할 때 위의 시는 인간혼의 영원성을 믿는 신라인들의 정성어린 상품생산에 대한 찬가라 할 수 있다.

이상에서 간취할 수 있듯이 신라는 미당의 이상향이다. 그가 신라에 몰두한 중요한 이유는 영원성에 있다. 『신라초』의 「구름다리」는 혼들의 거처에 구름다리를 놓았다는 내용의 시이다. 즉 미당이 생각하는 영원성이란, 육신은 삭은 재가 되어가도 혼백은 고스란히 살아 있기에 성립되는 것이다. 하지만 인간혼이 영원하다는 것과 인간혼의 영원성을 믿는다는 것은 확연히 다르고 인간혼의 영원성을 믿는 고대적 사유가 우리의 현대시의 정신에 걸맞을 수도 없다고 생각된다. 또한 미당이 생각하는 신라와 역사상 실재했던 신라도 현격히 다르다고 봐야 할 듯하다. 우선 위의 시에 등장하는 목화와 못자리는 신라에 없었던 것이다. 문익점의 목화 전래 시기는 고려 말이요 이앙법이 보급된 시기는 조선시대이기 때문이다. 지나치게 산문적으로 시를 추궁한다는 불만이 있을지 모르겠으되 전통 탐구를 제대로 수행하기 위해서는 역사상 실제와의 정합성을 간과할 수 없을 것이다.

미당이 신라를 찾아 나선 까닭은 "목전에 보이는 것이 모두 본딸 만한 게 없을 때에는 상대 천년 이천년을 소급해 올라가서 모색할 필요도 생기는

---

9. 『서정주문학전집 2』, 일지사, 1972, 318~20쪽.

것"[10]이라는 그 나름의 주장과 관련된다. 당대의 현실이 불만스러울 경우 그러한 현실이 빚어지게 된 원인을 추적하는 것은 일종의 역사적 과제이고 리얼리즘시의 과제이기도 하다. 하지만 미당의 신라 탐구는 이러한 과제의 수행과는 무관하고 당대의 현실적 문제에 대한 외면으로서의 성격을 다분히 지닌다. 우선 신라 탐구의 전제인 '목전에 보이는 것이 모두 본뜰 게 없다'는 판단부터가 현실에 대한 외면과 무관하지 않을 터이다. 인용시를 보더라도, 현대의 대량생산 체제에 대한 불만이 천여 년을 건너뛰어 신라의 상품을 찬양하게 했겠지만 생산력의 향상이라는 현실적인 문제는 간과되고 있다.

위에서 보듯 미당의 역사의식의 맹점은 '근대'에 대한 안목이 결락된 데에 있다. 또한 그러한 사실은 현실문제와의 접점 상실과 결부된다. 향가의 주술적 효과를 부러워하는 시인의 마음이야 공감할 수 있겠지만 미당이 이상향으로 생각하는, 인간혼은 영원하며 해와 달이 감응하는 주술적 혹은 신화적 세계가 근대정신과 무관할 것임은 물론이다. 가령 해가 사람을 따라다닌, 삼국유사의 연오랑 세오녀 이야기를 고쳐 베껴놓은 듯한 시가 「해」인데 미당은 그러한 신화적 사고야말로 시라고 생각했던 듯하다. 하지만 전통은 현실적 문제를 풀어가는 힘으로 작용하지 못할 때 그 의의가 반감된다. 즉 신라로 대표되는 미당의 전통 탐구란 아무래도 그 진정한 의미를 제대로 살리지 못한 것으로 판단된다.

> 내 어느 해던가 적적하여 못견디어서
> 나그네 되여 호을로 산골을 헤매다가
> 스스로워 꺾어모은 한 옹큼의 꽃다발——
> 그 꽃다발을 나는
> 어느 이름 모를 길 가의 아이에게 주었느니.

---

10. 앞의 책, 286쪽.

그 이름 모를 길 가의 아이는
지금쯤은 얼마나 커서
제 적적해 따모은 꽃다발을
또 어떤 아이에게 전해 주고 있는가?

그리고 몇십년 뒤
이 꽃다발의 선사는 또 한 다리를 건네어서
내가 못 본 또 어떤 아이에게 전해질 것인가?

그리하여
천년이나 천오백년이 지낸 어느 날에도
비 오다가 개이는 산 변두리나
막막한 벌판의 해 어스럼을
새 나그네의 손에는 여전히 꽃다발이 쥐이고
그걸 받을 아이는 오고 있을 것인가?

— 「나그네의 꽃다발」 전문

　　인용시 「나그네의 꽃다발」은 「인연설화조」와 함께 불교의 인연설을
시로써 풀이한 듯한 작품이다. 출전은 1968년에 간행된 『동천』인데 『동
천』은 『신라초』의 세계를 이어받아 불교에서 상상력의 원천을 찾은 미당의
대표적 시집이라고 할 수 있다. 그런데 미당의 불교적 상상력은 주로
삼세인연설 혹은 윤회전생관에 결부되는바 인용시 또한 꽃다발의 선사라
는 인연이 천 년이나 천오백 년 후까지 이어질 것이라는 상념으로 이루어져
있다. 서정주 시의 전개과정에서 보자면 인간혼의 영원성을 믿는 이른바
'신라적 사유'와 일맥상통하는 부분이 많다고 하겠다.
　　인용시에서 인연설은 산문적인 화법으로 다소 직설적으로 개진되어

있지만 「연꽃 만나고 가는 바람같이」, 「내 그대를 사랑하는 마음은」, 「재채기」, 「어느날 밤」, 「봄치위」 등 시집 『동천』의 다른 많은 시편들에서는 다분히 간접적으로 삼투되어 있다. "내 마음 속 우리 님의 고운 눈썹을/즈믄 밤의 꿈으로 맑게 씻어서/하늘에다 옮기어 심어놨더니" 운운의 표제시 「동천」은 유심론과 결부된 인연설이 고도로 응축된 시행 속에 녹아들어 성공한 예이다. 뒤이어 마무리하는 시행 "동지 섣달 날으는 매서운 새가/그 걸 알고 시늉하며 비끼어 가네"에서 볼 수 있듯 시적 자아의 마음과 매서운 새의 순간적 만남에 작용하는 인연의 포착이 시로 된 경우이다.

위와 같이 사람과 천지자연이 감응하는 데 작용하는 섭리를 인연이라 한다면 인연설이 미당의 상상력에 날개를 달아준 셈이 된다. 가령 「봄치위」의 동백꽃과 바닷물 사이라든가 「어느날 밤」의 내 가족과 후박꽃나무 사이에도 인연을 고리로 하여 자유롭고도 돌발적인 상관관계가 형성되는 것이다. 즉 미당은 전통적 사유체계의 하나인 불교의 인연설을 나름대로 소화하여 자신의 새로운 시세계를 개척해간 것이다. 하지만 인연이 워낙 자유롭게 맺어지다 보니 시인의 자의적인 사념을 제어하지 못해 독자의 상상력이 작용할 수 없을 정도로 난해한 시도 적지 않다.

이처럼 의외의 돌발적인 상관관계를 형성하는 인연설은 합리적이거나 현실적인 인과관계로 설명되지 않는 것을 맺어주는 불교적 사유체계이다. 즉 미당은 합리적이거나 현실적 인과관계를 초월하는 자리에서 시를 발견한 셈인데 여기에서 미당의 시정신으로서 반근대주의를 감지할 수 있다. 초월적 세계를 부인하지 않으면서도 합리적이거나 현실적인 인과관계를 최대한 확보하려고 노력하는 것이 근대적 정신의 성향일 것이기 때문이다. 이렇듯이 인연설을 중심으로 한 미당의 불교 관련 시편들에서 전통 탐구는 반근대주의적 속성을 지닌다는 점에서 신라 시편과 함께 복고적이다.

합리적이거나 현실적인 인과관계를 초월할 때 비현실적으로 되는 것은 당연한 귀결이다. 즉 미당은 전통적 사유방식의 하나인 인연설의 추구를 통해 사회현실과는 동떨어진 시세계를 구축한 것이다. 위에서 거론한

「동천」은 이 무렵 미당의 대표작이요 수작이라 할 수 있지만 정신적 유희라는 혐의를 제대로 떨쳐내지 못하고 있다. 무엇보다도 세상 속에 뿌리내리고 살아가는 자의 삶의 진정성과는 거리를 두고 있기에 그러하다. 이렇듯이 미당의 인연설 탐구는 사회현실 속에서의 구체적 삶과 거리두기를 전제로 하고 있고 그로 인해 시적 리얼리즘의 성취뿐만 아니라 민족의 삶을 외면하지 않는 민족문학의 정도로부터도 더욱 멀어지는 결과를 초래한다.

> 외할머니네 집 뒤안에는 장판지 두 장만큼 한 먹오딧빛 툇마루가 깔려 있습니다. 이 툇마루는 외할머니의 손때와 그네 딸들의 손때로 날이날마다 칠해져 온 것이라 하니 내 어머니의 처녀 때의 손때도 꽤나 많이는 묻어 있을 것입니다마는, 그러나 그것은 하도나 많이 문질러서 인제는 이미 때가 아니라, 한 개의 거울로 번질번질 닦이어져 어린 내 얼굴을 들이비칩니다.
>
> 그래, 나는 어머니한테 꾸지람을 되게 들어 따로 어디 갈 곳이 없이 된 날은, 이 외할머니네 때거울 툇마루를 찾아와, 외할머니가 장독대 옆 뽕나무에서 따다 주는 오디 열매를 약으로 먹어 숨을 바로 합니다. 외할머니의 얼굴과 내 얼굴이 나란히 비치어 있는 이 툇마루에까지는 어머니도 그네 꾸지람을 가지고 올 수 없기 때문입니다.
>
> ──「외할머니의 뒤안 툇마루」 전문

미당의 여섯 번째 시집인 『질마재 신화』에 수록된 산문시 33편을 질마재 시편이라 부른다면 인용시는 그 가운데 하나이다. '질마재'는 시인이 유년기를 보냈던 고향으로서 질마재 시편들의 공간적 배경으로 자리 잡고 있다. 인용시의 제재는 전통적 한옥의 툇마루인데 그것이 시적 자아의 어린 날의 체험을 통과함으로써 때거울이라는 의미를 획득한다. 일종의 은유인 '때거울 툇마루'를 매개로 인용시에 실감나게 형상화된 것은 어머니의 꾸지람을 듣고 외할머니에게서 위안을 구하는 자아형성의 원초적 장면이다. 즉 시인은 자아형성의 공간인 고향을 탐구함으로써 전통 탐구의 새로운 국면을 개척해간 것이다.

질마재 시편들의 집중적인 탐구 대상은 전래적 사물이나 풍속 혹은 그에 얽힌 사람들에 관한 이야기이다. 이야기의 자유로운 개진을 위해 산문시 형식이 채택되었고 그것은 구체적 체험을 반영하는 문제와도 관련된다. 바꾸어 말하자면 질마재 시편들은 미당의 전통 탐구의 주요한 성과로서 자신의 체험을 바탕으로 하는 만큼 구체적 삶과 밀착되어 있다. 한편 그러한 구체성은 『질마재 신화』의 시편들이 『신라초』나 『동천』의 시편들보다 실감을 주는 이유가 된다. 작자 자신의 말을 빌리자면 질마재 시편들은 "글 아니라도 수천 년을 두고 실생활을 통해 이어져온 생활전통"[11]을 탐구한 것으로 기록을 위주로 하여 탐색한 신라나 불교 관련 시편들과 성격을 달리한다.

인용시 「외할머니의 뒤안 툇마루」에서 보듯 질마재 시편들은 서사성이 매우 강한 일종의 이야기시이다. 그리고 그러한 양식적 특성은 구체성을 확보하는 문제와 결부된다. 즉 질마재 시편들은 리얼리즘시의 주요한 자질인 구체성의 확보에 대체로 성공하고 있다고 판단된다. 하지만 반영된 구체적 삶이라는 것이 신라나 불교 관련 시편들에서처럼 복고적이라는 데에 근본 문제가 잠겨 있다. 덧붙여 말하자면 주체와 그가 뿌리박고 부대끼며 살아가는 현실세계 사이의 상호 역동적 관계가 그려지지 않고 있다. 그러한 시에서 리얼리즘의 성취는 기대하기 힘들 것이다. 주체와 세계 사이의 긴밀한 상호관계 형성은 기본 전제이고 거기에서 한 단계 더 나아가 세계에 대한 주체의 대응이 얼마나 제대로 이루어지느냐가 리얼리즘시로서의 성패 여부와 긴밀히 관련될 터이기 때문이다.

질마재 시편들이 형성한 시세계는 시적 자아와 현실과의 갈등이 무화된 그야말로 신화적 공간이다. 바꾸어 말하자면 일종의 자족적인 조화의

---

11. 『서정주문학전집 3』, 29쪽.

세계이다. 그것은 어쩌면 현실세계와의 갈등이 본격화되기 전인 유년기에 대한 회상이기에 갖는 자연스러운 특징일 것이다. 그리하여 질마재 시편들은 전근대적 재래의 삶의 방식이나 풍속에 대해 비판적 거리를 두지 않고 일방적으로 공감을 표시한다. 그렇게 볼 때『질마재 신화』의 세계관적 기조는 일종의 반근대주의라고 할 만하다 이처럼 미당의 전통 탐구는 반근대의식과 결부되어 있다는 점에서 일관성을 지닌다. 앞에서 살펴보았듯이 신라나 불교 관련 시편들 또한 반근대주의를 바탕에 깔고 있기 때문이다.

미당의 반근대주의를 한국 근현대사의 파행성과 연결시켜 고려해볼 수도 있을 것이다. 그의 반근대주의에는, 앞에서 인용한 그의 말처럼, 목전에 보이는 것이 도무지 불만스럽다는 인식이 깔려 있기 때문이다. 하지만 그에게는 한국 근현대사의 파행성을 실천적으로 극복하려는 의식이 결락되어 있다. 반근대주의자는 기본적으로 진보의 문제를 도외시하고 현실적 모순 또한 외면하게 마련이다. 현실적 모순에 대한 외면은 체제에 대해 순응하는 자세로부터 나오기 쉬운데, 그런 의미에서 미당의 반근대주의는 앞 장에서 논의한 순응주의의 연장선에 놓인다. 그러한 정신의 소유자로서 미당은 당연히, 현실적 모순을 개혁함으로써 사회의 변혁을 꾀하는 진보주의자와 대비되는 자리에 서 있다.

5. 맺음말

이제까지 필자는 '지향 없는 열정과 죄의식' '시적 변모와 순응주의' '전통 탐구와 반근대주의'라는 세 가지 항목을 설정하여 서정주의 시세계의 변모 양상을 살펴보았다. 이를 위해『화사집』『귀촉도』『서정주시선』『신라초』『동천』『질마재 신화』등 그의 시집 여섯 권을 차례로 검토하였는데[12] 이 과정에서 각 시집들이 대체로 시적 변모의 단위가 된다는 점이 드러났다고 생각한다. 시집들이 제각기 시적 변모의 단위가 될 정도로 시적 편력이 다채롭다는 사실은 미당의 시세계의 풍요로움과도 연결된다. 그리고 이렇듯이 풍요로운 시세계를 조망하면서 우리는 미당의, 한 시대를 풍미한 시인다운 면모를 확인한 셈이다.

『화사집』의 시편들에 우선 두드러지는 것은 청년 시인의 질정할 수 없는 열정이다. 『화사집』의 특징인 짐승스런 욕정 또한 제어하기 힘든 열정이 분출될 방향성을 제대로 찾지 못한 결과로 볼 수 있다. 뱀 이미지로 현현하기도 하는 짐승스런 욕정은 많은 경우 원죄의식을 수반하는바 그것은 떳떳할 수 없는 식민지 청년으로서의 죄의식과 다르지 않다. 그와 같이 서정주의 초기 시에 집중적으로 표현된 것은 식민지 청년으로서의 정신적 갈등과 몸부림이다. 지향 없는 열정과 죄의식으로 몸부림치는 시적 자아는 어느 정도 전형성을 지닌다고 생각되는데 시적 자아의 형상을 통해 식민지 파쇼체제에서 괴로워하는 청년의 모습을 볼 수 있기 때문이다. 즉 서정주의 초기 시는 기본적으로 낭만적 성격을 지니지만 리얼리즘의 실현 가능성도 다분히 내포하고 있다고 판단된다.

하지만 미당은 식민지 파쇼체제로부터 오는 갈등을 제대로 견뎌내지 못하고 리얼리즘으로부터 이탈하는 방향으로 변신을 꾀한다. 시적 변모의 행로가 집약되어 있는 시집 『귀촉도』를 보면 지향 없는 격정을 다스려 정서적 안정을 얻어가는 과정이 선명하게 드러난다. 여기에서 정서적 안정감의 확보는 운명에 대한 거부에서 긍정으로의 자세 변화와 동행하는 것이기도 하다. 그러한 변모를 통해 미당은 「견우의 노래」와 같은 가편의 서정시들을 창작하게 되는데 그 성과는 「국화 옆에서」를 위시한 『서정주시선』의 신작시들의 세계로 이어진다. 그런데 문제는 미당의 정서적 안정이 체제에의 순응이라는 대가를 치른 데 있다. 즉 미당의 시적 변모의 동인을

12. 『떠돌이의 시』 이후의 시집들을 이 글에서 다루지 않은 것은 앞의 시집들에 비해 중요성이 많이 떨어진다고 생각되었기 때문이다.

순응주의라고 부른다면 순응주의는 정당한 사회의식이나 역사의식이 사라지고 운명의 힘에 굴복한 정신의 귀의처라 하겠다.

연원은 한참 위로 소급되지만 『신라초』 이래 미당의 시적 변모는 주로 전통 탐구를 통해 이루어진다. 시집 『신라초』의 주제라 할 '신라'는 일종의 이상향인바 그 이유는 주로 인간혼의 영원성을 믿는 고대적 사유와 관련된다. 신라 탐구에 이어 미당은 인연설을 중심으로 한 불교적 사유에 젖어드는데 그것은 시집 『동천』에서 볼 수 있듯 상상력의 자유로운 구가와 연결된다. 죽은 이의 혼을 포함하여 천지만물들 사이에도 인연을 매개로 얼마든지 상관관계가 형성되기 때문이다. 미당의 의욕적인 전통 탐구는 『질마재 신화』를 통해 또 다른 세계를 보여주는데 거기에는 유년기의 고향체험이 이야기시 양식으로 구체화되어 있다. 하지만 미당의 전통 탐구의 세계관적 기반이 반근대주의라는 데 문제가 있다. 그것은 현실에 대한 외면을 뜻하기에 시적 리얼리즘의 성취를 가로막는 요인이 된다.

이상의 요약에서도 드러나듯 필자의 시각은 리얼리즘을 위주로 잡혀 있다. 여기에서 리얼리즘의 성취란 시적 진실을 확보하는 문제와 이어진다. 현실세계에 대한 진지한 대응을 외면하는 방향에서 시세계의 변모가 이루어지고 있다는 사실은 미당 시의 풍요로움에 반해 그 진실성을 훼손하는 요인이 된다. 시적 변모 또한 주체가 세상 속에서 진실되게 살아가는 문제와 결부될 때 필연성을 갖는다. 미당의 시적 변모를 추진하는 동인으로서의 순응주의와 반근대주의에는 세상 속에서 진실되게 살아가려는 주체적 인간으로서의 고민이 빠져 있다. 전통 탐구를 통해 시적 변모를 이룩한 미당의 시가 민족문학의 정도로부터 일탈해간 이유가 여기에 있다.

(『선청어문』, 1992)

김수영의 시세계

. . . . .

1. 머리말

을유해방 이후에 활동을 펼친 시인 가운데 김수영(金洙暎, 1921~1968)만큼 주목을 받은 이는 아직까지 없다. 주로 시인의 사후의 일이기는 하지만 그에 대한 비평적 탐사의 활기는 "김수영 비평의 역사"[1]라는 말이 나올 정도이다. 게다가 제출된 학위논문만도 이미 60편을 상회하고 있다. 이렇듯 김수영이 지속적이면서도 집중적으로 주목을 받게 된 이유는 무엇일까. 그 이유는 우선 그의 시와 시학이 그만큼 비중 있고 문제적이라는 데 있을 것이다. 또한 그의 많은 시편들이 다각적 해석을 요구하는 난해성을 품고 있을 뿐만 아니라 그의 시세계가 비평가나 연구자의 시각에 따라 달리 보이는 다면적 성격을 지니고 있기 때문일 것이다.

김수영에 대해서는 비교적 충실한 전집과 평전이 간행되었고[2] 그의

---

1. 황동규, 「양심과 자유, 그리고 사랑」, 황동규 편, 『김수영의 문학』, 민음사, 1983, 15쪽.
2. 전집은 김수명 편, 『김수영전집 1·시』, 『김수영전집 2·산문』(민음사, 1981)이

문학세계에 대한 해명과 평가 또한 다양하게 이루어져왔다. 시 자체에 대한 해석에 몰두하거나 자유나 사랑 등의 주제를 탐색하기도 하고 시론에 주목하기도 하며 시인의 개인사와 정신세계에 초점을 맞추기도 하는 등 실로 다채로운 연구가 중층적으로 축적되었다. 그런데 이 글의 목적은 김수영의 시사적 위상과 관련하여 그의 시세계를 조명하는 데 있다. 한국 현대시사의 맥락에서 김수영의 시가 어떠한 위상을 지니며 어떠한 특성을 지니는지 밝혀냄으로써 그의 시세계에 대한 새로우면서 곡진한 이해에 도달하려는 것이 이 글의 과제이다.

김수영의 시사적 위상과 관련해서 일종의 지표로 여겨지는 것은 '우리 근대시사의 완전한 무시'[3]라는 유종호의 견해와 '한국 모더니즘의 위대한 비판자'[4]라는 염무웅의 평가이다. 전자가 김수영 시의 새로운 면모에 초점을 맞추었다면 후자는 모더니즘의 한계 내에서의 성취에 주목한 것인데 국면에 따라서는 타당한 판단이라 생각된다. 하지만 좀더 거시적 시야의 확보가 가능해진 오늘날 그러한 견해와 평가는 더욱 폭넓게 종합되고 수정될 필요가 있는 듯하다. 김수영 시가 새롭다는 것은 한국 현대시사의 흐름 속에 놓고 볼 때 제대로 드러날 터이요 구태여 시인을 모더니즘의 테두리 안에 한정해서 볼 필요는 없기 때문이다.

현대시사의 흐름을 개관할 때 김수영은 독자적이면서도 새로운 시의 영역을 의욕적으로 개척해간 시인이다. 여기에서 독자적이면서도 새로운 면모에 주목할 때 기왕의 시사에 대한 무시의 측면이 부각된다. 하지만 그러한 관점은 김수영의 시도 엄연히 시사의 한 줄기를 구성한다는 면에서 문제가 발생한다. 그러니까 중요한 것은 현대시사에서의 위상과 결부시켜

간행되었는바 이 논문의 주된 텍스트로 삼을 예정이다. 시의 경우 주로 『김수영전집 1·시』에서 인용하되 일일이 전거를 밝히지 않을 생각이며 산문의 경우 『김수영전집 2·산문』에서 인용한 것이면 『전집 2』라 약하여 각주를 달 것이다. 한편 평전은 최하림, 「자유인의 초상」, 『김수영』(개정판: 문학세계사, 1995)이 상세하고 충실하다.

3.   유종호, 「시의 자유와 관습의 굴레」, 『세계의문학』, 1982, 봄, 80쪽.
4.   염무웅, 「김수영론」, 『창작과비평』, 1976, 겨울, 40쪽.

그의 시를 제대로 보아내는 일이다. 시를 제대로 보아낸다는 것은 시의 형성에 동력으로 작용하면서 동시에 시 속에 스며들어 있는 시정신을 제대로 감지할 때 가능해진다. 따라서 정신사적 맥락에서 어떠한 시정신이 구현되어 김수영 나름의 독자적 시세계를 구축했나의 문제가 중요하게 부각된다.

김수영에 대해 시사적 관점을 적용할 때 늘 문제로 대두되는 것이 모더니즘이다. 그런데 "그의 모든 문학적 사고는 모더니즘의 한계 내에서 이루어졌다"[5]는 염무웅의 평가에는 동의하기 힘들다. 이러한 평가가 민중문학적 시각에서 나온 것은 이해할 수 있지만 사후적 시각의 지나친 관철이라는 문제점을 노출한다. 활동하던 당시를 감안할 때 김수영은 한국 모더니즘이 배출한 걸출한 시인이면서 동시에 모더니즘의 한계를 넘어선 시인이다. 이 말은 모더니즘을 진정으로 추구하는 문제와 극복하고 넘어서는 문제를 아울러 밀고나간 시인이 김수영이라는 뜻이 된다. 즉 시인이 모더니즘을 추구하는 모습과 넘어서는 모습을 아울러 보는 시각이 필요하다.

이상의 문제의식 속에서 필자는 '반순응주의와 대결의식'과 '현대성과 현실성 추구'의 항목을 설정하고 이 두 항목을 좌표로 하여 김수영의 시세계를 조명할 예정이다. 아직은 가설이지만 반순응주의야말로 김수영 시정신의 진수이자 당대의 정신사적 맥락에서 그가 문제적 개인으로 부각되는 이유로 보인다. 아울러 그러한 시정신의 발로인 대결의식을 통해 그 나름의 독자적인 시세계를 구축했다고 보인다. 또한 김수영 시에서의 현대성 추구와 현실성 추구를 함께 살핀다는 것은 모더니즘의 울타리를 허물고서 그의 시를 보겠다는 뜻이다. 즉 시인이 모더니즘을 진정하게 추구하고 넘어서는 모습이 현대성과 현실성 추구의 길항 관계를 살핌으로써 구체적으로 드러나리라 생각된다.

---

5. 위의 글, 33쪽.

2. 반순응주의와 대결의식

한국 현대시사의 지평에서 볼 때 김수영은 1950~60년대 시인이다. 시인으로서 김수영의 활동은 해방 직후에 시작되지만 본격적으로 자신의 시세계를 드러내 보인 것은 육이오전쟁 이후부터이다. 그의 전반기 활동의 성과인 시집『달나라의 장난』에 실린 시편들은 주로 의용군과 전쟁포로를 거쳐 남한 사회로 편입된 뒤의 산물이다. 한편 김수영은 대부분의 기왕의 논자들의 견해처럼 사월혁명을 계기로 하여 뜻깊은 변모를 보인다. 이 말을 다소 확대하여 해석하면 사월혁명의 정신을 뜻깊게 구현한 시인이 김수영이라는 말이 된다. 즉 문학사적 안목에서 주목되는 김수영의 시세계는 주로 1950~60년대를 시간적 배경으로 하여 펼쳐진다.

1950~60년대를 배경으로 펼쳐진 김수영의 시에는 당대를 살아가는 시인의 정신이 짙게 스며들어 있다. 그런데 시인의 정신은 시 속에 투영되어 나타난다는 점에서 '시 속에 구현된 창작주체의 정신'으로서의 시정신이 문제로 떠오른다. 대체로 시적 변모는 시인의 정신적 변모와 동행한다. 하지만 김수영이 개성적인 시세계를 구축한 이상 지속성을 강하게 지니면서 시적 변모의 바탕에 깔려 있는 정신적 경향이 있게 마련이다. 그리고 그러한 차원의 시정신을 찾아내어 제대로 논할 때라야 시인의 본질에 육박하는 논의가 가능할 수 있을 것이다. 또한 그러한 시정신이 어떠한 정신사적 맥락에 해당되는가를 점검할 때 시사적 위상이 제대로 드러날 수 있을 것이다.

아무래도 시인의 정신이 드러나는 가장 적실한 매개체는 시다. 그리고 한 시인의 시정신이 속 깊이 투영된 시가 그의 시세계의 중심부를 구성할 것이다. 그런데 수준급의 시에서 시정신이 추상화된 개념으로 직접 노출되는 경우는 드물다. 예술적 형상으로서의 시 자체가 추상화된 개념을 거부할 것이기 때문이다. 김수영의 시에서도 그의 시정신이 추상적 개념으로 직접 노출된 경우는 많지 않다. 하지만「구름의 파수병」의 시구, "어디로인지 알 수 없으나 / 어디로이든 가야할 반역의 정신"에는 그의 시정신의 요체가 들어 있다고 생각된다. 여기에서 대두하는 문제는 이러한 시정신이 그의 시에 어떻게 구현되어 있으며 어떠한 비중으로 나타나는가 살펴보는 것이다.

폭포는 곧은 절벽을 무서운 기색도 없이 떨어진다

규정할 수 없는 물결이
무엇을 향하여 떨어진다는 의미도 없이
계절과 주야를 가리지 않고
고매한 정신처럼 쉴사이없이 떨어진다

금잔화도 인가도 보이지 않는 밤이 되면
폭포는 곧은 소리를 내며 떨어진다

곧은 소리는 소리이다
곧은 소리는 곧은
소리를 부른다

번개와 같이 떨어지는 물방울은
취할 순간조차 마음에 주지 않고
나타(懶惰)와 안정을 뒤집어놓은 듯이
높이도 폭도 없이
떨어진다

—「폭포」 전문

시집 『달나라의 장난』에 수록된 시 가운데 대표작으로 알려진 「폭포」에 대해서는 시인 자신도 애착을 가졌던 듯하다. 자신의 현대시의 출발과 관련하여 먼저 떠오르는 작품으로 「병풍」과 「폭포」를 들고 있는 것이 그 증거이다. 그리고 이어서 "「병풍」은 죽음을 노래한 시이고, 「폭포」는 나타와 안정을 배격한 시다"[6]라고 토를 달고 있다. 그의 시에서 죽음이 어떠한 의미를 지니는지는 뒤에서 논의하기로 하고 우선 나타와 안정을 배격한다는 것의 의미를 천착할 필요가 있겠다. 나타와 안정을 배격하는 것이야말로 시인의 시정신의 핵심으로 보이고 앞에서 언급한 '어디로인지 알 수 없으나 어디로이든 가야할 반역의 정신'과 긴밀히 통한다고 보이기 때문이다.

「폭포」는 쉬지 않고 곧게 떨어지는 폭포의 형상을 통해 창작주체의 마음의 지향을 표현한 시이다. 이 시의 요체는 절벽에서 곧게 떨어져내리는 폭포의 모습과 소리를 연결시켜 '곧은 소리'를 끌어낸 것인데 거기에 곧은 소리를 내고자 하는 시인의 마음이 은근히 드러나 있다. 그 곧은 소리는 나타와 안정을 배격하는 어떤 고매한 정신에 의해 가능해지는 것이다. 인용시에서 '무엇을 향하여 떨어진다는 의미도 없이 쉴 사이 없이 떨어지는 물결'은 '어디로인지 알 수 없으나 어디로이든 가야할 반역의 정신'과 호응한다. 이 두 시구에 드러나듯 목표가 규정되지 않는 것은 어떤 특정한 이념이나 목적에 고착되지 않는 시인의 자유로운 정신과 결부된다.

선행하여 이 시에 주목한 김영무는 되풀이하여 나타나는 추락과 부정의 어사에 착안하여 '강렬한 거역과 부정의 정신'을 추출하고 김수영 시정신의 원형질을 보여주는 작품이라 하였는데[7] 수긍할 만한 견해라고 생각된다. 다만 조건을 달자면 거역과 부정의 정신의 폭포와 같은 강렬함은 이미 도달한 것이 아니라 지향하는 바라는 점이다. 여기에서 거역과 부정의 정신은 반역의 정신과 별로 다르지 않겠는데 그것이 우선 생활 속에서의

---

6. 「연극하다가 시로 전향」, 『전집 2』, 230쪽.
7. 김영무, 「김수영의 영향」, 『세계의문학』, 1982, 겨울, 55~56쪽.

타성적 안정을 거부하는 정신이라는 점에서 반순응주의라 불러도 좋을 듯하다. 다시 말해 김수영의 타성적 안정을 거부하는 반순응주의적 시정신이 폭포의 줄기찬 낙하의 이미지와 호응하여 표출된 절창이 「폭포」인 것이다.

폭포와 같이 강렬한 부정의 정신의 발로가 곧은 소리라 할 때 '곧은 소리'는 바람직한 시에 대한 은유로 읽을 수 있다. 그러니까 「폭포」의 행간에는 '시다운 시를 쓰려면 마땅히 타성적 안정을 배격해야 한다'는 시인으로서의 의식이 작동하고 있는 것이다. 따라서 시인은 도취를 경계하고 늘 깨어 있으려 하는데 "취할 순간조차 마음에 주지 않고"는 그러한 맥락에 놓이는 시구이다. 도취를 꺼리는 마음은 김수영의 시에 두루 깔려 있다고 보이는바 "잠시라도 나는 취하는 것이 싫다는 말이다"(「도취의 피안」)나 "시인이 황홀하는 시간보다도 더 맥없는 시간이 어디 있느냐"(「광야」)와 같이 더욱 직설적으로 토로되기도 한다. 이러한 도취에 대한 경계는 반순응주의적 시정신이 갖는 한 가지 태도라 해석되고 김수영 나름의 시관 혹은 시학과도 연결된다.

눈은 살아있다
떨어진 눈은 살아있다
마당 위에 떨어진 눈은 살아있다

기침을 하자
젊은 시인이여 기침을 하자
눈 위에 대고 기침을 하자
눈더러 보라고 마음놓고 마음놓고
기침을 하자

눈은 살아있다

죽음을 잊어버린 영혼과 육체를 위하여
눈은 새벽이 지나도록 살아있다

기침을 하자
젊은 시인이여 기침을 하자
눈을 바라보며
밤새도록 고인 가슴의 가래라도
마음껏 뱉자

―「눈」 전문

1950년대 중반에 씌어진 「눈」은 특히 견고한 형식미가 돋보이는 시이다. '눈은 살아있다'의 반복적 변형인 1연, 3연과 '기침을 하자'의 반복적 변형인 2연, 4연이 마치 사슬고리처럼 연결된 것[8]이 견고한 형태를 구성하는 주된 이유로 보인다. 견고한 형태의 시에서 시정신은 더욱 은근한 방식으로 작동하게 마련인데 우선 살아 있는 눈과 기침을 하는 시인의 대비가 주목된다. 눈 위에 대고 기침을 하고 가래라도 뱉자고 말하는 시적 주체의 태도는 눈의 생생함에 대한 도취와는 거리가 멀다. 오히려 생생함에 관하여 눈과 대결하는 자세를 보인다고 보는 편이 타당할 것이다. 살아 있는 눈에 대하여 시인이 기침으로 대응한다고 할 때 기침은 시인이 살아 있는 징표인 셈이다.

사물에 대한 도취 혹은 감정적 일치로서의 감정이입이 낭만주의의 주요한 시학이라면 김수영은 그것을 정면으로 거부하고 있다. 앞에서 거론한 「폭포」의 경우 감정이입이 이루어지기에 적합한 시이지만 도취를 경계하고 시적 주체와 시적 대상 사이에 거리가 조성되어 있다. 시적 대상에 대해 대결의식을 갖고 맞서는 것은 반순응주의적 시정신의 자연스러운

---

8. 서우석, 「시와 리듬」, 『문학과지성』, 1978, 봄, 241~42쪽 참조.

발로로서 김수영다운 태도로 보인다. 시인 스스로 대결의식을 거론하며 "나의 본질에 속하는 것 같고 시의 본질에 속하는 것 같다"는 취지의 발언[9]을 한 바 있거니와 그러한 대결의식이 바로 이 「눈」에 실감나게 구현되어 있는 것이다. 이렇듯이 시적 대상에 대한 감정이입을 거부하는 대결의식은 기왕의 시적 관습에 대한 거부를 통해 그 나름의 시세계를 형성하는 원동력으로 작용하였다.

타성에 젖지 않으려는 김수영의 반순응주의는 '죽음'에 대해서도 독특한 의미를 부여하고 있다. "죽음을 잊어버린 영혼과 육체를 위하여 / 눈은 새벽이 지나도록 살아있다"에 나타나듯이 죽음에 대한 의식은 사람을 깨어 있게 하는 것이다. 뒷날 월평에서 "어떻게 잘 죽느냐－이것을 알고 있는 시인은 깨어 있는 시인"[10]이라고 한 것도 같은 맥락에서 이해할 수 있는 발언이다. 눈은 시간이 지나면 흔적 없이 녹아버리는 사물이고 그것이 눈의 죽음일 것이다. 그런데 현재 마당에 떨어진 눈은 죽음에 대비되어 더욱 선명한 빛깔로 생생하다. 그와 유사하게 인간의 삶도 죽음을 의식할 때 타성에 젖지 않고 살아 있는 것이 되고 젊은 시인이라면 마땅히 그리해야 된다는 인식이 이 시의 바탕에 깔려 있다.

인간의 삶이 죽음을 의식할 때 생생한 것이 된다는 인식은 김수영 나름의 독특한 시관을 형성한다. 「눈」에 젊은 시인이 등장하는 것도 이와 관련된다. 젊은 시인이 눈과 '생생하게 살아 있음'에 관한 대결을 벌인다고 할 때 죽음에 대한 인식은 그 거점이 된다고 할 수 있다. 다시 말해 눈이 죽음에 대비되어 생생하듯이 시인도 죽음을 얼마나 의식하느냐에 따라 존재의 생생함이 드러나는 것이다. 즉 김수영에게 죽음은 그의 반순응주의와 대결의식이 더욱 진정하면서도 근본적인 것이 되도록 하는 역할을 한다. 그의 좌우명이 상주사심(常住死心)이라는 증언[11]도 있거니와 실상 죽음은

---

9. 「시작 노우트 5」, 『전집 2』, 297쪽.
10. 「죽음과 사랑의 대극은 시의 본수(本髓)」, 『전집 2』, 406쪽.
11. 김현경, 「충실을 깨우쳐 준 시인의 혼」, 『여원』, 1968. 9, 133쪽.

김수영 시의 중심 주제이다. 그리고 「눈」은 김수영의 반순응주의적 시정신
이 죽음에 대한 인식과 절묘하게 어우러진 수작에 해당된다.

우리들의 전선은 눈에 보이지 않는다
그것이 우리들의 싸움을 이다지도 어려운 것으로 만든다
우리들의 전선은 당게르크도 놀만디도 연희고지도 아니다
우리들의 전선은 지도책 속에는 없다
그것은 우리들의 집안 안인 경우도 있고
우리들의 직장인 경우도 있고
우리들의 동리인 경우도 있지만……
보이지는 않는다

우리들의 싸움의 모습은 초토작전이나
「건 힐의 혈투」 모양으로 활발하지도 않고 보기 좋은 것도 아니다
그러나 우리들은 언제나 싸우고 있다
아침에도 낮에도 밤에도 밥을 먹을 때에도
거리를 걸을 때도 환담을 할 때도
장사를 할 때도 토목공사를 할 때도
여행을 할 때도 울 때도 웃을 때도
풋나물을 먹을 때도
시장에 가서 비린 생선냄새를 맡을 때도
배가 부를 때도 목이 마를 때도
연애를 할 때도 졸음이 올 때도 꿈속에서도
깨어나서도 또 깨어나서도 또 깨어나서도……
수업을 할 때도 퇴근시에도
싸일렌소리에 시계를 맞출 때도 구두를 닦을 때도……
우리들의 싸움은 쉬지 않는다

우리들의 싸움은 하늘과 땅 사이에 가득 차 있다
민주주의의 싸움이니까 싸우는 방법도 민주주의식으로 싸워야 한다
하늘에 그림자가 없듯이 민주주의의 싸움에도 그림자가 없다
하…… 그림자가 없다

하…… 그렇다……
하…… 그렇지……
아암 그렇구 말구…… 그렇지 그래……
응응…… 응…… 뭐?
아 그래…… 그래 그래.

—「하…… 그림자가 없다」 부분

4·19 직전에 씌어진 시로 전체 5연 가운데 1연은 생략하고 인용하였다. 1연은 적에 대하여, 2연은 전선에 대하여, 3·4연은 싸움에 대하여 각각 깨달은 바를 서술하고 있는바 김수영의 용어를 쓰자면 '언어의 서술'[12]에 치중하고 있다. 생략된 1연의 첫 부분을 보면 "우리들의 적은 늠름하지 않다 / 우리들의 적은 카크 다글라스나 리챠드 위드마크 모양으로 사나웁지도 않다 / 그들은 조금도 사나운 악한이 아니다"처럼 다분히 산문적인데 그러한 어투가 4연까지 지속된다. 즉 인용시는 앞에서 거론한 「폭포」와 「눈」에 비해 산문적 확장이 광범위하게 일어난 경우이다. 유창한 어조에 의해 이루어진 1~4연에서의 산문적 확장은 토막말의 나열인 어눌한 어조의 5연에 의해 수습되면서 시로서의 긴장을 확보한다.
　　인용시의 경우 산문적 확장이 광범위하게 일어난 만큼 그의 시정신도 산문적으로 구체화되어 있다. 전선이 집안인 경우도 있고 직장인 경우도

---

12. 「생활현실과 시」, 『전집 2』, 193쪽.

있지만 눈에 보이지 않는다거나 배가 부를 때도 목이 마를 때도 졸음이 올 때도 깨어나서도 언제나 싸우고 있다는 진술이 그러한 예이다. 김수영의 대결의식이 적과 전선과 싸움으로 구체화된 경우인데 전선이 집안에까지 벋어와 보이지 않고 졸음이 올 때나 깨어나서도 싸우고 있다는 것은 일상에서의 타협과 순응을 거부하는 그의 반순응주의적 시정신과 직결된다. 하늘과 땅 사이에 가득 차서 그림자가 없는 적과 싸우는 데는 일상에서의 타협과 순응을 거부하는 태도가 기본적으로 요구될 것이기 때문이다.

이 시는 싸움의 주체를 우리로 설정한 점이나 민주주의의 싸움을 말한다는 점에서 사회적 차원을 확보하고 있다. 개인의 실존적 차원에 한정되지 않고 사회적 차원을 확보한 것은 단시로서의 완성을 거부하고 적극적으로 산문적 확장을 시도한 성과로 보인다. 즉 「하…… 그림자가 없다」는 김수영의 반순응주의가 사회적 차원을 확보한 모습을 보여주는바 그런 뜻에서 그의 시적 변모의 이정표 구실을 하고 있다. 하지만 시를 통한 적과의 싸움에서 개인의 실존적 차원이 바탕이 되는 게 마땅하고 김수영의 60년대 시 또한 대체로 그러하였다. 그의 시구, "적이란 해면(海綿)같다 / 나의 양심과 독기를 빨아먹는 / 문어발같다"(「적」)가 그 점을 증명한다. 여기에서 양심과 독기는 그의 반순응주의의 동력이 되었던 셈이다.

> 의자가 많아서 걸린다 테이블도 많으면
> 걸린다 테이블 밑에 가로질러놓은
> 엮음대가 걸리고 테이블 위에 놓은
> 미제 자기 스탠드가 울린다
>
> 마루에 가도 마찬가지다 피아노 옆에 놓은
> 찬장이 울린다 유리문이 울리고 그 속에
> 넣어둔 노리다께 반상세트와 글라스가
> 울린다 이따금씩 강건너의 대포소리가

날 때도 울리지만 싱겁게 걸어갈 때
울리고 돌아서 걸어갈 때 울리고
의자와 의자 사이로 비집고 갈 때
울리고 코 풀 수건을 찾으러 갈 때

삼팔선을 돌아오듯 테이블을 돌아갈 때
걸리고 울리고 일어나도 걸리고
앉아도 걸리고 항상 일어서야 하고 항상
앉아야 한다 피로하지 않으면

울린다 시를 쓰다 말고 코를 풀다 말고
테이블 밑에 신경이 가고 탱크가 지나가는
연도(沿道)의 음악을 들어야 한다 피로하지
않으면 울린다 가만히 있어도 울린다
                    ──「의자가 많아서 걸린다」 부분

　　김수영이 작고하던 해인 1968년에 씌어진 시로 전체 9연 가운데 앞부분
5연을 인용하였다. 행간걸침의 기법을 적극적으로 활용하여 읽는 이의
호흡을 자꾸 끊기게 함으로써 '걸리고 울리면서 거치적거리는 감각'을
효과적으로 살려내고 있다. 이렇듯이 거치적거리는 느낌을 자아냄으로써
시적 주체와 그가 있는 공간 사이의 불화를 실감나게 드러낸다. 이 시의
공간은 시인의 집 안인데 의자·테이블·미제 자기 스탠드·피아노·찬
장·노리다케 반상세트·글라스 등의 기물들이 놓여 있다. 당시에 시인의
부인은 세간을 사들이는 데 재미를 붙였던 모양이고 술 취한 김수영은
부수겠다고 돌을 들고 달려든 일화[13]가 있거니와 시인으로서는 이러한
기물들이 소시민적 안락에 기여한다고 보고 못 견뎌했던 것이다.

소시민적 안락에 대한 거부는 김수영의 반순응주의의 주요한 양상이고 「의자가 많아서 걸린다」는 그러한 주제를 구현한 대표적 시이다. 이 시의 배경인 집 안은 소시민적 안락의 주된 무대요 반순응주의가 펼쳐지는 일차적 공간이기도 하다. 그의 수필 가운데 "모든 문제는 우리집의 울타리 안에서 싸워져야 하고 급기야는 내 안에서 싸워져야 한다"[14]는 구절이 있는데 같은 맥락에 두고 이해할 만한 말이다. 안락에 대한 희구는 대다수 인간의 본성이라고 볼 수 있고 그의 부인 또한 예외가 아니었다. 그리하여 그의 시에는 '여편네'가 자주 등장하여 '악의 언턱거리'가 되었던 것[15]이다. 이를테면 그의 아내는 「적2」에 나오듯 '가장 가까운 적'이요 '가장 사랑하는 적'이라 하겠다.

김수영의 반순응주의가 부인을 적으로 돌리기도 하지만 그 원천적인 출발점이 자기 자신임은 물론이다. 인용시에서만 보더라도 테이블 위에 미제 자기 스탠드의 불을 밝히고 의자에 앉아 생활하는 주인공은 시인 자신이겠기 때문이다. 그리하여 시인은 끊임없이 자기비판을 수행하고 자기갱신을 도모하는바 그것이 김수영의 반순응주의의 또 다른 국면이다. 그의 시구 "모래야 나는 얼마큼 적으냐 / 바람아 먼지야 풀아 나는 얼마큼 적으냐"(「어느날 고궁을 나오면서」)나 "동요도 없이 반성도 없이 / 자꾸자꾸 소인이 돼간다 / 속돼간다 속돼간다 / 끝없이 끝없이 동요도 없이"(「강가에서」)에서와 같은 자기비판은 실상 속된 소인이 되지 않으려는 자의 자기갱신의 몸부림에서 나오는 자책인 셈이다.

그런데 김수영은 왜 그토록 지속적으로 타성과 안정을 거부했던가. 그 소극적인 이유와 관련하여 시 「바뀌어진 지평선」에 나오는 "세상을 속지 않고 걸어가기 위하여"라는 말을 음미할 필요가 있다. 즉 세상의 허위에 속지 않고 제정신을 갖고 살기 위하여 순응을 거부했던 것이다.

---

13. 최정희, 「거목 같은 사나이」, 『현대문학』, 1968. 8, 18쪽 참조.
14. 「삼동유감」, 『전집 2』, 86쪽.
15. 「시작 노우트 4」, 『전집 2』, 293쪽 참조.

한편 좀더 적극적인 이유와 관련하여 시론 「시여, 침을 뱉어라」에 나오는 "자유와 사랑의 동의어로서의 혼란의 향수"[16]라는 말의 뜻을 새겨볼 필요가 있다. 즉 자유와 사랑을 추구하기 위하여 그의 반순응주의가 요구되었던 것이다. 자유와 사랑은 김수영이 추구했던 지고의 가치인데 그것이 혼란의 동의어로 되어 있다는 점에 유의할 만하다. 안정을 뒤집어놓은 혼란의 상태에서만이 자유와 사랑의 추구가 가능해진다는 그 나름의 인식이 개입되어 있는 것이다.

이제까지 반순응주의가 김수영의 주된 시정신이요 그것이 대결의식으로 표출되기도 한다는 점을 밝힌 셈이다. 실상 순응주의란 현실추수주의와 유사하게 부정적 의미를 내포한 말로서 진정한 시인이라면 마땅히 배격해야 할 정신적 경향일 것이다. 그러니까 왜 김수영에게 특별히 반순응주의가 문제인가라는 의문이 남는다. 그 우선적인 이유는 지속적이면서도 적극적으로 반순응주의와 대결의식을 밀고나가 작품으로서의 성과를 낸 독보적 시인이 김수영이라는 데 있을 것이다. 나아가 시대상황과 관련된 이유는 순응주의가 당시의 사람들에게 일반화된 정신적 경향이라는 데서 찾을 수 있다. 일제강점기와 육이오전쟁의 격변을 거치면서 순응주의가 일반화되었다면 김수영의 시는 그에 대응하는 항체로서의 의의를 지닌다고 하겠다.

순응주의는 '모난 돌이 정 맞는다'는 속담처럼 유구하면서도 일반화된 정신적 경향이다. 특히 일제 말과 6·25를 겪으면서 순응주의는 목숨을 보존하는 방법으로 작용한 측면이 많다. 육이오전쟁을 통해 구축된 분단체제가 완강한 만큼 순응주의가 일반화된 것이 당시의 정신적 분위기라고 할 수 있다. 시인의 경우 당시의 정신적 분위기에 부응하거나 거부하는 시작활동을 펼칠 수 있겠으니 김수영이 후자에 해당된다는 점은 앞에서 논한 바이다. 김수영이 활동하던 1950~60년대에 남한의 시단을 풍미한

---

16. 『전집 2』, 253쪽.

시인으로는 단연 서정주가 주목되고 많은 시인들이 그의 영향권 안에 있었다. 그런데 서정주의 주된 시정신으로 순응주의가 추출된 것[17]이 상대적으로 김수영의 시사적 위상을 드러낸다. 즉 김수영은 당시의 정신적 분위기에 적극적으로 반발하면서 자신의 독자적 시세계를 개척해냈던 것이다.

3. 현대성과 현실성 추구

김수영의 반순응주의는 자연스럽게 당시의 시단 풍토에 대한 부정적 시각으로 이어진다. 그가 "우리 시단이 전체적으로 썩었다"고 진단하면서 '신라에의 도피'나 '순수에의 도피'뿐만 아니라 '현대성에의 도피'를 비판한 것[18]이 그 구체적 사례이다. 신라에의 도피가 서정주의 시를, 순수에의 도피가 청록파를 위시한 문협파의 시를, 현대성에의 도피가 모더니즘 계열의 시를 염두에 두고 비판하는 것이라면 그 무렵의 시단 풍토 전반에 대한 부인이 되는 셈이다. 하지만 당시의 시단 풍토에 대한 부인만으로 자신의 독자적인 시세계를 개척해낼 수는 없는 것이니 김수영 나름으로 지향하고 추구했던 문학적 가치가 무엇이냐 하는 문제가 대두된다.

일반적으로 김수영은 대표적 모더니즘 시인이자 대표적 참여시인으로 알려져 있다. 이러한 일반적 인식과 접속될 때 그의 시를 "참여시와 현대시의 독특한 결합"[19]으로 볼 수도 있을 것이다. 그런데 막상 중요한 것은 김수영이 어떠한 성격의 모더니스트이며 참여시인인가를 밝혀내는 일이다. 그의 시 속에서 모더니즘적 특성과 참여시적 특성이 어떻게 구현되어

---

17. 이에 대한 논증은 필자의 논문 「서정주의 시세계」(『선청어문』 20집, 1992)에서 상세하게 이루어졌다.
18. 「현대성에의 도피」, 『전집 2』, 360쪽.
19. 백낙청, 「살아있는 김수영」, 김수영, 『사랑의 변주곡』, 창작과비평사, 1990, 219쪽.

있는지를 구체적으로 밝혀낼 때 그의 시세계가 제대로 드러날 것이기 때문이다. 이와 관련하여 주목되는 것이 현대성과 현실성의 문제이다. 김수영이 자신의 시를 통해 어떻게 현대성과 현실성을 추구했나를 밝힌다면 그의 모더니즘 시인으로서의 특성과 참여시인으로서의 면모가 드러날 것이기 때문이다.

실상 현대성 즉 모더니티의 문제는 김수영이 지향했던 문학적 가치의 핵심이 되는 것이다. 그의 1960년에 쓴 일기에는 "암만해도 나의 작품과 나의 산문은 펵 낡은 것같이밖에 생각이 안 든다. 내가 나쁘냐 우리나라가 나쁘냐?"[20]라는 구절이 있는데 시인이 얼마나 새로움 혹은 현대성에 경도하고 있나 하는 점이 역으로 드러나 있다. 김수영의 언어 습관에서 볼 때 낡은 것은 잘못된 것과 통하고 새로운 것은 진정한 것과 통한다. 그러니까 시인은 현대시로서의 진정한 자질을 갖춘 작품 혹은 현대성이 제대로 구현된 시를 쓰기 위해 매진했던 것이다. 그런데 여기에서 정작 문제는 '현대시로서의 진정한 자질이 뭐냐'라기보다 '김수영의 실제 작품에서 현대성이 어떻게 구현되어 있느냐'이다.

> 병풍은 무엇에서부터라도 나를 끊어준다
> 등지고 있는 얼굴이여
> 죽음에 취한 사람처럼 멋없이 서서
> 병풍은 무엇을 향하여서도 무관심하다
> 죽음의 전면(全面) 같은 너의 얼굴 우에
> 용이 있고 낙일(落日)이 있다
> 무엇보다도 먼저 끊어야 할 것이 설움이라고 하면서
> 병풍은 허위의 높이보다도 더 높은 곳에
> 비폭(飛瀑)을 놓고 유도(幽島)를 점지한다

---

20. 「일기초 2」, 『전집 2』, 342쪽.

가장 어려운 곳에 놓여있는 병풍은
내 앞에 서서 죽음을 가지고 죽음을 막고 있다
나는 병풍을 바라보고
달은 나의 등뒤에서 병풍의 주인 육칠옹해사(六七翁海士)의 인장(印章)을
비추어 주는 것이었다

— 「병풍」 전문[21]

인용시 「병풍」은 앞에서 검토한 「폭포」와 함께 1950년대 김수영의
대표작으로 알려져 있다. 이 시의 제재는 병풍인데 달빛이 비치는 병풍의
화폭에는 용·낙일·비폭·유도 등이 그려져 있고 그 그림을 그린 화가
육칠옹해사의 인장이 찍혀 있다. 이 시의 공간적 배경이자 병풍이 놓인
자리는 상가의 빈소[22]로 보는 것이 적절할 듯하다. 그럴 경우 시적 주체는
병풍을 바라보고 있고 병풍 뒤에 고인의 시신이 안치되어 있는 공간적
상황이 드러난다. 병풍을 두고 등지고 있다거나 죽음의 전면 같다고 하는
말도 마찬가지지만 특히 "내 앞에 서서 죽음을 가지고 죽음을 막고 있다"고
하는 시구는 병풍 뒤에 시신이 안치되어 있다고 가정할 때 자연스럽게
된다.
　전체적으로 병풍은 이중의 비유 속에 놓이는바 그 하나는 의인화되어
있다는 점이고 다른 하나는 죽음과 결부되어 있다는 점이다. 가령 "죽음의
전면 같은 너의 얼굴"을 보면 병풍이 의인화되면서 동시에 죽음에 비유된

---

21. 이 시는 『김수영전집 1·시』에서가 아니라 시인 생전에 간행한 시집 『달나라의
　　　장난』(춘조사, 1959)에서 인용한다. 『전집 1』의 경우 '瀑'을 '爆'이라 하거나 5행의
　　　첫 번째 조사 '의'를 '에'로 바꾼 오식도 보이지만 네 번 나오는 '죽음'을 모두 '주검'으로
　　　바꾸어 놓은 심각한 오류가 발견된다. 『현대문학』(1956. 6)에 처음 발표될 때는 '주검'으
　　　로 나오지만 약간의 수정을 거쳐 『달나라의 장난』에 수록된 만큼 이 시집을 정본으로
　　　삼는 것이 타당할 것이다.
22. 일반적인 병풍이 아니라 빈소에 쳐놓은 병풍이라는 점에 대해서는 황동규, 앞의
　　　글, 18쪽에서 시사한 바 있다.

것을 알 수 있다. 병풍이 의인화됨으로써 시 전체의 표현이 실감나게 되는 한편 죽음의 비유가 자연스러워지는 효과를 거두고 있다. 그러니까 의인화된 병풍이 죽음을 비유함으로써 궁극적으로 죽음의 주제가 형성되는 것이다. 그런데 이 병풍에 화가의 인장이 찍힌 그림이 그려져 있기에 죽음의 주제가 범상치 않은 깊이를 획득한다. 죽음의 전면 같은 병풍의 얼굴에 그려진 그림이라는 점에서 예술의 존재 방식에 대한 시인의 근원적 사유가 개진되기 때문이다.

이 시에서 예술의 존재 방식에 대한 사유는 예술가로서의 시인의 자의식과 결부되어 펼쳐지고 있다. 병풍의 전언으로 되어 있는 "무엇보다도 먼저 끊어야 할 것이 설움이라고 하면서"는 실상 시인 자신을 향한 다짐으로 읽힌다. 이 무렵의 김수영의 시에서 '생활인의 설움'[23]을 토로한 시구를 허다하게 찾아볼 수 있기 때문이다. 따라서 방금 언급한 시구에는 설움의 토로를 넘어서고자 하는 시인의 의지가 담겨 있다. 한편 뒤이어 이어지는 시구 "병풍은 허위의 높이보다도 더 높은 곳에 / 비폭을 놓고 유도를 점지한다"는 허위를 넘어선 진리의 구현으로서의 예술품의 존재를 말하는 것으로 읽을 수 있다. 즉 이 시에는 '죽음을 제대로 의식할 때 진리를 구현하는 예술이 가능해진다'는 시인 나름의 예술관이 개입되어 있다.

그런데 시인 자신은 이 시에 대해 '죽음을 노래한 시'라고 하면서 "나의 현대시의 출발은 「병풍」 정도에서 시작되었다"[24]고 진술하고 있다. 「병풍」이 죽음을 노래한 시라는 사실은 이제까지 논한 바이거니와 이제 그것이 현대성과 어떻게 결부되는지 살펴볼 차례이다. 이에 관해 김수영은 트릴링에 기대어 "쾌락의 부르죠아적 원칙을 배격하고 고통과 불쾌와 죽음을 현대성 자각의 요인으로 들고 있으니까"[25]라고 근거를 제시하고 있다.

23. 유종호, 앞의 글, 76~80쪽 참조.
24. 「연극하다가 시로 진향」, 『전집 2』, 230쪽.
25. 위의 글, 같은 쪽. 김수영이 기대고 있는 트릴링의 논문은 「쾌락의 운명」인데 시인 자신의 번역으로 『현대문학』, 1965년 11~12월호에 나뉘어 실려 있다.

부르주아적 쾌락이란 김수영이 배격해 마지않는 세속적 안락과 통하거니와 죽음에 대한 의식은 그러한 안락을 근본적으로 부정하게 하는 것이다. 이러한 맥락에 놓을 때 「병풍」은 죽음의 주제를 깊이 있게 천착했다는 점에서 현대성을 구현한 작품이라고 말할 수 있겠다.

얼핏 보아 이 시의 소재는 전혀 현대적이지 않다. 제재가 육칠옹해사의 인장이 찍힌 동양화가 그려진 병풍이라는 점에서 그러하다. 그런데 문제는 "가장 어려운 곳에 놓여 있는 병풍"의 위치이다. 병풍이 빈소에 놓여 있는 것이 자연스럽기는 하지만 시적 주체에게 문상은 관심 밖이다. 중요한 것은 병풍이 예술의 존재 방식에 대한 상념과 예술가로서의 자의식을 자아내는 자리에 놓여 있다는 점이다. 죽음을 디디고 선 자리 혹은 설움을 포함한 세속의 희로애락을 초월한 자리에 있는 예술의 존재에 대한 상념과 그러한 상념의 주체인 시적 자아에 대한 의식이 이 시의 주된 관심사이다. 즉 「병풍」은 예술의 존재 방식에 대한 인식과 예술가로서의 자의식에 대한 탐구가 함께 이루어진다는 점에서 현대성을 지닌다.

예술가로서의 자의식과 관련하여 「병풍」에서의 '나'의 시선에 주목할 필요가 있겠다. 이 시에서 나는 병풍을 바라보되 그러한 나를 바라보는 또 다른 시선이 존재한다. 이러한 자기 응시는 김수영 시의 특징적인 국면인데 예술가로서의 강한 자의식이 투영된 것으로 해석된다. 이렇듯이 자의식이 투영된 사례는 일일이 거론할 수 없을 정도로 많지만 "누가 무엇이라 하든 나의 붓은 이 시대를 진솔하게 걸어가는 사람에게는 치욕"(「구라중화」)이나 "나는 모리배들한테서 / 언어의 단련을 받는다"(「모리배」)와 같은 시구는 그러한 단적인 예이다. 즉 예술가로서의 강한 자의식은 김수영 시의 특징적인 국면이자 그의 시가 현대성을 갖게 하는 지렛대의 역할을 하고 있다.

　　비가 오고 있다
　　여보

움직이는 비애를 알고 있느냐

명령하고 결의하고
'평범하게 되려는 일' 가운데에
해초(海草)처럼 움직이는
바람에 나부껴서 밤을 모르고
언제나 새벽만을 향하고 있는
투명한 움직임의 비애를 알고 있느냐
여보
움직이는 비애를 알고 있느냐

순간이 순간을 죽이는 것이 현대
현대가 현대를 죽이는 '종교'
현대의 종교는 '출발'에서 죽는 영예
그 누구의 시처럼

    그러나 여보
    비오는 날의 마음의 그림자를
    사랑하라
    너의 벽에 비치는 너의 머리를
    사랑하라
비가 오고 있다
움직이는 비애여

결의하는 비애
변혁하는 비애……
현대의 자살

그러나 오늘은 비가 너 대신 움직이고 있다
무수한 너의 '종교'를 보라

— 「비」 부분

인용시 「비」는 예술적 완성도의 측면에서 다소 산만하지만 김수영의 현대성 추구의 실상을 잘 보여주는 시이다. 시 자체가 여보 즉 시인의 아내에게 하는 말로 되어 있는데 아내에게 왜 이런 말을 하게 되는지가 잘 드러나 있지 않다. 가령 비를 두고 '너의 종교'라 하고 있지만 왜 너의 종교인지가 드러나지 않고 그 점이 예술적 완성도를 떨어뜨리는 요인이 된다. 실상 이 시는 시인의 아내에게 하는 말이라기보다 시인 자신의 독백으로 읽는 편이 자연스럽다. 따라서 3연의 "그 누구의 시"는 김수영 자신의 시로 읽히고 "움직이는 비애"도 시인 자신의 자의식이 투영된 것으로 읽힌다. 즉 「비」는 끊임없이 움직이며 새로움을 추구해나가야 하는 예술가로서의 자의식을 토로하고 있는 시이다.

앞에서 타성적 안정을 거부하는 반순응주의에 대하여 논했거니와 이 시에서도 그러한 시정신이 잘 드러나 있다. "바람에 나부껴서 밤을 모르고 / 언제나 새벽만을 향하고 있는"과 같은 시구가 그 점을 단적으로 보여준다. "명령하고 결의하고 / '평범하게 되려는 일' 가운데에"는 '일상생활 속의 이 일 저 일 가운데에'라고 해석할 수 있겠고 그 속에서 반순응주의적 시정신이 바닷말처럼 움직이는 것이다. 그런데 이 시는 김수영의 반순응주의가 현대성 추구와 긴밀하게 접속되는 모습을 보여준다. "순간이 순간을 죽이는 것이 현대"이고 그것이 현대의 종교[26]이기에 현대성을 추구하는

---

26. 현대성과 결부시켜 「비」에 주목한 김명인은 3연에 대해 "'현대'는 순간을 죽이는 순간이며 이러한 '현대'를 또한 죽이는 '현대'의 본질은 차라리 하나의 종교이다. 이를 극단화하면 '현대'는 그 출발에서 죽는 것으로 완성된다고 할 수 있다."라고 토를 달고 있다. 김명인, 「김수영의 '현대성' 인식에 관한 연구」, 인하대 석사학위논문, 1994, 92쪽.

정신은 부단히 움직일 수밖에 없는 것이다. 그러니까 현대성 추구는 김수영의 반순응주의가 일종의 시학으로 변용된 것으로 볼 수도 있겠다.

이 시의 제재 '비'는 '움직이는 비애'의 표상이다. 이 시의 시적 주체는 비를 보며 움직이는 비애에 대해 토로하고 있다. 5연의 "결의하는 비애 / 변혁하는 비애……"도 결의하거나 변혁하는 등의 행위를 하며 움직이는 비애라고 해석할 수 있다. 그리고 이 움직이는 비애는 부단히 움직이며 새로움을 추구해야 하는 현대 예술가의 운명을 자각한 자의 비애이기도 하다. 과거의 것은 낡을 여유도 없이 금방 생명력을 상실하기에 "현대의 자살"을 운위할 터이요 그 생멸의 속도를 두고 "순간이 순간을 죽이는 것이 현대"라 하였을 것이다. 끊임없이 없어지고 새로 생성되는 것이 현대의 속성이라 할 때 인용시 「비」는 그러한 속성에 대한 인식이 첨예하게 드러나 있는 시이다.

움직임의 속도가 현대의 속성이라는 점에 착안할 때 김수영의 현대성 추구는 주로 그 속도를 시와 시쓰기에 구현하는 차원에서 이루어진다. 김수영의 작품을 읽고 나서 받은 속도감에 대해 후배 시인 정현종은 "속도 자체가 작품의 주요 내용이며 또한 형식을 결정하고 있는 것 같은 느낌이 들 정도"[27]라고 말하고 있거니와 속도 자체가 그의 시의 주요한 속성을 이루고 있다. 그의 시에 자주 보이는 비약적 발상을 초현실주의와 연결시켜 볼 수도 있겠지만 움직임의 속도 추구가 빚어낸 현상으로 볼 수도 있을 것이다. 또한 김수영의 끊임없이 새로움을 추구하는 시쓰기는 그의 시세계의 역동적 변모를 가져왔고 그 변모 자체가 김수영의 현대성 추구와 상동(相同) 관계에 놓인다고 해석할 수 있다.

　　푸른 하늘을 제압하는
　　노고지리가 자유로왔다고

----

27. 정현종, 「시와 행동, 추억과 역사」, 『월간조선』, 1982. 1, 423쪽.

부러워하던
어느 시인의 말은 수정되어야 한다

자유를 위해서
비상(飛翔)하여본 일이 있는
사람이면 알지
노고지리가
무엇을 보고
노래하는가를
어째서 자유에는
피의 냄새가 섞여있는가를
혁명은
왜 고독한 것인가를

혁명은
왜 고독해야 하는 것인가를

— 「푸른 하늘을」 전문

「푸른 하늘을」은 사월혁명과 연관된 김수영의 시 가운데 대표작에 해당된다. 우선 혁명과 자유라는 말이 4·19와의 연관성을 강하게 시사한다. 사월혁명 정신의 요체가 진정한 자유의 추구에 있음은 두루 알려진 사실이다. 그리고 그 자유는 김수영 시의 중심 주제로 수렴된다. 인용시는 김수영의 자유에 대한 인식이 사월혁명을 계기로 심화되는 모습을 보여준다. 그러한 인식의 심화는 '어째서 자유에는 피의 냄새가 섞여있는가'와 '혁명은 왜 고독한 것인가'에 대한 깨달음과 결부된다. 혁명 혹은 자유를 위한 비상을 행하는 자와 바라보는 자는 완연히 다르고 행하는 자의 고독을 감당해야 한다는 생각이 '노고지리의 노래'와 '시인의 말'의 대비를 통해 효과적으로 개진되고 있다.

이 시를 쓸 무렵 김수영의 일기에는 4·19 후의 자신의 정신상의 변화로 "강인한 고독의 감득(感得)과 인식"을 들고 그것이 창조의 원동력이 되리라는 것을 뚜렷하게 느낀다[28]고 씌어 있다. 여기에서 고독이란 자유를 행하는 자의 고독일 터인데 그것이 창작자의 고독과 연결된다는 점에 「푸른 하늘을」의 묘미가 있다. 다시 말해 인용시에는 시를 쓰는 것과 자유를 행하는 것이 일치될 것을 바라는 시인의 열망이 깔려 있다. 즉 김수영은 언어를 통해서 자유를 읊고 자유를 사는 경지를 열망했고 거기에 시의 새로움이 있다고 보았던 것[29]이다. 따라서 「푸른 하늘을」에 나오는 고독은 새로움을 추구하면서 동시에 자유를 행사하는 창조자의 고독이기도 하다.

「비」에서 부단히 움직이며 새로움을 추구하는 정신이 '비애'와 결부되어 있다면 「푸른 하늘을」에서는 '고독'과 결부되어 있다. 그런데 고독이 비애보다 적극적인 감정인 이유는 자유를 이행하는 방법의 성격을 지니기 때문이다. 자유의 이행과 현대성의 구현의 동시성에 대한 인식은 시인이 4·19를 겪어내면서 깨달은 값진 인식일 것이다. "새로움은 자유다. 자유는 새로움이다"[30]라는 말은 그러한 인식의 산문적 진술일 터이다. 그런데 이 대목에서 유의할 사항은 김수영의 새로움 추구가 생활현실 속에서 자유를 사는 문제와 맞닥뜨릴 때 현실성 추구와 만나게 된다는 점이다. 인용시 「푸른 하늘을」의 경우 당시의 현안문제인 사월혁명에 대한 기민한 대응이라는 점에서 현대성 추구와 현실성 추구가 상승작용을 일으킨 시라 하겠다.

4·19 직후에 김수영은 「육법전서와 혁명」이나 「가다오 나가다오」 등의 사회현실 문제에 밀착된 시를 쓰고 혁명의 좌절이 표면화된 5·16 후에 신귀거래 연작 등의 내면적 망명의 시를 쓰기도 한다. 그리고 그러한

---

28. 「일기초 2」, 『전집 2』, 332쪽.
29. 「생활현실과 시」, 『전집 2』, 196쪽 참조.
30. 위의 글, 같은 쪽.

우여곡절을 거쳐 김수영은 새로움 추구의 속도에 대한 집착과 강박에서 벗어나 다소 여유를 갖게 된다. 그러한 여유가 "뒤떨어진 현실을 직시하지 못하는 시인의 태도"를 비판하게 하고 "시의 모더니티란 외부로부터 부과하는 감각이 아니라 내면에서 우러나오는 지성의 화염"이라는 발언[31]을 낳게 한다. 시인이 현대성을 제대로 추구하기 위해서는 현실을 직시하는 안목과 그에 기반을 둔 지성을 갖추어야 한다는 것인데 이러한 문제를 자각한 김수영이 모더니즘의 한계를 극복하고 넘어서는 것은 자연스러운 일일 것이다.

> 왜 나는 조그마한 일에만 분개하는가
> 저 왕궁 대신에 왕궁의 음탕 대신에
> 오십원짜리 갈비가 기름덩어리만 나왔다고 분개하고
> 옹졸하게 분개하고 설렁탕집 돼지같은 주인년한테 욕을 하고
> 옹졸하게 욕을 하고
>
> 한번 정정당당하게
> 붙잡혀간 소설가를 위해서
> 언론의 자유를 요구하고 월남파병에 반대하는
> 자유를 이행하지 못하고
> 이십원을 받으러 세 번씩 네 번씩
> 찾아오는 야경꾼들만 증오하고 있는가
>
> 옹졸한 나의 전통은 유구하고 이제 내 앞에 정서로
> 가로놓여있다
> 이를테면 이런 일이 있었다

---

31. 「모더니티의 문제」, 『전집 2』, 350쪽.

부산에 포로수용소의 제십사야전병원에 있을 때
정보원이 너어스들과 스폰지를 만들고 거즈를
개키고 있는 나를 보고 포로경찰이 되지 않는다고
남자가 뭐 이런 일을 하고 있느냐고 놀린 일이 있었다
너어스들 옆에서

지금도 내가 반항하고 있는 것은 이 스폰지 만들기와
거즈 접고 있는 일과 조금도 다름없다
개의 울음소리를 듣고 그 비명에 지고
머리에 피도 안 마른 애놈의 투정에 진다
떨어지는 은행나무잎도 내가 밟고 가는 가시밭

아무래도 나는 비켜서있다 절정 위에는 서있지
않고 암만해도 조금쯤 옆으로 비켜서있다
그리고 조금쯤 옆에 서있는 것이 조금쯤
비겁한 것이라고 알고 있다!
　　　　　　　　—「어느날 고궁을 나오면서」 부분

　‘어느날 고궁을 나오면서’라는 제목이 매우 효과적으로 작용하고 있는
시이다. 고궁을 나오면서 좀스러운 자신을 통렬하게 질타하는 내용인바
배경을 고궁으로 설정함으로써 시적 주체의 좀스러운 형상이 더욱 강조되
어 나타난다. 시적 주체의 좀스러운 형상은 기름덩어리 갈비탕에 대한
분개나 야경비 받으러 오는 야경꾼들에 대한 증오 등의 일상사와 결부되어
구체성을 띤다. 그리고 그와 대비되는 것이 창작 자유의 요구나 월남파병
반대와 같은 현실의 중심 혹은 절정에 서 있는 자의 일이다. 사회현실의
본질에 육박하는 일로부터 비켜서서 아이놈의 투정과 같은 일상에 파묻혀
사는 삶에 대한 질타를 통해 소시민성 비판이라는 주제를 적절히 소화해내

고 있다.

이 시를 두고 김수영의 소시민 의식이 적나라하게 노출된 것으로 보는 것은 피상적인 견해라 생각된다. 5·16 후 소시민 의식의 대두가 중요한 문제로 부각될 때 그에 대한 정면 대응이라는 면에서 주목되는 시가 「어느날 고궁을 나오면서」이기 때문이다. 또한 이 시는 붙잡혀간 소설가를 위한 옹호나 월남파병 반대를 역설적으로 교묘하게 수행하고 있다고 보이기 때문이다. 자기비판의 준열함과 정직성이 이 시의 강점이라면 그것은 소시민 의식과는 거리가 멀다. 이런 측면에서 눈여겨볼 시구가 "떨어지는 은행나무잎도 내가 밟고 가는 가시밭"이다. 타성적 안정을 거부하고 일상생활의 일거수일투족을 자기비판의 대상으로 삼는 자의 감각이 표출되어 있기 때문이다.

이러한 자기비판은 자신을 냉철하게 직시하는 안목으로서의 지성을 구비할 때 가능해질 것이다. 가령 포로수용소 병원에서의 자신의 행위에 대한 분석은 다분히 지적인 작업이다. 포로경찰이 되지 않고 간호원들과 함께 스폰지 만들기와 거즈 접기를 한 것을 옹졸한 반항의 유구한 사례로 거론하고 있는바 그러한 자기분석이 이 시의 현대적 면모라고 하겠다. 즉 이 시의 현대성은 자기분석을 통한 자기비판 자체에 스며들어 있다. 김수영이 모더니티와 관련하여 중시한 것이 지성에서 우러나온 스테이트 먼트 혹은 발언이다. 그런데 그러한 발언의 여건이 주어지지 않은 우리의 현실에서는 "제대로의 스테이트먼트를 할 수 없다는 스테이트먼트라도 해야 한다"[32]는 것인데 인용시가 그 적절한 예로 보인다.

이 시에서 자기비판의 준열함과 정직성은 현대성을 살리는 요소이기도 하지만 그 준열함과 정직성 자체는 시의 핍진성 혹은 리얼리티를 살리는 요소이기도 하다. 원래 김수영의 문맥 속에서 리얼리티는 시의 우수함의 요건이 되고 있다. "리얼리스틱한 우수한 작품"[33] 운운하는 문맥에서 그

---

32. 「'현대성'에의 도피」, 『전집 2』, 359쪽.

점을 짐작할 수 있다. 그런데 이때의 리얼리티란 '사회현실 문제에 대한 효과적 대응'이라기보다는 '핍진성' 혹은 '실감'의 의미를 지닌다. 하지만 사회현실 문제에 대한 효과적 대응의 문제와 관련하여 직접적으로 리얼리즘을 말하지 않았다고 해서 이 문제를 간과한 것은 아니다. 소시민성 비판이 당대의 중요한 현실문제라면 사회현실 문제에 대한 대응의 의미에서의 리얼리티 또한 인용시에 깊숙이 개입되어 있다고 생각된다.

이상에서 살펴보았듯이 김수영의 모더니즘은 창작기법 차원에 머물지 않고 어떻게 현대성을 실현하느냐에 초점이 맞추어져 있다. 현대 예술가로서의 강한 자의식이 난해성을 유발하기도 하지만 자폐적 폐쇄회로에 갇혀 있지도 않다. 그의 시에서 현대성은 기본적으로 예술가로서의 자의식을 기반으로 현대의 속도를 추구하는 방향으로 실현된다. 그런데 4·19 직후의 고양기에는 현대성을 진정한 자유의 실현에서 발견하기도 한다. 또한 5·16 후의 좌절을 겪은 뒤로는 현대성을 "뒤떨어진 현실에 대한 자각"[34]과 연결시켜 치열하게 소시민성 비판을 수행한다. 여기에서 진정한 자유의 실현이나 뒤떨어진 현실에 대한 자각은 궁극적으로 현실성 추구와 접맥된다.

일반적으로 김수영이 참여시인으로 알려져 있지만 그의 현실성 추구가 사회현실에 대한 적극적 대응의 모습을 띠며 시적 성취를 보인 경우는 많지 않다. 그가 바람직한 참여시의 요건[35]으로 지적한 '강인한 참여의식'과 '시적 경제를 할 줄 아는 기술'과 '세계적 발언을 할 줄 아는 지성'이 고도로 통일된 시는 「푸른 하늘을」이나 「풀」을 제외하면 찾아보기 힘들다. 사월혁명 직후에 보이던 강인한 참여의식은 리얼리즘시로서 충분한 성과를 내기 전에 군사쿠데타를 만나 위축되게 된다. 하지만 김수영이 자신의 시세계의 변모를 통해 현대성과 현실성을 결부시킨 것은 1960년대 시사의

33. 「연극하나가 시로 전향」, 『전집 2』, 228쪽.
34. 「모더니티의 문제」, 『전집 2』, 325쪽.
35. 「참여시의 정리」, 『창작과비평』, 1967, 겨울, 636쪽 참조

한 가지 뜻깊은 일로 기록되어야 할 것이다. 모더니즘 시인으로 출발하여 부단한 자기극복을 통해 리얼리즘시로 가는 통로를 마련한 시인이 김수영이라고 평가할 수 있겠기 때문이다.

4. 맺음말

이제까지 '반순응주의와 대결의식'과 '현대성과 현실성 추구'의 항목을 설정하여 김수영의 시세계를 조명하였다. '반순응주의와 대결의식'의 항에서는 시인의 시정신에 초점을 맞추어 살피고, '현대성과 현실성 추구' 항에서는 시인이 지향했던 문학적 가치에 주안점을 두어 논하였다. 워낙 다채로운 성향을 보인 시인이라 두 항목으로 설정한 좌표를 벗어난 측면도 보이지만 가능한 한 그의 시세계를 입체적으로 드러내려 하였다. 시세계를 드러내는 제일가는 방법이 작품분석이라 생각하고 최대한 충실하게 시를 읽어내려 노력하였다. 또한 기왕의 김수영론의 문제점이 문학사적 시각의 미비 혹은 부적절함에 있다고 보아 우리의 현대시사의 흐름과 맥락에 유의하였다.

김수영의 성향 가운데 우선적으로 주목되는 것은 타성에 젖는 것을 지극히 싫어한다는 점이다. 이러한 성향은 사물에 대한 도취를 경계하고 감정이입을 꺼리는 반낭만주의 시학을 형성한다. 타성적 안정을 거부하는 정신을 반순응주의라 부른다면 그것은 김수영의 시세계의 바탕에 두루 깔려 있다고 파악된다. 시적 대상에 대해 대결의식을 갖고 맞서는 것은 반순응주의적 시정신의 자연스러운 발로일 것이다. 이러한 대결의식은 기왕의 시적 관습에 대해서도 발휘되어 그 나름의 독자적인 시세계를 형성하는 원동력이 되었다. 김수영 시의 주요한 주제인 '죽음'은 그의 반순응주의와 대결의식이 더욱 근본적인 것이 되도록 하는 역할을 한다.

세상과의 불화는 반순응주의의 자연스러운 귀결일 것이다. 그리하여 김수영은 되풀이하여 적과의 싸움을 말하는바 그러한 대결이 개인의 실존적 차원에 한정되지 않고 사회적 차원을 확보하게 된 것은 사월혁명을 전후해서이다. 그가 자유와 사랑의 주제를 적극적으로 천착하게 된 것도 이 무렵부터이다. 하지만 그의 대결의식은 늘 자신의 내부의 적을 먼저 상정하고 있어서 부단히 자기비판과 자기갱신을 수행하게 한다. 김수영의 반순응주의가 특별히 문제되는 것은 그것이 시적 변모를 추진하는 동력으로 작용하면서 동시에 작품적 성과로 발현되기 때문이다. 이러한 반순응주의 시편들은 세속적 타협 위주의 세태에 대한 항체의 의의를 지니고 그 점은 문학사적 맥락에도 유사하게 적용된다고 하겠다.

김수영의 반순응주의는 문학에 관한 전래적 관념의 강력한 부인으로도 나타난다. 일반적으로 김수영은 대표적 모더니즘 시인이자 참여시인으로 알려져 있다. 그런데 막상 중요한 것은 그가 어떠한 성격의 모더니스트이며 참여시인인가를 밝혀내는 일이다. 여기에서 부각되는 것이 현대성과 현실성의 문제인데 이와 관련하여 시인 나름의 독자적 발견이 이루어지고 있다. 김수영이 여타의 모더니즘 시인과 다른 것은 현대성에 대한 그 나름의 새로운 천착 때문이다. 창작기법 차원의 피상성에 머물지 않고 예술가로서의 투철한 자의식을 바탕으로 현대의 속도를 추적하는바 그것이 김수영의 현대성 추구의 요체이다. 또한 그의 현대성 추구는 뒤떨어진 현실에 대한 자각과 이어져 현실성 추구와 접속된다.

김수영의 현대성 추구는 자의식 과잉으로 인한 자폐적 폐쇄회로에 갇히지 않고 사회 변화와 호흡을 같이한다는 데에 강점이 있다. 사월혁명 직후에 자유의 행사와 현대성 추구를 동일시하는 것이 그러한 사례이다. 현실과 자신을 객관화시켜 비판하는 안목으로서의 지성도 그의 현대성 추구의 요건이 된다. 이렇듯이 김수영의 현대성 추구는 현실성 추구와 다각적으로 접점을 형성하면서 상승효과를 거둔다. 이러한 그의 현실성 추구는 '생생한 실감'의 차원과 '사회현실에 대한 효과적 대응'의 차원을 포함한다. 김수영이 리얼리즘의 성취 차원에서 본격적이면서도 뚜렷한

족적을 남기고 있지는 않지만 모더니즘 시인으로 출발하여 리얼리즘시로 가는 통로를 마련한 점은 문학사적 의미를 띤다고 생각된다.

　김수영의 현대성과 현실성 추구가 반순응주의를 바탕으로 이루어진다는 사실은 새삼 음미할 필요가 있을 듯하다. 타성에 젖지 않고 생생히 살아 움직이는 정신을 바탕으로 현대성과 현실성 추구가 성과를 낼 수 있기 때문이다. 또한 현대성과 현실성을 나름의 방식으로 결합시켜낸 점에 대해서도 그 뜻을 되새길 필요가 있을 듯하다. 모더니즘의 현대성 추구가 사회현실과의 접점을 상실할 때 밀실에 자폐된 시를 산출하게 되기 때문이다. 그리고 사회현실에 대한 대응을 위주로 하는 리얼리즘의 현실성 추구 또한 새로움의 발견 없이는 고식성을 탈피할 수 없기 때문이다. 이렇듯이 김수영은 여러 면에서 뜻깊은 의미를 내포한 문제적 시인으로 남아 눈여겨보는 이에게 빛을 던지고 있다.

(『인문학보』, 1997)

현대성론과 참여시론

······

──김수영의 시론

1. 김수영 시론의 과제

이 땅의 현대시론이 나름대로 이론적 흥미를 유발하고 독자성을 확보하면서 전개되어온 측면도 있겠으되 기본적으로 우리의 시론이라면 우리의 시와 무관할 수 없다고 생각된다. 즉 시론이 문학사적 의의를 획득하는 주요한 통로 가운데 하나는 시사의 전개와 결부되어 문제성을 띠는 것이다. 다시 말해 시사의 흐름과 관련하여 비중 있는 역할을 한 시론일 경우 시비평사에서 중요하게 취급할 수 있을 것이다. 이 말은 시론사가 시사와 무관할 수 없으며 시론 또한 시사와 결부되어 제대로 문학사적 의미를 획득한다는 뜻이 된다.

거시적으로 조망할 때 이제까지의 우리의 현대시사의 흐름은 대체로 세 갈래로 줄기를 잡을 수 있을 듯하다. 전래적 서정시 혹은 낭만적 경향의 시와 모더니즘적 경향의 시 그리고 리얼리즘적 경향의 시가 그것인데 이 세 줄기가 서로 영향을 주고받으면서 한국 현대시사의 흐름을 주도해왔다고 생각된다. 그런데 이 글에서 주목하게 될 1950~60년대의 경우 서정주·박목월·박재삼·박용래 등의 전래적 서정시가 주류를 형성하고 있었고 그에 대비되어 모더니즘적 실험시가 표 나게 시도되거나 리얼리즘 적 경향의 시가 새롭게 뿌리내리려 하고 있었다. 즉 1950~60년대의 시사적 과제는 6·25와 분단으로 인해 현저히 훼손된 모더니즘적 전통과 리얼리즘 적 전통을 새롭게 살려내는 데 있었다.

이러한 당대의 시사적 과제와 관련하여 우선적으로 떠오르는 시인은 김수영이다. 일반적으로 김수영은 대표적 모더니즘 시인이자 참여시인으 로 알려져 왔다. 여기에서 참여시란 리얼리즘시와 무관할 수 없겠으니 모더니즘과 리얼리즘을 나름의 시세계 속에 창조적으로 통합시켜나간 점이 김수영을 더욱 문제적 시인으로 부각되게 한다. 필자가 볼 때 김수영은 모더니즘 시인으로 출발하여 부단한 자기극복을 통해 리얼리즘시로 가는 통로를 마련한 시인[1]이다. 그런데 그는 시인으로서뿐만 아니라 시론가로서 도 왕성하게 활동하였다. 즉 김수영은 1950~60년대 시사에서 뜻깊은 역할을 하면서 그와 결부시켜 시론을 썼기에 그의 시론이 한층 각별하게 관심을 끄는 것이다.

김수영이 당대의 시사를 어떻게 파악하고 있었는가는 그의 시론의, "4·19를 경계로 해서 그 이전의 10년 동안을 모더니즘의 도량기(跳梁期)라 고 볼 때, 그 후의 10년간을 소위 참여시의 그것이라고 볼 수 있을 것 같다[2]라는 구절에 잘 드러나 있다. 이 말을 되새겨보면 1950년대는 모더니 즘시가, 1960년대는 참여시가 등장하여 유행하였다는 뜻이 된다. 부정적 언사인 도량이라는 말을 뒤집어놓고 볼 때 김수영의 시와 시론의 과제는 참다운 모더니즘시와 진정한 참여시의 추구라고 추정할 수 있겠는데 실상 이 글의 목표는 이러한 추정을 그의 시론을 통해 검증하고 구체화하는 데 있다.

---

1. 졸고 「김수영의 시세계」, 『인문학보』 23집, 강릉대, 1997, 64쪽.
2. 「참여시의 정리」, 『창작과비평』, 1967, 겨울, 633쪽.

방금 언급하였듯이 이 글의 목표는 김수영 시론의 전모를 소상하게 해설하는 데 있지 않고 그의 시론이 역점을 두고 있던 과제를 중심으로 문학사적 의의를 짚어내는 데 있다. 그가 역점을 둔 과제는 대체로 '현대성론'과 '참여시론'으로 나누어 살필 수 있겠으니 현대성론이 참다운 모더니즘의 실현과 결부된다면 참여시론은 진정한 참여시 혹은 리얼리즘의 성취의 문제와 연결된다. 그러니까 이 두 가지 항목을 중심으로 김수영 시론을 살펴보는 일은 그의 시론의 성격을 밝히는 데 그치지 않고 당대의 시론사에서 핵심이 되는 대목을 드러내고 조명하는 작업이 될 것이다.

2. 현대성론

김수영이 모더니즘의 자장 속에서 작품 활동을 시작한 것은 널리 알려진 사실이다. 무엇보다도 해방 후 모더니즘 시운동의 도화선이 된 사화집 『새로운 도시와 시민들의 합창』에 참여한 것이 그 구체적 증거이다. 하지만 김수영이 모더니즘을 표방한 동료 시인들을 신뢰했던 것은 아니다. 사후의 평가이긴 하지만 당대의 모더니스트 박인환에 대해 "시를 얻지 않고 코스츔만 얻었다"[3]고 혹평한 것이 그 단적인 사례이다. 전래적 서정시와는 다른 새로운 시를 시도하긴 했으되 "값싼 유행의 숭배자"[4]에 불과하다는 것이 박인환에 대한 김수영의 생각이다. 여기에서 '코스츔'이란 유행처럼 부박한 외양만의 모더니즘 추구를 겨냥한 비판일 터이다.

그런데 이러한 비판은 김수영의 비평 활동이 본격화된 1960년대에 와서 이루어졌다. 1950년대의 김수영은 우선 자신의 시쓰기를 통해 '어떻게

---

3. 「말리서사」, 『김수영 전집 2·산문』, 민음사, 1981, 73쪽. 방금 제시한 책은 이 글의 주된 텍스트로서 앞으로의 각주에서는 『전집 2』라 약할 것이다. 원칙적으로 이 책에서 누락된 글에 한해 원래의 발표 지면을 밝힐 예정이다.
4. 「박인환」, 『전집 2』, 63쪽.

현대성을 제대로 구현하느냐'의 문제에 몰두하고 있었고 그러한 체험에 바탕을 둔 시론이 1960년대에 본격적으로 펼쳐졌던 것이다. 모더니즘의 핵심이 '어떻게 현대성을 구현하느냐'에 놓임은 물론이다. 그런데 현대성 혹은 모더니티가 시인에 따라 각기 다르게 구현된다는 사실에 유의할 필요가 있다. 따라서 이 글의 관심은 김수영이 추구한 현대성이 어떤 성격과 의미를 지니는가에 놓여 있다. 즉 동시대의 부박한 모더니즘을 극복하면서 김수영이 추구한, 진정한 현대성이 무엇인가의 문제가 중요하다.

　김수영의 비평류의 글로는 한하운의 시집 『보리피리』에 대한 서평, 「운명의 노출」[5]이 처음 쓰여진 듯하다. 워낙 짤막한 서평이라서 시론으로서의 의의를 따지기는 어렵지만 "시인이 자기의 개인적인 병을 고치고 인류의 병과 맞서고 나왔을 때 비로소 현대시의 출발이 시작되었던 것"이라는 결구에 대해서는 유의할 필요가 있겠다. 김수영의 문맥에서 현대시란 현대성을 구현한 시로 새길 수 있거니와 그가 생각하는 현대성은 '개인적인 병을 고치고 인류의 병과 맞서는 수준'의 어떤 것이다. 즉 현대성에 관한 김수영의 태도는 최신의 외래 사조 수용이나 그와 결부시켜 기법 차원의 실험에 몰두했던 여타의 모더니스트들의 입장과는 차이가 많았던 셈이다.

　그런데 '외래 사조 수용이나 기법 차원의 실험'과는 구분되는 김수영의 현대성에 대한 인식이 평론으로 구체화되는 것은 그의 비평 활동이 본격적으로 펼쳐진 1960년대에 와서의 일이다. 1964년부터 1967년에 걸쳐 『사상계』『세대』『현대문학』〈서울신문〉 등의 월평을 맡은 것은 이 무렵 그가 활발하게 비평 활동을 한 외면적 증거이다. 그리고 그의 비평에서 가장 중요한 화두로 부각된 것이 '현대성'이다. 우선 그 무렵 평론의 제목으로 「모더니티의 문제」「현대성에의 도피」「진정한 현대성의 지향」「시적 인식과 새로움」[6] 등이 나타난다는 점이 현대성에 관한 김수영의 남다른

5.　〈평화신문〉, 1955. 4. 19.

관심 혹은 착심을 보여준다.

　몇 번이고 말하는 것이지만 기술의 우열이나 경향 여하가 문제가 아니라
시인의 양심이 문제이다. 시의 기술은 양심을 통한 기술인데 작금의 시나
시론에는 양심은 보이지 않고 기술만이 보인다. 아니 그들은 양심은 없는
기술만을 구사하는 시를 주지적이고 현대적인 시라고 생각하는 모양이다.
사기를 세련된 현대성이라고 오해하고 있는 모양이다.[7]

　인용문은 1964년의 연간 시평 「난해의 장막」의 한 부분으로 속류 모더니
스트들의 대표적인 병폐인 '양심 없는 기술 추구'의 문제점을 지적하고
있다. 주지적이고 현대적인 것을 추구한다는 명목 아래 형식 실험에 몰두하
던 당시의 모더니스트들에게 경종을 울리고 있는 것이다. 덧붙여 말하자면
실험을 위한 실험에 그쳤다고 판단되는 난해시와 그와 결부된 시론에
대해 '사기'라고 일격을 가한 것이다. 구체적인 대상은 전봉건의 초현실주
의적 실험시와 시론인데 이에 대해 당사자가 격렬하게 반발함으로써 이른
바 '사기론' 논쟁이 일어났다. 하지만 전봉건의 반론이 "김수영 당신의
시와 시론은 사기가 아니냐"는 식[8]의 감정적 차원에 머물러서 생산적인
논쟁으로 발전하지는 못하였다.
　아무튼 인용문의 요점은 '양심을 통한 기술'에 있고 논쟁의 쟁점은
'시인의 양심이란 과연 무엇인가'에 놓인다. 김수영은 뒤이은 반론에서

6.　이러한 글들은 『전집 2』에 수록되어 있지만 원래의 발표 지면이 드러나지 않아
　　서지사항을 밝히면 아래와 같다. 「모더니티의 문제」, 『사상계』, 1964. 5; 「현대성에의
　　도피」, 『사상계』, 1964. 7; 「진정한 현대성의 지향」, 『세대』, 1965. 2; 「시적 인식과
　　새로움」, 『현대문학』, 1967. 2.
7.　「난해의 장막」, 『전집 2』, 210쪽.
8.　특히 "참으로 쥐꼬리만 한 양심도 없이 비평이란 이름의 잡소리를 늘어놓는 가운데,
　　마치 자기만이 유일무이한 '시인의 양심'의 소유자이며 수호자이며 순교자와 같은
　　제스처를 쓴다는 것, 이것은 사기가 아닙니까?"가 그 단적인 예이다. 전봉건, 「'사기'론」,
　　『세대』, 1965. 2, 281쪽 참조.

"퇴색한 앙드레 브르통을 새것이라고 생각하고 무리를 하지 말고 솔직하게 분수에 맞는 환상을 하라"거나 "시인은 자기의 현실(즉 이미지)에 충실하고 그것을 정직하게 작품 위에 살릴 줄 알 때, 시인의 양심을 갖게 된다"[9]라고 부언하고 있다. 그러니까 시인 자신의 처지와는 무관하게 외래 사조를 추종하거나 무리한 실험을 하지 말고 자신에게 절실한 문제에 대해 솔직하게 대응할 때 시인의 양심이 살 수 있고 그것이 현대성 추구의 바탕이 된다고 보는 것이다.

우리의 현대시가 겪어야 할 가장 큰 난관은 포오즈를 버리고 사상을 취해야 할 일이다. 포오즈는 시 이전이다. 사상도 시 이전이다. 그러나 포오즈는 시에 신념 있는 일관성을 주지 않지만 사상은 그것을 준다. 우리의 시가 조석으로 동요하는 원인의 하나가 여기에 있다. 시의 다양성이나 시의 변화나 시의 실험을 나는 두려워하지 않는다. 오히려 그것은 어디까지나 환영해야 할 일이다. 다만 그러한 실험이 동요나 방황으로 그쳐서는 아니 되며 그렇지 않기 위해서는 지성인으로서의 시인의 기저에 신념이 살아 있어야 한다.[10]

사기론 논쟁이 본격화되기 전에 씌어진 글이지만 논쟁의 와중에 휘말렸던 글의 한 대목이다. 앞의 인용문에서의 '양심과 사기'의 대비가 여기에서는 '신념과 포오즈'의 대비로 나타나고 있다. 전자가 자못 극단적이라면 후자는 상당히 완곡하다고 할 수 있겠는데 두 가지 다 진정한 현대성이 무엇인가를 설명하기 위한 것이다. 요체는 '시의 실험'을 포함한 현대성 추구가 진정한 것이 되기 위해서는 '포오즈'를 넘어 신념 혹은 사상이 살아 있어야 한다는 것이다. 신념의 뒷받침 없이 혹은 내부에서 우러나온

---

9. 「문맥을 모르는 시인들」, 『전집 2』, 224쪽.
10. 「요동하는 포오즈들」, 『전집 2』, 363쪽.

필연적인 이유 없이 실험 자체에 몰두하다 보면 '포오즈'의 표출에 불과한 시를 쓰게 된다는 것이다.

꾸민 태도라고 풀이할 수 있는 '포오즈'는 1960년대 모더니스트들의 방황에 그치는 실험을 설명하기 위한 용어이다. 직접적으로는 송욱, 김구용, 이승훈 등의 시가 지니는 문제점을 지적하기 위한 것인데 이와 관련하여 김수영은 "피부 속까지 스며드는 뼈저린 언어"[11]에 대해 말하고 있다. 시인의 내면 혹은 정신의 깊은 곳에서 솟아나온 언어가 아니라면 피부 속까지 스며들 수 없고 그런 맥락에서 '포오즈'의 피상성이 드러난다고 하겠다. 인용문에서 '포오즈'의 피상성을 극복하는 방안으로 강조한 것이 신념 혹은 사상이고 이것은 다른 문맥에서 지성으로 변주된다. 그리고 이 지성이 양심과 함께 김수영의 시론에서 진정한 현대성을 살리는 요건으로 설정되어 있다.

> 오늘날의 서정시에서 우리들이 타기해야 할 것은 시대착오적인 상상인데, 그것이 그렇게 되지 않으려면 인생의 본원적인 문제—즉 생명—와의 대결이 스며 있어야 한다. 그리고 이것을 할 수 있는 것이 시인의 지성이다.[12]

시대착오의 오류를 범하지 않으려면 인생의 본원적인 문제와의 대결이 스며 있어야 하고 그러한 대결을 가능하게 하는 힘이 시인의 지성에서 나온다는 것인데, 현대성 추구에 지성이 어떤 비중을 차지하는가가 드러나 있다. "시의 모더니티란 외부로부터 부과하는 감각이 아니라 내면에서 우러나오는 지성의 화염"[13]이라는 말에서도 현대성 추구의 불가결한 조건으로 지성을 지적하고 있다. 김수영의 시론에서 지성은 현실을 다루는 큰 눈[14]이고 그러한 시야가 확보되어야 시를 통한 발언이 가능해진다고

---

11. 앞의 글, 『전집 2』, 362쪽.
12. 「지성의 가능성」, 『전집 2』, 370쪽.
13. 「모더니티의 문제」, 『전집 2』, 350쪽.

보고 있다. 그가 중시하는 "세계적 발언을 할 줄 아는 지성"[15]도 유사한 맥락에서 이해할 수 있는 말이다.

낡은 것에 대한 혐오나 경계는 김수영 시론의 도처에서 발견된다. 그의 시론에서 서정주나 박재삼류의 전래적 서정시에 대한 공감이나 배려를 거의 찾아볼 수 없는 것도 이와 관련된다. 그의 입장에서 전래적 서정시는 타기해야 할 시대착오적 상상에 해당된다. 지성의 중요성을 절감하는 김수영에게 전래적 서정시는 지나치게 감성에 치우친 시라고 할 수 있다. 또한 세계와의 조화나 화해를 추구하는 전래적 서정시는 사물에 대한 감정이입마저 거부하고 치열하게 대결의식을 견지하는 김수영의 시학[16]과 는 본질적으로 대척적인 자리에 있었던 것이다. 즉 김수영은 전래적 서정시 위주인 당시의 시단 풍토에 대한 반발로 '지성을 바탕으로 한 현대성 추구'를 더욱 강조한 측면도 있다.

양심과 지성을 바탕으로 인생의 본원적인 문제와 치열하게 대결할 때 현대성이 제대로 구현된다는 김수영의 현대성론은 자연스럽게 참여시론과 연결된다. "오늘날의 현대시의 양심과 작업은 뒤떨어진 현실에 대한 자각이 모체가 되어야 할 것 같다"[17]는 말에서 드러나듯이 낙후된 현실에 대한 자각 없이 현대성을 제대로 추구할 수 없고 자각은 필연적으로 행동을 요구할 것이기 때문이다. 또한 지성이 인생 문제와 결부된 현실을 다루는 눈이 되고 그러한 문제에 대한 발언을 가능하게 할 것이기 때문이다. 아무래도 현실참여 없이 인생 문제와 치열하게 대결할 수는 없을 것이다. 즉 김수영의 현대성론은 참여시론과 긴밀히 결부된 상태로 개진되고 있고 그로 인해 그의 시론이 더욱 강한 호소력과 탄력을 갖게 된다.

---

14. 「평균 수준의 수확」, 『전집 2』, 386쪽.
15. 「참여시의 정리」, 636쪽.
16. 이에 대해서는 앞에서 소개한 졸고 「김수영의 시세계」 가운데 '반순응주의와 대결의 식' 항에서 상세히 논의하였다. 특히 생명과의 대결이나 감정이입에 대한 거부는 43~45쪽의 「눈」에 대한 분석을 참조할 수 있다.
17. 「모더니티의 문제」, 『전집 2』, 350쪽.

3. 참여시론

사월혁명이 김수영의 시세계의 변모에 심대한 영향을 끼쳤다는 점에 대해서는 이제까지의 연구자들이 두루 공감하는 바이다. 상대적으로 그 변모를 개괄하자면 4·19 이전의 시에는 예술가로서의 실존적 자아의 목소리가 강하게 드러나는 데 비해 4·19 이후의 시에는 사회문제에 민감한 사회적 자아의 목소리가 강하게 드러난다. 사월혁명 이후에 그의 산문 활동이 활발해지고 비평 활동이 본격화되는 것도 시에서 사회적 자아의 목소리가 강해지는 것과 호응하는 현상일 것이다. 또한 얼마 되지 않는 1950년대의 산문이 개인적이거나 사적인 성격이 강한 것[18]도 마찬가지의 맥락에서 이해할 수 있다.

사월혁명이 김수영에게 심대한 영향을 끼쳤다는 것은 역으로 김수영이 사월혁명의 정신을 내면화하는 데 남달리 능동적이고 적극적이었다는 말이 된다. 그의 시에서 사회적 자아의 목소리가 강해지면서 참여시인으로서의 면모가 드러나는 것도 이와 결부되는 현상이다. 사월혁명의 정신을 내면화한다는 점에서 김수영에게 특히 주목되는 것이 자유에 대한 인식의 심화이다. '자유'의 문제는 김수영 시의 중심이 되는 주제 가운데 하나로서 참여시인으로서의 면모가 드러나는 주요한 통로이다. 또한 이 문제는 현대성론과 참여시론이 뒤섞여 있는 그의 시론에 통일성을 부여하는 요소로 작용하기도 한다.

오늘날의 시가 가장 골몰해야 할 가장 큰 문제는 인간의 회복이다. 오늘날 우리들은 인간의 상실이라는 가장 큰 비극으로 통일되어 있고,

---

18. 연애와 음주 이야기 위주의 「가냘픈 역사」, 『신태양』, 1954. 1; 「어머니 없는 아이 하나와」, 『신태양』, 1954. 4; 「해운대에 핀 해바라기」, 『신태양』, 1954. 8; 「마음의 낙타산」, <평화신문>, 1955. 2. 9 등은 김수영의 산문 가운데서 사적 성격이 두드러진 예에 해당된다.

이 비참의 통일을 영광의 통일로 이끌고 나가야 하는 것이 시인의 임무다. 그는 언어를 통해서 자유를 읊고, 또 자유를 산다. 여기에 시의 새로움이 있고, 또 그 새로움이 문제되어야 한다. 시의 언어 서술이나 시의 언어의 작용은 이 새로움이라는 면에서 같은 감동의 차원을 차지하게 된다. 따라서 우리의 생활현실이 담겨 있느냐 아니냐의 기준도, 진정한 난해시냐 가짜 난해시냐의 기준도 이 새로움이 있느냐 없느냐에서 결정되는 것이다. 새로움은 자유다. 자유는 새로움이다.[19]

"새로움은 자유다. 자유는 새로움이다"에서 보듯 김수영은 현대성의 구현과 자유의 이행을 동일시하고 있다. 또한 "언어를 통해서 자유를 읊고, 또 자유를 산다"에서 보듯 그는 자유가 시쓰기를 통해 행사되는 것으로 파악하고 있다. 인간의 회복이라는 시인의 임무를 행하는 방법이 자유의 이행이라 할 때 김수영의 현실참여에 대한 입장이 드러난다. 그에게 현실참여는 사회적 행동을 우선시키고 문학이 뒤따르는 방식이 아니라 시쓰기 자체가 행동이 되는 경지를 열망했던 것이다. 그리고 시쓰기 자체가 행동이 될 때 진정으로 현대성이 구현되는 것으로 보기에 현대성의 구현과 자유의 이행을 동일시하는 것이다.

시 쓰는 과정 중에 이루어지는 현대성의 구현과 자유의 이행은 '언어의 서술'과 '언어의 작용'의 양면에서 가능한 것으로 되어 있다. 다소 단순화의 오류를 무릅쓰고 말하자면 언어의 서술은 내용 혹은 사상성에, 언어의 작용은 형식 혹은 예술성에 상응하는 김수영의 독특한 용어이다. 그런데 그는 내용과 형식 혹은 사상성과 예술성 양면에서 이루어져야 하는 시쓰기에서의 자유의 이행을 "무조건 비참한 생활만 그려야 하는 것"[20]으로 오해하는 데 속류 현실참여파의 오류가 있다고 본다. 또한 그는 새로움의

---

19. 「생활현실과 시」, 『전집 2』, 196쪽.
20. 같은 곳.

추구 혹은 현대성의 구현을 지나치게 형식 면에서만 찾는 것에 예술파의 오류가 있다고 본다.

이상의 언급에서도 드러나듯이 김수영이 생각하는 '행동이 되는 경지의 시'는 "정치 사회 시평(時評)과 가장 유사한 서술 방법을 택한 시"[21]와는 전혀 다르다. 즉 김수영이 생각하는 바람직한 참여시는 선전·선동시와는 위상이 사뭇 다르다. "사회의식을 다루는 기백은 장하나 내용면에 치중하는 나머지 문체면에서 예술성이 약하다"[22]는 것이 당시의 참여시가 안고 있는 문제라는 자각 속에서 그의 시론이 전개되고 있기 때문이다. 그에게 '내용 면'과 '문체면' 혹은 사상성과 예술성은 변증법적으로 통일되어야 할 것으로 생각되었고 그러한 생각이 단순한 당위론에 머물지 않고 시와 시론 양면에서의 성취로 이어졌다는 사실이 중요하다.

> 시는 온몸으로, 바로 온몸을 밀고 나가는 것이다. 그것은 그림자를 의식하지 않는다. 그림자에조차도 의지하지 않는다. 시의 형식은 내용에 의지하지 않고 그 내용은 형식에 의지하지 않는다. 시는 그림자에조차도 의지하지 않는다. 시는 문화를 염두에 두지 않고, 민족을 염두에 두지 않고, 인류를 염두에 두지 않는다. 그러면서도 그것은 문화와 민족과 인류에 공헌하고 평화에 공헌한다. 바로 그처럼 형식은 내용이 되고, 내용이 형식이 된다. 시는 온몸으로, 바로 온몸을 밀고 나가는 것이다.[23]

인용문은 김수영의 유명한 평론 「시여, 침을 뱉어라」 중에서도 널리 알려진 부분으로 이미 내용과 형식의 상관관계를 밝힌 고전적인 표현이라

---

21. 이어령, 「서랍 속에 든 '불온시'를 분석한다」, 『사상계』, 1968. 3, 255쪽. 이 말은 불온시에 대한 이어령의 개념 규정으로서 불온시 혹은 참여시 논쟁 당시에 김수영을 논박하기 위한 것이다.
22. 「진정한 참여시」, 이중 『땅에서 비가 솟는다』, 창조사, 1967, 90쪽.
23. 「시여, 침을 뱉어라」, 『전집 2』, 253~54쪽.

는 평가[24]가 내려지기도 하였다. 시창작에 있어서 '무엇을 말할까'에 전념하다 보면 형식이 따르게 되고 '어떻게 쓰는가'를 제대로 추구하다 보면 내용이 따르게 된다는 견해인바 김수영 자신의 시작 체험에 근거한 발언인 셈이다. 특별히 내용과 형식을 의식하지 않아도 형식이 내용이 되고 내용이 형식이 되는 것은 영감이 수반되는 시창작 과정에서 자연스러운 일일 것이다. 그러한 시작 체험을 바탕으로 내용과 형식의 분리할 수 없는 통일성을 "온몸으로, 바로 온몸을 밀고 나가는 것"이라 표현한 것이다. 물론 이러한 온몸의 시학에는 시쓰기에 투신하는 자세가 전제로 깔려 있다.

　당시의 사회를 지배하던 분단 이데올로기는 내용과 형식 사이의 유연한 상호작용 속에서 시를 쓰는 데 족쇄로 작용하였다. 그리하여 알맹이 없이 형식 추구에 몰두하는 경향이 유행하였고 그에 반발하여 참여시가 출현하였으나 예술성이 박약했던 것이다. 그러니까 김수영의 문제의식은 내용과 형식의 분리라는 문학사적 고질에 맞추어져 있었다. 바람직한 참여시에 사상성과 예술성이 고도로 통일되어 있어야 한다는 점은 두말할 나위가 없을 것이다. 따라서 김수영이 "참여시의 옹호자라는 달갑지 않은, 분에 넘치는 호칭을 받고 있다"[25]고 술회할 때 이 말을 단순히 수사적 발언으로 이해해서는 곤란할 듯하다. 속류 참여시에 대해서는 달갑지 않고 바람직한 참여시에 대해서는 분에 넘친다는 말을 한 셈이기 때문이다.

　　신동엽의 이 시에는 우리가 오늘날 참여시에서 바라는 최소한의 모든 것이 들어 있다. 강인한 참여 의식이 깔려 있고, 시적 경제를 할 줄 아는 기술이 숨어 있고, 세계적 발언을 할 줄 아는 지성이 숨쉬고 있고, 죽음의 음악이 울리고 있다.[26]

---

24. 백낙청, 「역사적 인간과 시적 인간」, 『창작과비평』, 1977, 여름, 179쪽.
25. 「시여, 침을 뱉어라」, 『전집 2』, 250쪽.
26. 「참여시의 정리」, 636쪽.

신동엽의 「아니오」와 「껍데기는 가라」를 예로 들어 논하면서 바람직한 참여시의 요건을 제시하고 있는 대목이다. 실제의 시를 두고 하는 비평인 만큼 더욱 구체적인 지적을 하고 있는바 신동엽의 진가를 일찌감치 발견하여 주목한 점이 김수영의 안목을 돋보이게 한다. '강인한 참여 의식' '시적 경제를 할 줄 아는 기술' '세계적 발언을 할 줄 아는 지성' '죽음의 음악' 등을 요건으로 제시하고 있는바 이러한 요건을 동시에 충족시킨다면 사상성과 예술성 혹은 내용과 형식의 변증법적 통일을 성취한 시가 될 수 있을 것이다. 인용문에서 '깔려 있고' '숨어 있고' '숨쉬고 있고' '울리고 있다'는 어구는 그러한 통일성을 표현한 말일 터이다.

김수영의 문맥에서 죽음은 독특한 의미를 지니고 있다. 그가 「껍데기는 가라」를 두고 "두 가슴과 그곳까지 내논 아사달 아사녀가 울리는 죽음의 음악 소리가 들린다"고 하고 "참여시에 있어서 사상(事象)이 죽음을 통해서 생명을 획득하는 기술이 여기 있다"[27]고 할 때 죽음은 어떤 궁극적인 것을 의미한다. 죽음의 음악이 무엇인지 애매하긴 하지만 혼신을 위탁한 자의 기운이 서려 있어야 죽음의 음악이 울릴 수 있다는 추정은 가능할 수 있겠다. 또한 혼신을 위탁했을 때 참여시가 내용과 형식의 적당한 절충에 머무르지 않고 「껍데기는 가라」에서처럼 제 나름의 고유한 형식 혹은 스타일을 창조하는 데까지 나아갈 수 있을 것이다.

당시의 속류 참여시가 노출한 문제점이 사회의식을 다루려는 의욕에 비해 예술성이 박약하다는 데 있다면 김수영은 시론을 통해 그에 대한 극복의 방안을 제시한 셈이 된다. 사상성과 예술성의 변증법이야 상식적으로 말할 수 있는 것이겠지만 김수영처럼 격조 높은 시론으로 개진하기는 쉬운 일이 아니다. 그 스스로 시와 시론 양면에서 '온몸으로 온몸을 밀고 나가는 시학'을 실천함으로써 그러한 성취가 가능해졌다고 볼 수 있겠다.

---

27. 같은 곳.

그리고 이러한 김수영의 참여시론은 리얼리즘시의 흐름이 복류하다가 참여시로 솟구치는 시점에서 바람직한 참여시의 방향을 제시했다는 점에서 리얼리즘 시론의 기초를 다진 것이 된다. 사상성과 예술성의 변증법적 통일을 전제로 리얼리즘시의 과제인 현실인식의 탁월한 형상화가 가능하겠기 때문이다.

4. 김수영 시론의 의의

이제까지 김수영의 시론을 현대성론과 참여시론으로 나누어 살펴보았다. 이렇게 나누어 살펴본 이유는 그의 시론의 핵심이 이 두 가지에 있고 그것이 문학사적 맥락에서 중요하다고 생각되었기 때문이다. 우리의 현대시사에서 1960년대는 현대성이 제대로 구현된 모더니즘시와 예술성이 속 깊이 구현된 참여시를 요구하던 시대였고 김수영의 시론은 그러한 문학사적 요청에 부응하는 문제의식을 보여주었다. 따라서 현대성 구현의 문제와 바람직한 참여시에 대한 모색의 차원에서 진경을 보인 만큼 그의 시론의 중요성이 부각된다고 하겠다.

김수영이 현대성에 유다른 관심을 기울인 이유는 모더니즘 시인으로 출발하여 새로운 시를 쓰는 것을 과제로 삼았기 때문이다. 그렇기에 그의 현대성론에는 시인으로서의 체험에서 우러나온 절실함이 스며들어 있다. 그는 추종 차원의 외래 사조의 수용이나 그와 결부된 실험은 거짓 새로움이고 자신의 처지에 솔직한 것이 참답게 현대성을 구현하는 데 바탕이 된다고 보았다. 사기론 논쟁에서 제기한 '양심을 통한 기술'론은 이러한 맥락에서 나온 것이다. 또한 실험을 위한 실험으로 동요하는 '포오즈'의 폐해를 지적하며 시인의 기저에 신념이 살아 있어야 한다는 논의도 유사한 맥락에서 나온 것이다.

낡은 것에 대한 혐오는 김수영 시론의 도처에서 발견된다. 그의 시론에서 전래적 서정시에 대한 공감은 거의 찾아볼 수 없는바 시대착오적 상상이 온존하고 있다고 보았기 때문이다. 그가 현대성 추구의 조건으로 양심과 함께 지성을 강조한 것은 시대착오의 오류를 범하지 않게 하는 힘이 지성에서 나온다고 보았기 때문이다. 나아가 지성은 현실을 다루는 큰 눈이요 그러한 시야를 확보함으로써 시를 통한 발언이 가능해진다고 생각하였다. 그의 현대성론의 요체는 양심과 지성을 바탕으로 인생의 본원적인 문제와 치열하게 대결하는 것인데 치열한 대결이라는 면에서 자연스럽게 참여시론과 연결된다.

김수영은 사월혁명의 정신을 내면화하는 데 남달리 적극적인 시인이자 시론가이다. 사월혁명을 계기로 그의 시에 사회적 자아의 목소리가 강화되고 평론 활동도 본격화된다. 사월혁명의 정신과 관련하여 김수영에게 특히 주요한 화두가 자유이다. 인간의 회복이라는 시인의 임무를 행하는 방법이 자유의 이행인바 사회 활동을 앞세우고 시가 뒤따르는 차원의 참여가 아니라 시쓰기 자체가 행동이 되는 경지를 열망하였다. 시쓰기 자체가 행동이 되는 경지에 이르면 현대성의 구현과 자유의 이행은 동시에 가능하다는 것이 김수영의 입장이고 이러한 차원에서 현대성론과 참여시론은 호응 관계를 형성한다.

시쓰기 자체가 행동이 되는 경지를 열망했다고 해서 김수영이 선전·선동시를 선호했던 것은 아니다. 현실을 외면하고 형식 실험에 몰두하는 풍조에 반발하여 참여시가 등장하였으나 예술성이 박약하다는 점이 문제라는 사실을 직시하고 있었다. 그에게 사상성과 예술성은 변증법적으로 통일되어야 할 것으로 생각되었고 내용과 형식의 상호관계를 설파한 「시여, 침을 뱉어라」는 그러한 차원의 성과이다. 내용과 형식의 적당한 절충이 아니라 온몸으로 궁극적인 데까지 밀고 나갈 때 제 나름의 고유한 형식을 창조할 수 있다는 논리는 당시의 참여시가 나아갈 길을 제시한 것으로 평가할 수 있겠다.

(『한국 현대시론사 연구』, 1998)

신동엽의 시세계와 민족주의
· · · · ·

1. 머리말

시인들은 각자 자신이 쓴 시로 '시란 무엇인가'라는 물음에 답변하고 있다는 생각을 해본다. 그러니까 시쓰기에는 수없이 다양한 입장이 가능할 터인데 그중에는 개인적인 감정과 사유의 섬세한 표현이야말로 시의 본령이라는 입장이 있는가 하면 한 시대의 핵심을 드러내는 시대정신의 구현이야말로 시인의 사명이라는 입장도 있을 것이다. 어디까지나 상대적인 구분이로되 편의상 전자를 미세담론이라 하고 후자를 거대담론이라 한다면 아무래도 신동엽(申東曄, 1930~1969)은 거대담론으로서의 시쓰기의 대표적 존재가 아닌가 한다. 개인적인 감정과 사유가 개진된 시도 있지만 아무래도 신동엽의 시세계는 당대의 정신적 좌표 마련에 깊이 관련된다고 보인다.

거대담론으로서의 시쓰기의 대표자답게 신동엽에게는 늘 민족시인이라는 칭호가 따라다니고 있다. 이 점은 고인의 30주기를 기념해서 나온 책자[1]의 제목이 '민족시인 신동엽'이라는 데서 단적으로 드러난다. 원래 신동엽이 김수영에 대한 찬사로 썼던 이 칭호[2]는 김수영보다 신동엽 자신에게 훨씬 제격인 것으로 통용되어 왔다. 시세계의 중요성이 그에 못지않은 여러 시인 가운데 특히 신동엽에게 민족시인이라는 호칭이 따라다니는 이유는 무엇일까. 그것은 많은 논자들이 거듭 지적하듯이 그의 시에 강렬하게 투영되어 있는 민족의식과 역사의식 때문일 것이다.

민족의식 및 역사의식의 투철함과 관련하여 이제까지 신동엽에 대한 의미부여는 주로 민족문학론자들에 의해 이루어져 왔다. '민족문학의 중심부에 자리 잡은 시인'[3]이라는 백낙청의 견해는 그 대표적 예이다. 민족적 위기의식을 강조하는 민족문학론의 입장에서 볼 때 신동엽은 1960년대에 활동한 시인 가운데 유달리 돌올한 존재라 하겠다. 1970년대와 1980년대에 걸쳐 민족문학론이 비평계의 주류적 담론이 되고 민족문학운동이 한국문학의 주된 흐름을 형성하였다면 신동엽은 그 선구적 시인으로 존중된 것이다.

시와 시인에 대한 평가는 취향에 따라 달라지게 마련이지만 특히 신동엽은 보는 자의 입장에 따라 평가가 많이 엇갈리는 시인이다. 민족문학론자들의 지지의 열도에 반해 냉담한 평가 또한 만만치 않다. 신동엽의 대표작이자 '거대담론으로서의 시'의 대표적 사례인 서사시 「금강」을 두고 동학난과 3·1운동과 4·19를 무책임하게 연결시킨 것[4]으로 보는 김현의 견해는 그러한 한 가지 예이다. 대체로 신동엽의 민족의식이나 역사의식에 공감하지 않는 입장에서는 그의 시에 대해 냉담한 반응을 보이기 쉽다.

앞으로 상세한 작품분석을 통한 검증을 거쳐야 하겠으되 범박하게 '민족

---

1. 구중서·강형철 편, 『민족시인 신동엽』(소명출판, 1999)으로 신동엽에 관한 논문과 비평을 모아놓은 선집이다.
2. 「지맥 속의 분수」, 『신동엽전집』 증보판, 창작과비평사, 1980, 387쪽. 이후 신동엽의 시와 산문은 이 책을 기본 텍스트로 삼아 인용할 것인데 『전집』이라 약하여 주석을 달 예정이다.
3. 백낙청, 「민족문학의 현단계」, 『민족문학과 세계문학 2』, 창작과비평사, 1985, 23쪽.
4. 김현, 『상상력과 인간』, 일지사, 1973, 101쪽.

을 위주로 하는 정신적 경향을 민족주의라 할 때 민족의식이나 역사의식으로 표출되는 신동엽의 시정신을 민족주의라고 불러도 좋을 듯하다. 그리고 신동엽의 민족주의에 대한 공감 여부가 평자들의 견해가 엇갈리는 근저에 가로놓여 있다. 아마도 그러한 사정은 독자들에게도 마찬가지일 것이다. 그런데 막상 신동엽의 민족주의가 시 속에 어떻게 구현되어 있는지에 대한 구체적 탐색은 부실한 형편이다. 그에 대한 옹호자들은 민족주의적 열정 때문에 비판자들은 민족주의에 대한 반감 때문에 구체적 실상에 대한 탐색을 소홀히 하였다.

그리하여 필자에게 대두된 의문이 '민족주의가 신동엽의 시정신으로서 얼마만큼의 비중을 가지며 어떠한 성격을 지니는가'이다. 또한 '신동엽의 민족주의가 시적 성취 혹은 리얼리즘의 성취에 어떻게 작용하며 문학사적 맥락에서 어떤 의미를 지니는가'이다. 서로 이어지는 이러한 의문들에 대해 '민족주의의 시적 발현'과 '민족주의와 리얼리즘의 성취'라는 제목을 설정하여 탐색을 시도할 요량인데 그러한 탐색을 통해 신동엽의 시세계를 제대로 드러내는 것이 이 글의 우선적 과제이다. 또한 이 작업은 간접적으로 거대담론으로서의 시쓰기의 의미를 묻는 것이기도 하다.

본격적으로 세계화의 시대가 도래한 오늘날 민족주의는 낡았다는 입장이 있을 수 있다. 그런데 천의 얼굴[5]이라는 말이 있듯이 민족주의는 참으로 다양한 성격을 갖고 있다. 독재권력이 지배 이데올로기로 동원하는 압제의 민족주의도 있고 민중의 해방을 추동하는 민족주의도 있다. 민주주의에 역행하는 경우도 있고 기여하는 경우도 있다. 중요한 것은 '어떠한 국면에서 어떠한 민족주의가 나타나느냐'이고 신동엽의 민족주의에 대한 탐구는 그러한 맥락에서의 작업이다. 즉 신동엽의 시를 통해 이 땅에서의 민족주의의 가능성과 한계를 살피는 것이 이 글의 또 다른 과제이다.

---

5. 임지현, 『민족주의는 반역이다』, 소나무, 1999, 25쪽.

2. 민족주의의 시적 발현

　우리의 현대시인들에게 민족주의는 특별히 의식하지 않아도 자연스럽게 경사되기 쉬운 정신적 경향이다. 일제의 강점과 분단이라는 역사적 상황 속에서 우리말을 가다듬어 시를 쓰는 행위 자체가 민족주의적 속성을 강하게 내포하고 있다. 시인의 양식이 민족국가의 수립이라는 역사적 과제 앞에 무심할 수 없을 터이요 시의 존립 기반인 언어가 가장 실감나는 민족적 유산일 것이기 때문이다. 하지만 이러한 문제에 얼마나 민감한가는 시인마다 다르고 신동엽은 감각적으로 민감한 차원에 머물지 않고 특별히 자각적이고 의식적인 경우라고 볼 수 있다.

　몇 편 되지 않는 시인의 시론 가운데 "민족의 공동체적 상황을 역사감각으로 감수(感受)받은 언어가 곧 시"[6]라는 명제를 찾아볼 수 있다. 신동엽의 시관을 집약적으로 드러내면서 그의 민족주의가 얼마나 자각적인가를 보여주는 발언이기도 하다. 하지만 중요한 것은 논리적 발언이라기보다 그의 시쓰기에 민족주의가 어떻게 관철되며 시적 성취에 어떻게 작용하는가이다. 그의 시 속에 민족주의적 성향이 어떻게 구체화되어 있는지를 살펴야 신동엽의 시세계가 드러날 것이기 때문이다.

> 꽃 살이 튀는 산 허리를 무너
> 온종일
> 탄환을 퍼부었지요.
>
> 길가엔 진달래 몇 뿌리
> 꽃 펴 있고,
> 바위 그늘 밑엔

---

6. 「60년대의 시단 분포도」, 『전집』, 376~7쪽.

얼굴 고운 사람 하나
서늘히 잠들어 있었어요

꽃다운 산골 비행기가
지나다
기관포 쏟아 놓고 가 버리더군요

기다림에 지친 사람들은
산으로 갔어요.
그리움은 회올려
하늘에 불 붙도록.
뼛섬은 썩어
꽃죽 널리도록.

바람 따신 그 옛날
후고구렷적 장수들이
의형제를 묻던
거기가 바로
그 바위라 하더군요

잔디밭엔 담뱃갑 버려 던진 채
당신은 피
흘리고 있었어요

———「진달래 산천」 부분

「진달래 산천」 전체 12언 가운데 후반부를 인용하였다. 원래 이 시는
신동엽이 1959년 신춘문예로 등단한 후 맨 처음 발표하였고 시집 『아사

녀』의 첫머리에 수록되어 있다. 초기작 가운데 작자 자신이 아끼는 시라는 점을 추정해볼 수 있겠다. 작품 속의 시간적 배경은 육이오전쟁 때이고 회상의 방식을 통해 당시의 상황이 집중적으로 부조되어 있다. 시인이 이십 대 초반의 민감한 나이에 겪은 전쟁이기도 하려니와 6·25를 어떻게 인식하고 있느냐는 이 무렵 문인들의 의식을 살피는 주요한 지표라는 점에서 각별히 주목되는 시이다.

방금 언급하였듯이 신동엽은 육이오전쟁을 청년의 몸으로 체험한 세대에 속하고 「진달래 산천」은 그러한 세대가 낳은 대표적 시로 보인다. 전쟁 체험의 직접성은 "꽃다운 산골 비행기가 / 지나다 / 기관포 쏟아 놓고 가 버리더군요"와 같은 시구에 반영되어 있고 체험의 참혹성은 "뼛섬은 썩어 / 꽃죽 널리도록" 같은 다소 우격다짐으로 보이는 시구에 반영되어 있다. 이 시 속에서 진달래의 빛깔은 우선 6·25 때 흘린 피와 결부되는 것이고 전쟁의 참상은 진달래 산천이라는 제목을 통해 전 국토로 확산되는 것이다. 꽃의 이미지가 참으로 참혹한 경우로서 유례가 드물 듯하다.

「진달래 산천」은 발표 후 반공 이데올로기에 의해 곤욕을 치를 만큼 당시의 정신 풍토에서는 불온한 시였다. "기다림에 지친 사람들은 / 산으로 갔어요"란 대목을 빨치산을 미화한 표현으로 보고 트집을 잡는 식의 풍토[7]와 대비될 때 이 시 속에 반영된 신동엽의 정신적 자세가 갖는 비중이 역으로 드러난다. "잔디밭엔 담뱃갑 버려 던진 채 / 당신은 피 / 흘리고 있었어요"에서 보듯 그에게 6·25는 민족 구성원의 피가 국토를 적신 전쟁으로 인식되었다. 즉 「진달래 산천」은 민족주의가 반공 이데올로기를 불식시킨 시이고 그런 정도만큼 불온하게 보였던 셈이다.

민족주의와 관련하여 관건적인 문제에 속하는 것이 민족의 영역과 역사에 대한 인식이라면 인용시에서는 그러한 인식이 통일되어 나타난다.

---

7. 이러한 사실에 대해서는 성민엽, 『신동엽』 개정판, 문학세계사, 1992, 77쪽이나 신경림, 『신경림의 시인을 찾아서』, 우리교육, 1998, 75쪽 참조.

'진달래 산천'이라는 제목 자체가 민족의 영역에 대한 시적 인식의 소산이요 육이오전쟁의 유혈을 머금고 있다는 점에서 민족사에 대한 인식과 접맥된다. "꽃 살이 튀는 산 허리를 무너 / 온종일 / 탄환을 퍼부었지요"에서 보듯이 탄환과 꽃의 대비를 통해 외세에 의한 민족 구성원의 피흘림의 의미를 부각시키고 있는바 그것이 신동엽의 육이오전쟁에 대한 인식의 요체요, 역사의식의 요체인 셈이다.

앞에서 "뼛섬은 썩어 / 꽃죽 널리도록"이 다소 우격다짐이라 하였는데 그 점은 "후고구렷적 장수들이 / 의형제를 묻던"에서도 찾아볼 수 있다. 진달래 산천과 관련하여 각각 고난과 유구함을 드러내려는 시인의 의욕이 작용한 결과일 것이다. 시인의 의욕이 시상의 자연스러운 전개에 무리를 초래한 측면이 있는데 그러한 사실을 시인이 모르고 있었던 것 같지는 않다. 신동엽의 경우 시를 섬세하게 조탁하는 일보다 개인의 세계인식을 얼마나 고양시켜 드러내느냐에 일차적 관심을 기울인 것으로 보이기 때문이다. 시가 시인의 세계인식을 드러내는 한 양식이라는 문학관을 가질 때 소품으로서의 완성도를 높이는 일에 몰두할 수 없다. 그것은 시인의 용어로 치면 맹목기능자의 공예품[8]을 만드는 데 지나지 않기 때문이다.

이 시를 쓸 무렵 신동엽에게 우선적으로 중요한 것은 당시를 지배하던 이데올로기의 장벽을 뚫고 육이오전쟁에 대한 인식을 제대로 하는 것이었고 「진달래 산천」은 그러한 고투의 소산인 셈이다. 두루 알려져 있다시피 이념상으로 6·25는 좌우익 이데올로기가 민족의식을 압살한 전쟁이다. 그러한 상황을 바꾸어나가는 데 앞장선 것이 신동엽의 역사의식이 갖는 선구적 면모이고 그와 같은 맥락 속에 그가 거대담론으로서의 시쓰기를 추구한 이유가 잠겨 있다. 다시 말해 신동엽에게 민족주의는 분단 이데올로기에 대한 항체로 형성된 측면이 강하고 「진달래 산천」은 그 점을 보여주는 시로 보인다.

---

8. 「시인정신론」, 『전집』, 366~9쪽 참조.

그리운 그의 얼굴 다시 찾을 수 없어도
화사한 그의 꽃
산에 언덕에 피어날지어이.

그리운 그의 노래 다시 들을 수 없어도
맑은 그 숨결
들에 숲 속에 살아갈지어이.

쓸쓸한 마음으로 들길 더듬는 행인아.

눈길 비었거든 바람 담을지네
바람 비었거든 인정 담을지네.

그리운 그의 모습 다시 찾을 수 없어도
울고 간 그의 영혼
들에 언덕에 피어날지어이.

—「산에 언덕에」전문

　　필자가 보기에 「산에 언덕에」는 시집 『아사녀』 가운데 시상이 가장 자연스럽게 전개되고 매끄러운 어미 처리에서 보듯 언어 구사에서도 묘를 얻은 시이다. 기대담론으로서의 시쓰기와 관련하여 "허잘 것 없는 일로 지난 날 / 언어들을 고되게 / 부려만 먹었군요."(「좋은 언어」)라는 자기반성 이 있는데 신동엽의 많은 시가 이와 무관할 수 없을 듯하다. 하지만 이 시의 경우 언어를 고되게 부려먹은 흔적이 보이지 않는다. 시인의 상념이 도드라지게 노출되지 않고 육화된 언어 속에 녹아들어 있어 한 마디로 내용과 형식이 통일된 좋은 시이다. 그리고 그 점이 이 시를 부여의 금강가에 있는 그의 시비에 새겨두게 한 이유일 것이다.

형상화의 밀도가 높은 만큼 인용시에서 시인의 사상이나 성향은 직접적으로 노출되지 않는다. 가령 "속 시원히 낡은 것 밀려가고 외세도 근접 못하게"(「산에도 분수를」)처럼 시인의 정신적 지향을 표출하는 직설적인 시구가 없다. 하지만 '산에 언덕에'라는 표제에서부터 신동엽의 냄새가 물씬 풍기고 그것은 시인의 민족주의적 성향과 관련된다. 즉 「산에 언덕에」는 민족 구성원의 삶의 터전을 표제로 삼았다는 점에서 「진달래 산천」과 유사한 성격을 지닌다. 유혈의 참혹함을 가시게 한다면 후자의 '진달래'가 전자의 '화사한 그의 꽃'으로 바뀌었다고도 볼 수 있을 만큼 두 시에서 유사성이 드러난다.

시비에 새겨진 상태로 인용시를 읽으면서 시 속의 '그'가 자꾸 신동엽으로 읽히는 체험을 한 적이 있다. 물론 상식적으로 이 시에서 '그'는 시인에 앞서 이 땅에서 벌어지는 일에 대해 깊이 슬퍼하며 간절하게 살다간 이일 것이다. 그런데 '그'의 숨결과 영혼은 늘 살아 있어서 산에 언덕에 꽃으로 피어나는 존재이다. 따라서 '그'는 어떤 특정한 인물로 한정되기보다 그의 시 가운데 누차 등장하는 아사달이나 아사녀일 수도 있고 서사시 「금강」의 주인공인 전봉준이나 신하늬일 수도 있다. 하지만 이미 고인이 된 다음의 시인도 얼마든지 '그'로 읽힐 수 있다는 점이 이 시의 기묘한 매력이다.

아무튼 시 속의 '그'의 숨결과 영혼은 이 땅에 귀속된다. 그리고 이 땅에서 삶을 살다간 자의 숨결과 영혼이 이 땅에 살아 있다는 상념은 신동엽의 정신적 지향을 잘 보여준다. "쓸쓸한 마음으로 들길 더듬는 행인아.// 눈길 비었거든 바람 담을지네 / 바람 비었거든 인정 담을지네."에서 보듯 눈에 보이지 않아도 인정은 산과 들을 채우고 있다는 상념은 신동엽의 도저한 민족주의적 성향을 잘 보여준다. 이 땅에 살아 있는 선인들의 영혼이나 마음을 감지하면서 쓸쓸함을 이겨낸다는 발상의 바탕에는 민족주의가 강하게 깔려 있다고 볼 수밖에 없을 깃이다.

「진달래 산천」이나 「산에 언덕에」에 보이듯이 민족의 영역에의 귀속감과 민족 구성원에 대한 정서적 일체감은 신동엽의 시편들에서 빈번히 찾아볼 수 있다. 그가 귀속감을 느끼는 민족의 영역은 남북을 포괄하고 정서적 일체감을 느끼는 민족 구성원은 생존 시기를 가리지 않는다. 민족주의의 주요한 속성이 "우리가 결코 알지 못할 수없이 많은 사람들의 생활 및 열망과 일체감을 갖는 것이고 우리가 결코 있는 그대로를 다 찾아가 볼 수 없는 영토와 일체감을 갖는 것"[9]이라 할 때 민족주의가 신동엽에게 얼마나 깊이 체화되었는지를 가늠할 수 있다.

> 껍데기는 가라.
> 사월도 알맹이만 남고
> 껍데기는 가라.
>
> 껍데기는 가라.
> 동학년(東學年) 곰나루의, 그 아우성만 살고
> 껍데기는 가라.
>
> 그리하여, 다시
> 껍데기는 가라.
> 이곳에선, 두 가슴과 그곳까지 내논
> 아사달 아사녀가
> 중립(中立)의 초례청 앞에 서서
> 부끄럼 빛내며
> 맞절할지니

9.   한스 콘, 「민족주의의 개념」, 백낙청 편, 『민족주의란 무엇인가』, 창작과비평사, 1981, 23쪽.

껍데기는 가라.

한라(漢拏)에서 백두(白頭)까지

향그러운 흙가슴만 남고

그, 모오든 쇠붙이는 가라.

── 「껍데기는 가라」 전문

인용한 「껍데기는 가라」는 신동엽의 대표작으로 널리 알려진 시이다. 시인이 생애를 두고 벼린 역사의식과 민족의식이 고도의 예술적 형상 속에 절정의 상태로 통일되어 있다. 가령 「산에도 분수를」 「봄은」 「수운이 말하기를」 「술을 많이 마시고 잔 어제밤은」 등의 시상이 이 시에 집약되어 있다. 불과 17행의 시에서 동학농민전쟁과 사월혁명을 언급할 뿐만 아니라 한반도중립화통일론까지 개진하고 있으니 분명히 거대담론으로서의 시쓰기가 이루어진 셈인데 형태상으로 전혀 무리가 없다. 기승전결의 탄탄한 형식 위에 '껍데기는 가라'라는 일종의 구호를 변주시킴으로써 탄탄한 형식과 단호한 구호가 매우 역동적으로 상승작용하고 있다.

인용시에서 민족의 영역은 "한라에서 백두까지"라고 간명하게 표현되어 있다. 지금은 너무 널리 알려져 있어 독자의 입장에서 볼 때 신선감이 떨어지겠지만 민족의 영역에 대한 선명한 개관이라는 점에서 더 이상의 시구를 찾기 힘들 듯하다. 유사한 성격의 시구로 "제주에서 두만까지"(「봄은」, 「금강」 13장)나 "남해에서 북강까지"(「산문시 1」)도 있지만 그 적실함이 문제의 시구에 미치지 못한다. 아무튼 이 '한라에서 백두까지'는 신동엽이 귀속감을 느끼는 민족의 영역이 남북을 포괄하고 있다는 점을 보여주거니와 그것은 동시에 분단시대를 살던 시인의 의식의 지평이기도 하다.

「껍데기는 가라」는 주로 '알맹이-껍데기'와 '흙가슴-쇠붙이'의 두 가지 대립되는 이미지를 중심으로 구도가 짜여 있다. 그리고 이러한 대립 구도는 시인이 처한 현실적 질곡에 대한 대결양상으로 전이됨으로써 치열성이 확보되고 있다. 이 시에서 '쇠붙이'는 앞에서 살펴본 「진달래 산천」의 탄환이나 기관포와도 연결되고 "한반도에 와 있는 쇠붙이는 / 한반도의 쇠붙이가 아니어라"(「수운이 말하기를」)에서 보듯 외세와 직결되는 것이다. 대체로 쇠붙이나 껍데기가 외세를 비롯하여 민족을 억압하는 세력에 빌붙는 온갖 것들을 상징하고 흙가슴이나 알맹이가 민족의 본연적 순수성을 상징한다고 본다면 신동엽의 시쓰기에서 민족주의가 어떻게 구현되는지를 가늠해 볼 수 있다.

방금 민족의 본연적 순수성에 대해 언급했는데 그와 연관되어 등장시킨 인물이 아사달과 아사녀이다. "두 가슴과 그곳까지 내논"은 그들의 본연적 순수성을 강조하기 위한 수식일 것이다. 주지하다시피 아사달과 아사녀는 설화 속에서 다보탑과 석가탑을 조각한 백제 석공과 그의 아내의 이름이고 시인 스스로 우리 겨레의 아득한 옛날 조상들 이름 같다는 토[10]를 달기도 한다. 보통의 경우 설화 속의 인물을 등장시키는 것은 비현실적이거나 퇴영적인 색채를 띠기 쉽다. 하지만 이 시에서는 중립의 초례청 앞에 서서 맞절하게 된다고 함으로써 이 땅의 현실과 관련하여 미래 지향의 전망을 부각시키는 역할을 맡고 있다.

이 시의 1~2연에서 보듯 신동엽이 가장 중요하게 생각한 역사적 사건은 사월혁명과 갑오농민전쟁이다. 사월혁명이 반독재민주화운동의 성격을, 갑오농민전쟁이 반제반봉건운동의 성격을 갖는다는 것은 널리 알려진 사실이거니와 이 시에서는 특히 민족의 본연적 순수성을 찾는 운동으로서의 성격을 아울러 갖는다. 그렇기에 사월도 알맹이만 남고 동학년 곰나루의 아우성만 살고 껍데기는 가라고 외치는 것으로 해석된다. 그리고 그러한 외침을 통해 당시의 사월혁명을 짓누르고 들어선 군부정권 혹은 국가권력에 대한 저항시로서의 당대적 의미를 강력하게 갖게 된다.

이제까지 세 편의 시를 집중적으로 조명하며 신동엽의 정신적 지향을 살펴보았는데 그것은 동시에 민족주의가 그의 정신에 얼마나 깊이 스며들

---

10. 「석가탑」, 『전집』, 404~5쪽.

어 있었는지를 살피는 것이기도 하다. 시쓰기 자체가 민족주의를 정련하는 과정과 맞물려 있다는 생각이 들 정도로 신동엽에게 민족주의는 시정신 차원으로 체화되어 있다. 그에게 민족주의는 자신이 살고 있는 사회를 바로 보고 바로 살려는 노력 속에서 체득된 것이기에 당시의 지배권력의 이데올로기에 대한 저항담론의 성격을 지니게 된다. 그의 사후에 나온 전집이 몇 년 동안 금서의 울타리 속에 갇혀 있었던 것은 그러한 사정 때문일 것이다.

실상 민족주의는 개별 시인의 시정신과 결부시키기에는 너무 막연하다고 생각될 만큼 다양한 성격을 갖고 있다. 그렇지만 '민족을 중심에 놓는 정신적 경향'으로서의 민족주의와 무관하게 신동엽의 시정신을 운위하기는 어려울 듯하다. 중요한 것은 어떠한 성격을 지닌 민족주의인가이고 그러한 차원에서 신동엽의 민족주의가 기본적으로 저항담론의 성격을 지닌다는 사실에 주목할 필요가 있다. 다시 말해 분단국가인 남한의 상황에서 반외세와 반체제의 성격을 아울러 갖고 있다는 것인데 그것은 타자의 억압으로 실현되는 제국주의적 민족주의나 독재권력의 강화를 위해 동원되는 이데올로기로서의 민족주의와는 성격이 엄연히 다르다.

3. 민족주의와 리얼리즘의 성취

근·현대사의 아이러니 중의 하나는 제국주의와 반제국주의가 함께 민족주의적 성향을 강하게 갖는다는 것이다. 지구상의 곳곳에서 일어나는 민족 간의 갈등과 분쟁을 생각할 때 민족주의 자체가 폐기되어야 한다는 입장이 있을 수 있겠으나 그러한 입장의 개진은 관념론을 넘어서기 힘들 것이다. 그것은 마치 종교 분쟁 때문에 종교 자체를 모두 부정하는 발상과 유사한 맹점을 안고 있다. 오늘날 민족과 민족주의는 엄연히 역사의 수레바퀴를 굴려가는 힘으로 작용하고 있다. 새삼스러운 말이지만 중요한 것은 민족주의가 어떠한 국면에서 어떻게 순기능을 수행하거나 역기능을 수행하는가에 대한 천착일 것이다.

민족주의적 열정 때문에 그 실제에 대한 객관적 탐색을 소홀히 하는 것은 지식인으로서 일종의 직무유기일 것이다. 이러한 사정은 이제까지 신동엽을 민족시인으로 떠받드는 비평에서 주로 발견되는 맹점이기도 하다. 또한 타자의 배제라는 민족주의가 갖는 원론적 한계를 전제로 한 반감 때문에 신동엽의 시를 외면하는 것 또한 균형감각을 상실한 시각으로 봐야 할 것이다. 신동엽의 시를 리얼리즘 시학으로 조명하는 것은 이러한 극단을 지양하려는 것이다. 다시 말해 리얼리즘의 성취와 관련하여 신동엽의 시를 조명하는 것은 민족주의가 그의 시쓰기에서 어떻게 작용하는지를 구체적으로 탐색하는 것이기도 하다.

우리들은 *끄*떡하면 외세를
자랑처럼 모시고 들어오지.
팔·일오 후, 우리의 땅은
디딜 곳 하나 없이
지렁이 문자로 가득하다.
모화관(慕華館)에서 개성 사이의 행길에 끌려나와
청나라 깃발 흔들던 눈먼 조상들처럼,

오늘은 또, 화창한 코스모스 길
아스팔트가에 몰려나와,
불쌍한 장님들은, 대중도 없이 서양깃발만
흔들어댄다.

허나
다녀가는 높은 오만들이여

오해 마시라,
그대들이 만저본 건 역사의 껍데기,

알맹이는 여기
언제나 말없이 흐르는 금강처럼
도시와 농촌 깊숙한 그늘에서
우리의 노래 우리끼리 부르며
누워 있었느라.

　　　　　　　　　　　—「금강」 제6장 부분

　한국 현대 서사시의 대표작으로 자주 거론되는 「금강」의 한 부분이다.
「금강」은 신동엽의 온갖 시적 발상과 사유가 집대성되어 있기에 그의
시세계를 살피는 데 중요하게 부각되는 시이다. 시 속에서 동학농민혁명이
라 명명한 동학농민전쟁을 다루고 있는 만큼 그와 관련된 이야기를 중심으
로 서사의 골격이 짜여 있지만 시인의 주된 관심사는 과거를 통해 현재를
말하는 것이다. 과거의 일과 시인이 살아가는 현재의 일을 병치시키는
방법이 자주 구사되는 것은 그 때문이다. 인용된 부분에서도 깃발 흔드는
모티프를 중심으로 과거와 현재를 병치시키고 있는데 그러한 방법을 구사
하는 시인에게 중요한 것은 외세의존적 현실에 대한 비판이다.
　「금강」의 핵심 주제인 반외세민족자주화 의식은 1980년대를 거치면서
대중화되어 이제 와서는 다소 진부한 느낌이 들 정도이다. 하지만 발표
시기인 1967년을 감안할 때 선구적 성격을 부인할 수 없다. 실상 반외세민족
자주화에 초점을 맞추어 동학농민전쟁에 문학적 관심을 기울인 것 자체가
선구적이다. 갑오농민전쟁에 주목하면서 반봉건주의보다는 반제국주의에
초점을 맞춘 것에서도 신동엽의 민족주의자로서의 면모가 드러난다. 인용
시구에 나오는 대중도 없이 서양 깃발민 흔들어대는 불쌍한 장님들이란
외세에 대한 자각이 없는 당시의 우중들을 지칭한 것일 터이다. 이러한

맥락에서 신동엽의 시인으로서의 사명감은 민족주의의 내용을 구성하여 민족적 자각을 고취시키는 데 놓여 있다고 볼 수도 있을 것이다.

영어가 날로 국제어로서의 세력을 강화하고 있는 오늘날 "팔·일오 후, 우리의 땅은 / 디딜 곳 하나 없이 / 지렁이 문자로 가득하다."와 같은 구절에서 국수주의의 혐의를 포착하는 독자도 있을 것이다. 세계화담론이 민족담론을 전반적으로 위축시키고 있는 이 시대에 지렁이 문자 운운은 편협한 소견으로 비칠 수 있다. 하지만 민족 정체성의 확보가 과제인 신동엽의 입장에서 볼 때 민족의 주요한 구성요소인 언어생활에 영어의 과도한 침투는 바람직한 것일 수 없다. 특히 그것을 외세에 영합한 현상으로 보는 시인에게는 당연한 정서적 반응이기도 하다. 민족 정체성과 민족의 자치는 민족주의의 기본적 이상[11]에 해당되기 때문이다.

앞에서 검토한 「껍데기는 가라」와 인용 시구에 공통적인 것은 껍데기와 알맹이의 비유이다. 껍데기가 외세와 관련된다는 점이 여기에서는 더욱 표 나게 드러나거니와 알맹이의 존재에 대한 신뢰감 또한 다시 확인하게 된다. 그리고 그 알맹이는 말없이 숨어 있어서 시인의 작업을 기다리고 있다. "우리의 노래 우리끼리 부르며 / 누워 있었느니라."에서 우리에 이어질 적절한 단어는 겨레나 민족으로 보이거니와 이 시구에서 간취할 수 있는 '숨어 있는 우리의 노래를 찾아낸다는 생각'은 민족주의의 내용을 구성해내는 시인의 역할을 신동엽이 얼마나 깊이 감지하고 있었나를 보여준다.

실상 「금강」을 통해 신동엽은 민족주의의 내용을 구성하려는 시인의 사명을 본격적으로 이행한 것으로 볼 수 있다. 서화(序話)[12] 부분에 나오는

---

11. 안쏘니 D. 스미스, 이재석 역, 『세계화 시대의 민족과 민족주의』, 남지, 1997, 205쪽. 여기에서 민족주의의 기본적 이상으로 민족 정체성, 민족의 통일, 민족의 자치의 세 가지 항목을 들고 있다.

12. 「금강」은 26장의 본문과 서화(序話)와 후화(後話)로 구성되어 있다. 『전집』에는 '서화' 라는 말이 누락되어 있으나 「금강」의 원전인 김종문 외, 『장시 시극 서사시』(을유문화 사, 1967)에는 분명히 기록되어 있다. 장르 명칭을 서사시라고 하였는데 여기에서 서사시는 고대의 영웅서사시(epic)와는 다른, 서사적 골격을 가진 긴 시 정도로 이해하

말처럼 "그 가슴 두근거리는 큰 역사"를 이야기함으로써 자신이 생각하는 민족주의의 내용을 확보하고 싶었고 그 내용을 풍요롭게 하기 위해 서사시 양식이 필요했던 셈이다. 그리고 동학농민전쟁을 중심 줄거리로 삼아 창작 당시의 현실을 비판적으로 부각시킨다는 것은 그의 민족주의가 사이비 애국주의나 독재권력의 합리화를 위해 동원되는 파시즘 성향의 민족주의와 궤를 달리함을 보여준다. 아무래도 동학농민전쟁만큼 지배권력의 부당함을 여실히 드러내는 역사적 사건이 없기 때문이다.

> 누가 하늘을 보았다 하는가
> 누가 구름 한 송이 없이 맑은
> 하늘을 보았다 하는가.
>
> 네가 본 건, 먹구름
> 그걸 하늘로 알고
> 일생을 살아갔다.
>
> 닦아라, 사람들아
> 네 마음 속의 구름.
>
> 아침 저녁
> 네 마음 속, 구름을 닦고
> 티없이 맑은 영원의 하늘을
> 볼 수 있는 사람은,
>
> 외경(畏敬)

──────────

는 것이 좋겠다.

을 알리라.

차마 삼가서
발걸음도 조심.
마음 아모리며,

서럽게,
아 엄숙한 세상을
서럽게,
살아가리라.

누가 하늘을 보았다 하는가,
누가 구름 한 자락 없이 맑은
하늘을 보았다 하는가.

—「금강」 제9장 부분

　인용한 부분을 약간 보완하여 단시로 독립시킨 것이 신동엽의 절창에
해당되는 「누가 하늘을 보았다 하는가」이다. 인용시에 되풀이해 나오는
'하늘을 보다'는 「금강」의 핵심어 중의 하나로 최수운의 득도를 표현하는
말이기도 하고 전봉준이 최후의 순간에 남긴 유언으로 나타나기도 한다.
그리고 잠깐 동안이지만 집단적으로 하늘을 본 역사적 사건이 동학농민전
쟁이고 삼일운동이고 사월혁명이다. 그러니까 '하늘을 보다' 모티프는
진행과정에 연속성이 없는 이 세 가지 역사적 사건을 한 줄로 엮는 고리인
셈이다. 또한 하늘을 본 존재로 창조된 인물이 금강의 주인공 신하늬이다.
　약간 속류화의 위험이 있으되 비유를 산문적으로 해석해 보자면 '하늘을
보다'는 대체로 '궁극적 진리에로 나아가다'는 뜻으로 새겨볼 수 있을
듯하다. 그런데 어떻게 하면 궁극적 진리에로 나아갈 수 있는가. 독립된

단시 「누가 하늘을 보았다 하는가」를 참조하면 아침저녁으로 마음속 구름을 닦아내고 머리 덮은 쇠항아리를 찢어냄으로써 가능해진다는 것이다. 덧붙여 말하자면 부단한 수양과 실천을 통해 궁극적 진리를 체득할 수 있고 그러한 사람은 세상에 대한 외경과 연민[13]을 갖는다는 것이다. 산문적으로 해석할 때 시가 갖는 생명력이 사라지지만 대체로 이러한 해석 언저리에 이 시의 주제가 놓인다고 볼 수 있다.

이 시를 통해 우리는 시인의 '궁극적 진리에의 충동과 염원'이 얼마나 간절한가를 감지할 수 있다. 그리고 이 궁극적 진리에의 충동과 염원이 신동엽의 민족주의로 하여금 배타적으로 닫혀 있지 않게 한다. 세상에 대한 외경과 연민을 갖고 있는 민족주의가 어찌 배타적이거나 폐쇄적일 수 있겠는가. 하지만 궁극적 진리에 대한 충동이 지나치게 이상화로 치달아 현실성을 훼손하는 이유로 작용하기도 한다. 가령 하늘을 본 인물로서의 신하늬는 시인의 궁극적 진리에의 충동과 연결되어 창조된 인물로 보이는 바 지나치게 이상화되어 있어 「금강」의 실감을 감소시키는 경우가 적지 않다.

현실과의 접점이 상실된 지나친 이상화의 경향은 민족의 고대사에 대한 인식에서도 찾아볼 수 있다. "왕은,/ 백성들의 가슴에 단 / 꽃"이나 "반도는 / 평화한 두레와 평등한 분배의 / 무정부 마을"(「금강」 제6장)과 같은 시구가 그러한 예이거니와 시인의 이상세계에 대한 간절한 열망을 고대사에 투영시킨 셈이다. 민족의 고대에 대한 신화 만들기는 민족주의적 문필가들이 즐겨 떠맡는 과제라고 볼 수 있겠고 신동엽의 경우도 예외가 아니다. 다분히 낭만주의적 작업이라 하겠는데 지나친 이상화가 현실과의 긴장관계를 이완시킴으로써 리얼리즘의 성취에 장애로 작용한다고 판단된다.

---

13. 연민은 분노와 함께 「금강」의 지배적 정서이다. 김우창, 「신동엽의 '금강'에 대하여」, 『궁핍한 시대의 시인』, 민음사, 1977, 208쪽 참조.

밤 열한시 반
종로 5가 네거리
부슬비가 내리고 있었다,

통금에
쫓기면서 대폿잔에
하루의 노동을 위로한 잡답 속
가시오 판 옆
화사한 네온 아래
무거운 멜빵 새끼줄로 얽어맨
소년이, 나를 붙들고
길을 물었다,

충청남도 공주 동혈산, 아니면
전라남도 해남땅 어촌 말씨였을까,

죄 없이 크고 맑기만 한
소년의 눈동자가
내 콧등 아래서 비에
젖고 있었다,

구민학교를
갓 나왔을까, 새로 사 신은
운동환 벗어 들고
바삐바삐 지나가는 인파에
밀리면서 동대문을
물었다,

등에 짊어진
푸대자루 속에선
먼길 여행한 고구마가
고구마끼리 얼굴을 맞부비며
비에 젖고,

노동으로 지친
내 가슴에선 도시락 보자기가
비에 젖고 있었다,

나는
가로수 하나를 걷다
되돌아섰다,

그러나
노동자의 홍수 속에 묻혀
그 소년은 보이지 않았다.

　　　　　　　　　　　　—「금강」 후화1 전문

　「금강」의 결말 부분인데 이 부분이 단시로 독립된 것이 신동엽의 대표작
가운데 하나인 「종로오가」이다. 실상 「금강」 후화1과 「종로오가」는 전자
가 서사시의 한 부분에 걸맞게 씌어졌다면 후자는 단시로서의 완성도를
높인 경우이다. 「종로오가」에서 소년의 누나나 아버지로 상상된 편지
읽는 창녀와 등짐하는 노동자에 관한 삽화는 서사시 「금강」의 결말 부분에
삽입된다면 장황한 것이 되기 쉽다. 하지만 「종로오가」에서는 갓 상경한
시골소년이 찾아옴직한 인물로 자연스러운 상상이 된다. 인용시의 주인공

인 소년의 말씨를 공주와 해남으로 추정한 것은 신하늬와 전봉준의 후예일
수 있음을 암시한 것이다. 신하늬의 아이가 자라난 곳이 공주요 전봉준이
가족을 도피하라고 이른 곳이 해남이기 때문이다.

「종로오가」의 경우 고구마 자루를 등에 지고 길을 묻는 소년은 1960년대
후반의 이농현상과 노동자계급의 등장을 알리는 핍진한 형상이다. 다시
말해 농촌을 떠난 소년이 노동자로 되기 직전의 상황이 실감나게 포착되어
있다. 이 시가 발표될 무렵 소년이 묻는 동대문 근처 평화시장 봉제공장에서
일하던 전태일이 3년 후인 1970년에 분신한 것을 생각하면 얼마나 실감나는
당대의 사회현실에 대한 형상화인가를 새삼 확인할 수 있다. 즉 「종로오가」
는 종로에 출현한 시골소년을 통해 당대의 사회변화의 핵심을 그려냄으로
써 리얼리즘의 성취가 돋보이는 시이다.

현대시에서 시적 자아 혹은 시적 주체가 중요하다는 점은 두루 알려진
사실이다. 인용시에서 시적 주체는 광범위한 뜻에서 노동자로 나오지만
「종로오가」에서는 빌딩 공사장에서 일하는 노동자로 좀더 분명하게 제시
된다. 서사시 「금강」의 화자를 결말 부분에서 갑자기 빌딩 공사장 인부로
처리한다면 아무래도 무리가 따를 것이다. 하지만 신동엽의 실제의 직업인
교사도 광범위한 뜻에서 노동자이기에 이 시의 시적 주체는 서사시 「금강」
의 화자와 모순을 일으키지 않는다. 아무튼 소년의 고구마 자루와 시적
주체의 도시락 보자기가 함께 비에 젖는다는 발상은 노동하는 자의 시선이
확보되었기에 가능해졌을 것이다.

서두 부분의 "일 많이 한 사람 밥 많이 먹고 / 일하지 않은 사람 밥
먹지 마라"에서부터 위에 인용한 후화에 이르기까지 민중 중심의 시선은
「금강」에서 일관되게 유지된다. 그러한 관점은 「금강」의 중심 이야기인
동학농민전쟁과 창작 당시의 사회현실을 제대로 보게 하는 바탕이 된다.
인용시에서의 리얼리즘의 성취가 민중 중심의 시각과 긴밀히 결부되어
있다는 사실은 방금 확인한 바이다. 다소 일반화시켜 말하자면 신동엽의
시에서의 리얼리즘의 성취는 그의 민족주의가 민중적이라는 사실과 긴밀

히 연결된다. 그리고 이 지점에서 애국주의적 민족주의와 민중적 민족주의를 지혜롭게 구분할 필요를 다시 확인하게 된다.

이제까지 연속적으로 「금강」에서 세 부분을 인용하여 민족주의적 성격과 리얼리즘의 성취에 대해 논의하였는데 그 점은 신동엽의 단시에도 두루 해당된다. 민족주의가 신화창조나 이상화로 치달아 현실과의 접점을 상실할 때 리얼리즘의 성취를 방해하고 당시의 민중적 현실에 밀착될 때 리얼리즘의 성취에 연결된다는 점은 그의 시에서 두루 확인된다. 가령 "우리들의 조상이 우랄 고원에서 풀을 뜯으며 양달진 동남아 하늘 고혼 반도에 이주오던 그날부터"(「아사녀」)가 전자에 해당된다면 "꿰진 뒤꿈치로 / 사지 늘어트려 / 국수가닥 깡통을 / 눈 속에 놓치던 / 그 마음을 나는 안다"(「왜 쏘아」)는 후자에 해당되는 시구이다.

방금 언급한 「아사녀」와 「왜 쏘아」는 몇 가지 면에서 흥미로운 대비를 보여주는 시이다. 우선 「아사녀」가 등단 초년의 시라면 「왜 쏘아」는 시작활동이 본궤도에 오른 뒤의 시로서 두 시[14]를 대비시킬 때 신동엽이 시작활동을 하는 과정에서 얼마나 시인으로서 진경을 보였는가 드러난다. 소재 면에서 각각 사월혁명과 미군의 양민 저격사건을 다루고 있어서 시인의 사회현실에 대한 일관된 관심을 엿볼 수 있다. 그런데 전자가 관념성과 추상성을 떨쳐내지 못한 반면 후자는 현실성과 구체성을 구비하고 있는바 시적 성취 혹은 리얼리즘의 성취 면에서 현격한 차이를 드러낸다. 아무래도 「왜 쏘아」는 미군 주둔의 남한의 현실을 잘 그려낸 대표적 시로 보인다.

문학사적 시각에서 볼 때 신동엽의 시에서의 리얼리즘의 성취는 뜻깊은

---

14. 「아사녀」는 『학생혁명기념시집』(교육평론사, 1960)에 수록되어 있고 「왜 쏘아」는 『신동엽전집』(창작과비평사, 1975)에 처음 발표된다. 「왜 쏘아」의 창작시기는 1964년 2월 무렵으로 추정되는데 1964년 2월 4일과 6일에 잇달아 일어난 '깡통 줍던 임신부 학살사건'과 '토끼몰이 소년 조준사살 사건'이 다루어지고 있기 때문이다. 그런데 이 시가 10년 넘게 발표되지 못한 억압적 상황이 신동엽의 민족주의가 갖는 당대적 위상을 역설적으로 보여준다. 오연호, 『더 이상 우리를 슬프게 하지 말라』, 백산서당, 1990, 356~7쪽 참조.

바가 있다. 육이오전쟁을 거치면서 우리 시의 리얼리즘적 전통은 현저히 위축되어 있었기 때문이다. 6·25 이전의 이용악이나 오장환 등의 시에서 보이는 민족과 사회의 현실에 대한 시적 대응을 1950년대의 시단에서는 거의 찾아볼 수 없는 형편이다. 그러한 맥락에서 1960년대의 신동엽은 민족과 사회의 현실에 대한 시적 대응의 전통을 본격적으로 되살리는 작업을 한 셈이 된다. 다시 말해 그의 시는 민족과 사회의 현실에 제대로 대응하는 전통을 되살려냄으로써 1970~80년대의 리얼리즘시의 융융한 흐름을 이끌어냈다고 볼 수 있다.

본격적으로 세계화의 시대에 접어든 오늘날 신동엽의 시가 낡았다고 느끼는 독자도 많을 것이다. 특히 그의 시정신으로서의 민족주의가 그러한 느낌을 자아내는 이유로 작용할 듯하다. 하지만 창작 당시의 시대적 상황을 고려하지 않는 시읽기가 일방적임은 부인할 수 없을 것이다. 또한 민족의 자주와 통일이 제대로 실현되지 않는 마당에서의 세계화가 어떤 의미가 있는지 새삼스럽게 되새길 필요도 있을 것이다. 1960년대에 신동엽이 제기한 문제의 심각성이 오늘날 많이 완화된 것은 사실이지만 여전히 유효한 부분이 많다는 점도 아울러 고려해야 할 것이다.

4. 맺음말

이제까지 민족주의에 초점을 맞추어 신동엽의 시세계를 살펴보았다. 그만큼 민족주의가 신동엽의 시정신의 핵을 형성하고 있다고 보았기 때문이다. 실제의 작품들을 통해 확인하였듯이 그의 발상과 사유의 근저에 민족주의가 깊숙이 작동하고 있다. 일제강점기와 분단시대를 통과하는 우리의 근·현대문학사를 감안할 때 민족주의는 자연스럽게 젖어들기 쉬운 정신적 경향이지만 신동엽의 경우 특별히 자각적이라는 점에서 문제적 개인이라 하겠다. 그의 경우 민족주의를 속되지 않게 벼리면서 그 내용을 풍요롭게 하는 것이 시적 과제로 보일 정도이다.

신동엽의 시쓰기가 민족주의를 정련하는 과정과 맞물려 있다는 것은 언어의 세공에 주력하지 않았다는 뜻이 된다. 그에게 다소 거친 시어 구사가 빈번하게 보이는 것은 그 때문이다. 그에게는 자기 시대의 핵심을 짚어내는 정신적 좌표 마련이 시급하였으니 그러한 맥락에서 그는 20세기 후반에 활동한 시인들 가운데 거대담론으로서의 시쓰기의 대표자라 하겠다. 냉전체제의 분단시대를 사는 그에게 중요한 과제는 민족의 자주와 통일이었고 민중 중심의 역사관의 확보였다. 「껍데기는 가라」나 「금강」 같은 시들이 바로 그러한 시대적 과제에 정면으로 대응한 대표적 성과일 것이다.

1970~80년대 한국문학의 중심 담론이 민족문학론이라면 1960년대에 주로 활동한 신동엽은 그 선구적 시인으로 존중될 만하다. 문학과 관련하여 민족의 자주와 통일문제 및 민중 중심의 역사관의 확보는 1970~80년대 민족문학론의 핵심적 과제이기 때문이다. 전선이 분명했던 당시와는 달리 오늘날 그의 민족주의에 대한 객관적 조명이 필요한데 그것은 우선 온갖 사이비 애국주의적 민족주의와 구분하기 위해서이다. 신동엽의 민족주의는 기본적으로 당시의 지배 이데올로기에 대한 강력한 저항담론의 성격을 지니는바 그것은 독재권력의 이데올로기로 작용하는 파시즘 성향의 민족주의와 명백히 대비된다.

민족주의가 안고 있는 가장 큰 문제점이 배타성에 있다는 점은 널리 알려진 사실이다. 신동엽의 경우 이러한 한계를 극복하기 위해 궁극적 진리에의 열망을 드러낸다. 「금강」의 중심 이미지인 '하늘'은 궁극적 진리와 관련된다. 그에게서 자주 보이는 궁극적 진리에의 충동은 그의 민족주의가 폐쇄적이지 않게 하는 반면 지나치게 이상화로 치달아 현실과의 접점을 상실하게 하는 요인이 되기도 한다. 또한 민족의 고대사에 대한 이상화도 이상세계에 대한 시인의 동경이 표출된 것이겠지만 실감을 떨어뜨려 리얼리즘의 성취와 관련하여 볼 때 부정적으로 작용한다.

신동엽이 가장 중시한 역사적 사건은 동학농민전쟁과 사월혁명이다. 이 두 가지 역사적 사건은 각각 반외세민족자주화와 반독재민주화운동으로서의 성격을 갖는다는 점 외에도 그의 시에서 민족의 본연적 순수성을 찾는 운동으로서의 의미를 추가해 부여받는다. 민중의 저항운동을 중시하는 그의 역사관은 그의 민중 중심의 민족주의와도 직결된다. 그의 민중 중심의 사상은 자연스럽게 당시의 민족현실에 대한 비판적 시각으로 나타나는데 「종로오가」나 「왜 쏘아」 등의 시가 그러한 예이다. 다시 말해 그의 민중적 민족주의가 리얼리즘의 성취로 연결된다.

이상의 언급에서 드러나듯이 시적 성취와 연결시켜 볼 때 신동엽의 민족주의는 양면성을 지닌다. 시대정신의 구현이라는 시인으로서의 영예와 함께 막상 섬세하게 즐길 만한 시가 많지 않다는 아쉬움이 그것이다. 또한 리얼리즘의 성취에 긍정적으로 작용하기도 하고 부정적으로 작용하기도 한다는 점이 그것이다. 하지만 길지 않은 시인으로서의 활동기간에 그만큼 풍요로운 시세계를 이룩한 시인도 드물다. 즉 그의 민족주의는 긍정적으로 작용한 비중이 훨씬 크고 그런 만큼 생산적이었다. 그가 마련한 정신적 좌표가 1970~80년대의 민족문학운동에 얼마나 영향을 끼쳤는가를 생각하면 그러한 판단에 이의가 없을 것이다.

오늘날과 같은 세계화의 시대에 민족주의는 어떤 의미를 지니는가. 이 문제는 여러 영역에서 함께 천착해야 할 주요한 화두일 것이다. 그런데 세계화의 시대에 민족주의가 한계를 갖는다는 이유로 과거의 민족담론을 일괄적으로 부인하는 태도는 정당하다고 보이지 않는다. 민족주의 자체가 서로 상극일 정도로 다양한 성격을 내포할 뿐만 아니라 민족을 준거로 하는 사유가 유효한 부분이 아직도 많다고 생각되기 때문이다. 무엇보다도 민족의 자주와 통일에 대한 전망이 민족주의와 무관하게 마련될 수 없겠는데 여기에서 중요한 것은 어떤 민족주의가 인간해방과 관련하여 진정한 것이냐일 것이다.

(『한국시학연구』, 2001)

길의 시학
·····
—신경림과 황동규

1. 근래의 작품과 기행시

시인부락 동인이기도 한 함형수는 「해바라기의 비명(碑銘)」한 편으로 남은 시인이다. 그런데 만약 오늘날 함형수 같은 이가 있다면? 아마 그는 시인이 되지도 못하고 「해바라기의 비명」수준의 그의 시는 빛도 보지 못하고 묻히고 말 것이다. 수준작이 여러 편 있어야 등단의 기회가 주어지고 시집 한 권이라도 내야 겨우 문학판의 말석에 고개를 내밀 수 있는 시대이므로.

오늘날의 시작 풍토와 관련하여 우선적으로 두드러지는 현상은 다작이라는 것이다. 시를 부지런히 읽는 편인 나로서도 읽지 못하거나 대충 훑어보고 넘어가는 잡지와 시집이 허다하다. 주요한 시인이라도 예전에는 시집 한두 권 내고 생애를 마치는 경우가 많았었는데 요즘에는 삼 년이 멀다 하고 새 시집을 내는 이가 적지 않다. 그렇지 못하면 시인으로서의 존립을 위협받는 시대라는 생기도 든다.

물론 시인에게 좋은 시를 왕성하게 쓰는 것만큼 바람직한 일이 어디 있겠는가. 하지만 좋은 시가 어찌 그리 쉽게 씌어지겠는가. 이른바 절창이라고 불리는 시에는 시 쓰는 주체의 땀과 피와 혼이 스며들어 있는 법이다. 막연하게 많이 쓰다 보면 절창도 쓰게 되는 것은 아니라는 말이다. 크게 보아 동어반복의 유사품을 대량생산하기보다는 한 편 한 편의 시에 최선을 다하는 본분을 지키는 태도가 새삼스럽게 요구된다고 하겠다.

다작의 시대이기는 하지만 주도적인 흐름을 형성할 만한 시적 경향은 보이지 않는다. 문예지도 많이 발간되지만 뚜렷한 색상을 드러내는 잡지도 눈에 띄지 않는다. 필자의 눈이 어두워서인지는 몰라도 시운동이라고 불릴 만한 경향은 나타나지 않고 있다. 굳이 지적하라면 사회역사적 상상력의 거대담론은 위축되고 개인의 내면을 드러내는 미세담론이 다양해졌다고나 할까. 아무래도 오늘날은 시인이 횃불 들고 군중 앞에 서 있는 시대는 아닌 듯하다.

다작이나 미세담론이라는 작풍과도 연결되는 것인데 근래에 기행시가 참 많이 나오고 있다. 해외여행까지 포함해서 여행이 빈번해진 사회현상과 무관할 수 없다 하겠다. 첨예하거나 우렁찬 목소리가 요구되는 절박한 사회적 쟁점도 줄고 시가 여가생활의 읽을거리로 존재하는 탓도 있을 것이다. 그런데 근래에 기행시가 많아진 가장 큰 이유는 다작의 유혹을 물리치기 힘든 시인이 여행을 통해 손쉽게 소재를 구한다는 데에 있는 듯하다.

하지만 손쉽게 소재를 구하는 차원에서 쉽게 기행시를 쓴다면 좋은 시가 나오지 않는다. 어차피 풍물을 구경하는 수준에 머물러서는 삶의 깊이를 드러낼 수 없다. 문학적 소재로서의 여행이란 주체의 세세로의 편력과 무관할 수 없고 편력이 사색의 깊이를 수반할 때 비로소 시로서의 성취를 기대할 수 있을 것이다. 다시 말해 세계로의 편력이라는 길의 의미가 제대로 살아날 때 범상한 기행시의 평면성을 뛰어넘을 수 있다고 하겠다.

인생길이라는 비유가 설득력을 갖듯이 삶은 길 위에 펼쳐진다고 볼 수도 있다. 그러니까 길의 의미 찾기는 삶의 의미 찾기와 겹쳐지는 부분이 많다. 이런 맥락에서 필자가 주목하는 시인이 신경림과 황동규이다. 문단의 원로이면서도 현재 왕성하게 활동하고 있는 두 시인은 기행시가 유행하기 훨씬 전부터 오랫동안 길의 의미를 천착해 왔다. 지금은 색깔이 많이 바랬지만 속칭 창비파와 문지파를 대표하는 두 시인이 길을 중심에 놓고 상상력을 펼쳐왔다는 것은 흥미로운 일이다.

2. 신경림의 떠돌이의 노래

'방안 퉁소'가 명인 되기 어렵듯이 집 안에 틀어박혀서 좋은 시를 쓰기는 힘들 것이다. 세상 돌아가는 물정과 사람살이의 형편을 완전히 외면한 채 누에의 집짓기식으로 시를 쓸 수도 없는 노릇이다. 그런 의미에서 길은 시인에게 세상 돌아가는 물정과 사람살이의 형편을 살피는 통로로서의 성격을 갖게 된다. 세상과 사람에 대한 관심의 정도나 방향에 따라 길의 의미나 성격이 달라지겠지만 원천적으로 길과 무관하게 시를 쓸 수는 없다고 하겠다.

1956년에 등단한 신경림의 이력 가운데 특이한 것은 1957년부터 1965년 사이에 시작활동을 쉬었다는 것이다. 유명한 이 '십년 공백'이 실은 '십년공부'라는 사실은 웬만큼 알려진 사실이지만 그 공부의 내막에 대해서는 좀더 살펴볼 필요가 있을 듯하다. 크게 보아 순수시 혹은 전래적 서정시의 흐름 속에서 등단했던 시인이 십 년의 잠복기를 거쳐 민중시 혹은 리얼리즘 시의 흐름을 열게 된 사연이 잠겨 있기 때문이다.

> 아편을 사러 밤길을 걷는다
> 진눈깨비 치는 백 리 산길
> 낮이면 주막 뒷방에 숨어 잠을 자다

지치면 아낙을 불러 육백을 친다
억울하고 어리석게 죽은
빛 바랜 주인의 사진 아래서
음탕한 농짓거리로 아낙을 웃기면
바람은 뒷산 나뭇가지에 와 엉켜
굶어 죽은 소년들의 원귀처럼 우는데
이제 남은 것은 힘없는 두 주먹뿐
수제비국 한 사발로 배를 채울 때
아낙은 신세 타령을 늘어 놓고
우리는 미친 놈처럼 자꾸 웃음이 나온다

———「눈길」 전문

위의 「눈길」이 개인적인 정서를 드러내는 서정시와 사뭇 다르다는 점은
웬만한 안목의 독자라면 일독하면서 금방 감지할 수 있을 것이다. 우선
'나' 대신 '우리'가 등장하는 것이 전래적 서정시와 다른데 시적 자아는
산골에서 은밀히 재배한 아편을 몰래 수집하러 다니는 약종상패에 끼어
있다. 시적 자아가 어떻게든 먹고살아야 하는 맨주먹 인생들에 자연스럽게
섞여들어 있는데 무엇보다도 그 점이 『농무』와 『새재』 시절 신경림의
민중시가 갖고 있는 장점이다.

외형상으로 시를 놓고 지낸 십 년 공백기가 실은 본격적으로 자신만의
득의의 시를 준비하던 시기였음은 인용시 「눈길」이 이 시기의 떠돌이
생활 속에서 초고를 써둔 것이라는 본인의 술회에서도 드러난다. 실세로
공사판이나 광산에서 일하기도 하고 장돌뱅이 친구를 따라다니기도 한
이 시기에 시인은 본격적으로 세상공부를 한 것이다. 물론 시를 의식하거나
쓰기 위한 체험이 아니고 하루하루 살아가기 위한 밑바닥 체험이기에
더욱 시쓰기에 소중한 자산이 되었다고 하겠다.

시가 사는 만큼 나오는 것은 아니겠지만 시가 삶을 속일 수 없다는

것은 사실인 듯하다. 이른바 중국식 하방 체험으로는 「눈길」과 같은 자연스
러운 경지에 이를 수 없다. 「눈길」과 같은 신경림의 민중시가 갖는 장점이자
미덕은 지식인 냄새가 나지 않는다는 것이다. 빛바랜 주인의 사진 아래서
주막집 아낙과 음탕한 농짓거리를 하고 아낙의 신세타령에 미친놈처럼
웃는 장면의 포착은 시인의 체험이 진하게 녹아들지 않고서는 불가능하다
고 하겠다. 즉 시인의 떠돌이 생활 십 년의 체험이 그의 민중시를 낳게
한 것이다.

'순수시'와 대비되어 1960년대에 널리 통용되었던 말로 '참여시'가 있다.
육이오전쟁 이후에 잠복하던 사회현실 문제에 대한 시적 관심이 사월혁명
을 계기로 터져 나오게 된 것이다. 그런데 1970년을 전후하여 민중시가
종전의 참여시를 이어받게 되는데 그러한 전환을 가져온 대표적 시집이
신경림의 『농무』라고 할 수 있다. 목소리를 높이다가 자칫 공허해지기
쉬운 참여시가 사람살이의 체취가 물씬 풍기는 민중시로 거듭났다고 하겠
으니 그러한 문학사적 맥락에서 신경림의 떠돌이 십 년이 갖는 의미를
따져볼 수도 있겠다.

그러니까 신경림의 초기 시편들에서 길은 스스로 민중의 일원이 되어
민중의 삶을 체험하는 통로라 하겠고 인용시 「눈길」은 그 점을 잘 보여준다.
그에게 민중은 '민중 속으로'라는 지식인의 구호나 의식적 실천의 차원에서
발견한 존재가 아니고 나날의 삶의 현장 속에서 함께 부대끼며 동행하는
존재이다. "못난 놈들은 서로 얼굴만 봐도 흥겹다"(「파장」)나 "우리는
어느새 동행이 되어 있었다"(「동행」)와 같은 시구가 보여주듯 그의 초기
시에서 길은 민중 속에 섞여 민중과 동행하는 길이다.

길이 주요하게 등장한다고 해서 자동적으로 기행시라고 부를 수는 없을
것이다. 길이 시적 구도의 핵심에 자리 잡고 있는 「눈길」의 경우에도
기행시라는 명칭은 어울리지 않는다. 신경림의 초기 시에 길이 많이 등장하
지만 기행시라고 부를 만한 시는 별로 없다. 일상적 삶의 공간으로부터의
이탈이 여행이고 여행의 체험을 통해 쓴 시가 기행시라면 신경림의 초기

시는 그에 해당되지 않는다. 민중 속에서 민중과 동행하는 길은 그냥 삶의 체험이지 여행이 아닌 것이다.

대체로 시작 초년에는 기행시를 쓸 필요를 느끼지 않는다. 성장과정이나 가족사 등에 얽힌 직접체험을 위주로 한 화제가 다양하기 때문이다. 그런데 시집을 몇 권 내다 보면 적극적으로 소재를 개발할 필요가 있고 그에 따라 기행시를 시도하는 경우가 많다. 가정과 일터라는 일상적 삶의 공간에서 나올 수 있는 새로운 소재란 아무래도 제한되어 있기 때문이다. 신경림의 경우 중기 시가 모인 『달넘세』와 『길』은 답사를 통해 적극적으로 소재를 개발한 기행시집의 성격을 다분히 지니고 있다.

강둑에 바투 붙은 여인숙에서
물소리를 들으며 긴 가을밤을 보내고
아침에 강가로 나오니 강물은
고장 이름 대로 그냥 봄이다
물에 손을 적셔보는데
주인이 나와 장터로 끌고 간다
짐차 석 대에 바리바리 실린 고추 푸대들
잘난 사람들 먹어보라고 오백리 길
서울 큰 마당에 갖다 부릴 거란다
죽을 병 든 아버지 약 구하겠다
나무하기, 불때기, 물긷기 삼 년
그래도 몰라주니 비리데기라도 못 참아
진오귀굿 늙은 무당도 이른 조반 먹고 나와
성난 황소들 길 떠나는 채비를 돕고 섰다
강물에선 뽀얗게 물안개 피어올라도
농사 고을은 아무데도 봄이 없어

― 「새벽길」 전문

'영춘에서'라는 부제가 붙어 있고 '영춘은 단양에서 50여리 떨어진 오랜 강고을'이라는 주석까지 곁들여 있어 기행시라는 호칭에 영락없이 들어맞는 시이다. 표지에 아예 기행시집이라고 써붙인 『길』에는 인용한 「새벽길」처럼 전국 각지의 지명을 넣어 부제로 삼은 시가 대부분인데 시인의 열정과 의욕을 엿볼 수 있겠다. 길과 관련하여 남다른 창조적 열정과 의욕이 없이는 전국 각지를 두루 답사하여 전국 각지를 공간적 배경으로 삼은 시집을 묶을 수 없겠으므로.

인용시에서는 두 가지의 길이 선명하게 나타난다. 가장 집중적으로 부각된 길은 짐차 석 대에 바리바리 고추를 싣고 떠나는 농민시위대의 서울길이다. 농민들이 생존권 투쟁을 떠나는 새벽의 장터를 배경으로 하였기에 '새벽길'이라는 제목을 붙인 것이다. 다른 하나는 강마을을 답사하다가 여인숙에서 자고 농민시위대의 출정하는 모습을 보는 시적 자아의 길이다. 여기에 덧붙여 이 시에는 병든 아버지의 약을 구하러 떠난 바리데기의 길이 숨어 있다. 시인이 얼마나 길에 민감한가를 단적으로 보여주는 사례인 셈이다.

방금 답사라는 말을 썼지만 신경림의 여행은 명승지보다는 사람을 찾는 일에 역점을 두고 있다. 그의 여정은 주로 여러 고장에서 각기 다르게 살아가는 사람들을 만나는 것으로 채워진다. 즉 그의 여행은 유람이라기보다 스스로 말한 일종의 '돌아다니면서 하는 세상공부'로서의 답사라 하겠다. 주로 못나고 힘없고 짓밟힌 자들을 만나면서 이루어지는 세상공부가 그의 민중시의 바탕을 이룬다고 하겠는데 「새벽길」의 경우 영춘의 장터가 그러한 공부의 장소인 셈이다.

아무튼 이 시에서 집중적으로 부각된 길은 농민시위대의 서울길과 시적 자아의 답사길인데 그 길이 영춘의 새벽 장터에서 만난 것이다. 그런데 「눈길」과 「새벽길」을 비교해보면 '길'의 성격에 상당한 변화기 일어났다는 것을 알 수 있다. 「눈길」의 경우 민중과 동행하는 길인데 비해 「새벽길」의 경우 잠시 만나는 길이다. 농민들의 생존권 투쟁에 공감하지만 아무래도 시적 자아는 '성난 황소들'로 비유된 농민시위대의 일원이 아닌 것이다. 시인이 농민이 아닌 이상 그것은 어쩔 수 없는 일이다.

　앞에서 말했듯이 신경림의 여행은 전국 각처의 민중사실에 대한 탐구의 성격을 강하게 지닌다. 그렇지만 민중성의 실현이라는 면에서 그의 기행시는『농무』시절의 시에서 한 발 뒤로 물러서 있다. 시적 자아가 약종상패에 섞여 그들과 동행하는「눈길」과 농민시위대의 출정하는 모습을 지켜보는「새벽길」의 차이는 그 점을 여실히 보여준다. 하지만 그러한 변모는 시인으로서 부득이한 것이기도 하고 진실된 것이기도 하다. 이미 전문적인 시인의 길을 걷는 이상 그 입장에 설 수밖에 없기 때문이다.

　『길』처럼 아예 기행시집이라 못 박지 않더라도 기행시는 1985년에 간행한『달넘세』부터 2002년에 간행한『뿔』까지 여섯 권의 시집에 두루 편재한다. 즉 신경림은 기행시를 통해 전문적인 시인의 길을 개척해간 측면이 많다. 다시 말해 그는 의욕적인 답사여행을 통해 자신의 시적 공간을 확대하고 시적 변모를 이룩한 측면이 많은 시인이다. 가령 일생동안 비슷한 성격의 시만 쓰는 시인이 있다면 얼마나 답답할까. 그것은 살아 있는 시인의 모습이 아닐 것이고 그런 맥락에서 신경림의 기행시가 갖는 의미를 새겨볼 수도 있겠다.

　기행시가 일반적으로 노출하기 쉬운 약점은 시적 대상을 충분히 소화해 내기 어렵다는 것이다. 위에 인용한「새벽길」의 경우 지명인 '영춘(永春)'을 지나치게 의식하고 있다는 혐의가 있고 그것은 시적 대상에 대한 육화된 인식에 이르지 못한 증거로 보인다. 고추 푸대를 짐차에 싣고 출정하는 시 속의 계절은 가을인데 강물은 봄이라고 하는 것이나 농사고을은 봄이 없다는 발상이 다소 어색해 보인다. 즉 시적 대상의 충분한 육화가 기행시에서 중요할 듯한데 역으로 육화가 충분하다면 이미 기행시라는 명칭이 불필요할 수도 있다.

　앞에서 언급했듯이 신경림의 기행시에서 길은 우선 민중사실을 탐구하는 통로로서의 성격을 지닌다. 그런데 그 길은 다른 한편 세상 사는 지혜를 깨닫고 자신의 내면을 들여다보는 통로가 되기도 한다. 답사여행이 장기화되고 기행시를 지속적으로 쓰면서 그의 길은 후자의 성격이 강화된다. 가령 "지금 우리는 혹시 세상을 / 너무 멀리서만 보고 있는 것은 아닐까 아니면 / 너무 가까이서만 보고 있는 것은 아닐까"(「장자(莊子)를 빌려」)나 "길이 사람을 밖에서 안으로 끌고 들어가 / 스스로를 깊이 들여다보게 한다"(「길」)는 그 점을 보여주는 시구이다.

> 외진 별정우체국에 무엇인가를 놓고 온 것 같다
> 어느 삭막한 간이역에 누군가를 버리고 온 것 같다
> 그래서 나는 문득 일어나 기차를 타고 가서는
> 눈이 펑펑 쏟아지는 좁은 골목을 서성이고
> 쓰레기들이 지저분하게 널린 저잣거리도 기웃댄다
> 놓고 온 것을 찾겠다고
>
> 아니, 이미 이 세상에 오기 전 저 세상 끝에
> 무엇인가를 나는 놓고 왔는지도 모른다
> 쓸쓸한 나룻가에 누군가를 버리고 왔는지도 모른다
> 저 세상에 가서도 다시 이 세상에
> 버리고 간 것을 찾겠다고 헤매고 다닐는지도 모른다
> ──「떠도는 자의 노래」 전문

「떠도는 자의 노래」는 오랫동안 세상을 떠돌아본 시인의 체험에서 우러나온 시이다. 체험이 충분히 곰삭아 우러나온 만큼 기행시라 부를 이유도 없다. 앞에서 길이 자신을 들여다보는 통로가 되기도 한다고 했는데 그러한 성격이 잘 드러나 있다. 뭔가 놓고 온 듯싶어 찾으려고 여기저기 서성이고 기웃대는 것이 자신의 현생이고 그러한 행동이 전생에서 비롯하여 후생까지 이어질 것이라 한다. 떠돌이로서의 자신의 운명에 대한 깊은 자각과 성찰이 이 시의 주제라 하겠다.

신경림의 경우 떠돌이 의식은 초기 시에서부터 나타난다. "석삼년에 한 이레쯤 천치로 변해 / 짐부리고 앉아 쉬는 떠돌이가 되라네"(「목계장터」)나 "차라리 한세월 장똘뱅이로 살았구나"(「어허 달구」)와 같은 시구는 그가 떠돌이 장꾼의 정서에 얼마나 친숙한가를 보여준다. 「목계장터」나 「어허 달구」는 소문난 절창이거니와 이처럼 그가 장똘뱅이의 정서를 잘 표현해낼 수 있었던 이유는 유년시절을 장터를 낀 동네에서 보낸 것과 직접 장똘뱅이가 되어보기도 하는 등 떠도는 생활에 익숙한 데서 찾을 수 있겠다.

시인으로서 본격적으로 활동하게 된 이후에 그는 수시로 답사여행을 떠났고 그것이 그의 기행시의 바탕이 된다는 사실은 앞에서 논의하였다. 그러니까 그의 떠돌이 의식은 수십 년에 걸친 답사여행을 거치면서 더욱 깊게 각인된 것으로 보인다. 그러한 정황은 "배낭 메고 산마을 갯마을 꽤나 헤집고 다녔지 / 더러는 광대 흉내에 장똘뱅이 시늉으로 / 장바닥 난달이나 정거장 의자에서 새우잠도 자고"(「마을버스를 타고」)와 같은 회상의 시구를 통해서도 가늠해볼 수 있겠다.

배낭 메고 다니다가 노경에 이른 시인으로서 떠돌이라는 자기인식은 지극히 자연스러운 것일 터이다. 세상을 보기 위해 배낭 메고 다녔는데 그러한 인생길을 회고하다 보니 인용시에서 보듯 떠돌이라는 자기인식 혹은 자신의 운명에 대한 깨달음에 이르게 된 것이다. 주지하다시피 시가 세상에 대한 인식이나 발언일 수도 있고 시인 자신의 내면에 대한 성찰일 수도 있겠으니 「떠돌이의 노래」는 주로 후자에 해당되는 시이다. 즉 「떠돌이의 노래」에서 길은 세상물정을 살피는 통로라기보다 자기성찰의 통로로 작용하고 있다.

신경림은 가장 대표적인 민중시인으로 알려져 있다. 다시 말해 1970~80년대 민중시운동에서 가장 중요하게 떠오른 시인이 신경림이다. 그런데 신경림이 계속해서 민중시만 써온 것은 아니다. 1990년대 이후 그는 세상에 대한 인식이나 발언에 초점이 놓인 민중시와는 달리 시인 자신의 내면 성찰에 초점이 놓인 시를 많이 발표하고 있다. 가령 「떠돌이의 노래」를 두고 민중시라는 호칭은 적절치 않다. 신경림은 민중시인이기 이전에 시인으로서 부단한 자기갱신을 거쳐 오늘에 이른 것이다.

3. 황동규의 여행이 된 생애

낯선 지역에 대한 호기심 혹은 동경은 누구나 갖게 마련이지만 청년 황동규의 경우 그러한 성향이 유달리 강한 편이다. 호기심 혹은 동경에 의해 떠난 여행에 뚜렷한 여정이나 목적이 있을 리 없으니 그가 20대 때 간행한 시집 『어떤 개인 날』과 『비가』 시편들에는 '방황'이라는 말이 심심치 않게 등장한다. 그런데 그의 방황은 인생에 대한 근본적 회의에서 출발한다기보다 예민한 감수성을 지닌 젊은 영혼의 꿈 혹은 동경과 결부되어 있다.

그의 초기 시에서 여행은 꿈 혹은 동경과 결부되면서 다분히 낭만적 색조를 띠고 있다. "그 어디라도 좋다./눈부신 국화 무더기로 핀 무허가 하숙집의 저녁이라도 / 고깃배 들어오다 마는 부두의 미명(未明)이라도" (「어떤 여행」)와 같은 시구는 그 점을 보여준다. 지금 이곳이 아니라면 어디라도 좋다는 충동이나 발상 자체가 낭만적이다. 황동규의 초기 시에서 길은 낭만적 동경의 출구로서의 성격을 지니는 만큼 다소 막연하고 흐릿한 상태로 등장한다.

말을 들어보니
우리는 약소 민족이라더군.
낮에도 문 잠그고 연탄불을 쬐고

유신(有信) 안약을 넣고
에세이를 읽는다더군.

몸 한구석에 감출 수 없는 고민을 지니고
병장 이하의 계급으로 돌아다녀보라.
김해에서 화천까지
방한복 외피에 수통을 달고.
도처(到處) 철조망
개유(皆有) 검문소
그건 난해한 사랑이다.
난해한 사랑이다.
전피수갑(全皮手匣) 긴 손을 내밀면
언제부터인가
눈보다 더 차가운 눈이 내리고 있다.

　　　　　　　　　　　　　　　── 「태평가」 전문

　　1960년대 후반에 산출된 「태평가」는 황동규의 시적 변모에 있어 이정표
와 같은 시이다. 낭만적 동경과 결부시켜 개인적인 감수성을 펼치는 초기
시와는 질적으로 다르다. 방한복 외피에 수통을 달고 병장 이하의 계급으로
돌아다니는 마당에 낭만적 동경이란 가당치 않다. 그의 길에는 철조망과
검문소가 도처에 깔려 있다. 이처럼 황동규의 길이 모호성을 탈피하고
구체성을 띠는 것은 당대의 역사적 상황과 사회적 현실에 관심을 가지면서
부터이다.

　　'태평가'라는 제목에서 보듯 이 시는 전체적으로 반어에 의해 지탱되고
있다. 김해에서 화천까지로 개괄되는 남한 땅 도처에 철조망과 검문소가
깔려 있는데 무슨 태평가를 부르겠는가. 낮에도 문 잠그고 연탄불을 쬐는
답답한 현실 속에서 그의 고민은 어떻게 사랑을 하느냐이다. 그 사랑이

개인적인 연정이 아니고 사회적 성격을 띨 때 어려울 수밖에 없을 터이다. 이 시의 주제어인 '난해한 사랑'은 분단상황 속에 사는 약소민족의 지식인이 어떻게 사랑을 할까의 문제일 터인데 그것이 어찌 어렵지 않을 수 있겠는가.

길이 세상형편을 살피는 통로에서 나아가 현실인식을 강화하기도 한다는 점은 앞에서 신경림을 논하면서 언급한 셈인데 「태평가」에서도 그점은 마찬가지이다. 그런데 신경림의 「눈길」의 경우 민중 속에 섞여 민중과 동행하는 길인데 비해 「태평가」의 경우 난해한 사랑으로 고민하는 지식인의 길이다. 후자의 기조가 되는 반어 자체가 다분히 지적인 미학이고 지적인 미학이 난해한 사랑을 떠받치고 있다. 두 시인의 삶의 이력과 시세계가 다른 만큼 길의 성격도 차이가 많다고 하겠다.

민중시를 지향하는 경우 지식인 냄새가 나지 않는 것은 미덕일 수 있다. 하지만 시인이 지식인인 경우 지식인의 체취를 풍기는 것은 당연하다. 시가 삶을 속일 수 없다는 명제는 그러한 맥락에서 이해할 수 있다. 민중이 역사를 움직인다는 이념 또한 신념의 차원에서 통용되기 쉽다. 아무래도 그러한 신념으로는 「태평가」와 같은 시를 폄하하기 쉬운데 적절치 않아 보인다. 중요한 것은 「태평가」에서 발견한 난해한 사랑을 이후의 시편들에서 얼마나 적극적으로 궁극적인 데까지 밀고나가느냐이다.

사적인 내밀한 감성 표현 위주의 시를 쓰던 황동규가 사회역사적 상상력을 가동시키는 것은 『태평가』『열하일기』 등의 시집에서이다. 그런데 그의 사회역사적 상상력은 궁극적인 데까지 적실하게 작용하는 것으로 보이지 않는다. "봉준이가 운다 무식하게 무식하게 / 일자무식하게. 아 한문만 알았던들"(「삼남에 내리는 눈」)과 같은 시구는 그 점을 보여준다. 전봉준이 한문을 모르는 일자무식한 사람도 아니거니와 동학농민전쟁을 전봉준의 무식한 울음으로 보는 것은 적실해 보이지 않는다.

황동규가 1970년대를 통과하는 모습은 『나는 바퀴를 보면 굴리고 싶어진다』에 잘 드러나 있다. "천리경(千里鏡) 속에는 바람 막힌 길이 있고"(「그 나라의 왕」)나 "몇 마디 아픈 말이 뱉어지지 않는다."(「세 줌의 흙」)와 같은 시구에는 엄혹한 군사독재 체제에서 살아가는 그의 마음의 일단이 드러나 있다. 길은 막혀 있고 말이 나오지 않아 고통스러워하지만 그는 행동하는 지식인은 아니다. 그가 사회역사적 상상력과 함께 난해한 사랑을 궁극적인 데까지 밀고나가지 못한 이유는 사회적 실천과 호흡을 같이하지 않았던 데서 찾을 수도 있겠다.

군(郡) 이름은 잊었지만
무량면(無量面) 정토리(淨土里)
그런 곳이 없다면
누가 시외버스에 실려 몸 뒤척이며
암모니아 냄새 자욱한 홍어회처럼 달려가겠는가.

타버린 산이 삭고
산속에 새겨논 마애불도 삭아버리고.

이따금 돌조각이 저절로 굴러내리는
절벽 앞을 걷다가
흰 빨래로 걸려 있는 구름 앞에서
그 흔한 망초꽃 속의 어느 눈썹 섬섬한 망초 하나와 만나
인사를 주고받겠는가.
"듣고 보니 우린 꿈이 같군."
"끝이 환했어."

같은 꿈을 같이 꾼 자들이
같은 창살 속에 서서 같이 흔들리는 그런 곳,
무량면 정토리가 없다면.

— 「망초꽃」 전문

인용한 「망초꽃」은 일종의 기행시이다. 무량면 정토리라는 지명에 이끌려 시외버스를 타고 달려가서 불 탄 산과 마애불을 보고 절벽 앞을 걷다가 망초꽃을 본다는 시의 구도가 기행시로서의 성격을 드러낸다. 지명이 불교적 이상향인 한적한 시골에서 만난 망초와 자신의 꿈이 같다는 상념이 이 시를 지탱하고 있다. 여행지에서 만난 사물의 이미지를 그리면서 그와 결부되어 떠오른 독특한 상념의 토로가 황동규의 기행시가 갖는 일반적 성격인데 「망초꽃」도 그러한 예이다.

신경림의 여행이 풍경은 뒷전이고 사람 만나는 게 우선이라면 황동규의 여행은 사람보다는 풍경을 만나는 데 주안점을 두고 있다. 신경림의 경우 사람들로 붐비는 저잣거리를 많이 찾는 데 비해 황동규의 경우 나름대로 자유롭게 사색에 잠길 수 있는 한적한 곳을 즐겨 찾는다. "나에겐 여행이 악기이다."(「지방도에서」)나 "아 나는 결국 풍경 중독자인가?"(「밤새워 글쓰기」)와 같은 시구는 황동규의 유별난 여행벽을 드러내는 동시에 풍경에 주목하는 그의 여행의 성격을 드러낸다.

풍경은 정지용 이래 우리의 문학사에서 독특한 의미를 갖는데 일단은 사회적 현안에 대해 직접적인 참여를 배제하는 시학과 결부되어 있다. 시의 화폭에 인물이 부각된 신경림과 풍경이 부각된 황동규의 기행시를 비교해 보더라도 그 점이 드러난다. 앞에서 인용한 신경림의 「새벽길」이 농민들의 생존권 투쟁을 다루고 있는 데 반해 황동규의 「망초꽃」은 어떻게 하면 욕심을 버리고 망초꽃처럼 조촐하게 살까에 주제가 맞추어져 있다. 물론 시 속의 풍경은 시인의 마음과 결부되지 않을 수 없다.

황동규가 풍경에 주목한다는 것은 사회역사적 상상력을 유보하거나 접는다는 것이다. 뒤집어 말한다면 사회역사적 상상력을 접으면서 본격적으로 기행시를 쓰기 시작하고 그 시기는 1980년을 전후해서이다. 1980년대 하년 우리의 시문학사에서 사회역사적 상상력을 통한 시쓰기가 유달리 융성했던 시기이다. 당시의 민중시운동을 포함한 리얼리즘시운동은 광주

항쟁 이후 분출하던 민주화운동의 열기와 호흡을 함께하였다. 그런데 황동규는 그러한 시운동과는 다른 시쓰기의 길을 모색하였고 나름대로 그 길을 개척하였다.

상상의 날개라는 말이 있듯이 상상력은 몸이 가벼워야 자유롭게 발휘되는 속성이 있다. 그런데 사회문제에 도덕적 책임감을 느끼는 경우 실천력이 뛰어난 시인이 아니라면 무거운 부담으로 작용할 수 있다. 또한 시인의 사회적 실천과 창작적 실천이 함께 잘 이루어지는 경우 또한 드물다. 자유로운 상상력을 중시하는 황동규로서는 그러한 부담을 떨쳐낼 필요를 일찌감치 절감하였고 그것이 "바퀴를 보면 굴리고 싶어진다"(「나는 바퀴를 보면 굴리고 싶어진다」)는 시인의 성향이나 체질에도 더욱 부합된다고 하겠다.

1980년대 후반 이후 황동규의 시작활동은 부쩍 왕성해지는데 그의 왕성한 창작력은 주로 기행시를 통해 발휘된다. 1991년부터 2003년까지 이삼년의 시차를 두고 잇달아 간행된 『몰운대행』 『미시령 큰바람』 『외계인』 『버클리풍의 사랑 노래』 『우연에 기댈 때도 있었다』 등의 주축이 기행시이다. 이쯤 되면 이미 여행이 시인의 생활이 되었다고 볼 수도 있겠으니 「걷다가 사라지고 싶은 곳」에 인용한 그의 일기의 한 구절, "어느샌가 내 생애는 이상한 여행들이 되어 있었다."는 말을 실감할 수 있겠다.

신경림과 비교할 때 황동규의 여행은 자유롭고 분방하다. "만나는 사람들의 몸놀림 계속 시계침 같고" "읽는 책들도 하나같이 맥빠져 시들할 때" "어느 고장에 가서 마음을 떨구고 오지?"(「다산초당(茶山草堂)」) 하는 기분으로 떠나는 여행이기 때문이다. 하지만 그의 여행이 심심파적에 그친다면 어찌 왕성한 시쓰기가 가능하겠는가. 그의 기행시에서 길은 사유와 상상이 뻗어가는 가지이며 줄기라는 생각이 들고 시인으로서 사색과 상상을 자유롭게 하기 위해 계속해서 여행을 떠난다고 볼 수 있다.

여행을 통해 황동규의 왕성한 창작활동이 가능해졌다는 것은 그의 기행시편 가운데 60행이 넘는 장시가 많다는 데서도 드러난다. 시집의 표제가 된 「몰운대행(沒雲臺行)」도 그러한 시인데 몰운대까지의 여정과 도중에 떠오른 온갖 상념이 시의 내용을 채우고 있다. 가령 "상동 칠랑에서 국도를 버리고 / 비포장 지방도로로 올라선다."는 여정을 밝히는 대목이고 "입적지 (入寂地) 미상의 의상도 / 강원도 산골의 행려병자가 아니었을까"는 차를 모는 도중에 떠오른 상념이다.

대부분의 기행시가 그렇듯이 황동규의 기행시도 고도의 정련을 거친 완성도가 높은 시는 아니다. 아니 오히려 고도의 정련을 거친다는 생각 자체를 거부하고 길 가는 대로 마음 가는 대로 맡기는 자세 속에서 그의 기행시가 산출된 듯하다. 그러니까 그의 긴 기행시들은 곳곳에 금이 박혀 있는 정련을 거치지 않은 원광석에 비유할 수도 있겠다. 고도의 정련을 거친 절창과 여정에 따라 상념을 토로하는 기행시는 속성이 다르고 황동규 의 경우 기행시의 속성을 잘 살리고 싶었던 셈이다.

아무래도 나는 너무 환한 곳
사방이 물비누로 정갈히 씻은 본 차이나 같은
실하고 눈부신 곳으로는 못 가리.
멸종 위기의 동물답게
막 어둡기 전 거리를 채 뜨지 못하고
짐말처럼 한세상 터벅터벅 걸어온 다리는
동그랗게 오므리고, 고개 약간 숙이고
겨울 저녁
뿔뿔이 제 갈 길 가는 사람들 위에 나직이
잘 뵈지 않게 떠서
혹 아는 이를 만나면 숙인 머리 더 숙이고
길에서 벗어나지 않고 벗어나
가볍게 띠놀리.
느린, 늘인 걸음으로.

「해마」는 오랫동안 여행으로 산 시인의 체험이 짙게 배어들어 있는 시이다. "상상력은 졸아들면서 더 진해진다."는 그의 말처럼 긴 여행의 체험을 거쳐 노경에 이른 시인의 진한 상상력이 해마를 발견하여 감정이입을 하게 했을 것이다. "한세상 터벅터벅 걸어온 다리는 / 동그랗게 오므리고" "길에서 벗어나지 않고 벗어나 / 가볍게 떠돌리."와 같은 시구는 시인의 길에 대한 깊은 사색을 보여준다. 그 사색의 한 가닥은 시인이란 어쩌면 멸종위기에 처한 해마처럼 갈 길 바쁜 사람들 보이지 않게 가볍게 떠도는 존재인지도 모른다는 것이다.

황동규는 상상력을 중시하는 시인답게 가벼움을 미덕으로 여긴다. 시인 치고 상상력의 중요성을 모르는 이는 없겠으되 그에 못지않게 시대정신을 중시하는 시인 또한 적지 않다. 하지만 황동규는 시대정신이나 역사의식의 중압을 거부하고 자유롭고 가볍게 상상의 날개를 펼쳐왔다. 그러한 시쓰기의 체험이 해마의 가벼운 유영에 동질감을 느끼게 했을 것이다. 이렇듯 황동규는 사회역사적 상상력의 거대담론보다는 개인의 내면을 드러내는 미세담론으로서의 시쓰기에 장기를 보여온 시인이고 「해마」도 그러한 예이다.

황동규가 가벼움을 미덕으로 여긴다고 해서 그의 시의 주제가 가볍다는 것은 아니다. 그가 1982년부터 1995년에 걸쳐 70편의 연작시로 「풍장」을 쓰면서 집요하게 죽음의 주제를 천착한 사실이 그 점을 보여준다. 그런데 그는 죽음조차도 가벼움으로 길들이려 한다. "나비나 하루살이 몸에 / 식물의 마음 심은 가벼운 것이 되어 / 떠돌리라"(「풍장31」)와 같은 시구에는 그러한 시인의 자세가 드러난다. 「풍장」 연작시에서 형성된 '가볍게 떠돌기'는 중년에서 노년에 이르는 시인의 여행길의 자세로도 보이고 인생길의 자세로도 보인다.

최근에 나온 황동규의 시집 『우연에 기댈 때도 있었다』에는 「해마」처럼 노년에 이른 시인의 심경이 드러난 시가 적지 않다. "집보다는 / 길에서 가고 싶다."(「집보다는 길에서」)나 "시작이 반이면 끝도 반이 아니겠는가?"(「한 걸음 한 걸음 이리 얕아지니」)와 같은 시구에는 어떻게 생애를 마무리할까 생각하는 시인의 심경이 드러나 있다. 그의 생각은 끝까지 시쓰기의 길을 가겠다는 것인데 "끝도 반이 아니겠는가"라는 물음 뒤에 "실하고 깊은 자국 남기지는 못해도 / 퍼질러 엎드려 두 무릎 형상 남기진 않으리."라고 결의를 밝히고 있다.

4. 시인의 생애와 시쓰기

이육사나 윤동주처럼 굵고 짧게 사는 것이 시인답게 보이던 시절이 있었다. 워낙 질곡의 세월이다 보니 오래 사는 게 오히려 굴욕으로 느껴지던 시절이 있었다. 그러다 보니 요절이 오히려 신비화되는 경우도 없지 않다. 나이를 먹으면 주접이 붙는다고 말한 김수영의 경우도 요절은 아니지만 갑작스러운 죽음으로 인해 신비화된 측면이 없지 않다. 하지만 요절이나 돌연사는 엄연히 시인에게 불행이다. 세월의 흐름과 함께 자신의 시세계를 좀더 넓고 깊게 발전시킬 기회를 상실했으므로.

아무래도 시인이 시다운 시를 쓰지 못하면서 오래 사는 것은 욕되다고 하지 않을 수 없다. 또한 오래 살다 보면 여러 가지 너절한 일을 치르거나 구차스러운 짓을 할 기회도 많아진다. 그런데 그것은 시인이 각자 자기 할 나름인 것이고 문제는 얼마나 제대로 살면서 지속적으로 좋은 시를 쓰느냐이다. 굵고 짧게 불꽃처럼 살다간 시인의 시세계도 소중하지만 그것은 청년부터 노년에 이르기까지 지속적으로 정진한 시인의 시세계만큼 다채롭거나 풍요롭기는 어려울 것이다.

신경림과 황동규는 청년시절에 활동을 시작하여 노년에 이르기까지 정진한 우리 시단의 대표적 시인들이다. 1950년대 후반에 등단하여 시력이

50년 가까운 오늘날도 수준급의 시를 계속 발표하고 있다. 젊은 시절 한때 좋은 시를 발표한 시인들은 많지만 청년부터 장년을 거쳐 노년에 이르기까지 수준급의 시를 통해 지속적으로 변모를 이룩한 시인은 드물다. 양과 질을 구비한 풍요로운 시세계를 이룩하고 있다는 점에서 참으로 소중한 시인들이라 하겠다.

앞에서 길을 중심에 놓고 그들이 풍요로운 시세계를 이룩하게 된 내막이나 이유를 살펴보았다. 기본적으로 그들에게 길은 시의 소재를 찾는 통로이다. 나아가 그들에게 길은 세상을 살피면서 세계로 편력하는 통로이면서 사색과 상상을 펼치는 통로이기도 하다. 신경림의 경우 전자에, 황동규의 경우 후자에 좀더 역점을 두지만 크게 보아 그것은 비중의 차이이다. 또한 그들에게 길은 삶의 의미를 찾고 자기를 들여다보는 통로이기도 하다. 즉 그들의 시세계에서 길은 단순한 기행시 차원을 넘어 훨씬 넓고 깊게 뻗어 있다.

길을 통로로 삼아 오랫동안 시를 써오다 보니 그들에게 길은 '인생길' 혹은 '시인의 길'의 의미를 띠기도 한다. 배낭 메고 다닌 떠돌이라는 신경림의 자기인식이나 해마처럼 가볍게 떠도는 존재라는 황동규의 자기인식은 각자 인생길 혹은 시인의 길을 걸어 노경에 이른 그들의 자화상으로 보이기도 한다. 사회적 책임을 중시하는 전자와 자유로운 상상력을 중시하는 후자의 차이가 드러나기는 하지만 그들의 자기인식은 떠도는 존재라는 점에서 의외로 닮은 데가 많다.

이상의 길의 의미로 보아 시인이 아예 길을 외면할 수는 없을 것 같다. 또한 워낙 다양하게 뻗어가는 게 길이라서 여타의 시인들에게도 얼마든지 다른 방향과 위상의 길이 열려 있다고 하겠다. 길에 얼마만큼 비중을 두고 시세계를 개척하느냐는 각자 다르겠지만 중요한 것은 길이 단순히 기행시의 차원에 머물러서는 평면성을 탈피하기 어렵다는 것이다. 길을 새로운 소재 찾기의 통로로만 알고 시를 양산해서는 의미 있는 시세계를 이룩하기 힘들 것이다.

시인이 시를 쓰다 보면 태작도 나오고 수작도 나오게 마련이다. 또한 절창만으로 풍요로운 시세계를 이룩할 수는 없는 노릇이다. 자기 검증 과정을 거쳐 태작을 얼마나 가려내는가는 각기 다르겠으되 아무래도 시세계의 구축에 기여하는 태작은 없을 것이다. 그런 맥락에서 생애를 둔 시쓰기의 의미를 숙고할 필요가 있겠으니 얼마나 꾸준하게 시세계의 확충과 변모를 이루어내느냐가 문제이다. 오늘날 다작이 문제인 이유는 시세계의 확충과 변모에 기여하지 못하는 경우가 많기 때문이다.

(『창작과비평』, 2003, 여름)

리얼리즘시 재론

· · · · ·

1

1990년대 초반의 시비평 가운데 주류의 하나는 리얼리즘시 논의라 할 수 있다. 1991년 9월 실천문학사 주최 심포지엄에서의 '리얼리즘시론'에 관한 토의가 계기가 되어 이후『문학과논리』창간호는 '시와 리얼리즘'을 특집으로 꾸몄으며 창비시선 100권 간행을 기념하는 심포지엄 또한 우연치 않게 이 문제를 다루었다. 이러한 기획의 앞뒤와 안팎으로 백낙청, 염무웅을 위시하여 윤영천, 오성호, 윤여탁, 이은봉, 김윤태, 김형수, 황정산, 이시영, 김성윤, 오철수 등이 리얼리즘시 논의에 참가하여 나름의 견해를 활발하게 개진하였다. 우리의 시비평사에서 실로 유례가 드물게 무성한 논의라 하지 않을 수 없다.

이렇듯 무성한 논의 혹은 논쟁에 불을 붙이는 소임을 맡은 자 가운데 하나가 필자인데 한마디로 과분한 역할이었다는 고백을 먼저 하는 게 옳겠다. 리얼리즘시 논의를 위해서는 리얼리즘 미학에 대한 속 깊은 소양과 우리의 현대시사에 대한 폭넓은 안목이 전제되어야 할 터인데 필자의 공부는 아직도 초심자라는 생각을 버릴 수 없기 때문이다. 더구나 '리얼리즘 시론'은 문예미학에서 거의 처녀지에 해당되는 영역이기도 하다. 또한 염려스러운 것은 변변하게 내세울 게 있을 만큼 투철하게 살지도 못했고 현재도 그러한 형편에 '시를 쓰고 시론을 개진하는 목청이 다소 도드라졌다'는 점이다. 하지만 시론을 쓰는 것이 공부의 과정이면서 동시에 삶에서는 투철하게 살려는 노력과 결부된다고 자위하면서 다시 무거운 짐을 지게 되었다.

아무튼 기왕의 논의 과정에서 가장 집중적으로 비판받은 것이 필자의 시론인데 이러한 판단이 자신이 맞은 매에만 과민하게 반응한 탓은 아닐 것이다. 그동안 집중적으로 비판이 가해진 이유는 물론 필자의 턱없이 모자란 소양 때문이겠지만 그중에는 수긍할 수 없는 비판 혹은 왜곡도 많았다. 그렇지만 여태까지 잠자코 있었던 이유는 '비판에 대한 반론'이 얼마나 이 시대의 실천적 요구에 부응할 수 있을지 의심스러웠기 때문이다. 이러한 의혹이 아직도 풀리지 않았기에 이 글 또한 '비판에 대한 반론'을 위주로 꾸려나갈 생각은 없다. 하지만 몇 가지 핵심적인 사안에 대해서는 응답을 하면서 동시에 필자의 종래의 시론에서 부실한 부분을 보완하는 것이 리얼리즘시 논의의 진전을 위해 필요할 듯하다.

본론에 앞서, 논의 과정에서 타산지석으로 삼기 위해, 이제까지 노정된 리얼리즘시 논의의 문제점들을 살펴보는 것이 좋겠다. 첫 번째 문제로는, 민족문학 혹은 민중문학의 현 상황을 돌파하려는 실천적 문제의식의 부족을 지적할 수 있다. 변모하는 사회현실에 대해 정당하고도 치열하게 대응하면서 더욱 고양된 예술적 성취를 이룩하는 것이 리얼리즘시의 과제라 할 때 그러한 과제에 대한 논의는 오늘날의 민족민중시가 나아갈 길에 대한 모색이기도 한 것이다. 그런 의미에서 리얼리즘 시론은 '이 땅에서 이 시대의 창작방법론'으로서의 역할을 제대로 감당할 책무가 있는데 그 책무의 이행이 지지부진하다. 학술적 편향의 글들은 제쳐놓고라도 민족민중시의 현황과 시창작의 실제에 대한 실감이 얼마나 확보되었는지

의심스러운 비평이 많다.

둘째, 시의 다양성에 대한 고려 없이 장르론적 관념론 혹은 고정관념에 사로잡힌 경우를 지적할 수 있다. 두루 알려져 있다시피 개성이 상실된 시인은 살아남을 수 없고 주요 시인들은 각기 자기 나름의 시세계를 창조한다. 시 쓰는 입장에서 시의 범주는 얼마든지 다양하게 열려 있다. 그런데 장르론은 다양성을 사상하면서 성립되는 논리이다. 헤겔의 삼분법 장르론을 적용할 것 같으면 신동엽의 「금강」도 서정시이다. 필자는 그의 거시적 틀에 대해서 구태여 이견을 말하고 싶지 않다. 하지만 그러한 장르론에 입각하여 시의 본질을 '정서' 혹은 '주관성'으로 놓고 그것을 리얼리즘시에 연역적으로 적용하는 논리가 얼마나 생산성을 갖는지 묻지 않을 수 없다. 요점은 이론적 추상이 시의 다양성에 대한 충분한 수렴을 거쳤는지와 다양한 시창작에 얼마나 기여하느냐에 있다.

셋째, 시론 만능주의와 결부된 대안 없는 비판 혹은 왜곡 비평을 경계할 필요가 있겠다. 방금 시의 다양성에 대해 말했거니와 어떤 한 가지 개념으로 리얼리즘시가 전일적으로 해명되지는 않는다. 그런 의미에서 시론가들은 시에 대해서 겸허한 자세를 갖출 것이 요망된다. 가령 '서사지향성'은 리얼리즘시를 해명하는 데 유효성을 지니지만 짧은 서정시에서는 그 유효성이 제한되게 마련이다. 그런데 서사지향성의 유효성을 탐색하는 논리에 대해 그것이 만병통치약이 아니라고 하는 것은 엉뚱한 비판일 뿐만 아니라 논의의 진전에 별로 도움을 주지 않는다. 필요한 것은 짧은 서정시의 리얼리즘적 성격을 밝히는 데 유효한 개념을 찾아 대안을 마련하는 일이요 그것이 비판적 글쓰기를 하는 자로서 구비해야 할 바람직한 자세일 것이다.

넷째, 시의 특수성을 지나치게 강조하면서 리얼리즘 미학의 소중한 덕목에 대해 배타적으로 부정하는 논리를 경계할 필요가 있다. 가령 '전형'이나 '반영'의 문제를 두고 생각해보자. 별로 이견이 없는 듯한 작품을 예로 들자면, 「낡은 집」이나 「여승」이 왜 리얼리즘시로 주목될 수 있는가. 그것은 이 시들이 당대의 현실을 핍진하게 그려낸다는 점에서 탁월하다는 판단과 관련된다. 또한 이러한 판단은 시 나름의 전형성 획득과도 무관하지 않다. 물론 시의 특수성에 대해서는 창조적 사유가 요구되는 바이지만 전형이나 반영의 문제를 치지도외하고서 리얼리즘론이 성립되기는 어려울 듯하다. 달리 말해서 모든 좋은 시에 전형이나 반영의 개념을 무리하게 적용할 필요는 없겠으되 당대 사회현실의 핍진한 형상화와 무관하게 리얼리즘을 논의하기는 어려울 것이다. 여기에서 유의할 사항은 전형이나 반영의 개념을 그 본원적 의의에 입각해서 진정으로 유연하게 적용하는 문제이다.

2

"현실과의 치열한 대결인 동시에 현실의 창조적 형상화"와 "시와 산문의 통일이 창작활동 속에서 수행되는 순간의 어떤 경지"는 리얼리즘의 개념과 관련하여 염무웅이 행한 발언[1]의 요체이다. 이에 대해 거의 전적으로 공감하는 것이 필자의 입장이고 이제까지의 시론 또한 그러한 생각을 바탕에 깔고 씌어졌다고 말해도 과언이 아닐 것이다. 또한 "시의 서사지향과 문학적 현실주의 사이에 일정한 친화성이 존재한다는 역사적 사실"을 중요하게 생각하는 점에서도 일치한다. 그럼에도 불구하고 그는 막상 필자의 시론에 대해 어리둥절할 정도로 비판적이다. 그 이유는 우선 필자의 시론에 미진한 부분이 많고 진의가 왜곡될 만큼 논리가 서투르게 구성되었기 때문이 아닌가 반성해본다. 따라서 미진한 부분과 서툰 논리를 찾아 보완할 필요를 느끼는바 우선 필자의 시론의 대명사처럼 부각된 '서사지향성'과 관련하여 논의를 진행하는 것이 순서일 듯하다.

필자가 서사지향성에 주목해온 이유는 누차 논했듯이 그것이 사회현실

---

1. 염무웅, 「'시와 리얼리즘'에 대하여」, 『창작과비평』, 1992, 봄, 117~27쪽 참조

의 핍진한 형상화에 유력한 자질이기 때문이다. 하지만 서사성을 만병통치 약처럼 선전하거나 서사성이라는 자질로 리얼리즘시의 범주를 설정하려 한 적은 없다. "서사성의 강화가 곧 리얼리즘의 성취를 가져오는 것은 아니다"[2]라고 분명히 해명한 뒤에도 비판자들이 집요하게 곡해하듯이 "서사지향성이 자동적으로 리얼리즘의 실현을 담보"[3]한다거나 "서사화는 곧 현실주의의 길"[4]이라는 식으로 단세포적 속류의 논리를 펼친 적이 없다. 서사라도 어떠한 서사인가가 문제라는 견해[5]는 1930년 어름의 단편서 사시논쟁 과정에서 이미 제출되었거니와 시에는 서사 외에도 수많은 자질이 있는 것이고 그러한 자질의 유기적 총체가 간신히 한 편의 시를 탄생시키는 것이기 때문이다.

기왕 말이 나온 김에 서사지향성에 주목한 이유를 문학사적 흐름과 관련하여 좀더 밝혀두고 넘어가는 것이 좋겠다. 첫째, 김영랑과 청록파류의 문협파 시, 특히 이른바 '전통적 서정시'에 대한 비판과 관련된다. 1950~60 년대 전통적 서정시의 대표적 존재가 박재삼이나 박용래일 터인데 그들의 「울음이 타는 가을 강」이나 「저녁눈」 등이 좋은 시임에는 틀림없으되 사회현실에 대한 창작적 대응과는 거리가 멀다고 보는 것이 타당할 듯하다. 즉 종래의 문협파 시의 특징인 개인의 내면에 폐쇄된 시를 지양하고 사회현실에 대한 창작적 대응력을 신장하여 삶의 문제를 본격적으로 다루어낼 필요가 있었던 것이다. 그리고 이러한 시적 성과가 멀리는 이용악이나 백석, 가까이는 신경림이나 김지하에게서 발견되고 그들의 시가 우연치 않게 서사지향성을 지니고 있었던 것이다.

둘째, 1980년대 민족민중시의 이념적 혹은 관념적 편향에 대한 비판과 관련된다. 문협파 시에 대해서는 대타의식이 작용했다면 1980년대의 민족

2. 졸고 「리얼리즘시론」, 『실천문학』, 1991, 겨울, 80쪽.
3. 염무웅, 앞의 글, 121쪽.
4. 황정산, 「'시와 현실주의' 논의의 진전을 위하여」, 『창작과비평』, 1992, 여름, 100쪽.
5. 권환, 「시평과 시론」, 『대조』, 1930. 6, 36쪽 참조.

민중시 진영에는 필자 자신이 소속감을 느꼈다는 점에서 일종의 동지적 비판인 셈이다. 사회의 변혁을 염두에 두고 시를 쓸 경우 창작자 자신의 조급한 마음이 관념이나 구호로 흐르기 쉬운데 이 점은 엄연한 문학사적 사실이기도 하다. 1930년을 전후로 한 프로시가 그러했고 해방 직후 진보진영의 시가 그러했고 1980년대의 민족민중시 또한 그러한 편향을 노출했던 것이다. 이러한 맥락에서 관념이나 구호를 앞세우지 않고 문학적 형상을 갖추는 데 시적 서사의 문제를 적극적으로 검토할 필요가 있다고 판단되었고 그 대표적 사례로는 박노해의 「손무덤」이나 김남주의 「이 가을에 나는」을 들 수 있다.

외람되게 개인적인 문제를 말하자면 필자의 시쓰기도 위와 같은 문제의식 속에서 펼쳐져 서사지향성을 강화시켜 이야기시를 쓰는 데까지 나아가게 되었다. 그러니까 「이야기시론」은 개인의 창작방법론으로 '시인들의 시론'을 펼치는 지면[6]에 발표했던바 항간의 오해처럼 '리얼리즘 시론'이라고 일반화할 수는 없는 글이다. 즉 필자는 리얼리즘시와 이야기시를 동일시한 적이 없고 리얼리즘의 시적 성취를 위한 하나의 방법으로 이야기시를 쓰고 논했던 것이다. 덧붙여 말하자면 이야기시도 시인마다 얼마든지 다양하게 추구할 수 있고 필자가 이야기시에 국한된 시쓰기를 한 것도 아니다. 따라서 필자의 시론이 "시창작의 평판화와 연구의 단선화 경향을 부추길 것"[7]이라는 우려는 다른 시인들과 연구자들을 부화뇌동자로 본다는 점에서 기우라고 판단된다.

하지만 서사성의 문제는 리얼리즘시에 더욱 폭넓게 적용될 수 있는 것이라고 생각한다. 짧은 서정시에서도 서사의 편린을 찾아볼 수 있고 시적 상황이 비록 부분적이거나 암시적일지라도 서사를 통해 제시되는

---

6. 『오늘의 시』(1989, 상반기) 특집으로 '시인의 시론'이 마련됐는데 거기에 참여한 시인들은 필자를 포함하여 김남주, 이성복, 황지우, 정인화 등이다.
7. 윤영천, 「한국 '리얼리즘 시론'의 역사적 전개와 지향」, 『민족문학사연구』 2호, 민족문학사연구소, 1992, 129쪽.

경우가 많기 때문이다.

> 북쪽은 고향
> 그 북쪽은 여인이 팔려간 나라
> 머언 산맥에 바람이 얼어붙을 때
> 다시 풀릴 때
> 시름 많은 북쪽 하늘에
> 마음은 눈감을 줄 모르다

― 이용악, 「북쪽」 전문[8]

이용악의 시인으로서의 기량이 유감없이 드러난 「북쪽」은 짧은 서정시로서 괄목할 만한 작품이라고 판단된다. 물론 일일이 가려 설명할 수 없는 여러 요소들의 유기적 총체가 한 편의 시이겠으나, 이 시의 시적 성취로는 우선 적절한 반복과 변주에 의한 효과적인 호흡률을 지적할 수 있다. 또한 산맥에 바람이 얼어붙고 풀리는, 인상적이면서도 독특한 이미지에 주목할 수도 있다. 한편 '마음은 눈감을 줄 모르다'에서 볼 수 있는 감정의 형상적 표현이 주효하게 작용한다고 할 수도 있다. 그런데 이 시의 비장한 정조를 실감나게 하는 근원이 되고 있는 시구는 아무래도 '여인이 팔려간 나라'인 듯하다. 즉 '여인이 팔려간 나라'는 1930년대 당대의 현실을 강력히 환기하면서 리얼리즘시로서의 근거를 확보하게 하는 시구인 셈이다.

여기에서 유념했으면 하는 사항은 문제의 시구 '여인이 팔려간 나라'에는 인간의 행위에 대한 기술로서의 서사가 개입되어 있다는 점이다. 이렇듯이 「북쪽」은 짧은 서정시에서도 효과적으로 서사를 구사할 필요가 있다는 사실을 보여준다. 여기에서 의문 사항은 이러한 서사성 논의가 왜 "서정시

---

8. 『분수령』, 삼문사, 1937.

특유의 현실반영 방식"[9]에 정면으로 배치되는가 하는 것이다. 필자의 시론에 대한 반발로 이른바 '짤막한 정통 서정시'를 옹호하는 경향이 있다. 하지만 「북쪽」과 같은 짧은 서정시에서도 서사의 편린을 잘 살릴 필요가 있다는 견해에 동의한다면 정통 서정시론자들이 필자의 서사성 논의를 일방적으로 배척할 이유는 없을 것이다. 한편 「북쪽」과 같은 짧은 시보다는 같은 시인의 「낡은 집」이나 「전라도 가시내」가 리얼리즘시로서 더욱 본격적이라 생각된다는 점에서 '정통'이라는 말을 사용하는 데 좀더 신중했으면 한다.

앞에서 '인간의 행위에 대한 기술'이라는 말을 쓰기도 했지만 필자의 서사성 개념은 삼분법 장르론에서 연역된 것이 아니다. '문학작품을 구성하는 자질의 하나'로 보고 우리의 근대시 혹은 현대시를 바탕으로 도출된 것이다. 통상적으로 서사는 장르의 차원과 기술방법의 차원에서 혼용되고 있는데 필자의 서사 개념은 후자에 해당된다. 기술방법 차원에서의 서사는 시 작품에 두루 나타난다. 그렇기 때문에 시적 서사는 서정과 따로 놀수 없고 그것이 얼마나 효과적으로 융합되느냐에 시의 성패가 달려 있다고 해도 과언이 아니다. 이 점은 위의 「북쪽」에서도 확인할 수 있다. 은연중에 내포된 것은 접어두고 구체적 시구를 보더라도 '여인이 팔려간 나라'와 '시름 많은 북쪽 하늘'의 연결은 전혀 꿰맨 자국이 없다.

이야기시 혹은 서사지향성과 관련하여 정통 서정시론자들이 필자의 시론을 거부하는 이유의 요체는 과다한 산문성의 도입이라고 보는 데 있는 듯하다. 부언하자면 시에서 산문의 확장이 응축된 시가 함축하는 내포와 울림을 훼손한다고 보는 것이다. 이러한 맥락에서 근래 짧은 서정시의 대표적 시인인 이시영의 1980년대 시 비판은 주목되는 바 있다.

시 속에 산문적인 내용이 들어 있지 않으면 민중시가 아니라는 듯 너도

---

9. 윤영천, 앞의 글, 129쪽.

나도 민중 자전적인 이야기감들을 시에 담아 시가 한없이 산문화되었는가 하면, 산문으로 쉽게 설명이 안 되면 그건 마치 반민중적인 시라는 듯 너무도 뻔하고 안이한 작품들이 시의 이름으로 한 시대를 휩쓸면서 우리는 시 자체의 본질 중의 하나인 커다란 침묵── 짧게 얘기하되 그것들이 살아서 더 많은 것들을 함묵으로 말해주는──을 상실해버린 것이다.[10]

  필자로서는 이시영의 '짧은 예기(銳氣)의 시들'을 근래의 민족문학 진영의 주요한 성취라고 본다. 그런데 그러한 단시에 대한 옹호가 위와 같이 이야기시를 비난하는 차원에서 이루어질 필요가 있는지 묻고 싶다. 이야기시 가운데 그가 옹호하는 '짧고 아름다운 침묵의 시'를 능가하는 수준의 작품이 많다고 보이기 때문이다. '뻔하고 안이한 작품'은 이야기시보다도 오히려 짧은 서정시에 더 많고, 형평을 잃지 않기 위해서는 서로 수준작을 가지고 비교하는 것이 필요하다는 것이 필자의 생각이다. 인용문에 뒤이어 그가 상찬해 마지않는 김명수의 「숨결」[11]은 '의미와 정서의 함축이 폭넓고 활달하다'는 점에서 나름대로 수준작임에는 틀림없지만 소품으로서의 한계는 벗어나지 못하고 있다. "벼들이 막 익은 남녘 들판에 / 태풍이 몰려온다 / 세차게 세차게 회오리쳐 몰려온다 / 지구여, 나는 네 고독을 안다 / 나는 네 슬픔을 안다"가 전문인데 이 시를, 인용할 수도 없이 긴 이야기시, 박노해의 「손무덤」이나 김해화의 「늙은 철근쟁이의 죽음」과 대비해 읽어보라.

  한편 인용문에서 설명하는 것처럼 '민중 자전적인 이야기감'이 기계적으로 시로 되지는 않을 것이다. 이야기가 쉽사리 시가 되지 않는다는 사실은 이시영 자신도 창작체험이 있는 만큼 실감하고 있을 것이다. 이러한 맥락에서 이 글에서 강조하고 싶은 사항은 '민중 자전적인 이야기감'이 시가

---

10. 이시영, 「의미와 무의미」, 『창작과비평』, 1992, 겨울, 225쪽.
11. 『침엽수 지대』, 창작과비평사, 1991.

되기 위해서는 그것이 얼마나 절실하게 시인의 마음속에서 부침하면서
변용 혹은 질적 변화를 거쳐야 하는가에 대해서이다. 마치 바닷물에 담가놓
은 통나무처럼 이야기의 결마다 창작자의 마음이 스며들어 자연스러운
호흡으로 운율로 살아나지 않으면 시가 되지 않는 것이다. 서정적 언술로
직접 표현되지 않았다고 해서 이야기에 스며들어 있는 시인의 마음을
감지해내지 못한다면 이야기시를 제대로 읽은 것이 아닐 것이다. 새삼스러
운 당부이지만 이야기시에 함축된 내포와 울림에도 눈을 뜨고 귀를 열자.
　이야기가 산문의 확장과 관련된다는 점은 위의 인용문에도 드러나 있다.
그런데 잘된 시의 경우 산문의 확장은 "세태소설적 평면성"[12]으로 기울지
않고 오히려 시적 성취에 기여한다. 도대체 '산문적 확장'이 없는 '시적
응축'이란 얼마나 공허한 것인가. 산문적 확장 혹은 현실세계로의 모험을
시도해 보지도 않은 시를 두고 과연 리얼리즘이라는 말을 쓸 수나 있는
것인가. 하이데거식으로 말하자면 '세계의 개진'이 없는 '대지의 은폐'와
김수영식으로 말하자면 '언어의 서술'이 없는 '언어의 작용'은 성립되기
힘들 것[13]이다. 중요한 것은 확장 혹은 개진과 응축 혹은 은폐 사이에
형성되는 긴장이다. 한 편의 시에서 산문적 확장과 시적 응축이 상승효과를
거두지 않고 서로 배타적으로 작용한다면 시인의 창조력을 인정할 수
없을 것이다. 앞에서 거론한 염무웅의 '시와 산문의 통일론'은 이러한
맥락에서 공감할 수 있다.
　확장과 응축 사이의 긴장 혹은 개진과 은폐 사이의 긴장을 견디어야
한다는 점은 시창작의 공공연한 비밀이다. 이 세상에 표본적인 시는 존재하
지 않는다. 평균적인 시인도 존재하지 않는다. 따라서 산문적 확장과 시적

---

12. 염무웅, 앞의 글, 122쪽.
13. 이에 대해서는 각각 M. 하이데거, 소광희 역, 『시와 철학』(박영사, 1975)과 김수영,
　　「생활현실과 시」(『창작과비평』, 1968, 가을)를 참조할 수 있다. '세계의 개진'과 '대지
　　의 은폐'는 원래 김수영, 「시여, 침을 뱉어라」(『창작과비평』, 1968, 가을)에서 사용된
　　번역 용어이다.

응축 사이의 긴장을 견디는 방식도 천차만별이고 그렇기에 그것은 앞으로도 계속 비밀이다. 그런 까닭에 새로운 시는 산문적 확장과 시적 응축 사이의 긴장을 견디는 새로운 방법을 발견했을 때 출현한다고 말해도 과언이 아니다. 따라서 그 긴장이 산문적 확장에 가깝게 형성된 경우 「낡은 집」과 같은 이야기시가, 시적 응축에 가깝게 형성된 경우 「북쪽」과 같은 짧은 서정시가 창작된다. 그러니까 이시영의 단시도 수준작인 경우 시적 응축에 밀착해서 긴장이 형성된 것이지 산문적 확장과 무관한 것은 아니다. 이와 같은 생각을 일찍이 졸시 「노래와 이야기」를 통해 개진한 바 있거니와 이 시에서 '이야기'가 산문적 확장이라면 '노래'는 시적 응축에 해당된다.

3

아무래도 필자의 시론 가운데 장르론과 관련된 부분에는 미진한 곳과 서툰 논리가 많은 듯하다. 이 점은 장르론 차원에서의 비판이 거세게 제기된 데서도 가늠할 수 있다. "임화의 「우리 오빠와 화로」나 이용악의 「낡은 집」 같은 계열의 시들과 김동환의 「국경의 밤」이나 신동엽의 「금강」 같은 계열의 시들이 갖는 장르적 차이를 고려하지 않고 있다"[14]나 "리얼리즘시의 하위개념으로서 양식적 의미까지 부여받고 있는 이야기시가 과연 서정시 일반과는 일정하게 구별되는 독립적 의의를 지니고 있는가"[15]나 "동물도 식물도 아닌 연두벌레가 존재한다고 해서 동물이나 식물이라는 범주가 존재하지 않는다거나 필요 없다고 말할 수 없는 것처럼 서정적이며 동시에 서사적인 문학이 존재한다고 해서 서정, 서사라는 범주가 필요

14. 염무웅, 앞의 글, 119쪽.
15. 윤영천, 앞의 글, 140~41쪽.

없는 것은 아니다"[16] 등은 바로 장르론 차원에서 들어온 비판의 구체적 예이다.

이와 같은 문제제기에 응답하기에 앞서 '서사성' '서사지향성' '이야기 시' '서사시' 등의 용어에 대해 일단 교통정리를 하고 넘어갈 필요가 있다. 위의 네 가지 용어는 다같이 산문적 확장과 관련되면서 그 확장의 정도에 따라 서로 연속되면서 변별적인 의미를 지닌다. 먼저 서사성은 시 작품에 많건 적건 '행위에 관한 기술'이 개입된 경우를 두고 이르는 말이요 서사지 향성은 한 편의 시 혹은 한 시인에게 서사성이 짙게 나타나는 경우를 두고 이르는 말이다. 어차피 두 가지 용어를 칼로 자르듯이 구분할 수는 없지만, 예를 들자면 「북쪽」에서는 서사성이 옅게 나타나고 「여승」에서는 짙게 나타난다고 할 수 있다. 따라서 「여승」은 서사지향성을 지닌 작품이요 이 작품을 쓸 무렵의 백석은 서사지향성을 지닌 시인이라 할 수 있다. 한편 이야기시와 서사시는 문학작품의 자질 차원을 넘어 장르를 지칭하는 데, 서사지향성이 강화되어 한 편의 시가 사건전개 위주로 짜인 경우 이야기시라 하고 여러 인물이 등장하면서 사건이 중첩되어 장형화된 경우 서사시라는 용어를 쓰고 있다.

이상의 간략한 교통정리에서도 알 수 있듯이 「우리 오빠와 화로」나 「낡은 집」 같은 계열의 시들과 「국경의 밤」이나 「금강」 같은 계열의 시들이 갖는 장르적 차이를 필자가 고려하지 않은 것은 아니다. "어떤 변화・발전하는 사건이 한 편의 시를 구성하고 있다 하더라도 신동엽의 「금강」처럼 장편으로 된 것은 서사시라는 용어가 통용되고 있으니 이야기 시는 짧은 시 중에 서사지향성이 강하게 발현된 시, 가령 「낡은 집」과 같은 작품을 지칭하는 용어로 쓰는 것"[17]이라고 분명히 밝힌 바 있기 때문이 다. 또한 이야기시의 한 가지 발현태인 단편서사시에 대해서는 「임화의

---

16. 황정산, 앞의 글, 95쪽.
17. 졸고 「이야기시론」, 『오늘의시』, 1989, 상반기, 265쪽.

시세계」에서, 담시와 서사시에 대해서는 「김상훈론」에서 상세히 취급한 적이 있기 때문이다. 하지만 이야기시와 서사시는 절대적 단층으로 구분되는 것이 아니고 김지하의 담시도 포함하면서 마치 무지개의 색상처럼 연속성을 띠는 범주이고 그러한 우리 시의 면모를 리얼리즘의 성취와 관련하여 총체적으로 조망하지 못한 것은 필자의 역량 부족 탓이다.

방금 '리얼리즘의 성취'라는 말을 썼지만 필자로서는 '리얼리즘시의 범주 설정'보다 '시에서의 리얼리즘의 성취'에 관심이 있다. 바꾸어 말하자면 리얼리즘시의 범주 설정이 우선이 아니고 리얼리즘의 성취에 연결하여 '리얼리즘시'라는 용어를 쓰는 것이다. 그러니까 이야기시를 통해 리얼리즘의 성취가 어떻게 가능한지를 추구했던 것이지 윤영천의 오해처럼 리얼리즘시의 하위개념으로 이야기시를 취급하지는 않았다. 이야기시 가운데서도 리얼리즘의 성취와 무관한 작품이 얼마든지 있는 것이고 그 집중적인 사례가 서정주의 「질마재 신화」 연작이라고 할 수 있다. 가령 매운재가 되어 폭삭 내려앉았다는 수절과부의 설화를 취급한 시 「신부」에서 '현실과의 치열한 대결'이나 '현실의 창조적 형상화'를 찾기는 지난한 일이다. 반면에 늙은 철근쟁이의 허망한 죽음과 장례의 이야기를 통해 이 땅에서의 삶과 노동의 의미를 묻는 김해화의 「늙은 철근쟁이의 죽음」은 리얼리즘의 성취 면에서 괄목할 만하다고 생각된다.

이제 '이야기시가 서정시 일반과는 구별되는 독립적 의의가 있느냐'는 의문에 답할 순서인 듯하다. 서사지향성이 강화되어 사건전개가 한 편의 시를 구성하는 경우를 두고 필자가 이야기시라고 말할 때 그것은 장르론에서 종개념에 해당된다. 따라서 헤겔식으로 사용하는 유개념으로서의 서정시에 이야기시가 포함된다는 것은 재론할 필요가 없다. 헤겔의 미학에서는 로망스나 발라드까지 서정시 속에 넣어 설명하는 것[18]을 볼 수 있기 때문이

---

18. G. W. F. Hegel, T. M. Knox tr., *Aesthetics* (Oxford: The Claredon Press 1975), 116~18쪽 참조.

다. 하지만 이야기시는 김영랑이나 박재삼의 시처럼 서정성이 풍부한 시와는 구분되는 양식적 특징을 지니고 있다는 점은 인정해야 할 것이다. 그러므로 막상 문제는 종개념으로서의 '서정시'의 범주를 어떻게 설정하느냐에 있고 여기에 이제까지의 논의가 자못 혼란스럽게 전개된 이유의 상당 부분이 잠겨 있는 듯하다.

필자는 전에 "서정시의 범주는 감정표현이 시에서 중요하다고 생각하는 정도에 따라 신축성을 갖는 것인지도 모른다"[19]는 발언을 한 바 있다. 이런 맥락에서 동심원을 그리자면 그 동심원의 중앙에는 김소월의 「초혼」이나 김영랑의 「모란이 피기까지는」처럼 서정성이 풍부한 작품이 놓일 것이다. 그리고 그 동심원은 논자에 따라 신동엽의 「금강」을 포함할 수 있을 정도로 커지기도 하고 이용악의 「낡은 집」을 제외할 정도로 작아지기도 한다. 다시 말해서 넓은 의미의 서정시에는 영웅서사시(epic)가 아닌 김동환의 「국경의 밤」 같은 서사시도 포함되고 좁은 의미의 서정시에는 이야기시가 포함되지 않는다고 할 수 있다. 여기에서 필자는 좁은 의미의 서정시 개념을 선호하는데 우리의 근대시 혹은 현대시에 입각해서 볼 때 넓은 의미의 서정시는 그냥 '시'라고 하는 것과 다르지 않기 때문이다.

용어를 자의적으로 사용해서는 곤란하지만 문학비평의 용어가 자연과학의 용어처럼 단순명료하지 않다는 사실은 인정해야 할 것이다. 그러므로 비판다운 비판을 하기 위해서는 상대방이 사용하는 용어의 의미를 제대로 파악하는 것이 전제가 된다. 누누이 말했듯이 필자의 '서사'는 '행위에 관한 기술'이라는 의미를 지니며 장르 차원이 아니고 기술방법 혹은 문학작품의 자질 차원에서 사용되는 말이다. 그러니까 황정산처럼 장르 차원의 서사 개념으로 연두벌레를 운위하는 것은 전혀 가당치 않은 비판인 셈이다. 또한 장르 차원에서 서정과 서사의 범주가 필요 없다고 생각한 적이 없으므로 그의 비판의 과녁 자체가 신기루인 셈이다. 다만 필자는 '서정시' '서사시'

---

19. 졸고 「리얼리즘시론」, 77쪽.

'극시'라는 분류보다 '시' '소설' '희곡' '수필' '평론'이라는 분류가 오늘날 더욱 유효하다고 생각하고 그런 의미에서의 '시' 범주를 염두에 두고 '시론' 을 펼치고 있는 것이다.

한편 백석의 「여승」은 장르론의 차원에서 어떻게 보는 것이 타당한가. 서사지향성을 강하게 지니지만 이야기시라고 명명할 정도는 아닌 애매한 시이다. 그렇지만 구태여 장르 규정을 하자면 좁은 의미의 서정시 범주 안에 들어갈 수 있을 것이다. 하지만 여기에서 경계할 사항은 위의 동심원적 사고에 가치평가가 개입되는 것이다. 그렇게 될 때 「여승」은 아무래도 「모란이 피기까지는」에 못 미치는 작품이 된다. 필자가 '감정표현을 위주로 하는 시'를 두고 서정시라는 명칭에 가장 걸맞다고 보는 이유는 여기에 있다. 그러니까 정작 문제의 본질은 서정시의 범주 설정에 있지 않고 작품을 어떻게 보느냐에 있다. 기왕에 리얼리즘시로서 논란거리가 된 「여승」을 다시 살펴보자.

여승은 합장하고 절을 했다
가지취의 내음새가 났다
쓸쓸한 낯이 옛날같이 늙었다
나는 불경처럼 서러워졌다

평안도의 어느 산깊은 금덤판
나는 파리한 여인에게서 옥수수를 샀다
여인은 나어린 딸아이를 따리며 가을밤같이 차게 울었다

섶벌같이 나아간 지아비 기다려 십년이 갔다
지아비는 돌아오지 않고
어린 딸은 도라지꽃이 좋아 돌무덤으로 갔다

산꿩도 설게 울은 슬픈 날이 있었다

산절의 마당귀에 여인의 머리오리가 눈물방울과 같이 떨어진 날이 있었
다

— 백석, 「여승」 전문[20]

필자는 이 시의 현실성 추구를 여승이 된 "한 여인의 생애에 관한 이야기의
압축적 제시"와 결부시키고 그 여인의 간고한 생애에 관한 이야기가 평면성
에 떨어지지 않고 긴장을 유발하는 이유는 그것이 시의 화자의 회상 속에서
재구성되어 표현되었기 때문이라고 논한 바 있다. 그리고 "이 시가 진한
감명을 주는 주된 이유는 삶의 근거를 빼앗긴 식민지 농민의 실상이 불과
열두 행의 짧은 시에 집약적으로 표현되어 있다는 데 있을 것"[21]이라고
덧붙인 바 있다. 이에 대해 황정산은 "이 시를 시로서 존재하게 하고
우리에게 어떤 감동을 주는 것은 한 여인의 생애나 당대 현실의 재현에
있는 것이 아니라, 이 시 속에 드러나 있는 시인 즉 서정적 주체의 태도와
그를 통해 감지되는 정서의 내용에 있다"[22]고 전면적으로 비판하였다.

시적 서사가 정서의 표현과 결부되게 마련이라는 사실은 앞에서도 논의
했지만 「여승」을 대상으로 '서정적 주체의 태도와 그를 통해 감지되는
정서의 내용'에 대해 주목하지 않은 것은 아마 필자의 불찰일 것이다.
하지만 자리를 보고 이불을 펴야 할 것 아닌가. 그 글의 문맥은 '시도
사회현실을 제대로 다루어낼 수 있다'는 것이고 그 예로서 「여승」을 거론한
것이지 시 한 편을 차분히 감상하는 자리가 아니었다는 사실을 감안해주었
으면 한다. 또한 필자가 왜 「여승」을 비관주의적 시정신과 연결시켰는지도
문맥을 살펴 감안해주었으면 한다. 이 점을 감안했더라면 "당대 척박한
식민지 현실에서 갖게 되는 비극적 인식과 전망의 부재 상태에서 인고해야

20. 『사슴』, 선광인쇄주식회사, 1936.
21. 졸고 「리얼리즘의 시정신」, 『실천문학』, 1990, 봄, 357쪽.
22. 황정산, 앞의 글, 98~99쪽.

하는 비애의 정서를 포착·형상화해낸 것"[23]이라는 그의 견해가 마냥 새롭지만은 않다는 사실도 알 수 있었을 것이다. 하지만 이러한 사항은 쟁점의 주변이고 문제의 핵심은 그 너머에 있다.

첫째, 인용시에 나타나는 '여승의 생애에 관한 서사'가 황정산이 생각하듯 '소설의 기법 도입'인가 하는 것이다. 그가 볼 때 '여승의 생애에 관한 서사'는 서정시(그의 개념으로는 이야기시도 포함된다)의 본질 밖에 있는 것이다. 필자의 소견으로는, 서사는 소설에 고유한 재산목록이 아니고 시에서도 얼마든지 구사될 수 있다. 그 구체적 사례가 위에 인용한 「여승」이다. 서사가 「여승」의 자질을 형성하고 있다는 사실을 확인하고서도 그것을 서정시 혹은 시의 본질 밖으로 몰아내는 논리의 곡예에는 참으로 동의하기 힘들다. 이러한 논리는 아무래도 양파껍질을 계속 벗겨내는 일과 같다. 그렇듯 무리하게 논리의 곡예를 펼치는 이유는 그가 서정시라는 고정관념에 사로잡혀 있기 때문일 것이다. 바꾸어 말해서 서정시의 본질을 '정서'로 놓고 나머지 자질을 배타적으로 축출하기 때문일 것이다.

둘째, 「여승」에 나타나는 서사가 황정산의 견해처럼 정서의 표현을 위한 수단일 뿐인가 하는 것이다. 그가 리얼리즘의 성취와 결부해 중시하는 것은 '정서의 생생한 현실감'인데 그것은 물론 자연발생적으로 획득되지 않는다. 필자가 창작방법론의 차원에서 서사성에 주목해온 이유도 이와 연결된다. 「여승」에서 '정서의 현실감'의 근거는 아무래도 서사를 통한, '한 여인의 생애에 관한 이야기의 압축적 제시'에서 찾는 것이 마땅할 듯하다. 그런데 「여승」의 '한 여인의 생애에 관한 이야기'는 '비애의 정서'를 표현하거나 '정서의 현실감'을 확보하기 위한 수단일 뿐인가. 적어도 진정한 시인이라면 그렇게 독선적이거나 무모할 수 없다. 백석이 자신의 정서 표현을 위해 여승의 생애를 다만 수단으로 이용하지는 않았을 것이기 때문이다. 오히려 시인은 자신의 간절한 마음을 적셔 소중하게 여승의

23. 같은 글, 99쪽.

생애를 제시하고 싶었을 것이다. 그러니까 여승의 생애에 관한 이야기에는 표 나지 않게 시인의 마음이 스며 있다고 보는 게 타당할 것이다.

문학예술 가운데서도 특히 시가 정서 혹은 감정의 표현과 밀착된 양식인 줄 누가 모르겠는가. 문제는 그러한 상식에 붙박혀 있는 데서 풀리는 것이 아닐 듯하다. 시의 국면에서 서정적 자질과 서사적 자질은 정도 차이이고 서사시와 서정적 요소, 서정시와 서사적 요소는 늘 서로 삼투현상을 빚게 마련이다. 그러므로 이 자리에서 강조하고 싶은 것은 서정적 요소와 서사적 요소가 함께 나타나면, 그 시에 대해 연두벌레론을 펼칠 게 아니라 사실은 사실대로 존중하는 사고가 필요하다는 점이다. 필자가 서정 지상주의를 경계하고 「여승」을 장르론적 사고틀에 집어넣기를 꺼리는 이유가 여기에 있다. 또한 서사지향성이나 이야기시 등의 용어에 '의미의 연속성'을 부여하는 이유도 여기에 있다. 그러니까 「여승」은 서정시와 이야기시의 중간단계에 있는 애매한 존재가 아니라 서사지향성을 지닌 한 편의 좋은 시인 것이다.

셋째, 여승의 생애에 관한 서사를 황정산처럼 재현의 차원으로 볼 것인가 하는 것이다. 필자는 리얼리즘을 논하면서 '재현'보다는 '반영'에 관심을 표시했고 그 점은 「여승」에 대해서도 마찬가지이다. 재현에 시각을 맞추면 아무래도 '반영 과정의 창의성'을 사상하기 쉽고 특히 시에서는 이 점이 중요하기 때문이다. 그런 의미에서 여승의 생애에 관한 이야기가 시적 주체의 회상 속에서 압축적으로 재구성된 모습이나 그렇게 재구성된 이야기에 시인의 마음이 스며들어 있는 양상에 주목할 필요가 있다. 그러한 모습이나 양상은 다름 아닌 '시인의 창의력'이 작용한 결과이고 그것이 바로 시의 특수성과 접맥되기 때문이다. 즉 시적 반영에는 늘 주체가 작용하게 마련이고 그렇게 작용하는 가운데 정서와 사상이 스며들게 마련이다. 그리고 이러한 시적 반영의 특수성을 통해 형상화된 여승은 특별한 개인이지만 그녀를 매개로 일제강점기 우리 민족의 보편적 현실이 드러난다는 점에서 일종의 전형이라고 할 수 있다.

4

이제까지 '서사지향성' 논의는 시론의 전체 구도 속에서가 아니라 따로 분리되어 지나치게 주목받은 바 있다. 그리하여 "주객관계 속에서 객관성의 내용이 이해되기보다는 아주 간단하게 주체와 주관의 배제를 통해 객관성에 도달할 수 있다고 믿어버린다"[24]와 같은 터무니없는 비판이 나오게 된다. 그런데 이와 같은 비판을 한 논자에게 묻고 싶은 것은 '왜 주체의 문제를 논한 부분은 일부러 보지 않았는지'에 대해서이다. 가령 "시에서 리얼리즘을 말할 때 그 시정신은 변증법에 관련된다. 변증법은 우선 자아와 세계, 주관과 객관, 주체와 객체, 부분과 전체가 통일되는 운동을 전제한다"[25]나 "창작과정에 나타나는 주체와 객체 혹은 주관과 객관의 상호작용을 부인하면서 어떻게 리얼리즘을 논할 수 있는가"[26]와 같은 부분들은 어찌하여 전적으로 외면했는지 의아스럽다.

정통 서정시론자들의 위와 같은 편견과 반증의 예를 일일이 열거하는 것은 번거롭고도 구차스럽거니와 "창작주체와 사회현실 사이의 변증법적 긴장관계가 치열할 때 작품 속에서 현실성이 생생하게 살 수 있다"[27]는 것은 리얼리즘시와 견부된 필자의 핵심적 명제 가운데 하나이다. 그러한 명제를 바탕으로 사회현실과 관련하여 '서사성'과 '이야기시'에 대해 논했고 창작주체와 관련하여 '시정신'과 '시적 주체'에 대해 논했던 것이다. 그리고 '창작주체와 사회현실 사이의 긴장관계'에 주목하여 정지용, 임화, 백석, 오장환, 이용악, 김상훈, 서정주 등의 시인론을 쓰고 1980년대의 민족민중시에 관한 실제비평을 시도했던 것이다. 하지만 위와 같은 오해를 유발한 원인이 필자에게도 없지 않다는 생각이 드는바 특히 시적 주체론이

---

24. 황정산, 앞의 글, 101쪽.
25. 졸고 「시와 리얼리즘」, 『오월시』 4집, 청사, 1984, 211쪽.
26. 졸고 「리얼리즘시론」, 78쪽.
27. 졸고 「리얼리즘의 시정신」, 358쪽.

부실하고도 미진했던 듯하다.

심포지엄의 토론 과정에서도 언급했듯이 시적 주체란 '시 속에 구현된 창작주체의 형상'이라고 개념규정을 할 수 있다. 그런데 이와 유사한 의미를 지니면서 예전부터 통용되어온 용어로는 '시적 자아'와 '시의 화자'가 있고, 북한의 시론에서의 '서정적 주인공'이 이에 해당된다. 그런데 시적 자아가 시인의 내면세계 표현에 주력한 시에 더욱 어울린다면 시의 화자는 서사적인 시에 더욱 걸맞은 용어이다. 또한 서정적 주인공은, 그러한 말을 써서 적합한 시도 있겠으나 시적 자아에 과다한 비중을 부여한 탓에 비평 용어로 일반화시키기에는 부적합하다고 생각된다. 그러므로 시적 주체는 '시적 자아' '시의 화자' '서정적 주인공'을 두루 포괄한 중용의 용어인 셈이다. 또한 '시적 주체'는 리얼리즘시와 관련하여 특히 적합하다고 생각 되는데 사회현실 문제에 대응하여 실천하는 '주체'의 의미를 부각시키기 때문이다.

마치 개인이 자기 나름의 자아를 형성하고 있는 것처럼 새로운 시인이 등장한다는 것은 나름대로의 개성을 지닌 시적 주체가 형성된다는 것을 의미한다. 1980년대에 의욕적으로 시도되었던 집단창작시들이 성공하기 힘들었던 것은 바로 이 '개성을 지닌 시적 주체'의 형성이 어려웠기 때문이 다. 또한 시적 주체에는 시인의 성향이 반영되게 마련이지만 적어도 리얼리 즘시에서는 그 과정에서 어느 정도 전형화의 원리가 작동하는 듯하다. 시인 주변의 온갖 쇄사가 걸러지고 감수성이 됐든 세계관이 됐든 한 인간으 로서의 정수가 주체를 중심으로 응결되게 마련이다. 이 점은 배역시의 경우에도 큰 차이가 없다는 생각이 드는데 어차피 배역을 맡아 소화하는 주체가 있는 것이기 때문이다. 이러한 시적 주체는 한 시인의 시세계 속에서 생명을 누리는 존재이기에 상당한 수준의 동질성과 일관성의 확보 가 요구된다. 뒤집어 말하자면 한 권의 시집에서 한 인물의 성격 변모라고 볼 수 없을 정도로 상충되는 시적 주체가 등장한다면 진정한 의미에서 한 권의 시집이라 할 수 없고 시집 나름의 시세계 형성도 불가능하다.

여기에서 잠시 필자가 평소에 유념하는 경구, '시는 속일 수 없다'를 음미할 필요가 있다. 이 경구의 진의는 '시적 주체의 진실성'을 강조하는 데 있기 때문이다. 시적 주체의 진실성에 대해서는 두 가지 측면에서 접근이 가능한데, 첫째 시적 주체가 세계에 대하여 진실된 자세를 보여야 한다는 것이고, 둘째 시인의 삶이 시적 주체를 온전히 감당할 수 있어야 한다는 것이다. 달리 말해서 시적 주체가 허위의식에 사로잡혀 있다면 아예 진실성을 거론할 수도 없는 것이고 시인의 삶에서 자연스럽게 우러나온 시적 주체가 아니라면 작위성을 노출할 수밖에 없다는 것이다. 가령 진보적 지식인 시인이 노동시를 쓰는 경우 전자의 조건은 얼추 맞추어간다 하더라도 후자의 조건은 만족시키기 힘들 것이다. 노동자로서 잔뼈가 굵은 박노해나 백무산의 시가 노동시라는 차원에서 탁월한 이유는 바로 여기에 있다. 이것은 신원을 따지는 차원을 넘어 노동자로서의 시적 주체의 진실성을 확보하는 데 그들이 훨씬 유리한 입장에 있다는 사실을 지적하는 것이다.

　손바닥의 양면과 같은 두 가지 측면에 대해 살펴보았는데 종합하면 '시적 주체의 진실성은 시인의 진정한 삶과 긴밀히 관련된다'는 상식으로 통한다. 이러한 상식을 다소 과장한다면 '진실된 시적 주체의 창조에는 시인의 생애가 걸려 있다'고 말해도 좋을 듯하다. 일시적인 의욕이나 순간적인 재주로 좋은 시가 나올 수 없는 이유는 여기에 있고 그러므로 시는 속일 수 없는 것일 터이다. 하지만 이러한 문제는 일반론에 머물 것이 아니라 구체적인 작품을 두고 논하는 편이 생산적일 것이다. 또한 시적 주체가 시 속에 구현된 창작주체의 형상인 이상, 형상화의 문제는 어차피 개별 작품을 두고 논하는 것이 바람직할 것이다.

　　이 가을에 나는 푸른옷의 수인이다
　　오라에 묶여 손목이 사슬에 묶여
　　또 다른 곳으로 끌려가는

어디로 가는 것일까 이번에는
전주옥일까 대전옥일까 아니면 대구옥일까

나를 태운 압송차가
낯익은 거리 산과 강을 끼고
들판 가운데를 달린다

아 내리고 싶다 여기서 차에서 내려
따가운 햇살 등에 받으며 저만큼에서
고추를 따고 있는 어머니의 밭으로 가고 싶다
아 내리고 싶다 여기서 차에서 내려
숫돌에 낫을 갈아 벼를 베고 있는 아버지의 논으로 가고 싶다
아 내리고 싶다 여기서 차에서 내려
염소에게 뿔싸움을 시키고 있는 아이들의 방죽가로 가고 싶다
가서 그들과 함께 나도 일하고 놀고 싶다
                            — 김남주, 「이 가을에 나는」 부분[28]

김남주의 옥중시 가운데 하나로 시적 주체는 이감 중인 수인으로 설정되어 있다. 이러한 시적 주체의 설정은 물론 작위가 아니고 시인의 체험에서 우러나온 것이라는 점에서 자연스럽게 느껴진다. 또한 들판에서의 일과 놀이에 섞이기를 열망하는 시적 주체의 마음에도 진정이 배어 있다. 즉 시적 주체의 진실성이라는 면에서 주목되는 시라는 것을 확인할 수 있다. 인용시에서는 그렇지 않지만 김남주의 경우 시적 주체의 목청이 대체로 높다. 그럼에도 불구하고 여타의 추종 시인들의 경우와 달리 거부감을

28. 『저 창살에 햇살이 1』, 창작과비평사, 1992.

유발하지 않는다면 그 이유는 그의 삶이 목청의 진실성을 제대로 감당하고 있기 때문일 것이다. 하지만 이런 식의 논법은 시인의 삶의 중요성을 강조하는 선을 지나면 시인환원론으로 추락할 우려가 있는바, 이 지점에서 비중 있게 다룰 문제는 '시적 주체가 과연 어떻게 형상화되느냐'이다.

인용시의 시적 주체는 가을 들판을 달리는 압송차에 실려 있다. 오라와 사슬에 묶인 푸른옷의 수인과 곡식이 무르익은 가을 들판의 대비는 얼마나 선명한 동시대의 그림인가. 바로 이 그림이 「이 가을에 나는」의 시적 상황인 셈인데 이 점을 뒤집어보면 어떤 구체적 상황을 부여함으로써 시적 주체가 형상화된다고 할 수 있다. 또한 가을 들판을 바라보는 시적 주체는 고추를 따고 벼를 베는 농삿일이나 염소를 데리고 노는 아이들의 놀이에 참여하기를 열망한다. 그 절실한 열망에는 일과 놀이를 소중하게 생각하는 창작주체의 소신이 담겨 있다. 즉 어떤 상황 속에 놓인 주체는 그에 따른 정서적 사상적 반응을 보이게 마련이고 그러한 반응을 통해 시적 주체가 형상화된다. 종합해서 말하자면 시적 주체의 형상화는 '구체적 상황의 부여'와 '상황에 따른 정서적 사상적 반응'을 통해 가능하다고 일반화할 수 있겠다. 그리고 이러한 일반화는 「이 가을에 나는」의 시적 주체의 형상이 선명한 이유에 대한 설명이기도 하다.

이와 같이 선명하게 형상화된 시적 주체를 매개로 「이 가을에 나는」이 반영하는 현실은 '이 땅의 폭압적 통치체제'라고 요약할 수 있다. 수확하는 농부의 마음을 갖고 놀이하는 아이의 마음을 닮은 시적 주체를 오라와 사슬에 묶어놓은 사실은 고스란히 1980년대 한국 지배권력의 속성을 보여주기 때문이다. 이러한 맥락에서 시적 주체의 차분한 목청은 파쇼체제의 속성을 드러내는 데 더욱 효과적이다. 더구나 그는 어느 감옥으로 이감되는 줄도 모르는 채 압송되고 있는 형편이다. 이처럼 인용시의 시적 주체는 특별한 개인이지만 당대의 보편적 현실을 보여준다는 점에서 상당한 수준의 전형성을 지닌다. 또한 그런 만큼 리얼리즘의 성취 면에서 괄목할 만하다. 그리고 이러한 사실은 시에서 전형만 논하면 '엥겔스의 명제에 사로잡혀 있다'고 보고 배척하는 시각이 얼마나 잘못된 것인가를 보여준다.

이쯤해서 '창작주체와 사회현실 사이의 긴장관계'에 관한 명제로 돌아가보자. 이러한 명제에 동의하는 시인이라면 창작과정에서 '주관성' 혹은 '정서'의 일방통행을 허용하지 않고 현실에 대한 창작적 대응을 포기하지 않을 것이다. 기왕에 인용한 「여승」이나 「이 가을에 나는」의 창작주체가 대면한 사회현실은 어떠한 것인가. 그것은 바로 각각의 시에 창조적으로 반영된, '가족이 붕괴될 정도로 피폐해진 일제강점기의 민족현실'과 '1980년대 한국의 폭압적 통치체제'라고 할 수 있다. 즉 위의 두 시는 당대의 사회현실에 대한 창작적 대응을 효과적으로 수행한 본보기인 셈이다. 이러한 사실을 뒤집어 해석하자면 '창작주체와 세계현실 사이의 긴장관계를 견뎌내는 일은 리얼리즘 시인의 소명'이라고도 할 수 있다.

그런데 소설과는 다른 시의 특성 가운데 하나는 '주체와 현실' 혹은 '자아와 세계' 사이의 관계가 상당히 직접적으로 작품 속에 반영된다는 것이다. 우선 시인은 소설가와는 달리 시적 주체로 시 속에 형상화되는데 「이 가을에 나는」의 경우처럼 전면에 부각되기도 하고 「여승」의 경우처럼 뒤로 물러서기도 한다. 이렇게 진퇴의 정도를 조절하면서 세계현실과의 상관관계를 형성한다. 또한 신경림의 「농무」와 같은 시에서는 시적 주체가 나름대로의 배역을 소화해냄으로써 현실과의 상관관계를 형성한다. 그리고 그러한 상관관계에서 형성되는 긴장은 시구에 배어 있는 호흡이나 기운으로 뿜어나오게 마련이다. 여기에서 시적 주체에 어떠한 역할을 부여하여 어느 정도로 내세우느냐와 호흡이나 기운을 어떻게 조절하느냐는 시로서의 성패에 직결된다. 부언하자면 호흡이 급박하거나 기운이 세차다고 바람직한 것은 아닐 것이니 현실에 대한 은근하면서도 끈질긴 대응도 있기 때문이다.

이러한 논의에 덧붙여 근래의 민족문학 진영 일각에서 두드러지는 두가지 편향을 지적할 필요가 있겠다. 현실과의 긴장관계를 거세한 관조적 경향과 주관적 이념에 골몰하는 관념적 경향이 그것이다. 현실로부터

발을 빼고 순간적인 깨달음이나 감정의 고양을 추구하는 시를 정통 서정시로 간주하거나 살아 있는 현실을 제대로 보지 못하고 경색된 이념에 빠진 시를 투철하다고 추켜세우는 것은 민족민중시의 진로 모색에 결코 도움을 주지 못할 것이다. 하지만 바람직한 시에 대한 의미 부여에도 역량이 모자라기 때문에 이러한 현상에 대해 세세하게 논의할 생각은 없다. 다만 두 가지 편향을 스스로 경계하며 동료 시인들에게 '창작주체와 사회현실 사이의 긴장관계를 제대로 감당하자'고 제안하고 싶다.

5

이제 마무리를 앞두고 리얼리즘을 논의하기에 가장 난처한, 짧은 서정시 혹은 노래풍의 시의 리얼리즘적 성격을 논하는 것이 좋겠다. 하지만 짧은 서정시에 관한 리얼리즘 논의도 리얼리즘시에 관한 일반론과 동떨어질 수 없을 것이니, 앞에서 개진한 생각들을 종합해서 간략하게 이 문제에 대한 견해를 정리해두려고 한다. 그리고 이러한 작업은 앞의 논의의 유효성을 검증하는 기회가 될 수도 있을 것인데 리얼리즘의 유효성을 가장 의심하게 만드는 것이 짧은 서정시이기 때문이다. 또한 기왕에 인용해서 논의한 이용악의 「북쪽」은 이러한 문제를 풀어나가는 데 적절한 예가 될 수 있을 것이다.

짧은 서정시가 리얼리즘을 성취하기 위해서는, 첫째 정서가 시구 속에 자연스럽게 녹아 있으면서 동시에 자의성을 탈피한 근거 있는 서정일 것이 요구된다. 정서의 작위성 혹은 자의성은 시에서 리얼리즘의 성취를 근본적으로 훼손할 것이기 때문이다. 짧은 서정시라도 정서의 근거가 되는 상황이 지극히 간명하게나마 제시될 필요가 있다. 그래야지 표현된 정서가 실감을 획득할 수 있을 것이기 때문이다. 달리 말하자면 리얼리즘시이기에 실감의 획득이 중요한 것이 아니라 시에서 리얼리즘을 논하는 의의가 실감의 획득과 결부되는 것이다. 「북쪽」에서 '여인이 팔려간 나라'에 주목한 것은 이 때문이다. 이 시구를 근거로 시적 주체의 비장한 정조가 자의성을 탈피하고 독자의 심금을 울릴 수 있다고 생각된다. 그리고 그러한 정조가 표 나지 않게 시구 속에 녹아들어 있음은 물론이다.

둘째, 다른 시에서도 그렇지만 짧은 서정시에서는 더욱 직접적으로 시적 주체의 진실성 혹은 시적 주체와 밀착되어 구현된 정서의 진실성이 요구된다. 즉 시인의 삶에서 자연스럽게 우러난 시적 주체이면서 동시에 시적 주체의 정서와 세상에 대한 자세가 진정해야 할 것이다. 배역시가 아닌 「북쪽」과 같은 시는 남도 출신이라면 재주가 아무리 뛰어나더라도 쓰기 어려웠을 것이다. '북쪽은 고향'이라는 첫 구절에서부터 작위가 개입될 것이기 때문이다. 즉 「북쪽」은 이용악의 삶에서 자연스럽게 우러나온 시이고 시적 주체는 시인의 분신이라 할 수 있다. 그런데 이 시의 경우 시적 주체의 정서와 세상에 대한 자세는 과연 어떠한가. 그는 '시름 많은 하늘에 마음은 눈감을 줄 모르다'에서 보듯 당대의 우리 민족의 암담한 현실에 대한 안타까움으로 눈감을 줄 모른다. 그리고 그만큼 세상에 대한 태도가 간절하고 진정하다.

셋째, 시적 응축을 궁극의 자리까지 최대한으로 밀고 나가되 산문적 확장과의 긴장 또한 팽팽해야 한다. 아무리 짧은 서정시라도 산문적 확장의 가능성이나 출구까지 밀폐해서는 리얼리즘을 논의하기 힘들 것이다. 이 문맥에서 산문적 확장이란 세계현실에 대한 관심과 다르지 않기 때문이다. 바꾸어 말하자면 짧은 서정시라도 리얼리즘을 추구하는 이상 세계현실에 대한 창작적 대응의 자세를 견지함으로써 현실과의 긴장관계를 제대로 감당할 필요가 있다. 그리고 그러한 긴장의 여부는 짧은 시 나름의 호흡이나 기운으로 드러나게 마련이다. 「북쪽」은 아마 시적 응축을 궁극의 자리까지 밀고 나간 예일 것이다. 하지만 '마음은 눈감을 줄 모르다'에서 볼 수 있는 것처럼 현실세계에 대한 관심을 끝까지 유지한다. 그리고 암담한 현실과의 긴장의 밀도는 시의 호흡이나 율격으로 은근히 육화되어 있다.

각설하고 이상에서 논의한 사항을 대략 간추리자면 '리얼리즘시 논의의 문제점' '서사지향성 논의의 진의' '서정시와 서사성' '산문적 확장과 시적 응축의 관계' '서정시와 이야기시의 장르론적 문제' '시적 서사의 창의성' '서사지향 서정시의 리얼리즘적 성격' '시적 주체의 의의 및 형상화 방법' '시적 주체의 진실성' '시에서의 반영과 전형의 특수성' '창작주체와 세계현실 사이의 관계' '짧은 서정시의 리얼리즘적 성격' 등이라고 말할 수 있겠다. 그런데 이러한 논의들은 글의 구성 및 전개에서도 알 수 있듯 긴밀하게 상관관계를 형성하고 있으니, 앞으로의 비판자들이 유념했으면 하는 것은 '따로 떼어놓으면 곧장 속류화의 샛길로 빠지기 십상'이라는 점이다. 그리고 이 글 자체가 필자의 종래의 시론과 상보적 관계에 있다는 점도 함께 감안해주기를 기대한다.

위와 같은 필자의 시론에 대해 리얼리즘의 성취 여부보다 '참다운 시의 경지에 도달했는가가 우선'이라든가 '시에 대한 온전한 이해가 선행되어야 한다'는 식의 낯익은 비판이 나올 수 있겠다. 지당한 충고인 듯하지만 의문으로 남는 것은 '참다운 시의 경지'와 '시에 대한 온전한 이해'가 미리 주어져 있다면 리얼리즘 논의 자체가 불필요한 것이 아닌가 하는 점이다. 달리 말하자면 참다운 시의 경지에 진입하기 위해 리얼리즘의 성취를 추구하는 것이고 시에 대한 온전한 이해에 도달하기 위해 리얼리즘 시론이 요구되는 것이 아닌가 한다. 그리고 이러한 생각은 우리의 근대시 혹은 현대시의 사적 맥락에 놓으면 더욱 분명해지는데 리얼리즘 논의를 통해 예전에는 묻혀 있던 좋은 시나 시인에 대한 새로운 의미 부여가 가능해졌다는 점을 지적해두고 싶다. 또한 이러한 리얼리즘시 논의가 민족민중시의 미학적 기초를 다지는 일이라는 사실도 새삼 강조해두고 싶다.

이제까지 '리얼리즘시 재론'이라는 제목 아래 과거의 부실하고도 미진한 논의를 보완하느라 나름대로 애써보았다. 그러나 그 신통치 않은 결과에 대해 앞으로 더욱 호된 비판이 들어올 듯하다. 특히 운율이나 이미지

등 리얼리즘시의 예술성 획득과 관련된 논의를 제대로 하지 못한 것이
안타깝다. 또한 오늘날의 민족민중시가 나아갈 길에 대한 모색의 측면에서
도 성과가 별로 없다는 점이 마음에 걸린다. 그리고 바야흐로 이 대목에서
변명처럼 시론이 갖는 원천적 한계를 생각하게 된다. 리얼리즘 시론이란
어디까지나 개념적 사고의 논리적 개진일 터이고 개념적 사고가 유기적
형상을 죄다 설명할 수는 없다는 생각이 그것이다. 또한 민족민중시의
진로는 시인들이 시로 개척하거나 돌파해 나가는 것이 우선이라는 생각도
든다. 이쯤 되면 아무래도 시론을 마무리할 수밖에 없겠는데 논의가 미진하
다는 느낌을 버릴 수 없다.

(『실천문학』, 1993, 봄)

찾아보기(시)

ⓒ 최두석, 2018

시와 리얼리즘

초판 1쇄 발행 | 2018년 3월 8일

지은이 최두석
펴낸이 조기조
펴낸곳 도서출판 b | 등록 2006년 7월 3일 제2006-000054호
주소 08772 서울특별시 관악구 난곡로 288 남진빌딩 302호 | 전화 02-6293-7070(대)
팩시밀리 02-6293-8080 | 홈페이지 b-book.co.kr | 이메일 bbooks@naver.com

ISBN 979-11-87036-36-4   03810
값 | 25,000원